DU MÊME AUTEUR

Romans

WALTENBERG, Éditions Gallimard, 2005 («Folio» n° 4511).

SAVOIR-VIVRE, Éditions Gallimard, 2010 («Folio» n° 5209).

Journal

LES PIERRES QUI MONTENT. NOTES ET CROQUIS DE L'ANNÉE 2008, Éditions Gallimard, 2010.

Poèmes

LA FIN DES VENDANGES, Éditions Gallimard, 1989.

PASSAGE AU LUXEMBOURG, Éditions Gallimard, 2000.

Essai

L'ÉMOTION IMPOSSIBLE, Le Temps qu'il fait, 1994.

Traduction

G.E. Lessing, MINNA VON BARNHELM, José Corti, 1997.

LES PRÉPONDÉRANTS

HÉDI KADDOUR

LES
PRÉPONDÉRANTS

roman

GALLIMARD

PREMIÈRE PARTIE

LE CHOC

Nahbès, Afrique du Nord,
début des années 1920

1

UN ARBRE DANS LE VENT

Elle lisait plus de livres en arabe qu'en français. Ça avait rassuré son père, mais il avait fini par se rendre compte que certains livres arabes étaient aussi dangereux que les livres français. Elle s'appelait Rania, vingt-trois ans, sculpturale, des yeux en amande, c'était la fille de Si Mabrouk, Mabrouk Belmejdoub, un grand bourgeois de la capitale, ancien ministre du Souverain. Elle était veuve, son mari était mort quand elle avait dix-neuf ans, il était beau, ils s'adoraient, il avait lui aussi le goût des livres et, comme il y ajoutait celui du combat, il avait disparu dans un fracas d'obus en Champagne.

Elle était retournée vivre dans la maison de son père à qui il arrivait de dire : « Nous avons chacun perdu notre moitié. » Au bout d'un an, il avait commencé à lui chercher un nouveau parti. Elle ne refusait pas les prétendants : « Si tu veux que j'épouse cet imbécile, j'obéirai », et c'était le père qui se retrouvait au bord des larmes parce que sa fille ajoutait : « Ce sera comme… une tombe avant la mort. » L'imbécile était éconduit.

Quand un autre homme se présentait, elle le qualifiait sans trop attendre, c'était un violent, un édenté, ou un malpropre, ou un profiteur. Elle ne se perdait pas en détails. Elle rassurait pourtant son père, elle finirait par trouver un bon parti. Il s'inquiétait parce qu'elle avait comme un handicap, elle était plus grande que la moyenne des hommes, elle soutenait leur regard, avec l'allure de celles qui, dès l'enfance, ont fait tenir un panier sur leur tête. Le panier, personne ne l'y avait obligée, elle avait voulu faire comme les domestiques.

Pour la pousser à être moins difficile, sa vieille servante avait un jour lâché un dicton : « La pomme restée par terre, les vers s'y mettent. » Elle avait répondu qu'elle n'était pas un fruit. Quant aux livres, elle en discutait avec son père comme elle l'avait fait avec son mari, et elle ne tenait pas à devenir la femme de quelqu'un qui lui demanderait d'y renoncer.

Le frère aîné de Rania, Taïeb, la poussait aussi à se remarier. Il était uni à une femme dont la famille était encore plus puissante que la leur, et qui l'obligeait à filer doux. « Il a raté son mariage, disait Rania, il faudrait que le mien soit pire. » Son père la protégeait, mais il n'oubliait pas qu'un jour Taïeb hériterait de l'autorité.

Au milieu de l'hiver 1920, l'oncle Abdesslam, un propriétaire des environs de Nahbès, une ville du Sud, avait demandé à Rania de venir diriger sa maison : sa femme était malade, alitée. Rania avait accepté, et Si Mabrouk avait donné son accord, soulagé de la voir un temps s'éloigner des lieux du chagrin, des pressions de Taïeb, et de certaines amies dont les maris étaient de plus en plus hostiles au protectorat que la France avait installé sur le pays.

Rania aimait la ferme, elle y était souvent venue prendre le bon air dès qu'elle avait su marcher, elle avait planté des arbustes, mené des chèvres, creusé des rigoles, fauché de l'orge à la serpette. Elle avait longtemps élu domicile dans un gros figuier à cabane et balançoire, jusqu'au jour où sa tante avait décidé que ce n'était plus convenable. Elle avait remplacé le séjour dans l'arbre par des escapades à travers champs et connaissait le moindre recoin des neuf cents hectares de la propriété. On avait fini par lui interdire de la parcourir sans être vêtue de façon décente et pieuse, et accompagnée de deux servantes.

Elle n'était plus retournée à la ferme depuis son mariage. Son oncle était venu la chercher à la gare de Nahbès. Elle avait fait le tour de la voiture : «C'est une Renault? — Tu t'intéresses à ces choses? avait demandé l'oncle. — Une veuve peut s'intéresser à des choses licites. — C'est licite pour l'homme, pas pour la femme. — La voiture, c'est peut-être ce qui me fera reprendre un mari.» Elle répondait! L'oncle s'était dit qu'il vaudrait mieux la renvoyer, mais sans vexer son frère. Il attendrait.

Elle avait embrassé sa tante, demandé à son oncle le nom du médecin qui la soignait. «C'est le docteur Pagnon. — C'est un boucher! — Il dit qu'elle va mieux. — Berthommier est toujours là? Fais-le venir.» C'était un ordre. Le docteur Berthommier, la mine sombre, avait prescrit des calmants pour les douleurs. Rania avait continué à donner des ordres. Elle avait pris la domesticité en main. «Tu t'occuperas de tout ce qui concerne la maison, comme ma femme, avait dit Abdesslam, moi je continue à m'occuper des terres, du bétail et de la vente.» Elle avait vite compris que la femme s'occupait également des terres, du bétail, de la vente, et qu'on la craignait bien plus que son mari. Là encore, la jeune veuve était devenue indispensable. Personne ne maniait les chiffres comme elle.

Et pendant qu'elle assurait toute l'intendance, son oncle pouvait continuer à s'occuper de l'essentiel : les séances de lettrés, et aussi de buveurs, qu'il organisait chez lui deux fois par semaine, une assemblée composite, d'hommes eux-mêmes composites, des conservateurs imbus de réformes, des rationalistes qui se mettaient à vénérer des marabouts dès que leur diabète se faisait menaçant. «*Rissalat at-Tawhid*», avait-elle dit un matin en rangeant les livres qui étaient restés au salon au milieu des bouteilles. Devant la tête de son oncle, elle avait ajouté : «C'est bien ce qui est écrit sur la couverture?»

L'oncle n'avait pas été dupe, elle connaissait ce qu'elle tenait en main, la *Lettre sur l'unicité*, de Mohammed 'Abduh, qui passait pour un athée… Il eut un vertige. Il fit ouvrir les malles de sa nièce, il y trouva des romans égyptiens parlant de libération de la femme… la collection Hachette des grands écrivains, Rousseau, Hugo… et même un *Cours de philosophie positive*! Sa nièce voulait en savoir plus que les hommes, ce n'était bon ni pour elle ni pour la famille. Il osa téléphoner à son frère. «C'est trop tard, lui dit Si Mabrouk, tu veux que je l'empêche de lire? que je la batte? que je l'enferme? J'ai voulu avoir une petite fille merveilleuse, elle a grandi… Comment va ta femme?» La conversation avait été longue, elle s'était conclue dans la froideur.

L'oncle avait annoncé à sa femme que Rania faisait ses bagages, elle repartait dans la capitale. La tante n'avait rien dit, une femme ça se soumet. Mais son regard avait suffi à désarçonner son mari : le voile de la mort. On ne peut rien contre ce que la mort fait passer dans les yeux des femmes. On les en a toujours menacées, et depuis elle est là, agitant ses plis derrière le moindre de leurs actes de soumission.

Le plus dur avait été d'obtenir de Rania qu'elle accepte de rester. «Mon père ne sera pas content qu'on me traite comme un sac!» L'oncle avait fini par dire : «Je ne t'oblige pas… c'est pour elle. — Pour qui? — Pour elle et… pour nous tous.» Rania avait accepté, et quitté le salon en raflant au passage les œuvres de Djamal Eddine Al-Afghâni, autre dangereux réformateur, et les *Nécessités* d'Al-Ma'arrî, un poète. «Dis à tes amis que je les rendrai.» Elle ne l'avait jamais fait.

Quatre mois plus tard, il y avait eu un incident plus grave. Il l'avait surprise avec un journal, pas un journal français avec de belles photos et des réclames, mais un journal nationaliste en arabe, qui attaquait la France, exigeait une Constitution pour le pays, et ne faisait aucun éloge ni du Souverain ni de ses ministres. Il avait crié, elle n'avait pas répondu, elle avait enlevé ses lunettes rondes à monture d'écaille, rangé le journal avant qu'il ne le prenne, et s'était excusée avec modestie. L'oncle lui avait posé des questions, sur le journal, sur le monde, elle répondait, mains sur les genoux, des formules à voix hésitante, des mots hachés, des idées dispersées, tout à fait ce qu'il s'attendait à trouver dans une tête de femme, mais quand on remettait ça dans le bon ordre, ça devenait des phrases vives, des idées dangereuses. Elle connaissait beaucoup de choses et elle savait masquer. Elle se taisait au bout de quelques mots, et il était obligé de poser question sur question, il réfutait ce qu'elle disait, et elle disait qu'il avait raison, elle n'avait pas vu les choses ainsi, la France était la plus forte, non, elle ne savait pas exactement ce que voulait dire le mot *nation*, Abdesslam était sûr qu'elle mentait, elle avançait une autre idée, le droit des peuples… Et la voix d'Abdesslam se faisait de plus en plus tranchante tandis qu'il se rendait compte que les raisons qu'elle lui donnait ressemblaient beaucoup aux remords qu'il pouvait avoir.

Sur la religion elle restait mesurée, mais il sentait qu'elle était au courant de tout, de la visite qu'il avait faite au mausolée de Sidi Brahim, le plus fameux des marabouts de la région. Il avait voulu être discret, faire un sacrifice nocturne, un peu honteux. Seulement voilà, il avait apporté le seul coq rouge de la région qui pouvait se mettre à chanter en pleine nuit, un chant irrépressible, à mettre tout le monde derrière les fenêtres, jusqu'au moment où le couteau avait rétabli le silence. Elle savait tout ce qu'il faisait, et qu'il faisait tout pour sauver sa femme, un sacrifice de coq et des offrandes sous un arbre où pendaient de minables morceaux d'étoffe. Elle ne disait les choses que de biais : «Certains savants pensent que…» Mais son oncle savait que c'était le fond de sa pensée, que le culte des saints, surtout pour une lectrice de la *Lettre sur l'unicité*, c'était du fétichisme, méprisable. Et elle ne faisait aucune allusion aux bouteilles du salon.

À la fin de la première année, la tante était morte, puis, quelques semaines après, l'oncle lui-même, qui ne mangeait plus. Il s'était éteint en disant à Rania : «Sois prudente…» La propriété revenait à Si Mabrouk. Il avait décidé de la vendre et de faire revenir sa fille chez lui. Elle avait demandé à rester, le domaine rapportait bien, elle aimait cette vie, avec du vide autour d'elle, et des ordres à donner. Si Mabrouk avait refusé, elle avait temporisé, il était venu de la capitale en compagnie de Taïeb, elle avait eu des tremblements dans la voix en parlant de ce qu'elle allait quitter, le père et le fils avaient crié, de plus en plus fort. Et elle avait gagné.

Elle avait continué à vivre sur les terres. Si Mabrouk avait fait enlever la Renault quand il avait appris qu'elle la conduisait. «Mais c'est juste autour de la maison. — Si tu continues, plus personne n'aura de respect !» Elle avait fait venir de la capitale un cabriolet à cheval pour ses déplacements en ville et une charrette anglaise pour la campagne, une belle charrette à quatre roues, légère et solide, à l'aise sur le mâchefer, les pierres, les racines, la boue, partout, bien suspendue, attelée à un grand cheval gris pommelé. Elle avait choisi un vieux serviteur pour la conduire, on l'appelait Ali le Vautour à cause de son cou et de son nez. Il faisait semblant de conduire, en fait c'est elle qui s'en chargeait, assise à côté de lui, avec de légers mouvements de tête auxquels obéissaient aussitôt les gestes du serviteur. Elle parcourait le domaine et, quand elle arrivait sur un lieu de travail, elle restait dans la charrette, à l'écart, à un endroit d'où l'on avait la bonne vue d'ensemble. Il lui arrivait de se laisser distraire par un vol d'étourneaux ou l'affût aérien d'une crécerelle pendant qu'Ali le Vautour allait donner des consignes auxquelles

les paysans acquiesçaient en tournant le visage vers la charrette. Elle pouvait aussi rejoindre le groupe, prenait une motte de terre, l'effritait, ou alors un épi qu'elle éparpillait dans sa paume, et tout le monde attendait sa décision. Ses mains aux ongles souvent cassés étaient grandes et fines.

Elle passait à la première heure, pour la mise en place. On la revoyait à la pause, sous le ciel sans fissure de la mi-journée. Elle n'apportait pas du pain et de l'huile comme les autres patrons, mais du tagine de mouton, des tomates, des fruits. Et les gens qui la bénissaient ne recommençaient jamais car elle disait que les patrons qui se faisaient bénir n'étaient que des païens, et leurs bénisseurs des hypocrites. Personne n'osait aller à l'encontre de ce qu'on sentait qu'elle voulait, le travail bien fait, à temps, sans querelles ni paresse. La charrette était rouge, on la voyait de loin.

Elle revenait à la fin de l'après-midi, pour le bilan. Cette femme a un œil de maître, disaient les paysans, l'œil qui engraisse le bétail. En rentrant à la ferme, elle aimait descendre et marcher seule devant la charrette, entendre la terre grésiller, laisser l'air jouer sur son visage, marcher avec la sensation d'être en avant d'elle-même, se disant : *il faut faire dépierrer ce champ, on ne fait pas attention, on laisse faire la terre et elle remonte ses pierres, insensiblement, et parce que c'est insensible personne ne s'y met, leur dire de ne pas tarder…*

Les derniers rayons de soleil envoyaient une lumière douce sur les grosses raquettes vertes des cactus qui bordaient un champ ; dans le ciel où le bleu commençait à s'assombrir il y avait un unique petit nuage… *ma pensée peut aller jusqu'à ce nuage…* « ici, lui avait écrit son mari pendant la guerre, nous avons des nuages gris pour la pluie et des nuages jaunes pour la mort »… Rania longeait un autre champ, respirait l'air qui venait de la mer en coups de vent… *le vent est le compagnon des veuves…* ses yeux s'attardaient sur le colza, son oncle avait voulu le colza,

pour faire plaisir aux Français, c'était idiot, du colza en pays
de palmiers et d'oliviers, pas idiot pour eux, la colonie doit
produire pour la métropole disaient-ils, idiot quand même, elle
gardait pourtant le colza, pour le bétail, parce qu'elle aimait
la grande claque jaune de la floraison, et parce qu'un Français
qui venait chez son oncle lui avait un jour dit en lui montrant
un champ qui fleurissait : « Ça commence ici et, semaine après
semaine, le jaune va surgir en Italie, puis en France, en Allemagne, en Pologne, en Russie, jusqu'à l'Oural, le grand voyage
du colza »... elle dépassait le champ, portait son regard au loin,
vers une coupole blanche de marabout qui marquait la limite
nord du domaine, elle longeait aussi des herbes folles... *ahdâth
al-yaoum mithla l'hachâ'ich*... les événements du jour sont
comme des herbes folles... *ma vie n'a plus d'herbes folles...
je vis dans deux prisons, la deuxième ce sont les parois de mon
cœur, se faire des herbes folles au fond du cœur... je lui ai écrit
une lettre et tout est dans sa main, avec mes larmes... je n'ai pas
envoyé cette lettre... je l'ai brûlée, j'étais comme cette feuille
devant la flamme, se rétractant... il faut cacher... l'amour qui se
montre est en péril.*

Elle se réprimandait, s'empêchait de rêver, continuait à marcher, entre rêves et pensées. Quand un peu de pluie tombait,
elle s'arrêtait, guettant au-dessus des bords rougeâtres de l'oued
l'arrivée d'un arc-en-ciel, les paysans appelaient ça *'ars addîb*,
les noces du chacal.

Elle avait fini par avoir la maladie des paysans riches, la faim
de terre, et elle se reprochait d'avoir laissé échapper une parcelle
de quatre-vingts hectares au nord du domaine. Un colon s'en
était emparé, le plus gros propriétaire de la région, Ganthier, il
l'avait achetée à un autre colon parti vieillir sur la Côte d'Azur.
Elle avait demandé à son père de faire une offre mais Ganthier
l'avait emporté. Le colon avait confié à Ganthier : « Mabrouk

Belmejdoub, l'ancien ministre, me proposait plus, mais *on* m'a conseillé de vous la vendre, il paraît que les Français doivent se serrer les coudes, même en affaires ! »

Le plan de Ganthier était simple, il allait offrir cette parcelle en échange d'une autre qui se situait entre ses terres et celles de Mabrouk Belmejdoub. Cela reviendrait à unifier les terres de Ganthier et à faire glisser vers le nord le domaine de son voisin et de sa fille. La parcelle qu'offrait Ganthier était plus grande, et Si Mabrouk n'était pas hostile à ce remembrement. Rania s'y était opposée. À la longue, Ganthier obtiendrait l'échange, bien sûr. Mais en attendant, ses ouvriers, ses machines, son bétail devraient traverser les terres de la veuve, sur un chemin qui passait à trois cents mètres de sa véranda... Non, elle ne percevrait pas de redevance, c'eût été indigne, mais Ganthier devrait demander le passage, même pour lui, si sûr de sa personne et de sa façon de monter à cheval. À ceux qui s'étonnaient de le voir patienter, le colon répondait qu'on ne pouvait pas agir avec un ancien ministre comme avec une tribu pauvre, surtout quand l'ancien ministre était ce qu'on appelait « un grand ami de la France ».

Rania n'épargnait d'ailleurs pas certains coups de sang au grand ami de la France, comme le jour où il avait appris qu'on avait reconnu le cabriolet de sa fille à quelques pas du palais de justice de Nahbès, pendant le procès des émeutiers d'Asmira, en février 22, des paysans qui s'étaient opposés à coups de caillasse et de tromblon à la vente d'une terre collective. Il y avait un gros chariot devant le cabriolet, avec de la nourriture qui avait été distribuée aux familles des accusés. Les autorités n'étaient pas intervenues : nourrir les nécessiteux c'est un devoir sacré, même quand il s'agit de parents d'émeutiers. Et puis des journalistes assistaient au procès, dont une femme venue de Paris, où elle avait l'oreille des puissants ; il fallait montrer que le bras de la

France était fort mais pas inhumain, et cette fille Belmejdoub, c'était quand même la veuve d'un mort au champ d'honneur. Un rapport signalait qu'il arrivait à la journaliste, oui, Conti, Gabrielle Conti, de repartir dans le cabriolet. À tout hasard on avait fait une fiche, assez bien renseignée. «Cette fille Belmejdoub, elle lit trop, c'est seulement une Bovary», avait dit le commissaire principal, heureux de montrer sa culture à Ganthier. «Une Bovary qui lit Rousseau et Cheikh 'Abduh, avait répondu Ganthier en rendant la fiche de police, pas des romans pour femme de chambre, je la connais depuis qu'elle est gamine, elle devient dangereuse.»

Rania lisait aussi des journaux de Paris, *L'Avenir* et *L'Illustration*. Elle s'arrêtait sur des photos, celles de Latifé Hanem, la jeune épouse du nouveau maître de la Turquie, Kemal Atatürk : elle portait un manteau noir, une calotte d'astrakan, et passait les troupes en revue à Istanbul, au côté de son mari, à cheval, sans aucun voile. Sur d'autres photos Latifé Hanem recevait des ambassadeurs. On parlait aussi de préparatifs de voyage officiel avec son mari, un grand voyage, en Allemagne.

Rania tournait les pages, elle avait une photo préférée, elle la guettait, dans *L'Illustration* cette photo revenait de numéro en numéro, une femme «assise à l'arrière d'une conduite intérieure», disait la réclame. La femme avait une allure de princesse, on voyait ses chevilles et le début de sa gorge… *Chauffeur, en route !* Rania partait dans un rêve de voyage en Allemagne, tout en enfilant sa grande robe traditionnelle censée tout cacher, un caftan gris, qui assombrissait sa silhouette sans dissimuler le mouvement des hanches, pas le mouvement des coquettes, plutôt celui d'un arbre dans le vent. Elle portait un voile sur le visage quand elle était en ville, mais pas à la ferme, ou alors elle se contentait d'un voile à l'égyptienne, celui qu'on pouvait rabattre de la main, sur la bouche et le nez. Elle rêvait aussi de combinaison en satin, Gabrielle Conti allait lui en faire venir une de Paris, rose pâle. Elles avaient de longues conversations, installées sur la véranda de la ferme, la journaliste connaissait la Turquie, tout le Moyen-Orient, Rania lui parlait de son pays, Gabrielle avait promis de ne jamais citer son nom et Rania alimentait discrètement les chroniques de la journaliste. Elle avançait dans sa propre pensée en la livrant à Gabrielle, les hommes, leur refus de la femme… le prendre de haut avec eux… citer le Livre… les savants… leur faire honte… *L'Illustration* était un journal colonial, mais elle aimait y retrouver certaines de ses paroles.

2

LA TRAHISON

À la fin du printemps 1922, à Nahbès, avenue Jules-Ferry, Rania avait assisté à l'arrivée soudaine d'une troupe d'étrangers bruyants qui conduisaient des voitures plus belles que celles des colons français, des décapotables blanches avec d'énormes roues à rayons d'acier et des phares gros comme des têtes de cheval. Ils portaient les pantalons et les casquettes de golf qu'elle voyait dans les journaux, et ils s'interpelaient d'un trottoir à l'autre comme s'ils étaient chez eux. Elle avait mal supporté. Elle était à l'intérieur de son cabriolet et donnait le signal du départ au cocher quand son cousin Raouf s'était approché et lui avait adressé la parole avec respect ; elle n'avait pas eu besoin de le questionner, il était fier à dix-huit ans d'en savoir plus qu'elle, oui, c'étaient des Américains, ils venaient tourner un film, *Le Guerrier des sables*. Elle était fascinée, et hostile, regardait en silence, se disait *ce sont les gens des temps qui viennent... mais ils ne viennent pas comme viennent des voyageurs à qui l'on peut dire «sois le bienvenu»... mais pas non plus comme sont venus les Français,* mitl ennâr 'ala lkabid, *comme des flammes sur le foie... pourquoi est-ce que je les regarde ? parce que les temps qui viennent n'ont rien d'autre à m'offrir ? comment s'appelle cette voiture ? je la regarde, j'accepte qu'elle soit là... et ces femmes comment ont-elles fait ? est-ce que j'ai envie de devenir ce que je regarde, d'avoir les jambes nues et de taper dans le dos d'un homme en riant ? en pleine rue ? en pleine rue peut-être pas.*

Dans l'avenue, les passants, les autochtones comme les Européens, regardaient en faisant semblant de ne rien voir, moins troublés par les porteurs de casquettes de golf que par les jeunes femmes qui les accompagnaient, et dont certaines tenaient le volant ; on se demandait qui pouvait avoir autorisé ça, la guerre n'avait pas fini de détruire le monde, leurs robes laissaient voir beaucoup plus de chair que le diable n'en eût demandé et voilà qu'elles s'installaient sans hommes à la terrasse des cafés, ce que les Françaises ou les Italiennes les plus délurées de la ville n'auraient jamais osé faire.

Raouf avait fini par donner quelques détails, un film avec un personnage de cheikh joué par une star, les Américains devaient être une cinquantaine, ils faisaient du bruit, mais ça dérangeait surtout les Français, qui n'aimaient pas qu'on regarde des gens plus grands et plus riches qu'eux, et tu sais, il paraît que certains sont contre le colonialisme !

Au bout d'un moment, le jeune homme commença à être gêné de rester debout devant la vitre entrouverte du cabriolet, Rania et lui étaient parents, mais ça n'était pas une raison, il prit l'air affectueux, Rania sentit ce qu'il y avait derrière, monsieur allait prendre congé, elle lui dit soudain qu'elle devait rentrer à la ferme, le salua, le petit rideau de dentelle ocre retomba sur la vitre et le cabriolet quitta l'avenue Jules-Ferry, laissant les étrangers au scandale qu'ils provoquaient, et les citadins à leur émotion toute neuve.

En ville, dans les jours qui suivirent, les commentaires allèrent leur train. Au Cercle des Prépondérants, où se retrouvaient les Français les plus influents, quelqu'un dit même : « Quand elles s'assoient on voit tout ! » et le comité directeur du cercle décida qu'on ne recevrait pas *ces personnes*. La décision fut respectée jusqu'au moment où l'on apprit qu'une des Américaines, une attachée de presse qui fumait en public, avait laissé tomber : «Les gens les plus arriérés de mon pays, les esclavagistes, ont l'esprit plus ouvert.» Une crainte traversa alors le petit monde colonial, celle de passer dans les journaux américains pour *plus arriérés que des esclavagistes*. On ouvrit les portes du cercle à ces jeunes *flappers* comme les appela le commandant de Saint-André qui parlait leur langue. Une phrase permit de ne pas perdre la face, en faisant rire tout le comité : «Du moment qu'elles laissent leurs négresses à l'office avec nos fatmas…» L'une des dames du cercle, la femme de maître Doly, une maigre un peu disloquée, avec des oreilles qui filaient vers la nuque, demanda au commandant ce que signifiait ce mot de «flapaires», étant entendu que si la réponse devait dépasser les bornes de la décence il convenait d'oublier la question. Le commandant la rassura, le mot évoquait le bruit que font les ailes d'un jeune oiseau qui prend son vol. «Alors bienvenue aux oiselles!» conclut Mme Doly, le menton en avant.

Au cercle, les oiselles se comportèrent très bien. Elles étaient venues en groupe, habillées avec plus de tissu que d'habitude. Elles montrèrent qu'elles savaient prendre un thé entre gens de bonne compagnie, soutenir une conversation dans un français sans fautes et rester assises sur le bord de leur chaise pendant que Mme Doly leur expliquait ce que voulait dire le mot «Prépondérants», c'est très simple, nous sommes beaucoup plus civilisés que tous ces indigènes, nous pesons beaucoup plus, donc nous avons le devoir de les diriger, pour très longtemps, car ils sont très lents, et nous nous groupons pour le faire du mieux possible, nous sommes l'association, l'organisation la plus puissante du pays! Les Américaines parlèrent aussi de Balzac et de Ravel au point de mettre leurs interlocutrices dans l'embarras, mais elles surent ensuite s'extasier devant les robes empesées et les chapeaux de paille à cerises en bois rouge cousues sur le bord, qui étaient le dernier cri de la mode coloniale. Toute tension avait disparu, on envisageait même des inscriptions comme membres d'honneur, on le laissa entendre au moment de se séparer en s'embrassant.

Les Américaines avaient trouvé la rencontre *marvelous* et *fantastic*, mais elles ne revinrent pas. Elles ne firent pas du Cercle des Prépondérants leur lieu de prédilection. Leurs thés dansants, leurs soirées surtout, ce fut pour le salon du Grand Hôtel, le plus luxueux et le plus récent des trois hôtels de Nahbès, avenue Jules-Ferry, un salon immense, plaqué de cèdre rouge, et dont les baies vitrées donnaient sur un jardin à bosquets.

Ces soirées américaines furent vite l'attraction de la ville. *Une trahison!* dirent les dames françaises, car, passé un délai de bienséance, beaucoup de messieurs de Nahbès prirent l'habitude de se montrer au Grand Hôtel. Et cette «trahison» fut d'abord le fait de ceux qui auraient dû donner l'exemple de la réserve et du quant-à-soi, les officiers de la place. Les officiers se défendaient, ils ne pouvaient trahir en se rendant à ces soirées car c'était en service commandé qu'ils le faisaient, sur consigne orale du colonel commandant la garnison, pour affirmer la présence de la France, nation protectrice du pays, devant des Américains qui depuis la déclaration de leur président Wilson avaient tendance à dire n'importe quoi sur le droit des peuples à disposer d'eux-mêmes. Et ils auraient d'ailleurs été prêts à emmener leurs épouses, les officiers, si ces dernières n'avaient publiquement dit pis que pendre de ces «réunions faciles», expression dans laquelle l'adjectif jouait un rôle très important car, s'il devait d'abord qualifier ces *réunions*, une fois prononcé il était libre d'aller – dans le silence des sous-entendus – s'appliquer aux jeunes femmes qui en étaient le centre.

Cette crispation des dames de Nahbès n'allait cependant pas sans inconvénients pour elles, car la présence de cette grosse équipe de tournage avait provoqué dans leurs rangs une crise d'inavouable romance, une crise essentiellement due à la présence de Francis Cavarro, la « star » du film comme on disait. Celui-là, toutes les femmes, même celles qui ne supportaient pas les « fla-paires », rêvaient de pouvoir un jour lui parler comme elles le fai-saient dans leurs rêves à voix haute, ceux qu'on fait quand le mari est au travail, les enfants à l'école et les bonnes à la cuisine… être celle qui saurait capter l'attention de Cavarro… être distinguée entre toutes au milieu d'une assemblée… Cavarro c'était l'autre Valentino, avec un bien meilleur jeu, obtenir le sourire de Francis Cavarro en lui tendant une tasse de thé, lui effleurer les doigts sous la tasse… il était grand, le cheveu noir corbeau doucement gominé, le nez grec, les yeux bleus, les mains longues, la cam-brure énergique, on l'avait admiré dans *Le Rescapé de Zenda* et voilà qu'on aurait pu oublier les années mortes et lui parler, le prendre à part, être prise dans ses bras ou simplement l'écouter, car un soir il accepterait de se mettre au piano et de chanter en regardant, à travers un bouquet de roses, celle qui serait son élue et qu'il emmènerait en promenade dans la voiture mythique qu'il avait fait transporter avec lui jusqu'à Nahbès, sa Silver Ghost, une Rolls Royce qu'il conduisait lui-même.

Chaque jour vers six heures du soir, peu après la fin des séances de tournage qui avaient lieu en dehors de la ville, on voyait la Silver Ghost se glisser lentement, capote relevée, le long de l'avenue Jules-Ferry. Elle était accompagnée d'une bande de gamins criards, qui se disputaient devant l'hôtel le droit d'ouvrir les portières d'une Rolls, une voiture sans égale, au point que le contrôleur civil Claude Marfaing, détenteur du pou-voir colonial pour toute la région, quand il savait la Silver Ghost dans les parages, évitait de faire circuler son propre véhicule, une Panhard et Levassor pourtant, mais peu de femmes rêvaient vraiment d'assister à un coucher de soleil assises à l'avant de la Panhard et Levassor du contrôleur civil, alors que le nez grec, le cheveu noir corbeau, les mains longues, la Rolls de Francis Cavarro étaient tous les jours convoqués par des centaines d'âmes féminines en mal d'héroïsme sentimental, mais dont les rêves romantiques restaient des rêves, et les plus malheureux, ceux qui sont à portée de la main et qui vous font d'autant mieux sentir votre inaptitude.

C'était une situation stupide, et plus d'une femme respectable parmi celles qui avaient condamné ces *réunions faciles* avait ensuite cherché à s'y introduire. Aucune n'avait trouvé de solution, car dans ce qui se passait au Grand Hôtel il y avait quelque chose de pire que la liberté d'allure de jeunes filles qui finiraient bien par se marier et faire des enfants comme tout le monde ; quelque chose était survenu qui interdisait à toute Française, soucieuse de la dignité et de l'exemplarité de la race, de passer avenue Jules-Ferry à l'heure de ces réunions, dans l'un des endroits névralgiques de la ville, une ville double, posée sur un plateau en bord de mer et coupée en deux par un lit d'oued très raviné, perpendiculaire au rivage, ville n'ayant pendant des siècles occupé que la partie droite de l'oued, la rive gauche ayant ensuite été choisie exclusivement par les colonisateurs français, deux villes bien distinctes, les remparts, la mosquée et les souks d'un côté, la poste, la gare, l'hôpital, l'avenue Jules-Ferry de l'autre, une *ville indigène* et une *ville européenne* isolables l'une de l'autre en un instant, en cas de troubles, par une compagnie de tirailleurs sénégalais qu'on installait dans le ravin sur l'unique pont reliant les deux parties, ville double et fière de ce qu'on appelait son harmonieuse dualité.

Et c'était bien ce qui interdisait aux dames françaises de pénétrer dans les salons du Grand Hôtel, car les Américains avaient pris l'habitude d'y inviter des «indigènes», c'est le mot qu'utilisaient les coloniaux pour parler des autochtones en dehors des discours officiels, ils pouvaient aussi dire «les Arabes», mais ça avait l'inconvénient de ne pas inclure dans leur mépris les Juifs natifs du pays, bref les Américains traitaient les indigènes comme des égaux en pleine ville européenne, les plus cultivés bien sûr, ceux qui avaient fait ou étaient en train de faire leurs études en français, de jeunes bourgeois, mais justement ceux qui poussaient à un changement catastrophique de l'état des choses. Et, s'il y avait déjà dans la ville moderne quelques lieux où les deux sociétés, les Européens et les indigènes, se croisaient, certains cafés par exemple, on n'y rencontrait pas de femmes et on se regroupait dans des secteurs donnés de la salle ou de la terrasse séparés par une demi-douzaine de tables dont il était convenu qu'elles n'étaient jamais occupées et que les serveurs évitaient soigneusement de débarrasser de leur poussière.

Le seul monde où un mélange se faisait jusque-là était celui des bolchevistes, des syndicats, des socialistes, des militants de toutes races qui se retrouvaient pour préparer une vie que personne n'aurait jamais, des gens peu nombreux, que les règlements du protectorat permettaient en cas de nécessité de rapatrier – pour les métropolitains – ou d'interner – pour les natifs. Il y avait aussi toutes les manifestations protocolaires suivies du méchoui où tout le monde était invité, mais là encore les choses étaient parfaitement réglées, chacun son rang, chacun sa zone.

Les soirées du Grand Hôtel, c'était différent, un salmigondis, disait-on, d'Arabes, de Juifs, d'Italiens même, qui venaient se mêler aux Français et aux Américains, avec musique, alcool, danse, cliquetis de talons, de bracelets, et les rires surtout, les rires et les cris trop libres de ces femmes d'outre-Atlantique, une kyrielle d'actrices, d'assistantes, de maquilleuses, de secrétaires, d'attachées de presse, de journalistes et de filles de producteurs, toutes jeunes et vives, belles mécaniques à dos droit, front droit, nez droit, jambes vives, qui mettaient la main sur l'épaule d'un homme sans même connaître son nom, sans se soucier de ses origines, et n'importe quel homme pouvait en dansant mettre sa main sur une hanche féminine sans corset, dénudée même, et ruisselante de sueur joyeuse.

Cela ne concernait encore qu'une minorité mais le mal était fait, ces gens-là en étaient à s'imaginer qu'ils préparaient l'avenir ! Au sein des Prépondérants, on faisait d'ailleurs remarquer que, d'une part, les indigènes se gardaient bien d'amener leurs propres épouses à ces réunions et que, d'autre part, les «vrais Arabes», ceux de la tradition, les croyants, vous savez comme ils peuvent croire ici, les vrais Arabes donc, réprouvaient ces assemblées tout autant que les Français les plus responsables, et ils en réclamaient l'interdiction, tout comme l'interdiction du tournage de ce *Guerrier des sables*, une entreprise satanique, la mise en image des êtres humains. Sans aller jusque-là on avait pensé faire pression sur la direction de l'hôtel pour que ces fêtards incontrôlés fussent obligés d'aller s'installer dans un lieu privé au lieu d'être la choquante attraction du centre-ville. Le docteur Pagnon, qui passait avec Jacques Doly, l'avocat, pour le plus influent des Prépondérants de Nahbès, avait alerté les chefs de son organisation dans la capitale, mais il s'était fait répondre qu'on ne pouvait, pour l'instant, pas faire grand-chose : ces gens de Hollywood et de New York avaient été reçus par le Souverain en présence de leur consul et du résident général de France, le Souverain avait même décoré le réalisateur du film, Neil Daintree, de l'ordre des Compagnons du Trône…

Pour le résident général, ce film était devenu une affaire d'État et Nahbès le lieu de tournage d'une œuvre hautement appréciable, les États-Unis venant là pour faire un film de bon Arabe, un film de cheikh, pas un pillard hypocrite ou un rebelle fana-

tisé, non, un noble cavalier chef de tribu, adversaire puis ami
des infidèles et du progrès, et joué par une vedette mondiale.
Il fallait marcher avec son temps, faisait-on finalement savoir
de Paris. À bien y regarder, le scénario du film n'était pas subversif, c'était un hymne à une fraternité bien comprise unissant
Européens, indigènes et Américains dans la célébration heureuse
d'un équilibre qu'on venait d'établir pour tout le siècle à venir.
Il arrivait même à certains coloniaux de défendre cette politique,
ils disaient qu'il fallait savoir donner à manger aux rats pour
sauver les provisions. Les vrais Prépondérants les traitaient de
casse-cou.

3

LA MEILLEURE DES HOSPITALITÉS

Gabrielle Conti rendait parfois visite à Rania tôt le matin, pour profiter à travers champs des restes de fraîcheur de la nuit, c'était sa découverte, «vous savez, disait la journaliste, je suis ce qu'on appelle une fleur de pavé, je peux écrire "les prés chantonnent à ras de terre contre le malheur", mais je suis incapable de mettre un nom sur la moindre plante». Elles marchaient à pas lents et amples, l'air n'était pas encore un fardeau, il y avait de bonnes odeurs de glèbe, Gabrielle disant : «Les hommes nous trouveraient une démarche peu féminine, pas assez entravée.» Elle s'arrêtait souvent, demandait : «Ça, qu'est-ce que c'est? il y en a partout!» Elle montrait une tige à feuilles vertes ajourées, coiffée d'ombelles blanches. «Une plante de sorcières, disait Rania, de la ciguë.» Elles repartaient. «Et ça, ça se mange!» Rania montrait une haie de cactus dont les grosses raquettes étaient surmontées de baies jaune et rouge, «*karmouss ennsara*, la figue des chrétiens, que vous appelez figue de Barbarie... mais c'est nous qui avons raison, vous l'avez importée... de gros cactus pour faire vos premières clôtures... ça se mange mais ça ne se cueille pas n'importe comment, les épines sont dangereuses, ce sera pour une autre fois». Sur leur gauche un rapace gris-bleu battait des ailes, presque immobile à une vingtaine de mètres au-dessus du sol, «il est à l'affût, disait Rania, je le vois chaque

fois que je me promène, j'aime bien penser que c'est toujours le
même, un compagnon, mais ça n'est pas sûr, et s'il reste à proximité c'est parce que nous faisons bouger les musaraignes ou les
mulots, nous sommes ses rabatteuses ».

Gabrielle attendait leur retour sur la véranda de la ferme pour
raconter les soirées du Grand Hôtel. Elles s'installaient face à
face devant un petit déjeuner qui faisait soupirer la journaliste ;
elle repoussait loin d'elle une assiette pleine de losanges au miel
et aux amandes après en avoir pris un ou deux, et finissait par
tendre le bras pour en prendre un troisième, pour accompagner
une deuxième tasse de café... elle se lançait dans son récit,
incapable au bout d'un moment de tenir le compte des gâteaux
qu'elle mangeait, Rania se gardait de l'interrompre, une fois elle
demanda pourtant si ces soirées ressemblaient au bal de l'Opéra
dont elle avait vu des dessins et des peintures dans les journaux
de Paris. Gabrielle dit en riant que les femmes n'y étaient pas
habillées de la même façon et promit de lui apporter des photos.
Rania s'en voulut d'avoir posé la question, elle en voulut aussi
un peu à Gabrielle, *pourquoi a-t-elle ri ? parce que je ne sais
rien ? parce que c'est devenu un monde où il est ridicule de ne
pas connaître la différence entre le bal de l'Opéra et les soirées
du Grand Hôtel ? je croyais que connaître la différence entre
Stendhal et Zola ça suffisait, mais elle rit, sans penser à mal, et
ça fait encore plus mal, au moment où je ne m'y attendais pas,
je ne devrais pas me sentir anachronique, c'est moi qui me fais
mal, à longueur de journée, sa'atunâ ka dibâ'u... nos heures sont
des hyènes, et c'est ce qu'on lit dans les romans et les journaux,
qui donne envie d'aller dans des soirées où je n'ai pas le droit
d'aller...* Rania essaya aussi de faire parler Raouf, mais celui-ci
répondit sèchement qu'il n'en savait rien et n'avait aucune envie
de le savoir. Le ton était forcé et disait sans doute autre chose que
les mots, mais Rania n'insista pas. Elle se garda de répondre à

son cousin qu'il mentait, et qu'il était bien libre d'aller se faire troubler le sang dans un hôtel par des étrangères.

Elle se trompait, car ce n'était pas au Grand Hôtel que Raouf avait vu basculer la vie qu'il croyait mener jusque-là. Il venait d'avoir son baccalauréat et n'osait pas encore se présenter dans un endroit pareil. Les Américains, c'est à la demande de son père, le caïd Si Ahmed, incarnant le pouvoir du Souverain dans la région de Nahbès, qu'il les avait rencontrés, dès le lendemain de leur arrivée. « J'aimerais, lui avait demandé Si Ahmed, que tu t'occupes des deux personnes les plus importantes, celui qu'on appelle le réalisateur, et sa femme… l'actrice… il leur faut… la meilleure des hospitalités… » Raouf avait compris, ne pas laisser les Français seuls maîtres de l'installation des Américains, il n'avait pas pour autant eu envie de devenir l'instrument de la politique paternelle, une politique étrange, alignée sur celle des Français, « il faut toujours nager près du bateau », répétait le caïd, mais il faisait parfois des écarts imprévisibles et des retours dans le droit chemin tout aussi imprévisibles, et voilà qu'il fallait maintenant être agréable à des étrangers dont son père disait pourtant : « Leurs déclarations sur le droit des peuples… la démocratie… c'est de la folie… du communisme ! » Le père chargeait son fils de faciliter la vie des nouveaux venus, il reste- rait lui-même à l'arrière-plan, comme ça… en cas de problème… non, son père ne ferait pas une chose pareille, pas cette hypocri- sie, pourtant « l'hypocrisie est l'arme des vaincus » était l'un de ses adages favoris. Raouf avait fini par dire qu'il ferait ce qui lui était demandé, le ton de sa voix marquant qu'il n'y mettrait pas trop de zèle ; quand on avait la vie devant soi dans un pays comme le sien il fallait se méfier des Américains aussi bien que des Français, « les uns descendent, les autres montent » répétait l'un de ses amis, Karim, moins fasciné que les autres par tout ce qui venait d'Europe et d'Amérique.

Et ce soir-là, dans les jardins du caïdat, à la soirée de bienvenue que son père et le contrôleur civil Claude Marfaing offraient
à toute l'équipe de tournage, Raouf avait refusé de se laisser
impressionner par cette Kathryn Bishop que tout le monde entourait. Dès qu'elle tournait son regard gris vers un homme, celui-ci
bombait le torse, les plus habiles sans en avoir l'air, d'autres
en se mettant au contraire la main au-dessus du cœur et en se
haussant sur la pointe des pieds, d'autres encore frisaient leur
moustache et dévoraient des yeux le visage de l'actrice, carré,
sans dureté, la large bouche, les oreilles au lobe bien découpé,
certains baissaient même le regard sur ce que la robe laissait
contempler dans son échancrure, et tous se mettaient à parler
plus fort, les autres femmes essayant de se placer au plus près
de l'actrice pour profiter de quelques miettes de galanterie. On
observait Raouf, on attendait de lui un rôle tout prêt, le lycéen
devant la blonde des rêves, l'indigène devant une Occidentale
de haute volée, il avait souri de façon timide et aimable sans
faire l'indifférent, mais, comme il ne cherchait pas à jouer des
coudes, il s'était retrouvé au second rang. Il avait quitté le cercle
pour aller de groupe en groupe saluer les autres Américains, tous
ces gens apportaient un parfum de grand large et le félicitaient
au passage de son anglais scolaire. Raouf pensait avoir atteint le
sommet de son jeu.

Un peu plus tard, Kathryn Bishop escortée de sa cour lui avait
dit en le croisant : « Il paraît que vous allez nous empêcher de
faire des bêtises dans un pays que nous ne connaissons pas ? »
Raouf avait répondu qu'il ne pourrait peut-être pas consacrer tout
son temps à cette tâche plus qu'agréable, il devait préparer son
entrée à l'université, il se ferait pourtant un honneur si l'occasion
s'en présentait dans les semaines à venir (*très bien les semaines*,
se disait Raouf, *pas les jours, tu n'es pas leur larbin, bien joué*),
un honneur donc de montrer à madame Bishop et à son mari

quelques-uns des monuments de la ville. Kathryn avait eu un bon sourire, pour qui se prenait ce gamin dont le costume avait oublié de grandir avec lui ? il avait des yeux noir intense, de belles lèvres, les épaules droites, mais ça n'était pas une raison ! Elle avait dit : «Ce sera parfait», et elle avait tourné les talons. Raouf avait compris, c'était David Chemla, son camarade d'enfance, qui avait raison, ces Américains, dès qu'on ne faisait pas leurs quatre volontés ils vous plantaient là, c'était le capitalisme dans toute sa morgue, Raouf n'était pas un garçon d'hôtel, il avait une vraie vie à mener ! Il remâchait cette idée quand il s'était senti pris par le coude, c'était Ganthier, le colon que son père lui avait fait fréquenter depuis des années, Ganthier lui disant : «Alors on dédaigne ? » Ganthier avait tout vu. «Pas du tout, avait répondu Raouf, mais je n'aurai vraiment pas le temps de m'occuper d'eux et ça n'a pas plu à la dame… mon père va encore dire que je l'ai fait exprès, surtout si vous allez lui raconter.» Ganthier s'était mis à glousser : «Qu'est-ce qui vous prend ? elle est superbe, j'ai rarement vu une femme avec des fesses aussi enjouées, elle sent bon, elle vous regarde, et vous l'envoyez promener ? Vous croyez que ces machins-là ça revient comme une balle au mur ? » Raouf n'avait pas répondu, il s'était contenté de regarder Ganthier, un quadragénaire sec, élégant, le plus gros propriétaire de la région, ancien séminariste et officier de réserve. «Le seul Français que la domination n'ait pas rendu idiot, lui avait un jour dit son père, apprends à lui tenir tête, ça te rendra fort.» Ganthier connaissait bien Raouf, ils avaient commencé à discuter quand Raouf avait douze ans, Ganthier lui avait offert des livres et s'était vite affolé de le voir débarquer chez lui dès le lendemain avec *Vingt Mille Lieues sous les mers* ou *Voyage au centre de la Terre*, plein du désir d'en parler avec lui. «Vous êtes une effrayante mécanique, jeune Raouf, disait Ganthier. — Voui missié ! » répondait Raouf moqueur. Ganthier n'avait pas d'enfants, il était célibataire, et à Nahbès ce jeune Arabe était l'une des rares personnes à se passionner pour les livres et la littérature. C'était leur seul point commun ; sur toutes les autres questions leurs échanges n'étaient qu'une longue série d'affrontements de plus en plus acerbes au fur et à mesure que Raouf grandissait et que Ganthier se figeait en colonial pur et dur.

Raouf et Ganthier avaient fait quelques pas ensemble dans les allées du caïdat, puis Raouf avait de nouveau circulé seul parmi les invités. Certains Français haussaient parfois le ton à son approche «ces gens-là... un vrai droit de vote ? pas avant six bonnes générations», d'autres essayaient de catéchiser les nouveaux venus, «ce qui va vous frapper c'est leur fatalisme... l'histoire, le progrès, ça ne les intéresse pas», il recevait aussi de temps en temps des compliments pincés sur sa réussite au baccalauréat, premier ex aequo pour toute l'Afrique du Nord avec un de ses camarades français du lycée Victor-Hugo, le fils du patron de la Sûreté générale. Il remerciait des gens qui le méprisaient et qu'il avait envie d'insulter. Il avait fini par se mêler aux Américains les plus jeunes de l'équipe de tournage, garçons et filles à peine plus âgés que lui, ils étaient directs, rieurs, et pas si impressionnants, ils aimaient le futur. Raouf s'était senti bien, puis, croisant un regard de son père, il avait abandonné ses nouveaux amis pour se diriger vers le réalisateur, Neil Daintree, en conversation sur la terrasse avec un Français.

Il se demandait comment aborder le réalisateur quand il l'avait entendu dire qu'il était en train de lire *Eugénie Grandet*. Le Français auquel il s'adressait avait pris un air entendu, et Raouf avait eu l'audace de lancer : «Charles est déjà arrivé à Saumur ? — Il vient à peine de débarquer, avait dit Daintree, et c'est magnifique ! — Le grand genre qui vient se crotter en province, avait ajouté Raouf. — Ce salaud de Balzac savait faire un contraste, j'ai envie d'en faire un film.» Daintree et Raouf s'étaient accoudés à la rambarde de la terrasse. « Ici, avait dit Raouf, pour les Français, c'est comme la province... mais avec le sentiment de supériorité.» Ils avaient joué aux amateurs de *Comédie humaine*. Le livre préféré de Daintree restait *Le Lys dans la vallée*. «Moi ce sont les *Illusions perdues*. — Ah, alors votre héros balzacien, c'est Rubempré, le poète! — Non... — Rastignac? — Non... — Bianchon, le toubib? — Non plus... — *My tongue to the cat*, avait parodié Daintree. — De Marsay! — L'homme de pouvoir?» Daintree avait parcouru des yeux la foule d'uniformes, de robes, de complets sombres et de djellabas qui se pressait en contrebas, puis : « Ça vous intéresse tant que ça?»

Ils avaient fait une orgie de références, Raouf s'était mis à parler du *Dernier des Mohicans*, Daintree écartait d'un regard tous ceux qui auraient voulu s'immiscer dans leur conversation et, voyant que son mari s'isolait d'une soirée dont il était l'invité d'honneur, Kathryn était venue vers eux : «Tu kidnappes ce jeune homme, tu l'empêches de préparer son passage à l'université. — Tu te rends compte? Il a lu *Eugénie Grandet*!» Derrière l'actrice, des hommes se maudissaient de n'avoir pas récemment lu Balzac. «Ah, la nouvelle passion de mon mari! Une maladroite, cette fille, quand on veut un homme on le prend...» Puis, dans un éclat de rire : «Demandez à Neil ce qui lui est arrivé il y a quatre ans!» Raouf essayait de ne pas regarder la gorge de l'actrice, il fixait les yeux gris, elle avait ajouté : «Ne me regardez pas comme si j'étais une hystérique, il va falloir vous y habituer, vous connaissez le cri de guerre de nos soirées à Hollywood? *Let's drink and fuck!*» Daintree avait serré les mâchoires, Raouf avait à peu près compris et s'était senti rougir... *boire et baiser*... il avait trouvé la force de répondre qu'avec ce cri de guerre on rendait caducs beaucoup de personnages de roman, en général plus patients, Kathryn avait pris une voix grave : «Oui, le *retardement d'amour*... alors qu'à trente ans on sera fini… l'art des romans français… — Oh, Raouf a aussi lu *The Last of the Mohicans*, avait dit Daintree, il parle anglais ! — Un peu seulement, avait dit Raouf, heureux de changer de sujet. — Demain il dîne avec nous, et il va me donner des cours d'arabe ! — Ça y est, mon mari veut vous séduire, méfiez-vous, nous sommes des loups pour l'homme ! — Il a aussi lu *Croc-Blanc* », avait dit Daintree.

Pendant les semaines qui avaient suivi, Raouf s'était plié à ce que lui avait demandé son père, il passait des heures avec les Daintree et il s'était pris de passion pour le cinéma, comprenant enfin l'enthousiasme de son ancien instituteur Jules Montaubain : « C'est un art, Raouf, il va s'emparer de tous les autres, il va les achever, au sens hégélien du terme ! » Montaubain avait des sympathies pour le communisme, n'arrivait pas à lire *Le Capital* et aimait faire référence à Hegel. Il était, comme Ganthier, très fier de la réussite de Raouf au baccalauréat.

Quand il se trouvait avec Kathryn Bishop, Raouf devait supporter ses provocations, elle avait décidé de le traiter en adolescent, il faisait exprès de la traiter en dame respectable, ça la mettait en colère et Ganthier commentait : « Deux vanités piquées, jeune Raouf, c'est un vrai début ! » Une fois, Kathryn avait dit à Raouf : « Neil vous a mis dans mes pattes pour que je n'aille pas chercher de la compagnie ailleurs ! » Raouf avait disparu pendant deux jours. Comme Neil s'en inquiétait, elle était venue s'excuser : « On ferait mieux d'être amis, n'est-ce pas ? — Certes », avait répondu Raouf, très heureux d'avoir trouvé ce mot. Ils avaient pris l'habitude de se promener ensemble, elle marchait en lui tenant le bras, on les saluait. Il était heureux de ne pas éprouver les bouleversements que Kathryn provoquait chez les hommes de la ville. Il continuait à venir dire quelques mots à Rania quand il apercevait le cabriolet avenue Jules-Ferry, mais pas quand il était en compagnie de Kathryn, même s'il savait que Rania les avait repérés. Rania le voyait faire, elle n'en souffrait pas, elle trouvait pourtant bête d'en arriver là, *ils pourraient venir vers moi tous les deux, il me la présenterait, elle deviendrait mon amie, ce qu'il fait est mesquin, je suis sûre qu'il le sait, il n'est pas bête, alors pourquoi le fait-il ?* Rania ne trouvait pas de réponse satisfaisante, mais il ne lui déplaisait pas de découvrir des mesquineries chez un garçon qu'on disait plein d'avenir.

4

ACTION !

Et puis il y avait eu un après-midi… à quelques kilomètres au sud de Nahbès, au milieu des premières dunes, là où les Américains avaient installé leur capharnaüm de camions, tentes, roulottes, déflecteurs, échafaudages et sièges en toile. Devant une tente bédouine, il y avait un couple, une femme avec des yeux qui n'étaient plus à elle, dans les bras d'un bellâtre qui lui parlait à voix pressante.

Raouf se tenait à une quinzaine de mètres des acteurs, la bonne distance, assez de recul pour voir tout ce qui se passe, les corps entiers, les mouvements de bassin, de poitrine, tout ce qui doit se coller, tout ce qui vous fait mal quand on regarde un couple, et on peut aussi voir les détails, les doigts, les lèvres, il regardait, bras ballants, bouche bée, il n'avait pas l'habitude de ce qu'il éprouvait, les garçons de dix-huit ans ça ne connaît pas la femme, ça se répète une formule lâchée par un copain qui a lu un livre de plus que les autres, « la femme est naturelle c'est-à-dire abominable », et puis on va au bordel, ou on rêve d'une déesse, ou les deux à la fois, mais on se révulse à l'idée de se faire accrocher par de la vraie femme, de la chair avec une volonté à elle qui n'est pas la vôtre. Raouf, il lui manquait l'usage des mots pour échafauder des plans et lancer un *je l'aurai*, histoire d'en finir avec la stupeur, il n'arrivait pas à se détacher, il eut soudain envie

de traiter Kathryn de putain et de cogner la gueule du bellâtre,
elle était pourtant son amie, mais un tas de choses venaient de
commencer à se bagarrer dans sa tête et dans son pantalon, des
violences, des douceurs, des images, des échos de conversations
entre amis, celui qui vous confie dans le tramway qu'il *y est allé*
et qu'il n'a pas trouvé ça *folichon*, de toute façon le bordel c'est
dégueulasse, la robe de Kathryn, fendue sur le côté, laissait voir
toute la jambe, nue, il l'avait une fois entendue dire : «Je ne serai
jamais une très grande star, je n'ai pas la jambe Ziegfeld», Raouf
ne savait pas ce qu'était la jambe Ziegfeld, il n'osait le demander
à personne, mais il trouvait celle de Kathryn magnifique, il la
regardait, regardait le visage, la jambe à nouveau, sans être vu, il
voulait rester froid mais tout cela luttait en lui avec des poèmes
très anciens *hasartu bifawday ra'siha*, je la pris par les tempes…
fatamâyalat 'aleyya, et elle se pencha sur moi… Kathryn à dix
mètres de lui, cheveux courts, la bouche grande et fine, je la pris
par les tempes, une ode d'avant l'Islam *hasartu*… mais c'était ce
bellâtre de Francis Cavarro qui se penchait sur elle, les tempes…
de quoi fermer les yeux un instant, les mains descendent sur
la taille, *hadîma lkash'hi*, la taille fine… la serrer, rouvrir les
yeux, rester froid, *la jambe Ziegfeld*, Kathryn se haussant sur
la pointe des pieds, chevilles fines dans les sandales et Baude-
laire à nouveau, «Et tes pieds s'endormaient dans mes mains
fraternelles», la panique, les alexandrins qui se mélangent avec
des odes vieilles de quatorze siècles, *tamata'tu min lahwin biha
gheira mu'jali*, je pris mon plaisir à me divertir sans hâte avec
elle… Et quelque chose qui résiste à tout, de la vraie femme,
pas de la femme de poème, et dans les bras d'un autre, qu'elle y
reste, je la pris par les tempes, partir, laisser ces deux-là se frotter, et on reste, on est en trop mais on ne sait jamais ce qui peut
arriver… on doit me regarder… elle se pencha sur moi… sans
faire les yeux de poisson mort qu'elle fait à ce crétin gominé qui

la reprend pour la troisième fois dans les bras, et l'autre là-bas qui gueule dans son porte-voix et qui se fout que sa femme soit dans les bras d'un autre, et qui crie «*Action!*» pour qu'elle se frotte... on doit me regarder.

Raouf jetant un œil alentour, s'arrêtant sur une silhouette rondouillarde surmontée d'un panama, Laganier, un haut fonctionnaire du contrôle civil, le flic en chef, Laganier saluant Raouf, toujours poli avec le fils du caïd mais il n'en pensait pas moins, cet indigène c'était l'exemple des bêtises à ne plus faire, leur ouvrir l'école française c'était se fabriquer des ennemis, et voilà qu'en plus celui-là se mettait à regarder les femmes en ouvrant la bouche, s'il avait été en train de regarder une Française de cette façon ça aurait fait une sacrée histoire, mais là c'était une Américaine, ça leur apprendrait aux Américains, copains avec tout le monde, avec un officier à particule comme avec l'épicier Ben Machin, c'était quand même insultant, et en plus ils se laissaient appeler par leur prénom sans *monsieur* devant, et les bicots ils s'y croyaient déjà... ces gens de cinéma, c'était comme à Paris, des intellectuels, et une bonne moitié parlaient français, on les mettait en garde contre les indigènes mais ils s'en foutaient, ils disaient qu'ils s'étaient débarrassés de leurs colonisateurs et que ça leur avait fait du bien, on avait beau leur rappeler, aux Américains, qu'ils n'avaient pas beaucoup de nègres à leur table, ils s'en foutaient aussi, il y en avait même qui s'étaient mis à apprendre l'arabe, pas seulement pour donner des ordres, le français ça aurait suffi, non, ils apprenaient l'arabe pour comprendre, disaient-ils, comme si les Français n'étaient pas capables de leur expliquer! Et tout ça, dans le fond, ça venait de cette histoire de «protectorat», ça faisait longtemps qu'on aurait dû transformer ce pays en colonie pure et simple, il n'y avait rien à protéger, on a le poids militaire, politique, économique, technique, on a une prépondérance à exercer sur des colonisés, c'est tout, abattre les obstacles et aller de l'avant ! Laganier trouvait d'ailleurs scandaleux que Raouf pût avoir accès au tournage, mais c'était le copain du réalisateur, il promenait la femme et il apprenait l'arabe au mari, l'ami du couple !

Plus loin, des tirailleurs auxiliaires, gourdin en main, barraient l'accès aux lieux, ils s'étaient écartés en voyant arriver Raouf, la silhouette mince, le complet gris à l'européenne, tête nue, les soldats voyaient Raouf tous les jours, leur capitaine français leur avait dit qu'il était le *factotum* du patron américain et de sa femme. Le patron américain pour les soldats c'était « le général » parce qu'il donnait tout le temps des ordres et que personne ne lui en donnait ; ils avaient fait semblant de comprendre ce qu'était un *factoutoum*, tout en pensant que Raouf était un personnage trop important pour être au service d'un patron, c'était le fils du caïd, et même si on l'avait déjà vu aller chercher de l'eau pour l'actrice comme n'importe quel serviteur pouvait le faire, les serviteurs ne s'asseyaient jamais pour bavarder ensuite en riant avec les maîtres comme Raouf avec le général et sa femme, celle qui frottait devant tout le monde avec un chrétien déguisé en cheikh, *factoutoum* tu te rends compte ! maintenant avec les Américains pour frotter une chrétienne il faut se déguiser en cheikh, et le fils du caïd il est *factoutoum* !

Un cri soudain, un mot : « Sable ! » Bruit de moteur, odeur d'essence, deux énormes ventilateurs en marche, des hommes qui envoyaient des pelletées de sable dans le souffle des ventilateurs, le sable filait vers le couple, puis un autre cri métallisé par un porte-voix : « Position ! » C'était Daintree qui avait crié, Kathryn avait mis son corps tout près de celui du cheikh, tête levée vers lui, derrière eux il y avait une tente bédouine, des tapis et des coussins sous la tente, d'autres tentes à l'arrière-plan, des palmiers, et des dizaines de Bédouins à cheval. À nouveau un cri, toujours Daintree, devant le petit orifice d'un entonnoir de deux mètres posé à l'horizontale devant lui sur un trépied : « Attention ! Francis au signal, trois secondes et tu embrasses », Daintree faisant pivoter son mégaphone vers la droite : « Et quand ils commencent à s'embrasser, envoyez les chameaux… Caméra !… Action ! » À sa gauche un homme s'était mis à tourner la manivelle d'une caméra et deux autres hommes plus loin, chacun sur un échafaudage et à l'abri d'un grand parasol, avaient fait de même avec leurs caméras, nouveaux cris dans le mégaphone : « Francis ! trois, deux, un, *go* ! » Le couple s'était resserré, les deux bouches l'une contre l'autre. « Stop ! Kathryn, tu serres trop tôt, ça fait femme chaude… laisse-le te serrer d'abord ! et reculez les putains de chameaux ! on reprend… attention… action !… baiser… chameaux… stop ! » Daintree tendait le bras vers les chameaux : « Plus groupés les chameaux ! et qu'ils aillent franchement vers la caméra de Steve ! »

Daintree ne s'énervait pas, un baiser et le passage d'une cinquantaine de chameaux, ça ne se mettait pas en place sur un claquement de doigts. À Hollywood, il aurait eu des chameaux de cirque bien dressés mais trop polis pour faire de vraies bêtes du désert aux mouvements libres, avec l'air de vouloir à tout moment s'échapper vers l'infini des sables, c'était ça qui donnait du dynamisme ! Les chameaux de cirque, eux, ils étaient faits pour attendre les ordres et la bouffe, et leurs chameliers pour attendre la paie, ça se serait vu à l'écran. Le réalisateur avait dit aux producteurs : « Je ne veux pas d'un plateau de cirque, je veux de vraies dunes, de vrais Arabes, de vrais chameaux, du vrai espace, je veux qu'on sente que l'arrière-plan peut à tout moment échapper au contrôle des héros, c'est ce qui fera la tension du *Guerrier des sables*, je veux un vrai monde, dur, qui inquiétera le public, qui va aimer ça. » Et Daintree avait tout obtenu, presque, parce qu'il voulait aller en Arabie, mais les producteurs avaient trouvé que l'Afrique du Nord, c'était plus près, meilleures infrastructures, cher Neil, et autant de sable et d'Arabes, «vous n'allez pas chipoter, en plus ils parlent français comme vous, comme Kathryn, comme Francis». Neil avait accepté le compromis, même si l'Afrique du Nord était un peu trop policée pour son goût, il avait obtenu sa bordure de désert et la possibilité d'y tourner la quasi-totalité de son film en échappant à tout ce qu'on était obligé de vivre à Hollywood au même moment, une horreur ce qui se passait là-bas, une horreur.

On lui avait aussi accordé de tourner pour la première fois avec deux caméras supplémentaires, alors il n'allait pas s'énerver parce que ses vrais chameaux menés par de vrais Arabes faisaient de vraies conneries, d'ailleurs ça n'était pas plus difficile à mener que des acteurs, que ce couple qui n'était pas foutu de dramatiser un baiser. «Kathryn, maintenant tu enchaînes trop, on ne verra rien de décisif à l'image, fais ça en deux temps!» Neil savait ce qui se passait, Kathryn et lui s'étaient disputés pendant la nuit, elle se vengeait, il eut envie de lui dire *essaie une fois d'être amoureuse sans que ça ait l'air d'un mensonge*, il y renonça, reprit : «Il t'embrasse, tu comptes un… deux… en montant sur la pointe des pieds, trois… quatre… tu redescends sur les talons, il sera obligé de te serrer plus fort, qu'il en ait envie ou non, n'est-ce pas Francis? du viril, *dammit!* du sexe!» Le dernier mot avait retenti à cent mètres à la ronde, Raouf se demandait pourquoi Neil osait dire des choses pareilles à l'acteur gominé, c'était dangereux, si Cavarro le prenait au mot… La voix à nouveau : «Les chameaux derrière le fanion… Francis pas le moment de te repeigner! attention, prêts? action! baiser, un, deux! chameaux! un, deux! bien… stop!» Daintree montrait les ventilateurs du poing, pas ceux qui envoyaient le sable, mais les deux autres, ceux qui auraient dû envoyer le vent dans les palmiers, ils n'avaient pas démarré, on avait du sable emporté par le vent avec des palmiers qui ne bougeaient pas; on aurait pu tourner avec du vrai vent, mais il aurait fallu attendre, et puis dans ce pays, avec le vrai vent, on ne pouvait plus rien faire.

On avait repris, ventilateurs à pleine puissance, Kathryn se serrait, Cavarro se penchait, Kathryn se collait, Raouf souffrait, *muhafhafatun bayda'u gheiru mufâdatine*, douce, blanche, le ventre ferme et plat... Les chameaux avançaient en masse à l'arrière-plan, une belle ondulation. «Bien... comme une vague qui arrive d'Orient... pas trop vite les chameaux, criait Daintree dans son mégaphone... une grande vague... toute en puissance... contrôlez! merde! il y en a un qui s'écarte!» L'un des chameaux hésitait, filait soudain vers une tente, tombait dessus, se relevait, recevait des coups de bâton, paniquait, filait vers l'orchestre, «je veux un orchestre, avait dit Daintree, je ne suis pas fou, je sais que c'est muet, mais je veux que tout le monde sur le tournage entende de la musique orientale, ça donne le rythme, le ton, vous ne saluez pas quelqu'un de la même façon si vous entendez de la musique orientale pendant la prise, et Cavarro est beaucoup plus enveloppant quand il entend cette musique, je veux un orchestre dans le champ de la caméra, le prince reçoit une jeune chrétienne, c'est un homme du désert mais il est très civilisé, il a fait préparer un orchestre, violons et tambourins, c'est le signe d'une grande âme! Pour le sexe il y a l'étreinte, et pour l'âme il y a l'orchestre, et partout dans le monde, en voyant ça, le pianiste de la salle de cinéma se mettra à jouer oriental».

Le chameau avait fini sa course au milieu de l'orchestre, l'orchestre s'était débandé, et une petite fille s'était mise à avancer vers la caméra avec un panier d'œufs qu'elle tenait comme un trophée, croyant que c'était maintenant à elle de jouer, se mettant à courir vers le couple, trébuchant, titubant vers Francis Cavarro, Francis avait juste eu le temps d'éviter les œufs qui s'étaient écrasés au sol, un grand professionnel, Francis, il avait sauvé son burnous blanc, pas tout à fait, du jaune d'œuf au bas du burnous… «Coupez! on reprend tout, remontez cette tente en vitesse, les chameaux en place et du sable sur le jaune d'œuf! Keith, empêche cette mégère de taper sur la gosse! c'est pas sa faute, c'est la tienne… attention… tout le monde prêt? renvoyez le sable!»

«Si vous voulez que les spectateurs sentent qu'il y a du sable, il faut que vous en ayez bouffé des kilos pendant qu'on filme», avait dit le réalisateur à son équipe. Mais soudain on n'a plus entendu les ventilateurs. «Plus d'essence pour les ventilateurs? sainte merde! vous vous foutez de moi? trop de prises? qui a dit ça? il y en a un qui veut diriger à ma place? trop d'assistants plutôt! trop de poires à lavement, et qui ne foutent rien!» Daintree était allé jusqu'à la petite fille au panier, il avait voulu lui caresser les cheveux, la gosse avait tremblé en voyant s'approcher la main de Daintree, il avait renoncé. «Bon! on refait le plein et une pause! vingt minutes! Francis, ne t'éloigne pas!» Daintree se tournant ensuite vers Raouf, voix radoucie, amicale : «Raouf, grand homme, tu peux surveiller Kathryn? je ne veux pas qu'elle disparaisse! les assistants et les opérateurs, au camion avec moi!»

Kathryn avait quitté les bras de Cavarro. Il était allé s'asseoir devant une autre femme qui lui mettait de la poudre sur le nez, ça rassurait Raouf que cet homme prît du plaisir à se faire poudrer. Kathryn avait demandé à Raouf d'aller lui chercher de l'eau fraîche, elle aurait pu le demander à sa gouvernante noire, Tess, ou à l'une des femmes qu'on avait mises à sa disposition, mais avec Raouf elle était sûre que l'eau serait pure, il avait l'obsession de la propreté, encore plus qu'un Américain, une fois elle lui avait dit : «C'est bizarre cette obsession de la propreté, un puritain dans ce pays… — Quand on est arabe on doit être sale?» avait demandé Raouf. Kathryn n'aimait pas ces réflexions, elle n'aimait pas que Raouf la prenne pour une femme à préjugés,

Raouf était puritain, et ici c'était rare, Raouf n'avait pas à jouer au monsieur aigre, ce qu'elle voulait c'était quelqu'un de toujours aimable, un attentif, c'est comme ça qu'on appelait certains hommes en France, dans le temps ; Raouf pouvait faire un attentif très présentable, quelqu'un qui vous admire et à qui vous ne tenez pas trop. Kathryn se trouvait dure de penser ça, elle aimait bien Raouf, mais il était insaisissable, il se cherchait à longueur de journée, il disait : « J'appartiens à un pays vaincu, on me dit que je suis l'avenir, mais j'appartiens à un pays vaincu. »

Ils s'étaient installés sous un parasol, Raouf avait apporté mieux que de l'eau, une citronnade, elle lui avait dit qu'il était le parfait attentif. La première fois qu'elle avait prononcé ce mot, elle lui avait demandé s'il savait ce que ça voulait dire ; les yeux de Raouf avaient brillé, il était fier de pouvoir lancer « préciosité, dix-septième siècle », il s'était interrompu, *je vais avoir l'air de réciter une fiche*, il avait aussi eu peur de rougir en parlant de « Carte du Tendre ». Chaque fois que Kathryn lui donnait ce surnom d'*attentif*, ça le rendait à la fois heureux et malheureux, elle faisait semblant de ne pas voir, elle n'allait jamais trop loin, juste de quoi sentir qu'il souffrait un peu.

Elle avait bu la moitié du verre, l'avait reposé en disant « ça, c'est du plaisir… », le mot avait fait rougir Raouf, elle l'avait fait exprès, parce qu'il faisait la tête, elle savait pourquoi, mais se contenta de parler de la façon dont elle venait de jouer, « c'est ce qu'il y a de plus difficile, tu sais, mimer ce qu'on n'éprouve pas, un faux sentiment, mais qui doit provoquer une émotion vraie ». Raouf n'avait rien dit, regard perdu vers les dunes. Elle avait poursuivi : « C'est comme quand tu jouais à la bataille dans le champ d'oliviers avec tes copains, tu jouais au guerrier sans l'être ! » Elle s'énervait devant la moue silencieuse de Raouf : « Moi c'est pareil, je joue, et en plus on me paie ! — Ça fait longtemps que je ne joue plus dans le champ d'oliviers, avait répondu

Raouf, et ce que tu fais c'est peut-être faux mais c'est une vraie bouche d'homme!» Elle avait ri en découvrant ses dents. Elle avait sept ans de plus que Raouf.

Un silence entre eux, ils avaient aperçu le caniche, la silhouette trottinante du caniche qui suivait Daintree toute la journée, jamais à plus de deux mètres, le caniche c'était le surnom de Wayne, vingt-deux ans, un rouquin avec des restes d'enfance dans la voix, il sortait d'une école de cinéma de New York, l'essentiel de son travail sur le tournage c'était de trimbaler le siège en toile de Daintree pour qu'à tout instant Daintree pût en disposer. Wayne aurait pu être assistant, pas sur ce tournage bien sûr, ici c'était le haut de gamme, mais ailleurs, superviser une caméra auprès d'un réalisateur moins connu, il aurait fait ses classes comme tout le monde, mais non, Wayne, avec beaucoup de conscience professionnelle, pliait, dépliait, repliait, trimbalait à longueur de journée un fauteuil en toile sur lequel il y avait le nom de Neil Daintree en grosses lettres, un boulot de larbin, tous les assistants souriaient en voyant Wayne trottiner derrière le réalisateur, vous vous rendez compte un élève de la Film Academy, il en est là! Même la main-d'œuvre locale le méprisait, un Américain faire ce travail? ça ne pouvait être que parce qu'il aimait ça.

Raouf avait suivi Wayne des yeux, puis, tourné vers Kathryn : «Celui-là pour un attentif, c'est un attentif.» Kathryn avait eu une dureté dans la voix : «Tu veux apprendre quelque chose aujourd'hui, Raouf? Quelle est la personne ici qui sait mieux que Wayne, à tout instant, tout ce que fait Neil? cadrages, direction d'acteurs, astuces, remords, coups de génie… Wayne apprend le métier auprès d'un très grand, rien qu'en s'imprégnant… je connais beaucoup de gens qui paieraient pour porter ce fauteuil…» Kathryn soupirant, ajoutant que Wayne n'avait qu'un défaut, il était timide, pas de *girl friend,* mais tant mieux pour lui, s'il voulait de belles femmes il devrait devenir quelqu'un de très fort… pas comme ces fils de notables, qui attendent qu'on leur apporte une vierge docile sur un plateau, en échange d'une belle dot… parce que ici c'est l'homme qui fournit la dot, n'est-ce pas ? à moins qu'une riche veuve… Kathryn avait repris le ton qu'elle avait le jour où elle avait croisé Raouf pour la première fois ; il s'alarma ; en mettant de la distance entre eux, il avait voulu montrer qu'il n'était pas content, et voilà qu'elle creusait l'écart, avec mépris ; il fallait faire la paix.

L'arrivée de Ganthier avait détendu l'atmosphère, il était accompagné de Gabrielle Conti, la journaliste de Paris, veste saharienne et jupe longue, un stylo en sautoir. Dès qu'elle fut à l'ombre du parasol, elle enleva son chapeau de toile kaki pour aérer d'abondants cheveux bruns à reflets rouges. Ganthier était tombé amoureux d'elle dès le premier regard, il avait découvert ce qu'il n'avait jamais rencontré, une femme puissante ; il avait dit à Raouf : « Elle fait peur à Poincaré ! Chacun de ses articles a plus de deux millions de lecteurs ! »

À Paris, le patron de Gabrielle Conti, le propriétaire de *L'Avenir*, était fou d'elle : « Elle écrit comme Maupassant, vous vous rendez compte, une femme qui écrit comme Maupassant ! » Il la payait très cher, acceptait qu'elle publie également des papiers dans *L'Illustration*, et c'était par elle qu'il faisait passer ses instructions et ses menaces aux ministres. « Elle joue un drôle de jeu, avait dit Marfaing, le contrôleur civil, à Ganthier, ce qu'elle ne peut pas publier dans son journal, elle le refile à des amis bolchevistes ou socialistes, en échange ils lui racontent un peu de ce qui se passe en Russie ou dans leurs partis, elle en nourrit ses articles et elle en discute avec des ministres. » Ganthier et elle n'étaient d'accord sur rien, et elle n'hésitait pas à le provoquer : « Un jour l'histoire fera une cabriole, et vous vous retrouverez de l'autre côté de la mer. » Mais elle avait découvert que le colon parlait et lisait parfaitement l'arabe, et elle l'utilisait sans vergogne. Elle ne lui avait pas non plus caché que les hommes l'intéressaient peu. Cela n'avait pas rebuté Ganthier.

La voix de Neil avait rappelé tout le monde sur le tournage.

5

UN QUINTAL ET DEMI

Il y avait une bizarrerie dans les soirées du Grand Hôtel. Depuis que les Américains avaient débarqué, les habitants étaient sur le qui-vive : de vrais fous les Yankees quand ils boivent, à vingt, trente, plus, et à partir de minuit c'est tout pour la fesse ! Au bout d'une semaine c'était tout vu, Neil, Kathryn, Wayne, Francis, Samuel, toute l'équipe, ils se tenaient étrangement bien, ils buvaient, riaient, dansaient, ils se touchaient en dansant mais pas les quatre cents coups auxquels on s'attendait, il y avait même un nommé McGhill qui disait tout le temps : « Nous devons donner une image réparatrice », un bon gros rougeaud, avec des oreilles en chou-fleur, toujours prêt à rire de tout, eh bien, quand il entrait dans le salon du Grand Hôtel, vers minuit moins dix, ça riait toujours autant, mais mine de rien tout le monde commençait à rassembler ses affaires, et toujours en s'amusant. *Donner une image réparatrice...* On ne comprenait pas, ils étaient les plus beaux, les plus riches, les plus célèbres, qu'est-ce qu'ils avaient à réparer ?

À la longue bien sûr, certains s'étaient mis à parler, hors de la présence de McGhill, ils racontaient une drôle d'histoire à des gens qui étaient devenus leurs amis, une marque de confiance envers Ganthier, Raouf, Gabrielle Conti, et même Montaubain, l'instituteur passionné de cinéma. Ganthier connaissait bien les

Américains, il les avait vus vivre et mourir à la guerre, et il avait fait deux voyages aux États-Unis, «ce sont les seuls descendants de Shakespeare, disait-il à Raouf et à Gabrielle, les Anglais ne sont plus shakespeariens depuis Dickens et ses romans, Dickens les a réconciliés avec la décence et l'humain, ils sont encore un peu salauds pour le principe, mais il n'y a qu'en Amérique que vous pourrez encore croiser Richard III, Lady Macbeth ou Falstaff, des gens qui ont la force de se jeter la tête la première dans ce qu'ils font, au prix de leur tête, ils appellent ça la liberté, des Falstaff lanceurs d'acier, toujours prêts à en lancer au-dessus d'un fleuve, sous les trains, dans le ciment des gratte-ciel, sur les mers, et à partir de six heures du soir ils baignent dans l'alcool, frelaté ou pas, c'est l'heure où les femmes prennent le pouvoir parce qu'elles sont moins saoules que les hommes, et le lendemain elles divorcent de Falstaff pour épouser Shylock, ou le contraire! Des shakespeariens qui passent aussi leur temps à rendre fou Othello, ils racontent qu'ils se sont entre-tués pour le libérer et ils lui interdisent de s'asseoir à côté d'eux».

Gabrielle Conti se joignait souvent à la discussion au bar de l'hôtel, elle connaissait aussi les États-Unis. Les Américains continuaient à parler devant une journaliste, c'est seulement au fur et à mesure qu'on a compris pourquoi, ils n'avaient pas toujours été aussi prudents, il y avait eu une autre époque dans leur pays, de vraies fêtes.

Le lendemain, Gabrielle allait à la ferme, répéter tout ça à Rania en escamotant le plus scabreux, ça avait commencé l'année précédente, en Californie, un scandale, c'était pour cette raison que les gens de cinéma faisaient attention, Gabrielle ajoutant que, dans leurs contrats, il y avait maintenant de nouvelles conditions, «on leur interdit de se saouler en public, ou de se retrouver à deux dans une chambre d'hôtel s'ils ne sont pas mari et femme, et il est parfois écrit qu'ils peuvent perdre leur engagement *si*

*des opinions négatives se diffusent sur leur compte dans l'opi-
nion publique*, même si ces opinions sont des mensonges, il suffit
que ça soit négatif, Kathryn m'a montré son contrat»... Rania
s'intéressait beaucoup à ce que faisait Kathryn, elle demandait
à Gabrielle s'il était vrai que les Américaines avaient autant
d'amants que leurs maris avaient de maîtresses, Gabrielle savait
seulement que Kathryn aimait Neil, Neil avait une réputation
de coureur, mais il avait fait quatre ans de guerre en Europe...
«*ayuha' al'ahyia*, heureux les survivants», avait murmuré Rania,
elle se demandait à quoi avait ressemblé la vie de son mari là-
bas, il était mort en héros, le reste n'intéressait personne, Ganthier aurait pu lui donner un aperçu de cette vie, mais cela faisait
des années qu'elle n'avait pas eu de conversation avec lui, il
venait chez son oncle quand elle était enfant, il était presque de
la famille, elle l'appelait *'ammi*, oncle Ganthier, il lui avait offert
des livres, *Les Petites Filles modèles*, qu'elle avait bien aimé, et
plus tard un autre livre de la comtesse de Ségur, *Diloy le chemi-
neau*, où il était écrit que les Arabes étaient méchants et lâches,
Rania avait demandé pourquoi à Ganthier. «Sans doute parce
que l'auteur ne connaît pas les Arabes. — Donc elle parle de ce
qu'elle ne connaît pas?» Rania avait décidé de ne plus lire cette
comtesse, elle l'avait dit à Ganthier, elle ne s'était jamais gênée
avec lui, sauf à l'adolescence, elle n'avait d'ailleurs pas bien
compris pourquoi, puis elle avait cessé de venir à Nahbès, elle
s'était mariée, elle avait perdu son mari et, quand elle était revenue s'occuper de sa tante, Ganthier ne leur avait pas rendu visite,
son oncle et lui étaient alors en froid, son oncle disait : «Il est là
par force et il voudrait qu'en plus on appelle ça de l'hospitalité.»

Rania se rendit compte que le silence s'était installé entre elle
et Gabrielle. Gabrielle la regardait. «Pardon, dit Rania, je pensais
à... — Je sais...» dit Gabrielle. Elle reprit le fil de son histoire,
pour les Américains ça avait commencé par un entrefilet dans les

journaux, une femme, une clinique de San Francisco, un acteur interrogé par la police.

Gabrielle épargnait les détails à son amie mais au bar du Grand Hôtel, quand Cavarro racontait, c'était plus rude : ça leur était tombé sur la tête après le 4 septembre 1921, on avait commencé à en parler quelques jours avant les journaux, des coups de téléphone, des rires de petit déjeuner, une fille, pas la première fois qu'elle faisait ça, on raccrochait, une rumeur un peu dégueulasse, on avalait un beignet et on appelait quelqu'un d'autre pour lui raconter la rumeur, un chemisier et un soutien-gorge balancés à travers un salon, des cris, et pas chez n'importe qui, un soutien-gorge sur un lustre, des coups de poing dans une porte, des gens en pyjama à trois heures de l'après-midi, une dizaine au moins. «Oh, bien plus que ça !» avait dit Wayne, et il avait aussitôt récolté un regard venimeux de la part de Cavarro, un regard que Raouf n'avait pas compris même si on avait vite senti que Cavarro voulait garder le contrôle de cette histoire et tolérait mal qu'on ajoute quoi que ce fût à ce qu'il disait, une fille dans une baignoire avec de gros morceaux de glace sur le ventre pour calmer sa douleur, des cris, et aussi des rires, le lendemain du Labor Day, la fête du travail, chez nous c'est le premier lundi de septembre, une fille s'était déshabillée en hurlant, chez une célébrité, non, pas à Los Angeles... à San Francisco, la ville bien, des vêtements roulés en boule, lancés à travers la pièce, on avait déjà vu ça cent fois, mais on en parlait à cause des coups dans la porte et des morceaux de glace, chez une star à un million de dollars...

En fait, disait Neil, la fille traînait dans les milieux du cinéma, ce soir-là elle avait bu comme un poisson et elle était le clou du spectacle ; oui, disait Cavarro, un beau lancer de vêtements, pas désagréable à regarder, la fille, et de vrais cris de coyote, et ça n'était pas au domicile de la star mais dans un palace du centre de San Francisco, une grande suite, on fêtait à la fois le nouveau contrat de la star et le Labor Day.

Samuel Katz, l'attaché de presse de Cavarro avait ajouté que c'était vraiment un contrat d'un million par an, un gramophone, une *party*, du whisky de contrebande, et si on en parlait à mots couverts c'était parce que si vous racontez des saloperies sur une star, en Californie, disait Katz, les studios finissent par le savoir, et vous devenez de la merde pour vingt ans.

Quand c'était Samuel Katz qui parlait, Cavarro le laissait faire avec beaucoup d'indulgence puis il reprenait, ce n'était pas que la fille se soit déshabillée qui faisait l'histoire, c'est le genre de réunion où tout le monde est vite à poil, non, c'étaient les cris, et pas comme quand un type se fait chevaucher sur une table au milieu de la salle, ça c'est des cris rigolos, on se met autour, disait Cavarro, on tape des mains, la fille s'agrippe à la cravate du type comme au rodéo, on chante *Oh Suzannah*, et on attend le finale, la cascade de cris, surtout quand la fille sait bien imiter tout ça, parce que pour prendre son plaisir devant trente per-sonnes… Oh, j'en connais qui y arrivent très bien, disait Kathryn avant de s absorber dans ses pensées, elle détestait ce genre de fille, la spécialité de Neil, elles couraient après lui, elles vou-laient lui montrer à quel point elles étaient bonnes actrices, *et il fait semblant de croire que j'en ai fait autant à leur âge, ça l'arrange*… Cavarro poursuivant : la fille, ce jour-là, elle inven-tait un nouveau truc, le strip-tease furieux, pour faire du scandale chez une star ! Ganthier observait Raouf qui faisait le blasé, et une voix avait fini par lancer, en grillant la politesse à Cavarro : la star c'était Roscoe Arbuckle, c'était Fatty !

Cavarro s'était levé : «On avait dit qu'on raconterait ça à nos amis comme une vraie histoire, si vous voulez casser le *sus-pense* vous n'avez plus besoin de moi !» On l'avait rattrapé, on l'avait laissé expliquer aux Français et à Raouf qui était Roscoe

Arbuckle, un mètre quatre-vingt-quinze, un quintal et demi, surnommé Fatty, un acteur comique, un quintal et demi d'ouragan, il pouvait même faire un saut périlleux arrière ; quand il débarquait dans une soirée avec son cortège de filles déjà imbibées, ça changeait le rythme ! Raouf avait eu le temps de voir passer le regard glacial que Kathryn avait jeté à Cavarro, qui s'était tu, Wayne en profitant pour lancer que Fatty c'était un comique grand public, pour des millions de gamins, dans tout le pays, accompagnés par des millions de mamans. Cette histoire, ajoutait Neil, c'était des bobards pour couler Fatty Arbuckle, bon, il y avait vraiment eu une fête, à San Francisco, à une douzaine, le dimanche, et le lundi ils étaient bien cinquante, Fatty a toujours fait portes ouvertes, il aimait ça, le travail sérieux et puis la fête. Mais quand même, disait Kathryn, une fille qui gueulait en pleine fête, il pouvait aussi y avoir des raisons. C'est ce qui inquiétait, et le mercredi soir la fille était dans une clinique.

Soudain, on se mit à parler du bruit des ventilateurs dans les chambres et de l'absence de conditionnement d'air à Nahbès : McGhill venait de faire son apparition au bar, salué par quelques rictus. Il ne s'attarda pas et Neil put enchaîner : Fatty n'avait rien fait, on se lâchait à ses fêtes, on ne voulait rien laisser du cochon, mais tout le monde se lâchait, et on ne forçait personne, mais personne n'aime les obèses, surtout quand ils ont du fric ! Kathryn restait silencieuse, et Samuel Katz reprit : c'est même ça qui a fait qu'on a commencé à s'affoler, le fric, ça pouvait faire vilain si on racontait que le gros bébé à un million attaquait des femmes dans des fiestas où c'est la queue qui remue la bête... Neil précisant pour ses amis français et Raouf : « Le million on a le droit de le gagner, mais il ne faut pas le salir, les gens dès qu'ils peuvent faire la morale ils n'en ratent pas une, chez nous c'est un sport national ! — Cela dit, poursuivit Katz, pour Fatty et le million, le public venait le voir à cause de ce qu'il faisait, pas de ce qu'il gagnait.» Et Wayne à voix lente : «C'était pas à cause de son poids qu'il faisait rire ; avec le poids, disait Fatty, vous faites rire cinq, six fois en une demi-heure de film, le métier c'est de monter à soixante fois, il faut de l'idée, du talent, trente minutes et soixante rires. — Tu pourrais aussi rappeler qu'il ajoutait autre chose, dit Kathryn, parce qu'il n'a jamais réussi à fermer sa gueule, Fatty, il ajoutait : "Si vous croyez que c'est du gâteau de faire rire, essayez pendant une demi-heure, sans arrêt, après ça vous n'aurez qu'une envie, devenir un vrai sadique", il a dit ça à plusieurs reprises, *sadique.*» Personne n'avait contredit Kathryn.

Pour Rania, à la ferme, Gabrielle était vite passée à la suite de l'histoire : le mercredi on disait que la jeune femme qui avait crié était à l'hôpital, et on disait aussi que peut-être Fatty… Gabrielle n'ajoutait rien, les détails c'était pour le bar du Grand Hôtel. Rania lui avait dit une fois que cela ressemblait à un résumé de roman. «C'est du journalisme, avait dit Gabrielle, du récit sans romanesque… cela dit, le meilleur romanesque c'est celui qu'on se fait toute seule !» Rania avait acquiescé, gardant pour elle ses pensées les plus libres, *lî habibûn azûru fî lkhalawât…* j'ai un ami que je visite dans les solitudes… *sa place dans mon cœur tient tout mon cœur… je meurs de son indifférence comme une abeille dans le feu…* la silhouette se rapprochait, elle lui embrassait les yeux… *je suis une mécréante, mon cœur est fou et les larmes y tombent une à une… il y a le souvenir, mais il y a le désir…*

C'est la première fois qu'on parle vraiment de ce truc entre nous, avait confié Cavarro à Ganthier, quand on était en Californie personne n'osait, personne n'avait envie de se faire convoquer pour témoigner. Wayne essayait de défendre Fatty malgré les regards que lui lançait Kathryn : pour la bagatelle Fatty n'avait que l'embarras du choix, il n'avait qu'à dire oui. Wayne sentait alors qu'il déplaisait à la fois à Neil et Kathryn, et Katz en profitait pour le couper : d'ailleurs cette fille, elle faisait ça plus souvent qu'à son tour, elle était même interdite d'entrée chez Mack Sennett, on dit qu'elle avait passé une maladie à la moitié du studio, même que Sennett avait fait faire des fumigations dans le bâtiment. La fille était à l'hôpital, elle s'appelait Rappe, Virginia Rappe, Fatty était reparti à Los Angeles, chez lui. C'était pas un hôpital, précisait Cavarro, plutôt une de ces cliniques pour jeunes femmes célibataires… Non, ça c'est des inventions d'hommes, *bullshit*, disait Kathryn, soutenant le regard de son mari et traduisant pour Raouf, de la merde de taureau.

6

LA VIEILLE ET LES ŒUFS

Raouf avait une alliée de choix : Tess, la gouvernante de Kathryn, s'était prise d'amitié pour lui. Tess s'était d'abord appelée Lizzie, Lizzie Warner, elle avait changé de prénom parce qu'elle trouvait que *Lizzie* c'était trop évident, on voyait tout de suite une servante noire, avec tablier blanc et nœud dans les cheveux, bougonne et maternelle, elle avait opté pour Tess. Kathryn lui avait dit : « Quand on prononce ce nom on a l'impression de donner un ordre… » Tess avait été contente de la remarque, parce qu'un prénom pareil ça mettait de la clarté dans les rapports avec les patrons, on disait « Tess ! » et la voix n'avait pas le temps de s'adoucir sur une autre syllabe.

Tess était débrouillarde, ça compensait, car elle disait qu'elle n'était ni fidèle ni dévouée, deux qualités d'esclave. Ce qui était amusant chez elle, c'est qu'elle faisait exprès d'avoir un sale caractère et de menacer régulièrement Kathryn de se trouver une autre place, ce qui n'aurait pas été difficile : elle savait réparer des tresses artificielles, retailler une robe, faire des courses et la cuisine au dernier moment pour un dîner de dix personnes, boucler des valises sans jamais rien oublier, revenir travailler un dimanche matin en disant qu'elle ne pouvait pas refuser parce qu'il ne fallait jamais donner d'aigreur aux patrons. Elle faisait aussi très attention à sa ligne, elle était mince comme une lanière, elle disait que la femme de chambre rondouillarde c'était un cliché esclavagiste ; avec les hommes elle était très dure, elle avait une peau assez claire, un peu de blanc quelques générations avant elle, sans doute un cuissage de maître ou de contremaître, avait-elle dit à Kathryn. De temps en temps un Blanc croyait pouvoir renouveler l'opération, comme la fois où un journaliste du *Herald*, Arnold Belfrayn, s'était retrouvé plié en deux, mains au bas-ventre, dans le vestibule de la maison de Kathryn. Tess agissait toujours comme si elle n'avait rien à perdre.

L'amitié de Tess pour Raouf était née sur le tournage, un soir où les figurants avaient organisé un méchoui pour les Américains, un vrai méchoui de la campagne, pas un truc en morceaux cuits au four comme on fait à la ville. Les Américains étaient tous venus, ils aimaient montrer qu'ils étaient une communauté, on leur avait apporté les bestiaux entiers sur des plateaux, avec la sauce et du pain tout chaud, on leur avait appris comment faire, la prise de la main droite, pouce, index, majeur, trois doigts seulement et comme désinvoltes, tout en ayant une belle conversation avec le voisin, et la sauce, c'est ce qui se fait de mieux, la sauce avec un morceau de pain à belle croûte à tremper dans le mélange brun-doré d'huile d'olive, de graisse animale, de sang, de poivre, de sel et de safran, et on avait aussi montré aux Américains l'endroit où on le cuisait, le méchoui, ça tombait bien il y avait encore un agneau sur son lit de braises, ils avaient fait cercle autour du trou et à un moment Raouf avait vu Tess s'écarter, une marche lente, maîtresse d'elle-même, comme si elle n'en finissait pas d'aller vers le couchant, et soudain elle s'était appuyée contre un tronc d'olivier, la silhouette cassée, Raouf l'avait rejointe, elle vomissait, il n'avait rien dit, il l'avait soutenue, l'avait ensuite aidée à s'asseoir, puis il était allé prévenir Kathryn, celle-ci avait lâché « *oh, my God !* » et elle s'était précipitée en compagnie de Wayne. Ils avaient ramené Tess vers la voiture de Kathryn, Raouf n'avait posé aucune question sur ce qui s'était passé, Kathryn lui avait quand même dit : «Non, elle n'est pas enceinte! Je te raconterai un jour, mais pas en ce moment.» Depuis, chaque fois que Raouf croisait Tess, ils avaient quelques minutes d'échange amical sur les travaux et les jours, et Tess le renseignait sur l'humeur de sa patronne, dont Raouf essayait de lui faire prononcer le nom le plus souvent possible, se récitant parfois *idhâ dhukirât dâra l'hawâ bimasâmi'î*, quand on la nomme, le désir me tournoie aux oreilles.

Un soir, dans une calèche, Raouf avait enfin baisé la main de Kathryn. Elle avait dit : «Quand tu auras fini, nous parlerons.» La suite avait été une très calme explication : une femme aimant son mari envers et contre tout, un jeune homme estimable qu'on était heureuse d'avoir pour ami, «et si tu recommences on ne se verra plus».

On avait continué à les voir ensemble. Il se réfugiait dans la fierté d'éprouver une passion forte et contrariée, et portait l'ombrelle avec prévenance; parfois Kathryn s'appuyait sur son bras pour franchir un fossé, ou éviter un porteur qui s'avançait tête baissée sous un sac de grain. Elle voulait aller partout, voir vivre les gens, au souk en plein air surtout, que Raouf n'aimait pas, la foule, la poussière, les cris, les marchandises grossières, il disait : «Je ne suis pas un guide pour les choses du passé.»

En arrivant au souk, ils avaient entendu des cris inhumains, ça venait de la droite, un grand enclos. «Le parc aux ânes, dit Raouf. — Des ânes à vendre? — Non, c'est là que les paysans font garder les bêtes sur lesquelles ils viennent, ça évite la pagaille, les vols, il y a des centaines d'ânes. — Et qui braient à qui mieux mieux», conclut Kathryn, contente de connaître ces mots français. Raouf ajouta : «Ce qui les fait surtout braire, c'est qu'il y a deux parcs différents, les ânes et les ânesses.» Ça sentait l'urine, le crottin, la terre battue, la paille coupée; le vent envoyait sur les visages des claques de poussière acide. Un homme s'était mis à courir, bâton en main. « Un gardien du parc, dit Raouf. — Qu'est-ce qu'il crie ? — Ça n'est pas intéressant. — Raouf, tu exagères ! — Il crie : "Cochon tu vas voir !" — À un homme ? — Non, à un âne. — Pourquoi crier cochon à un âne ? »

Tous deux suivaient du regard l'homme au bâton, et Kathryn éclata de rire : à trente mètres, une tête et un poitrail d'âne s'élevaient au-dessus des autres, un âne qui montait sur l'arrière-train de son voisin, et le voisin protestait, le gardien s'était mis à taper à coups de bâton sur le délinquant qui s'obstinait malgré les coups, Kathryn disant : « Il a du courage, pourquoi on ne le laisse pas faire ? après tout il n'y aura pas de conséquence… » Pendant que le gardien s'acharnait, d'autres ânes s'étaient mis à avoir la même idée, des poitrails apparaissaient çà et là au-dessus de la mêlée, un autre gardien se ruait sur un autre couple. Kathryn riait de plus en plus fort, on les regardait, Raouf disant : « On s'en va », et Kathryn : « J'ai été élevée à la campagne, Raouf ! » Au milieu des bestiaux, un cercle de paysans entourait deux hommes qui s'invectivaient. « Ce sont des propriétaires d'ânes, dit Raouf. — Pourquoi s'engueulent-ils ? — L'âne de Ben Zakour s'est fait monter dessus, donc on se moque de Ben Zakour, et Ben Zakour n'aime pas ça, il engueule le propriétaire de l'autre âne, qui continue à se moquer, alors Ben Zakour dit que cet âne a dû voir faire son maître, et il faut que les autres les calment, sinon la police des marchés va s'occuper d'eux. » À l'arrière-plan, le chœur des ânesses faisait écho aux cris des mâles. Un homme avait prononcé une phrase qui avait fait s'esclaffer et se calmer tout le monde. « Qu'est-ce qu'il a dit ? — Je n'ai pas compris, répondit Raouf, ça doit être du berbère, je connais mal. — Raouf, ne te fous pas de moi ! — C'est grossier. — Raouf ! — Il a dit : *celui qui monte, qu'il monte sur le mâle, la femelle n'apporte que des ennuis.* » Pendant la discussion, certains ânes essayaient encore de mettre une patte sur l'arrière-train d'un voisin, puis renonçaient sous les hurlements des gardiens.

Raouf et Kathryn étaient repartis vers le souk, Kathryn remarquant une charrette rouge à quatre roues qui tranchait sur les autres. «C'est celle de la veuve Tijani, dit Raouf, elle est venue vendre du bétail. — Ou en acheter. — Non, elle n'achète pas ici, et elle vend très cher.» Kathryn marqua un silence, puis : «Pourquoi "la veuve Tijani"? tu pourrais dire "ma cousine Rania". — Tu la connais? — C'est une amie de Gabrielle. — Tu l'as vue chez Gabrielle? — Non, c'est Gabrielle qui va chez elle, moi je l'ai vue une fois au hammam, elle est aussi musclée qu'une Américaine, et elle a une vraie jambe Ziegfeld.» Cette fois, Raouf osa saisir l'occasion : «Qu'est-ce que c'est, une jambe Ziegfeld? — C'est une jambe longue, fuselée, mais pas maigre, une jambe de danseuse, Ziegfeld possède un music-hall où toutes les belles filles de New York rêvent d'aller lancer leur jambe, tu n'as… jamais vu les jambes de ta cousine? — La dernière fois je devais avoir six ans…»

Ils s'étaient enfoncés dans le souk, Kathryn trouvait ça magnifique. «C'est de la couleur locale», commentait Raouf avec froideur. «Ça me fait sortir de moi-même», disait Kathryn. Et Raouf : «Au moins tu ne prends pas de photos.» Elle s'intéressait surtout aux artisans, aux métiers ambulants, vanniers, étameurs, dentistes de plein air, des arracheurs comme elle n'en avait jamais vu : «Il y en avait dans le Montana, ils ont disparu depuis longtemps, ici je les vois, ma grand-mère a dû se faire soigner comme ça.» Ils contemplaient un assortiment de pinces pas très propres posé sur un morceau de toile de jute, à même le sol, mais quand un homme s'était avancé en se tenant la mâchoire, Raouf avait refusé d'en voir davantage et ils étaient repartis, avançant avec peine dans les mouvements désordonnés d'une foule de plus en plus dense, ça ressemblait au moment où le fleuve qui arrive à son embouchure doit lutter contre la marée montante, il y avait aussi des ressacs, et tous les pièges au sol, caisses, baluchons, mendiants infirmes posés par terre, et de grosses pierres grises qui servaient de bornes. «Fais surtout attention aux clous que les gosses n'ont pas encore ramassés, dit Raouf, c'est pas beau le tétanos.»

Dans le brouhaha général, une silhouette immobile attira leur attention, une vieille femme voûtée, pieds nus, en arrêt devant un étal, on suivait la direction de son regard, on tombait sur un morceau de tissu jaune soleil, et on ne voyait plus que lui, la vieille femme avançant une main, palpant le tissu, le reposant, le regardant à nouveau sans rien dire, avec une absence totale d'intérêt. Derrière l'étal le marchand ne bronchait pas, il avait le regard baissé sur un carnet, une grosse verrue au milieu du front. «Ça n'est pas une verrue, dit Raouf, c'est un cal, la marque que font des milliers et des milliers de prosternations chaque fois que le front touche le sol, ce marchand porte sa réputation de croyant sur son front.» Une vieille femme qui ne disait rien, un marchand qui ne la regardait pas; elle était repartie, Kathryn commentant : «Il a perdu une cliente, un Américain ne l'aurait pas laissée repartir. — Elle a fait l'indifférente, dit Raouf, il lui a servi un peu de mépris, c'est comme ça.»

Plus tard, Raouf et Kathryn étaient repassés devant le marchand de tissus, le morceau jaune soleil était encore là, la vieille aussi. «C'est le principe du souk, dit Raouf, à l'aller on regarde, on achète au retour.» Cette fois la vieille discutait avec le marchand, deux voix âpres. «C'est magnifique ce jaune, dit Kathryn, si elle n'en veut pas, je le prendrai, mais j'attends qu'elle se décide.» La vieille tenait une espèce de paquet devant elle, un torchon noué. «Qu'est-ce qu'elle peut bien avoir dans ce torchon? demanda Kathryn. — Je ne sais pas. — Elle a l'air de vouloir lui rendre quelque chose.»

La vieille avait posé le baluchon sur l'étal, elle le poussait vers le marchand, le marchand le repoussait vers elle, l'air de ne surtout pas en vouloir, ils discutaient, le ton montait. «Ce sont des œufs, dit Raouf, elle parle de ses œufs, il doit y en avoir une douzaine, pas plus, elle dit qu'ils sont excellents, elle veut les échanger contre le morceau de tissu jaune.» Le marchand secouait la tête, lentement, en fermant les yeux; parmi les mots qu'il prononçait et répétait, Kathryn réussit à en comprendre deux ou trois au vol, elle était très fière de ses progrès, le mot *Dieu* et puis *non* et aussi le mot *douro*.

«Il ne veut pas de ses œufs, dit Raouf, il veut de l'argent, des pièces, il dit que maintenant c'est le vingtième siècle.» Geste large du marchand vers les passants qu'il prenait à témoin; sur certains visages il y avait des signes d'acquiescement, des gens qui essayaient de montrer qu'ils étaient d'accord, mais sans faire de mal à la vieille femme; elle levait l'index vers le ciel, haussait le ton, sa voix cherchait un public, Raouf traduisait au fur et à mesure, depuis quarante ans la femme avait toujours échangé ses œufs chez ce marchand, lui ou son père, et son père, que Dieu veille sur lui, n'avait jamais refusé le moindre échange, son père le regardait de là-haut, il devait prendre garde à ne pas faire honte à son père! Le marchand se montrait plus sec dans ses réponses, disant que c'était fini, il frottait son index contre son pouce, *douro*, *douro*, il n'accepterait rien d'autre, la vieille n'avait qu'à aller vendre ses œufs plus loin et revenir avec l'argent, on était au vingtième siècle, mais la vieille ne voulait pas, elle disait que ce vingtième siècle c'était celui des chrétiens, pas celui du Maître des deux mondes et des vrais croyants, le marchand devait accepter le troc, ça avait toujours été comme ça, sous le regard de Dieu, dans les siècles de l'islam et pas des chrétiens, ça devait continuer comme avec le père du marchand, on n'avait pas le droit de modifier l'ordre de Dieu, douze œufs c'était un bon échange pour un morceau de tissu, refuser c'était une impiété! En réponse, la voix du marchand se faisait plus vive. «Il n'a pas aimé l'accusation d'impiété, dit Raouf, la vieille est allée trop loin, c'est comme si elle sentait que de toute façon c'est perdu, elle dit au marchand des choses qu'il ne peut pas accepter, et que son argent français c'est l'argent de l'enfer.»

Le marchand avait pris un coupon de tissu gris, il en mesurait trois coudées avec son avant-bras, coupant et servant un client qui payait en billets, il rendit la monnaie en montrant les pièces à la vieille femme, c'était de l'argent honnête, et pas des œufs! La vieille eut un regard de mépris pour la main du marchand, silence, oui, ajouta le marchand, de l'argent honnête et pas des œufs pourris, la vieille le traitant à nouveau d'impie, les gens les regardaient, la vieille montrant du doigt le cal au milieu du front du marchand, ça n'était pas en priant qu'il se l'était fait, le marchand disant qu'il n'avait pas de leçon à recevoir d'une païenne qui passait sa vie à découper des grenouilles et à brûler des morceaux de papier au lieu de prier, Raouf traduisait de plus en plus vite, la voix du marchand était de plus en plus forte, une femme qui adorait un morceau d'os au lieu de réciter les paroles du Livre saint, oui, réciter, et pas se contenter de vénérer des morceaux de squelette qui étaient peut-être ceux d'un chien!

Il avait crié le dernier mot, et la vieille en appelait maintenant à la honte du souk tout entier, elle devait retomber sur le marchand! C'est ça, disait le marchand, le souk tout entier, le souk qui voyait bien qu'elle n'était qu'une païenne qui n'en savait pas plus sur Dieu que sur le commerce des hommes, une sorcière, tout le monde la voyait, Dieu la voyait, elle serait prise par les cheveux et précipitée en enfer, la vieille se mettant à hurler, elle était en larmes. «Elle a renoncé au duel verbal, dit Raouf, elle crie qu'un *kâfir*, un apostat, est en train de l'insulter, et le marchand menace d'appeler la police, elle n'aura rien.»

Raouf tendit un billet au marchand sans un mot et s'empara du morceau de tissu jaune, les gens le regardaient avec hostilité, on n'avait pas le droit de faire ça, les regards glissaient vers Kathryn, encore plus hostiles, cette étrangère avait les moyens de se payer des kilomètres de tous les tissus possibles, pourquoi celui de la vieille? on n'avait pas le droit, même si le marchand refusait les œufs. La vieille était effondrée, elle avait cessé de crier, elle regardait les gens, cherchait un appui, n'en trouvait pas, le fils du caïd avait acheté, pour la chrétienne qui était avec lui, et Raouf s'empara des œufs de la vieille, il lui mit le tissu dans les mains, sans un mot, il prit Kathryn par le coude, ils repartirent, la vieille leur lançait des bénédictions, ils étaient déjà loin, Raouf disant : «Je ne sais pas pourquoi j'ai fait ça, je lui fais croire qu'elle vit dans un monde qui peut l'aider, alors qu'il l'abandonne avant même qu'elle le quitte. — Qu'est-ce que tu vas faire des œufs? tu aurais pu les lui laisser. — Ç'aurait été une insulte, je vais les donner à quelqu'un qui mendie vraiment, ici je vais vite trouver.»

Raouf avait marqué un silence, puis : «C'est un autre pauvre qui aurait dû faire mon geste, mais les pauvres n'ont pas de quoi… ou alors j'aurais dû lui acheter ses œufs, elle serait entrée dans le circuit sans perdre la face, j'en ai trop fait, je n'aurais pas dû. — Si, et de toute façon je te trouve très bien dans le rôle du défenseur des vieilles dames. — Non, je suis sérieux, c'est Marx qui a raison, il ne faut pas essayer de calmer la lutte des classes. — Je n'aime pas quand tu parles de Marx, Marx te fera faire des bêtises. — Pour Chemla, je ne suis même pas marxiste, je ne suis qu'un féodalo-marxiste. — Ça va te faire beaucoup d'ennemis», dit Kathryn.

En sortant du souk ils repassèrent devant la charrette rouge. «Elle est vraiment riche, cette Rania? demanda Kathryn. — Son père est très riche, une femme intéressante, si tu veux je peux

t'emmener chez elle un jour. — Tu peux aller chez une veuve ?
— C'est une cousine, c'est la famille. — Tu pourrais l'épouser ? » Raouf sourit, il avait failli répondre *elle est trop vieille*.
Et il sentit que Kathryn avait compris son sourire quand elle lui
donna une tape sur l'épaule en riant.

7

LA VACHE DE SATAN

Dans les rues de Nahbès, à la façon dont se comportait Raouf avec son Américaine, on savait qu'il allait arriver quelque chose. C'est avec Belkhodja que ça avait fini par se passer. Ils étaient amis, et les amis ça ne vous rate pas.

Belkhodja était un bon commerçant. Il empruntait de l'argent à la ville au moment où, dans les campagnes, même les scorpions meurent de soif, et il allait acheter leurs tapis de famille aux Bédouins qui n'avaient plus ni chèvres ni moutons. Il faisait un bénéfice très appréciable. Mieux : il leur laissait souvent leurs propres tapis, et il leur prêtait de l'argent pour qu'ils puissent acheter de la nourriture à un commerçant qu'il leur recommandait, mais à condition qu'on lui confectionne deux belles pièces par foyer pendant l'hiver, avec des bandes en laine et en poil de chameau. Il venait souvent contrôler l'avancement des travaux, la densité des brins, la stabilité des couleurs, menaçait quand les femmes laissaient faire les petites filles à leur place. Le printemps venu, ces tapis-là soldaient le prêt. Au souk de Nahbès, ils auraient valu beaucoup plus que ce qu'en donnait Belkhodja, mais une parole est une parole et, marchandise livrée, les Bédouins prenaient encore soin de placer Belkhodja sous la protection du Tout-Puissant.

Le marchand était aussi un familier de ce qu'à Nahbès on appelait la petite bande, les jeunes gens vêtus à l'occidentale qui se retrouvaient dans un café, La Porte du Sud, pour tout critiquer, en répétant qu'une poignée d'abeilles vaut toujours mieux qu'un sac de mouches. En ville, on appréciait l'influence que Belkhodja pouvait avoir sur eux ; à leur âge ils pensaient comme des coqs, et Belkhodja leur montrait la valeur de l'expérience. Il aimait ce rôle, et être traité en camarade par des garçons qui avaient dix à quinze ans de moins que lui. Il refusait d'ailleurs d'être pris pour un homme du passé, il défendait ce qu'il appelait la tradition mais il aimait le progrès technique, il avait fait installer une baignoire en tôle dans sa maison après en avoir utilisé une dans un hôtel de la capitale ; il rêvait aussi de s'acheter une voiture, et, dès qu'il avait vu qu'il faisait ses meilleures affaires avec la clientèle française, il avait transféré son commerce de tapis en ville européenne. Il rejoignait la petite bande à La Porte du Sud, non loin de son magasin. Il y sermonnait les présents et disait du mal de ceux qui n'étaient pas encore là.

La médisance était la douce faiblesse de Belkhodja. Ça n'était jamais une pure médisance ; certains prétendaient que Belkhodja avait mangé de la vipère quand il était enfant, mais il s'en défendait, disait qu'il cherchait avant tout à redresser les croyants pervertis par des innovations blâmables. Il commettait lui-même des fautes. Il lui arrivait, tard le soir, de boire un peu d'alcool, et les jeunes gens racontaient que le tapis de prière qu'il portait parfois sous le bras dissimulait une pipe à kif. Il essayait cependant de ne jamais aller trop loin sur le chemin des erreurs, qui n'est une pente, disait-il, que pour les âmes faibles ! Et il ajoutait que le meilleur moyen de racheter ses fautes au regard du Miséricordieux, c'était de ramener vers le bien d'autres croyants plus fourvoyés que soi.

Donc la médisance de Belkhodja à l'encontre de Raouf, ce jeune plein de promesses mais qu'il jugeait perverti par l'édu-

cation française, cette médisance partait toujours d'une bonne
intention, surtout depuis qu'on voyait le fils du caïd parader en
compagnie de cette actrice, la « star » comme on disait, un vrai
danger pour son ami. Il fallait, par tous les moyens, faire revenir dans la communauté cette âme égarée. Et Belkhodja s'était
empressé de trouver un surnom pour Kathryn Bishop : *bagrat
eccheitân*, vache de Satan. Ça avait fait le tour de la ville ; quand
la pierre a quitté la main, dit le proverbe, elle appartient au
diable.

On avait vite rapporté à Raouf les mots de son ami. Raouf
avait ri, d'un bon rire, sûr de lui, il avait ajouté : « Satan a
bon goût », et il s'était montré encore plus amical à l'égard de
Belkhodja quand celui-ci les avait rejoints. En prenant l'étoffe
entre le pouce et l'index, il avait éprouvé la finesse de la nouvelle
tunique du marchand, il l'avait complimenté, et s'était demandé
s'il allait lui-même renoncer au costume occidental, au moins
pendant ses séjours à Nahbès. Il avait cajolé Belkhodja comme
s'il ne savait rien, et Karim, l'un des membres de la petite bande,
qui connaissait son Raouf par cœur, s'était dit en observant la
scène qu'il n'aimerait pas être à la place du marchand dans les
mois à venir… *vache de Satan*… un méchant coup de langue…
ta'âsat l'insân mîn llisân, le malheur de l'homme vient de sa
langue.

Les autres membres, surtout ceux qui avaient fait leurs études
dans la capitale au lycée Victor-Hugo avec Raouf, lui avaient
dit qu'ils le trouvaient bien bon de ne pas jeter Belkhodja dans
le ravin à la première occasion, « tu n'aurais qu'à prendre cette
crapule par le col »… Raouf avait ri de nouveau, puis il avait fait
l'éloge de la crapule, qui savait ne pas succomber aux séduc-
tions que Satan et la modernité mettaient sur leur chemin, la
preuve c'était ce que Belkhodja essayait de faire depuis le début
de l'année, en vrai croyant : cet homme voulait mettre en accord

ses actes et ses paroles, il allait peut-être y parvenir, il fallait
respecter cette rigueur, disait Raouf en empruntant un ton mélancolique, dans un monde où beaucoup, pour vivre, agrandissent au
contraire l'écart entre leur âme et la réalité.

Cela faisait en effet quelques mois que Belkhodja avait décidé
de se marier, et il voulait faire de son mariage une leçon donnée à
ses jeunes amis. Devant leurs sourires, il avait souligné que lui ne
serait jamais la dupe de cette union. Il voulait une femme d'une
innocence totale ; il ne voulait pas découvrir un jour qu'il avait
dans son lit une de ces créatures dont parlent les hommes quand
ils jouent aux cartes. Les sourires avaient disparu et il avait marqué un silence pour laisser ses amis imaginer la honte qui pouvait
tomber sur un mari trop confiant, puis il les avait rassurés, car il
n'était pas difficile d'éviter une telle femme, il suffisait d'écouter la rumeur publique, elle a un grand râteau, la rumeur, mais
au moins elle n'épargne pas les coupables. Belkhodja aimait
s'interrompre à nouveau sur ce genre de formule, il tenait son
auditoire, il en profitait pour caresser sa moustache en guidon
de vélo, pour une fois on ne se moquerait pas d'elle. Cela dit,
reprenait-il, quelles que soient les précautions que peut prendre
un homme de bien avec les créatures soumises à la Lune, n'y
a-t-il pas toujours un risque ? sans visage celui-là ? Et pendant
toute la fin de l'hiver on avait écouté ses histoires de mariages
catastrophiques, d'hommes pressés qui devenaient des maris
victimes, et victimes indignes. Il n'était pas ce qu'on appelle un
conteur intelligent et rusé, mais, du moment qu'on leur parlait de
la femme, les jeunes gens ne pensaient plus à l'intelligence, ils
se contentaient de nourrir leurs appréhensions.

D'anecdote en anecdote, le printemps avait fini par arriver,
mais on restait encore à l'intérieur du café où un poêle à bois dif-
fusait une chaleur irrégulière, à une dizaine autour de trois tables
qu'on avait rapprochées, c'était l'après-midi, on luttait contre

l'engourdissement en regrettant de ne pas être rentré faire la sieste, on surveillait les premières mouches qui se prenaient aux bandes de papier collant suspendues au plafond. Le regard revenait vers Belkhodja, il avait récemment refusé une fille trop jeune, c'est bon pour les vieillards, avait-il dit. Et puis, avait ajouté une voix (peut-être celle de Raouf mais on ne se souvenait plus très bien), «les filles trop jeunes, ça ne sait pas faire le ménage».

Poussé par ses amis, le marchand avait précisé son idéal, une vraie jeune fille, avec déjà (il n'hésitait pas à faire le geste) de vraies prises pour les mains, et belle, mais surtout pas une séductrice, ça tourne toujours à la catastrophe, c'est bien pire que de se retrouver avec de la mauvaise viande entre les dents parce qu'on a voulu acheter trop vite! Le rire de Belkhodja envoyait en enfer tous ceux qui n'avaient pas sa lucidité d'homme fort, et l'on riait avec lui parce que, la veille, on avait interrompu la conversation pour laisser passer le vacarme d'une camionnette chargée de deux ânes, «c'est la camionnette de Hammou, avait dit l'un des jeunes gens, il est fier, il fait ronfler le moteur, il va au marché à bestiaux. — C'est bien tard pour le marché, avait répliqué Raouf (cette fois on se souvenait parfaitement, c'était en mars, avant l'arrivée des Américains, le dernier samedi de mars), Hammou fait semblant d'aller au marché, en réalité il va à l'abattoir, demain il y a des gens qui achèteront du veau un peu dur!»

«Souvenez-vous, avait repris Belkhodja, souvenez-vous du mariage de Rahal (ce nom avait figé tous les visages), Rahal le fier et sa fiancée si vive!» La voix du marchand se faisait sarcastique : une fiancée intelligente, à parole facile, et moderne! Je ne veux pas d'une imbécile, répétait Rahal, nous sommes au vingtième siècle! Il s'était installé dans la capitale, il avait pris une fille de la capitale, et son mariage vingtième siècle il l'avait eu sur le drap du lendemain. La vieille servante avait fait son travail, pas trop de sang de poulet, sinon ça fait un gros mensonge, elle avait versé juste ce qu'il fallait pour une vérité. Une servante discrète. Mais beaucoup de monde était au courant : Rahal, bien sûr, le mieux placé, et puis la sœur de la mariée, et une parente par alliance qui était aussi parente de la famille du marié. Ça restait un secret de famille, jusqu'à celui qu'on avait informé en dernier, le père de Rahal. Celui-ci était alors allé voir le père de la mariée, ils avaient eu plusieurs heures de conversation lente, la jeune fille moderne, intelligente et vive était vierge, bien sûr, mais elle ne convenait pas tout à fait.

La suite de l'histoire était floue, certains parlaient d'annulation, d'autres d'éloignement, une maladie, peut-être un début de tuberculose, la fille avait avoué qu'elle se sentait fatiguée, et puis elle était maigre, sa famille aurait dû s'en alerter, surtout une fille à marier, elle était malade, pas gravement, elle allait grossir, guérir, mais elle aurait dû le dire avant, ça pouvait faire une cause d'annulation, les gens parlaient sans être sûrs, elle était partie se faire soigner dans les montagnes. À la longue on n'en avait plus parlé, et Rahal s'était retrouvé libre, il avait sauvé la face, mais une rumeur courait : est-ce qu'il n'avait pas été contaminé ? Il était peut-être libre, mais il ne retrouverait pas de sitôt un beau parti.

Belkhodja riait devant les jeunes gens que son histoire rendait pensifs, il aimait provoquer le silence et être le seul à rire, d'un rire qui lui élargissait le bas du visage et dévoilait deux rangées de dents serrées, intactes, déjà teintées du vieil ivoire qui rend les hommes respectables.

Avec entrain, le marchand avait continué à enchaîner ses anecdotes sur le mariage. Rahal était un gros commerçant, sa famille à lui était plus puissante que celle de la fille, il s'était retrouvé libre, il pouvait y avoir pire… Belkhodja baissait le ton, et l'attrait du pire faisait se pencher vers lui des visages préoccupés, on entrait dans le domaine des indiscrétions lourdes, on surveillait les déplacements du serveur, on se surveillait les uns les autres.

«Pire que l'histoire de Rahal, ajoutait le marchand, c'était quand la famille de la fille était plus puissante que celle du mari, parce que ce genre de fille moderne vient des meilleures familles, on épouse un très beau parti, une jolie fille, elle sait lire, écrire, elle est riche, ses parents sont puissants, elle a tout, on s'en empare, et on triomphe devant les amis, on l'a emporté parce qu'on est le plus viril!» Le bras de Belkhodja avait quitté la table, index tendu; la voix, accompagnée des mouvements saccadés du bras et de la main, enfonçait les mots comme des clous : «Et on s'aperçoit toujours trop tard de ce dont cette fille est capable!» Puis la voix de Belkhodja se faisait moins violente, évoquait deux jeunes mariés dans leur salon, le mari disant que le voyage en Europe… devant certaines dépenses, quand on est un mari conséquent et qu'on a d'abord envie d'une voiture, on dit «non», et on a droit à une réponse prudente, «je ne nous savais pas dans la gêne», la voix est fluette, mais la jeune épouse ne renonce pas, revient chaque jour sur le sujet, le mari lui dit qu'être la femme d'un jeune entrepreneur plein d'avenir n'est pas la même chose qu'être la fille du plus gros minotier du pays, il a de la dureté dans la voix, il héritera un jour, bien sûr, et son père n'est pas n'importe qui, mais en attendant on ne lui accorde pas tout, et la femme parle aussi d'acheter des meubles, un salon à l'européenne, à croire qu'on vous demande exprès des choses que vous êtes obligé de refuser, pour vous faire sentir que vous n'êtes pas capable de vivre sur les hauteurs où vous êtes allé chercher votre épouse!

Ici, Belkhodja laissait glisser son regard sur les manches de veste plus ou moins élimées de ses jeunes amis. «Et aux nouveaux refus du mari, ajoutait le marchand, viennent répondre des sécheresses, ou des silences, il croit que c'est cela la vie à deux, il commence à moins la supporter, il devient lui-même insupportable, il se remet à sortir le soir, retrouve les amis d'avant, fait la fête en disant que, s'il était resté célibataire, il sortirait moins souvent de chez lui, ça fait rire, il devient cassant avec sa femme qui devient méprisante et froide, jusque dans la chambre !»

Autour de la table, c'était mâchoires serrées et regards vagues. Tant pis pour eux, se disait Belkhodja, ça se croit des hommes parce que ça va au café et que ça parle politique, alors qu'ils ne sauraient même pas gérer les choses de leur maison s'ils en avaient une ! dès qu'ils ont un costume bleu marine ils se voient diriger un pays, avec une *constitution*, qui n'est même pas un mot arabe, de l'hérésie, tout comme leur femme moderne, hérésie et prostitution !

«Et un jour (la voix de Belkhodja s'était refroidie) la femme moderne a suffisamment accumulé de ressentiment, elle va chercher un seul grand plaisir pour compenser tous ceux qu'on ne lui donne pas… je dis bien tous… et quand son mari l'apprend il a soudain devant lui une épouse qu'il ne connaissait pas, qui le méprise, le menace… il pourrait la battre, la répudier, ou même faire comme aux temps où il suffisait de creuser un trou dont seul dépassait la tête de l'adultère… mais il ne fait rien, pourquoi ? parce que le père et la mère de sa femme sont des gens très puissants, plus puissants encore que son propre père, et que c'est au gendre d'être docile et silencieux.» Tête en arrière, les yeux au plafond, Belkhodja se délectait de sa conclusion : «Les qualités de la bonne épouse traditionnelle on les exige maintenant du mari de la femme moderne !»

Il ne citait personne et redressait sa moustache en guidon de vélo. Dans l'auditoire aucun nom ne circulait, tout le monde se remémorait les mêmes histoires, mais on n'avait pas envie d'être celui qui aurait mis publiquement en cause une famille dont le chef pouvait à tout moment faire venir du bled quelques hommes sûrs, obéissants et violents.

Donc, ne jamais chercher un trop beau parti, avait repris Belkhodja, ce qu'il fallait c'était une femme modeste et respectable, une femme pour les choses de la maison, mais attention!... cette femme devait aussi être une femme... les yeux du marchand s'étaient grands ouverts et le mot avait surgi : «souriante!» Belkhodja se félicitait d'avoir ajouté ça, le sourire, il y avait pensé le jour où il avait vu sa belle-sœur, une femme sans reproche, reprocher à son mari d'être entré dans le salon avec des chaussures boueuses, la voix aigre de la ménagère dans son droit, la voix qui montait juste ce qu'il faut pour gâcher la soirée d'un homme de bien, la voix d'une femme qui faisait exprès de ne pas appeler la servante et qui passait elle-même la serpillière devant leur hôte pour lui montrer à quoi l'inconscience d'un mari pouvait réduire une épouse respectable. «Il y a un vrai fléau des femmes respectables, disait Belkhodja, les hommes de bien ne songent pas assez à ce que peut devenir la vie quotidienne avec une femme respectable qui ne sourit pas.»

Il était content, il était sorti du rôle qu'on lui attribuait toujours à La Porte du Sud, le rappel des vertus plates, cette fois même Raouf l'avait écouté avec attention, le coude sur la table, le menton dans la main, sourire aux lèvres, l'air de dire *bien joué*. Belkhodja ne voulait être ni Rahal, ni le gendre d'un homme puissant, ni son propre frère, il prendrait une fille de la campagne, et bonne ménagère, mais avant tout souriante! Le marchand de tapis était heureux, c'était avec ce genre de démonstration qu'on subjuguait un auditoire d'insolents.

UNE ESPÈCE D'ACCORD TACITE

On ne racontait l'histoire de Fatty Arbuckle qu'au bar du Grand Hôtel, une espèce d'accord tacite entre Francis, Wayne, Kathryn, Neil, Samuel et quelques autres. Chacun livrait un fragment, se faisait corriger, corrigeait à son tour ou se renfermait dans une bouderie qui obligeait ses amis à lui redonner la parole ; parfois l'un d'eux était pris d'une violence muette, comme quelqu'un qui se force à se taire, disait Ganthier, pour ne pas alerter le mouchard, McGhill, et pour ne pas faire exploser une bombe sous nos yeux, nous sommes leurs garde-fous !

Et Francis Cavarro repartait dans l'histoire de Fatty, une rumeur de femme morte, une surinfection, à la clinique Wakefield, les reporters sur la piste, une actrice morte, Virginia Rappe, qui devait se battre à vingt-cinq ans pour avoir droit à quelques minutes de pellicule. Ça c'était déjà une façon de calomnier la victime, disait Kathryn. Et les flics ont parlé de décès suspect, péritonite, ils avaient interrogé la fille qui avait amené miss Rappe à la clinique le mercredi soir, elle s'appelait Maud Delmont, et ils avaient mis Roscoe « Fatty » Arbuckle sous les verrous, oui, il était revenu de Los Angeles avec son avocat, veste cintrée, pantalon de golf, chaussures basses, sur la photo il riait. « Vous vous souvenez de son film de cow-boys ? demandait Wayne, *Le Grand Rassemblement*, la phrase sur l'affiche,

"personne n'aime les obèses". — Oui, disait Samuel Katz, mais
sous la graisse c'est un danseur, et capable de faire un saut périlleux arrière. — Quand même pas, disait Cavarro, le genre de
type sous lequel une femme se précipite dans l'enthousiasme ! »
Kathryn n'avait pas bronché.

Une certaine Virginia Rappe était morte après une *party* donnée par Fatty Arbuckle au Saint Francis, et on répétait : « Ces
acteurs ils font ça en plein jour, comme les bêtes ! » Fatty aidait
la police dans son enquête, le genre d'aide qui pouvait mener
tout droit à la corde, ou à la chambre à gaz, une nouvelle technique. Un seul témoignage contre Fatty : celui de Maud Belmont,
la copine de Virginia Rappe ; Virginia lui aurait confié en pleurant : « Il m'a fait mal », et Belmont jurait qu'elle avait vu Fatty
embarquer Virginia à pleins bras et s'enfermer une demi-heure
avec elle.

Plus tard, Ganthier avait dit à Raouf que, d'après une autre
rumeur, Daintree et Cavarro avaient participé à la fiesta, Daintree
avait juré qu'il n'en était rien, mais la presse les guettait, c'était
pour ça que Cavarro avait fusillé Wayne du regard quand celui-ci
avait rappelé qu'il y avait beaucoup de monde à la fiesta de Fatty.
« Ils adorent ça, le monde, avait ajouté Ganthier, plus il y en a,
plus ça donne du rythme ! » Ganthier se souvenant aussi d'une
fiesta à Chicago, après une visite des abattoirs où il accompagnait le vieux Clemenceau, tout était blanc, sonore, immense et
propre, les cochons avançaient l'un derrière l'autre sur un tapis
roulant, sans à-coup, leurs cris, un homme attachait une patte
arrière à une chaîne, l'animal était soulevé, la tête à un mètre
et demi du sol environ, il gigotait, criait plus fort, dans la salle
suivante un autre homme lui ouvrait la carotide, carrelage blanc,
murs blancs, lavage à grande eau, vapeur, une bouffée d'aération
toutes les quinze secondes, un ronronnement régulier, c'était ça
qui faisait peur, la mécanique tranquille, j'ai vu l'enfer, il était

blanc ! Le directeur des abattoirs leur avait dit devant une collection de boîtes métalliques : «Ici nous utilisons tout du cochon.» Ganthier avait encore dans l'oreille la remarque de Clemenceau : «Tout, sauf les cris»... Et les autres cris aussi, pendant la fiesta franco-américaine, le soir même, dans un night-club de Chicago, des cris, des courses à quatre pattes, tous à poil, des bêtes libres, chacun sa cavalière, et un orchestre de vieux Tsiganes en smoking sur la mezzanine, imperturbables. Samuel poursuivait : d'ailleurs pas très raffiné le Fatty, abandonné à treize ans, parti sur les routes, du théâtre pas cher, quinze ans de tournées, la dèche, et si on retrouvait des vêtements déchirés c'était meurtre au premier degré, et la mort, comme n'importe quel cochon.

Voyant que Raouf était perdu, Wayne avait résumé : Fatty était accusé par Maud Belmont d'avoir violé Virginia Rappe, qui en était morte. Samuel Katz reprenant : Fatty se défendait, un groupe lui avait rendu visite le lundi matin, ils avaient bu, dansé, une miss Rappe très alcoolisée, elle déchirait ses vêtements. Fatty avait demandé à deux femmes de s'en occuper, elles avaient installé miss Rappe dans la baignoire, avec de gros morceaux de glace sur le ventre pour calmer les douleurs, Fatty avait fait appeler un médecin, puis il était allé prendre le bateau pour Los Angeles, et le vendredi 9 septembre miss Rappe était morte.

À la première accusatrice, Maud Delmont, s'étaient jointes deux autres femmes, Nancy Blake et Zey Prevost, elles affirmaient que Fatty était resté une demi-heure seul dans une chambre avec Virginia Rappe qu'elles avaient entendue crier à travers la porte. D'autres personnes soutenaient qu'elle avait commencé à crier toute seule et à jeter ses vêtements dans le salon. Il y avait aussi un homme pour dire que Fatty avait fait mal à Virginia Rappe, avait précisé Kathryn, un nommé Semnacher. La voix de Neil Daintree avait coupé Kathryn : Semnacher, l'agent de Virginia, évidemment ! Et Neil avait ajouté qu'on avait retrouvé des télégrammes de Maud Delmont à ses avocats, «Arbuckle dans le trou, chance de tirer gros», elle avait aussi un casier judiciaire de fraudes et bigamie, elle allait avoir des problèmes. Le procureur c'était Matthew Brady. Les feux de la rampe, il n'allait pas rater ça.

«Kathryn peut-elle avoir participé à des choses pareilles?» avait plus tard demandé Rania, Gabrielle répondant dans un sourire : «Les gens sont innocents tant qu'un tribunal ne les a pas déclarés coupables! — Ici on considère que la femme est une coupable en puissance, disait Rania. — Même en ville? — Surtout en ville! Les hommes les plus modernes cherchent à épouser des filles de la campagne, et quand ils ne le font pas c'est leur mère qui leur en trouve une, *malheur à ceux qui ont abandonné les vertus de la campagne pour les noirceurs de la ville.* — C'est ce que vous pensez? — Les vertus de la campagne ne sont qu'une hypocrisie de plus, une hypocrisie de geôliers», Rania songeant que, pour échapper aux geôliers, il suffisait de fermer les yeux, ou d'être seule, entre les frissons d'herbe, sur le chemin où elle pouvait se parler à voix haute, *nazala l'hub manzilân fî fou'âdî*, l'amour a pris place en mon cœur… parler à l'autre voix qui montait dans sa voix, un désir… la silhouette venait à sa rencontre… *tout s'est précipité quand je l'ai vu… qu'est-ce qu'un feu s'il reste dans le silex? j'ai laissé sa main sur mon ventre et la morale à tous les autres…* La silhouette repartait sous le disque blanc du soleil, Rania revenait à elle, relevait la tête vers Gabrielle qui avait respecté son silence en contemplant les grands sourcils noirs que le rasoir avait transformés en courbes pures et énergiques.

Et à San Francisco tout cela avait fini par faire un maelström d'histoires et sous-histoires de jury et de grand jury, parjures, diffamations, interrogatoires, rétractations, jury du coroner… Fatty s'était retrouvé devant le grand jury, le chef de la police disant

qu'il avait soulevé toutes les pierres et que la mort de Virginia
Rappe c'était viol et meurtre au premier degré, ajoutant : « Il
n'est pas admissible qu'un Arbuckle puisse venir faire des choses
pareilles à San Francisco et s'en tirer à bon compte. »

« À San Francisco, précisait Neil, les gens n'aiment pas Hollywood, ils répètent "ici c'est le Nord !" — Il faut traduire, disait
Kathryn, "le Sud, c'est des métèques". »

L'essentiel des munitions de l'accusation c'était les témoignages des trois filles, Belmont, Blake et Prevost. Avec Semnacher, l'agent de Virginia, le procureur Brady avait son carré d'as.
Et il y avait aussi Lehrman, le *boyfriend* de la victime, continuait
Neil, elle en était là, Virginia, les années qui passent, les kilos qui
viennent, mais pas les vrais rôles. Et Samuel enchaînait : un gros
front, Lehrman, des yeux de rat, et une moustache qui pendait, sa
chérie l'avait laissé à New York pour faire la fête à l'autre bout
du pays ; quand il avait appris qu'elle était à l'hôpital, il s'était
contenté d'un télégramme de prompt rétablissement, mais après
le décès il avait téléphoné au croque-mort pour lui dire de mur-
murer « Henry t'aime » à l'oreille du cadavre. Ensuite, il s'est mis
à jouer au vengeur, et les journaux ont titré « Le fiancé de Virginia veut tuer Arbuckle », il racontait que Fatty au départ c'était
un laveur de crachoirs, on avait fait une idole avec un laveur de
crachoirs, cet obèse a porté ma fiancée dans une chambre pour
la violer, elle battait des jambes !

Quand Gabrielle avait parlé des années de jeunesse de Fatty
à Rania, Rania avait commenté : « Pour survivre, à six ans, mon
mari avait commencé par balayer l'école de son village, c'était
ça ou petit voleur… un jour l'instituteur l'avait surpris en train
d'écrire des chiffres au tableau, il n'y comprenait rien mais il
aimait les chiffres, ça avait séduit l'instituteur, mon mari a vite
progressé… il était en train de devenir le meilleur avocat d'affaires de la capitale, il s'était fait tout seul, mais je n'ai jamais

compris son goût des armes et des combats, ça n'était pas son monde, il voulait imiter des seigneurs qui de toute façon ont disparu... — Vous pensez souvent à lui ? — Je lui en veux d'être allé mourir pour un pays qui nous méprise.»

Partout aux États-Unis on retirait de l'affiche les films de Fatty, le grand jury est allé très vite, «chez nous, disait Samuel Katz à Raouf, c'est ce jury qui décide si on doit passer devant un tribunal». Maud Delmont a témoigné à charge : Fatty enfermé pendant une demi-heure avec Virginia. Puis il y a eu les médecins, péritonite après une rupture de la vessie, et pour le procureur la preuve de lutte acharnée c'étaient les vêtements déchirés, donc viol et meurtre. Mais pour d'autres légistes le corps ne portait aucune preuve de violence.

Et il y a eu un coup de théâtre, quand Maud Delmont, la première accusatrice, a changé son témoignage, elle a avoué qu'elle avait bu une dizaine de whiskys et que Virginia Rappe était allée toute seule dans la chambre à côté. Et ça, disait Neil, c'était embêtant pour les journaux qui avaient dessiné Fatty emportant dans ses bras une fille qui battait des jambes !

Kathryn avait fait une moue comme s'il s'agissait d'un détail qui n'enlevait rien à la noirceur de Fatty. Neil s'amusait en silence en observant sa femme, Kathryn avait un rôle difficile, elle aurait aimé flinguer Fatty, raconter ce qui se passait dans sa troupe, mais il aurait aussi fallu raconter tout ce qu'elle y avait fait. Raouf ne comprenait rien à cette tension entre mari et femme, mais il s'efforçait de faire celui qui sait, ce qui l'empêchait ensuite de poser des questions à Gabrielle ou à Ganthier. Il n'osait pas non plus en poser à Kathryn.

Cavarro continuait à raconter : la Delmont confirmait qu'elle avait mis Virginia dans la baignoire avec des morceaux de glace sur le ventre pour calmer la douleur, et Semnacher, l'agent de Virginia, était venu témoigner qu'il avait entendu l'actrice dire «il m'a fait mal», mais mardi matin seulement... «lundi je croyais qu'elle était seulement saoule, disait Semnacher, c'est pour ça que j'étais rentré chez moi, oui, à Los Angeles, avec un ou deux vêtements déchirés de Virginia, je comptais en faire des chiffons... pour la voiture».

Cavarro avait l'air de ne jamais prendre parti, tout en ne retenant que le plus sombre de chaque épisode. Il me fait l'effet, disait Ganthier à Gabrielle, de celui qui observe un naufrage auquel il est presque sûr d'avoir échappé, mais comme il y revient tout le temps il pourrait se faire embarquer par une vague, et Neil avec lui. Gabrielle était intriguée par le couple du réalisateur et de l'actrice : «Ils travaillent ensemble, disait-elle, ils vivent ensemble, mais on sent que si nous n'étions pas là, ils se sauteraient à la gorge.»

On parlait de plus en plus de chambre à gaz, mais Zey Prevost, l'autre témoin clé du procureur Brady, lui a fait défaut, elle a refusé de confirmer le «je meurs, il m'a tuée» de la victime, c'était sur le procès-verbal de la police mais elle n'avait pas signé, malgré les menaces de Brady qui voulait l'inculper de complicité de meurtre ! Brady n'avait plus qu'un témoin à charge, Maud Delmont, qui disait des choses différentes selon le jury auquel elle s'adressait ; il avait aussi Semnacher qui se contredisait, ça ne pesait pas lourd, alors Zey Prevost a été ramenée à la barre et elle a confirmé ce qu'avait raconté Maud Delmont.

Dans les rues, le Comité de Vigilance Féminine réclamait la tête de Fatty Arbuckle, elles lui donnaient rarement le surnom de Fatty, trop amical à leurs yeux. On les appelle les Vigilantes, avait dit Kathryn, elles défendent les droits des femmes et la morale des vieux, Neil ajoutant qu'avec la prohibition elles avaient tué le saloon, et qu'elles voulaient maintenant bousiller le cinéma, «elles ne peuvent pas nous attaquer sur ce qu'on montre et ce qu'on dit, à cause de la liberté d'expression, alors elles s'en prennent à notre façon de vivre, au nom de la vertu, et ça répand le vice ! Pour l'alcool elles ont réussi à nous faire passer d'un pays de poivrots à un pays de truands, on n'a jamais acheté autant de bouteilles de lait aux États-Unis que depuis qu'elles sont peintes en blanc et qu'elles contiennent un mélange de caramel et d'alcool de bois, et qu'elles coûtent cinq fois plus cher que le vrai whisky qu'on a fait disparaître en inventant ce lait qui paralyse les jambes ».

Dès le début des audiences les Vigilantes s'étaient installées au premier rang du public, toutes en noir. Elles en étaient sûres, Fatty allait finir comme une boule de neige dans les mains de Satan.

9

À BONNE ÉCOLE

Kathryn connaissait par cœur le contenu de son *Baedeker* et de son *Guide Bleu*, elle était fière de montrer ses connaissances à Raouf : «Ça, c'est une madrassa!» avait-elle dit en lui serrant le bras. Devant eux, une dizaine de gamins psalmodiaient dans une échoppe. Derrière le maître, accroché au mur, il y avait un gros bâton avec une corde attachée aux extrémités. «Et c'est avec ça qu'il tape quand on ne sait pas sa leçon!» Rire de Raouf : «Il vaudrait mieux pas! il pourrait tuer!» Kathryn ne disant plus rien, elle était vexée par le rire de Raouf, elle ne voulait pas demander de précision, Raouf reprenant : «Mais ça sert quand même à taper, d'une certaine façon.» Il attendait une question de Kathryn, qui ne venait pas, elle changea de sujet : «On te battait à l'école? — Dans laquelle?»

Dans son enfance Raouf avait suivi deux écoles en même temps, l'instituteur français dans la journée et ce que Kathryn appelait la madrassa, en fin d'après-midi; la madrassa n'était pas trop difficile, il fallait apprendre par cœur des versets du Coran, son seul problème était qu'il psalmodiait assez mal, le maître, Si Allal, lui reprochait de vouloir d'abord comprendre ce qu'il devait psalmodier et Raouf n'aimait pas se plier à la scansion recommandée. C'était un péché de faire autrement, disait le maître, «c'est en psalmodiant qu'on fait entrer les sourates dans l'âme, tu n'as pas d'âme?». Raouf avait fini par avoir deux textes dans la tête, celui qu'on lui demandait de réciter et celui qu'il cherchait à éclaircir.

Pour ceux qui manquaient de mémoire, Si Allal ne se servait pas d'un bâton mais d'une grande baguette solide et souple, elle provoquait le maximum de douleur et de sang qu'on peut infliger sans rompre un os; le bâton et la corde attachée aux extrémités n'était que son complément et, à la première faute un peu lourde, sur un signe du maître, deux élèves se précipitaient sur le coupable, ils l'étalaient sur le dos, lui prenaient les pieds qu'ils faisaient passer entre la corde et le bâton, puis tournaient le bâton sur lui-même pour serrer la corde autour des pieds bien joints, et lever ensuite le bâton à l'horizontale jusqu'à hauteur de leur poitrine : le coupable se retrouvait suspendu par les pieds et il en offrait la plante nue à Si Allal qui disait avant de frapper : *la baguette du maître vient du paradis*. Les deux élèves chargés de la victime étaient en général costauds et vifs, c'était une fonction recherchée car on ne peut être en même temps victime et bourreau; on riait rarement, sauf quand la victime tête en bas se pissait dessus.

D'autres fois, pour des fautes plus vénielles, sur un autre signe de Si Allal, le coupable joignait les extrémités de ses doigts, les tournait vers le haut et les présentait au maître; coups secs; et double peine quand on retirait les doigts avant la frappe, avec obligation de tendre non plus les doigts mais les paumes entières, ce qui autorisait des coups encore plus cinglants. Là où Si Allal faisait preuve d'une grande inventivité, c'était avec les élèves qui laissaient pousser leurs cheveux quand la pauvreté, la gale et les poux ne les contraignaient pas à avoir en permanence la tête rasée; le maître pouvait coincer une touffe de cheveux dans une fente à l'extrémité de sa baguette, et il enroulait lentement les cheveux jusqu'à l'apparition des cris; il marquait une pause, laissait sa victime chercher les mots qu'elle ne parvenait pas à réciter, puis recommençait à tourner, jusqu'aux vrais cris, ceux de la douleur, une pause à nouveau, la voix sucrée de Si Allal : «Maintenant tu te souviens?» et il tirait lentement sa férule vers le haut, comme une canne à pêche; l'élève se levait, essayant de mêler à ses supplications les mots de récitation que lui soufflaient ses camarades, jusqu'au moment où il se retrouvait sur la pointe des pieds, Si Allal arrêtait alors de tirer la férule vers le haut, le coupable devenait l'artisan de sa propre douleur, et dès qu'il faiblissait sur ses appuis les supplications reprenaient; Si Allal faisait attention à ne pas trop courber sa férule, elle cassait rarement, et les coupables eux-mêmes faisaient attention à ne pas aller jusqu'à cette catastrophe, ils prenaient toujours de l'avance sur la douleur, ils la jouaient, elle était moins forte que leurs cris, mais il y avait toujours le moment où elle finissait par les rattraper, et par prendre à son tour de l'avance sur leur respiration, et ceux qui s'étaient montrés les plus résistants au début se mettaient à supplier.

Quand Raouf disait : «Ça ne se fait pas de supplier», ses camarades répondaient qu'il avait beau jeu car le maître ne s'attaquait jamais à lui; de mémoire d'élève jamais Si Allal n'avait levé la main ou la férule sur Raouf; alors que cette immunité était une tache sur la façon dont Si Allal exerçait son métier, personne n'osait en parler bien sûr, jamais un élève n'aurait osé dire : «Tu me frappes, et pas lui...»

Il était heureux que le fils du caïd fût bon élève, et qu'il n'y en eût pas deux comme lui pour réciter sans fautes les sourates que le maître lui ordonnait de réciter devant des officiels; mais cette absence de châtiment ordinaire était un mauvais signe donné à la communauté; non, ça n'était pas parce que le caïd était un personnage puissant que le maître agissait ainsi, d'autres élèves étaient fils de personnages presque aussi puissants que le caïd et ils étaient pourtant pris par les cheveux, ou battus jusqu'au sang. Si le maître ne touchait pas à Raouf, c'était parce que le caïd ne lui avait pas dit, comme tous les autres pères quand ils lui amenaient leur fils : *dbah wa âna neslakh*, égorge-le, moi je le dépèce ! Le caïd avait prononcé une phrase plus compliquée, sur la dignité, sur les hommes qui ne deviennent dignes que si on les traite avec dignité, et la dignité n'a pas besoin de coups ; le maître n'était pas d'accord, sa férule avait fait des générations et des générations de bons croyants, mais le caïd avait eu un ton très froid quand il avait parlé, et surtout il ne s'était pas répété. « Si je comprends bien, tu aurais aimé être battu, avait dit Kathryn. — C'est presque ça, et pour m'habituer malgré tout aux coups je faisais exprès de me battre à la sortie de l'école. »

Puis Raouf s'était tu, la honte de faire des confidences, Kathryn l'avait piégé, c'était à elle de parler, c'était un échange, elle s'était mise à raconter son enfance, les débuts de l'adolescence, des confidences très directes : « J'étais rondouillarde, j'avais des fesses épouvantables, de gros mollets, ma mère faisait exprès de rentrer dans la salle de bains quand j'y étais, j'ai changé, n'est-ce pas ? » Raouf rougissait, elle parlait aussi de ses études, de son professeur de danse, un ami de ses parents, « il était la générosité même, il savait tout, me prêtait des livres, m'en offrait, il obtenait de mon père que je puisse sortir le soir, il lui disait "il faut que jeunesse se passe", c'était le meilleur professeur de danse de la ville, il plaisantait tout le temps, il m'a mis en tête deux ou trois des choses les plus solides qu'elle contient aujourd'hui, il m'a fait lire Mark Twain et Dickens dans une école où il ne faisait pas bon avouer qu'on lisait des livres… Sa femme était dans un sanatorium, ça lui coûtait cher, il avait ce cours de danse, il assurait la moitié des leçons, et le soir il rédigeait des réclames pour les commerçants du quartier, je ne l'ai jamais vu autrement qu'en train de travailler, le dimanche il rendait visite à sa femme en autocar, sept heures d'aller-retour, il achetait parfois des billets de tombola, il ne gagnait jamais, il savait me consoler quand j'avais de mauvaises notes à l'école et il refaisait les exercices de maths avec moi, j'aurais préféré qu'il m'aide avant que je ne les rende et pas après, mais je n'ai jamais osé lui demander, c'était un être moral! je lui devais ma force, et quand il m'a montré son sexe je n'ai rien compris, sauf que je ne voulais pas, et j'étais déjà suffisamment bête pour ne pas le dénoncer, je n'ai pas voulu passer pour une gourde, ou plutôt je n'étais pas sûre que mes parents m'auraient défendue, j'avais treize ans, je me suis contentée de dire que je m'étais foulé et refoulé la cheville, j'ai arrêté la danse», Kathryn s'était mise à rire, «et j'ai été tellement dégoûtée par ce qu'il avait fait que j'ai pris du retard sur mes copines qui passaient déjà le dimanche après-midi à regarder couler la rivière avec des garçons, *something in hand* comme on disait, "quelque chose dans la main"… pas trop de retard, mais quand même. Et puis ma tante a proposé de me prendre chez elle à Hollywood, et là j'ai vite progressé».

Kathryn savait que Raouf était choqué et elle s'amusait de le voir jouer à celui qui ne l'était pas et qui cherchait à lui faire des confidences équivalentes. «Il ne connaît rien de la femme», avait dit Tess qui discutait parfois avec lui. Il faisait semblant d'avoir de nombreuses maîtresses, là-bas, dans la capitale, il s'emmêlait dans ses histoires, et, devant Kathryn, il se dépêchait de revenir à ses souvenirs d'école, Kathryn l'interrompant : où Rania avait-elle reçu son éducation? Un peu comme moi, avait répondu Raouf, dans une école française, et pour l'arabe c'est un maître qui venait chez elle, elle m'a dit un jour que c'était le seul homme pieux qu'elle avait respecté; quand elle a fini l'école française, elle n'a pas continué au lycée, elle s'était retrouvée seule *Arabe* de sa classe, elle n'a pas supporté, elle aurait pu aller dans des écoles de bonnes sœurs mais on n'y apprend que la couture et le ménage, son père a fait venir des maîtres pour qu'elle puisse continuer en français, en calcul, en géographie, en sciences naturelles, une espèce de lycée à domicile, comme les princesses égyptiennes.

Raouf répondait aux questions sur Rania, mais il n'allait pas plus loin, Kathryn le faisait alors revenir au sujet précédent, chez les Français aussi il y avait des maîtres à baguette, pas tous, mais certains tapaient, oui sur tout le monde, même les Français, et sur les Arabes, les Juifs, les Maltais, les Italiens, à tous ceux-là monsieur Desquières faisait comprendre avec rudesse le privilège que c'était d'être son élève, il avait une méthode bien à lui, il sortait son fauteuil de derrière son bureau, le mettait au centre de l'estrade, face à la classe, s'asseyait, soupirait, souriait, et tout le monde savait ce qui allait se passer, surtout les jours où il remettait les devoirs. Il procédait par ordre alphabétique, dans un silence de mort car il faisait exprès de parler à voix très basse, les coups c'était pour les notes au-dessous de trois sur dix, l'élève appelé se levait, s'avançait dans la rangée, jusqu'à l'estrade, et là il devait s'agenouiller en face de monsieur Desquières, mettre la tête entre les genoux du maître, et monsieur Desquières serrait cette tête en tenaille. Puis il prenait la grande règle en fer qu'il gardait toujours sur son bureau et commençait à taper sur les fesses du coupable, avec violence et lenteur, guettant les cris et les ruades pour pouvoir lancer : « Ah ! monsieur résiste ! monsieur résiste ! » et taper plus fort. Certains matins, ceux des remises de devoirs, il y avait toujours un ou deux élèves pris de malaise sur le chemin de l'école. Et la punition durait plus longtemps pour ceux dont il avait d'abord fallu répéter le nom parce qu'ils ne trouvaient pas dans leurs jambes la force de se lever.

Une fois, Raouf a même fini par lui dire : « Monsieur… » C'était le jour où Desquières s'était acharné sur Chemla. Chemla était le fils d'un tailleur, personne n'avait très bien compris la raison de cet acharnement, Chemla était très bon élève. Pour les premiers coups on avait compris, parce que Chemla avait ri quand la carte fixée au tableau était tombée, monsieur Desquières n'aimait pas qu'on se moque de lui, Chemla s'était moqué et c'était donc normal qu'on le tape, mais monsieur Desquières avait tapé d'une drôle de façon, pas sur les fesses, il n'avait pas mis Chemla dans la position traditionnelle, il était venu directement devant lui, et il avait tapé à mains nues sur la tête du garçon en le traitant de *dolichocéphale*, un mot qu'il venait de leur faire découvrir en sciences naturelles, il tapait de plus en plus fort, cherchait le bon angle pour faire vraiment mal, fermait parfois la main en forme de poing en raccourcissant sa trajectoire, ses coups étaient espacés, c'était comme s'il essayait à chaque fois d'éprouver avec son corps le plaisir d'infliger la punition, de se venger de quelque chose qu'il ne disait pas, Raouf avait dit *monsieur...* en essayant de ne pas crier, de ne pas provoquer le maître, de ne pas faire obstacle, il aurait été incapable de dire ce qu'il avait voulu mettre dans sa voix, pas de la supplication, pas un appel, Raouf n'avait pas aimé le son de sa propre voix quand il avait dit ça, *monsieur...* une espèce de plainte, mais pas indignée, il ne fallait pas avoir l'air de vouloir interrompre monsieur Desquières, ça l'aurait rendu furieux, non, il ne l'était pas déjà, il n'était pas furieux, il était méthodique.

Chemla encaissait sans rien dire, sans faire aucun bruit, il ne suppliait pas, les autres avaient peur, du moins ceux qui étaient assis à côté de Chemla, ceux qui étaient plus loin supportaient le spectacle en s'en réjouissant, certains riaient chaque fois que monsieur Desquières disait *do...* coup de la main gauche, *licho...* coup de la main droite, *...céphale*, et revers de la main droite aussi sec pour surprendre Chemla, Raouf avait dit *monsieur...* et un autre élève, Walther, Guy Walther, le fils du commissaire de police de Nahbès, avait lui aussi dit, à voix plus basse, *monsieur*... et cela avait calmé monsieur Desquières, il n'avait pas regardé Raouf, ni Walther, il avait continué à taper, moins fort, de moins en moins, comme un coureur qui continue à petites foulées après l'arrivée pour ne pas casser brutalement le mouvement de ses muscles. Plus tard, bien des années plus tard, en repensant à cette scène Raouf s'était demandé pourquoi monsieur Desquières avait cédé à leur appel discret, il s'était peut-être rendu compte que les coups sur la tête risquaient d'être plus dangereux que ceux de la règle sur les fesses, Raouf et Walther lui avaient permis de sauver la face, il avait fini par dire : «Tu entends, tes camarades me supplient de t'épargner, ils sont meilleurs que toi, ils connaissent la vraie solidarité, espèce de sale...» Il avait hésité, tout le monde attendait un dernier *dolichocéphale* mais il avait lancé en postillonnant : «Espèce de sale... radin !»

La carte dont la chute avait fait rire Chemla, c'était celle de l'empire colonial français, une carte du monde avec ses grandes taches, rouges pour les colonies, jaunes pour les protectorats, sur l'Afrique, l'Asie, les océans. Et bien plus tard Raouf finirait par comprendre ce qu'il y avait derrière tout ça, la famille de Chemla était communiste, pas le père, un tailleur docile à tout, mais l'oncle, celui qui travaillait aux chemins de fer et réclamait la destruction des empires. Un *dolichocéphale* lui aussi. Monsieur Desquières savait tout ça.

Au fil de ses promenades, conversations et confidences avec Kathryn, Raouf se sentait de moins en moins en proie à la souffrance amoureuse, il lui arrivait de s'en inquiéter, de se demander avec crainte *sommes-nous seulement amis ?* Mais il trouvait aussi de la douceur à ce nouvel état, qui lui semblait au moins à l'abri des heurts et des ruptures. Ganthier lui avait même dit : «Bravo ! le parcours complet ! De l'attentif au coup de foudre, et du coup de foudre au véritable ami en un temps record !»

10

UN MARIAGE BIEN MENÉ

Dans les discussions qu'il animait pour ses jeunes amis de La Porte du Sud, Belkhodja avait toujours eu beaucoup d'assurance, le mariage était son affaire, mais plus le temps passait plus il devenait anxieux : on était presque à la fin du printemps, et il n'avait encore rien de précis en vue. Il allait perdre la face, certains jeunes gens ne le rateraient pas et c'était aussi pour ça qu'il avait parlé de *vache de Satan*, une formule plus méchante qu'il n'aurait fallu, quand Raouf avait commencé à se pavaner avec son Américaine : il avait voulu prendre les devants.

On était désormais installé en terrasse sous des parasols, et un jour l'un des jeunes gens, Karim, avait lancé à Belkhodja : « Si tu étais vraiment malin, tu épouserais la veuve Tijani. » Parler devant Raouf d'une de ses cousines, fût-elle éloignée, c'était une provocation, une faute même, Karim l'avait fait exprès, il venait d'avoir une discussion politique avec Raouf et celui-ci avait raillé son nationalisme bourgeois, ses goûts contradictoires pour l'alcool et la théologie, et sa volonté d'obliger les femmes à porter le voile jusqu'à des temps meilleurs. Raouf avait choisi de ne pas relever la provocation de Karim et d'en profiter pour se moquer de Belkhodja : « La fille de Si Mabrouk ? il a trop peur !
— Peur de quoi ? avait demandé Karim, c'est une vraie croyante.
— Il a peur qu'elle lui donne des leçons de théologie ! Elle en

sait dix fois plus que lui. — C'est une femme à lunettes, avait
dit Belkhodja, elle en sait trop, trop de science c'est la science
des incroyants ! »

Et, pour faire diversion, il s'était emparé du journal français de
Raouf, il s'était moqué des photos de femmes en maillot de bain :
« Même les Français se mettent à élever des vaches maigres ! »
On avait ri, c'était une pique sans méchanceté apparente, mais
le mot de Belkhodja sur Kathryn Bishop et la *vache de Satan*
avait déjà bien circulé en ville. Pour Raouf, laisser passer cette
nouvelle pique, c'était s'incliner devant Belkhodja. Le marchand
n'avait pas parlé au hasard, il voyait bien que le fils du caïd
n'était pas à l'aise quand on parlait des Américains, il avait la
maladresse des amoureux, l'heure était venue de le piquer sous
les ongles, de le pousser à se découvrir, et de lui faire sentir qui
était le plus fort ; mais Raouf était déjà en train de répliquer : une
belle femme, pour leur cher doyen, ça avait de grosses cuisses,
de gros seins, un gros derrière, et ça pouvait porter dix litres sur
sa tête, sinon c'était une... concession au colonialisme... Rire
général... Raouf avait poursuivi : « Une belle femme ça peut
même avoir de la moustache, tant qu'elle ne ressemble pas à
celle qu'il porte... » Nouveaux éclats de rire.

Belkhodja était pris de court, il aurait voulu enchaîner sur
la vache, mais il voulait d'abord se défendre d'aimer les gros
derrières et les moustaches, il savait ce que les autres avaient
compris, c'était une infamie, mais s'il s'en défendait Raouf
lui demanderait pourquoi il rougissait d'une plaisanterie innocente... les rires redoubleraient... le mieux c'était de reprendre
sur la vache de Satan, mais il fallait se renouveler, Belkhodja
cherchait une nouvelle formule, peut-être un autre animal, il
hésitait sous les regards, autour de la table on trouvait qu'il avait
déjà passé trop de temps à ruminer, la conversation de café est
impitoyable, on s'était de nouveau tourné vers Raouf, à lui de

parler puisque le marchand n'était pas assez rapide, à lui de relancer, et on savait comment.

Belkhodja se disait qu'il avait fait une erreur en défiant le fils du caïd, parce que ce qui allait maintenant parler contre le marchand ça n'était pas les idées à la mode, la mode des femmes maigres ou les innovations blâmables, c'était autre chose, c'était la langue arabe, tout le monde le savait, on faisait silence, c'était le problème avec Raouf, il se promenait avec des étrangères mais il savait faire parler la langue d'entre les langues, celle qu'on révérait d'autant plus qu'on était en train de la perdre à force de dire *toumoubile*, *camioune*, *birou*, *tilifoune*, *ventilatour*, ou de mettre les verbes après leurs sujets comme des mécréants, et cela faisait au contraire des années que Raouf remontait dans le temps, ce lécheur d'encre ne s'était pas contenté d'apprendre le Coran par cœur, il connaissait ce qu'on avait renoncé à connaître pendant les siècles du marasme : les plus beaux textes, ceux des premiers âges, Ibn al-Muqaffa', Abû Nuwâs, Djahiz, Badi' Ezzamân, Abu l'Ala Al-Ma'arrî, l'élégance avant le règne des dévots, et Belkhodja ne pourrait pas répliquer, on n'interrompt pas en langue vulgaire quelqu'un qui fait exister la langue par excellence, Raouf allait réciter, on préférait l'entendre plutôt que de courir le risque d'un incident grave en laissant Belkhodja revenir à ses piques, on attendait quelques vers immortels sur la beauté féminine et le désir, et le malheur de désirer la beauté.

Belkhodja s'était levé : «Grosses ou maigres, du moment qu'elles veulent un tapis, je dois être là.» Il avait ajouté une moitié de sentence : «Travaille, et tu deviendras fort...» Pas besoin de leur dire la suite, ils la connaissaient : *reste assis, et tu sentiras mauvais*. Il aimait bien leur rappeler qu'il était le seul à gagner sa vie sans dépendre de personne. Les autres avaient daigné rire, et l'avaient salué; il avait renoncé à la joute, on lui savait gré d'avoir anticipé sa défaite, et surtout, avait dit Karim,

d'avoir épargné à ses amis une nouvelle manifestation du pédan-
tisme de Raouf.

On se doutait que ce n'était que partie remise, mais les
jours suivants Belkhodja avait pratiquement cessé de parler de
femmes, de mariage ou de vache. Et s'il ne parlait plus, c'est
qu'on n'attrape pas un lièvre en frappant sur un tambourin : il
avait enfin trouvé la bonne piste, grâce à une amie de sa tante,
non, il n'avait pas consulté sa mère, il y a des choses dont un fils
ne parle pas avec sa mère, surtout quand celle-ci ne rate pas une
occasion de lui faire sentir à quel point il aurait encore besoin
d'elle ; une amie de sa tante, donc, qui était aussi une parente
éloignée de la défunte mère de Raouf, et que Raouf fuyait car
elle voulait lui faire épouser une fille *de qualité*. Elle avait la
réputation d'être une excellente marieuse. Pour Belkhodja, il y
aurait de l'ironie à réussir son entreprise grâce à une parente
de ce jeune chacal qui passait son temps à rire de lui, il avait
discrètement parlé avec elle, il lui faisait confiance depuis qu'il
était adolescent, depuis qu'elle lui avait dit de ne pas aller avec
les femmes perverties, ou au moins d'en parler avec le docteur
Berthommier, un chrétien utile, qui avait donné de bons conseils
à Belkhodja. À cette femme, Belkhodja avait dit pendant l'hiver :
« Je la veux souriante, je ne veux pas d'une épouse criarde, je la
veux honnête et vraiment souriante, je ne veux pas d'une de ces
femmes qui s'appuient sur leur vertu et les enfants qu'elles vous
font pour vous rendre la vie impossible, il y a pire que la femme
pervertie, c'est la femme qui se met dans la tête que la vertu
donne des droits ! » Belkhodja était fier de sa formule, et de voir
qu'elle suscitait le respect dans le regard de son interlocutrice.

La recherche avait été longue. Il n'y avait jamais d'argent
entre le marchand et la marieuse. La première fois il lui avait
apporté une superbe natte de tribu, elle l'avait remercié : « Tu es
gentil, Si Hassan, mais je n'ai plus de place pour les tapis, une

fois c'est bien, tu es généreux, mais tu dois faire attention, un mariage ça coûte cher, très cher!» Il avait compris. Elle n'aimait que la soie naturelle, à chaque visite un gros coupon de la meilleure qualité. Tout cela lui revenait plus cher que des pièces d'or mais il n'avait pas d'autre personne de confiance. Pendant des heures elle lui décrivait les pistes sur lesquelles elle était, le temps qu'elle y passait, ses pauvres jambes, ses pauvres nerfs, elle lui décrivait surtout les charmes de sa future vie d'homme marié, les naissances, les premiers pas, les circoncisions, et le jour où il accompagnerait son fils aîné pour la première fois à l'école, et tous ses autres enfants, au moins trois fils et une fille, la dernière, la préférée, une vraie joie, mais les fils, eux, seraient sa fierté, qui est plus que la joie. Elle savait donner du goût à chacune de leurs entrevues, sans oublier de rappeler la difficulté de sa tâche : «Tu comprends, Si Hassan, la beauté ça se trouve, la vertu ça se trouve, la beauté vertueuse on peut trouver, mais vraiment souriante... tu demandes trop, ça ne se trouve qu'au paradis, il y a quelque chose d'excessif dans ta demande, on me le fait comprendre, tu sais, ou alors on me ment. Il va falloir être patient... nous trouverons, Si Hassan, avec l'aide de Dieu!» Puis revenait le plus doux, le récit de la vie qui attendait Belkhodja, l'achat d'un petit âne pour amuser les enfants, les déjeuners sous le grand saule pleureur, les sourires de sa femme.

Belkhodja sentait de plus en plus lourdement passer le temps, et il doutait parfois des capacités de sa marieuse. Mais à la fin du mois de juin elle avait fini par lui trouver un très intéressant parti, une jeune fille gentille, ni trop grande ni trop petite, pas maigre mais pas trop grosse, juste ce qu'il fallait, pas bavarde, et pas de moustache, «jolie, appétissante, modeste et calme, et souriante, comme tu l'as demandé»... la famille? pas trop exigeante mais bien considérée, une chance qu'il ne fallait pas laisser s'évanouir, oui, à la campagne, à cinquante kilomètres de Nahbès, mais pas des ignorants, la route passe depuis dix ans, « la fille a une peau bien blanche, elle rougit rien qu'en bougeant, il y a des jours où je voudrais être un homme ».

Belkhodja était alors devenu quelqu'un de pressé. Tous ses jeunes amis s'étaient retrouvés au courant et tous, y compris Raouf, l'avaient mis en garde : méfie-toi de l'eau qui dort, envoie d'autres femmes, qu'elles la voient, qu'elles voient sa mère, prends la fille d'après la mère, c'est toi-même qui nous parlais de risque sans visage, respecte les délais, Raouf avait dit « souvent femme varie »… la lèvre supérieure de Belkhodja s'était retroussée, il avait lancé « encore une sagesse de roumi »… Raouf avait fait comme s'il n'avait rien entendu, il avait récité *ankartu ma qad kuntu a'rifuhu minha*… et je ne reconnais plus rien de ce que je connaissais d'elle. Il avait marqué un silence après ces mots pour donner à Belkhodja le temps de compléter, mais Belkhodja ne connaissait pas plus les vers de Bachchâr que les auteurs français, et la suite donnée par Raouf sur un ton attristé ne lui avait pas plu : *siwâ almaw'ûdi wa lghadri*… sinon les promesses et la trahison… Il n'y avait pas d'ironie dans le ton de Raouf, mais, à mots couverts, Belkhodja avait signifié qu'il avait trouvé le contraire, tout le contraire d'une vache de Satan, ajoutant qu'il n'avait pas besoin de poésie, qu'il avait, lui, l'âge de la lucidité et les lumières de la religion ! Une réponse plate, il le savait, il manquait de lectures, mais au moins le commerce lui avait appris à ne pas hésiter quand une véritable occasion se présentait, il y aurait toujours un risque mais, si l'intérêt qu'il avait pour cette fille finissait par être trop connu, il allait voir surgir des concurrents, des vautours, on connaissait son savoir-faire, quelqu'un d'autre allait se jeter sur l'occasion en profitant de l'expertise de Belkhodja. Celui-ci avait vite conclu le mariage, pour clouer le bec aux vautours, et à Raouf qu'il soupçonnait de préparer une vengeance.

Et en ce début juillet 22 ce fut une superbe fête, Belkhodja
eut la joie d'entendre un Raouf très amical le proclamer «guide
lucide de la jeunesse» dans le discours qu'il fit devant tous leurs
amis quelques jours avant le mariage, au cours d'une soirée où
l'alcool de figue et le whisky avaient fini par jouer un rôle démesuré au goût de Belkhodja. Seul Ganthier qu'il avait invité avec
d'autres gros clients européens avait gardé une réserve qui en
avait fait son interlocuteur privilégié. Belkhodja lui avait raconté
tout ce qu'il avait développé depuis des mois devant la petite
bande, le refus d'une fille de trop bonne famille, les puissants
sont dangereux pour l'homme de bien, l'innocente chasteté, et
le sourire surtout, le sourire… un choix qui faisait l'unanimité.
Il avait montré Raouf du doigt : «Même lui, ce qu'il a dit, pour
une fois, ça n'était pas de la confiture salée !»

Puis Ganthier avait pris congé pour rentrer en compagnie de
Raouf, en marchant sous les étoiles, Ganthier s'amusait du choix
de Belkhodja, «cet homme aime l'argent d'aujourd'hui mais il
a pris une fille d'hier, il n'aurait jamais pris une fille de grande
ville, la peur de tomber sur une rebelle». Ganthier s'était arrêté
pour fixer les yeux de son interlocuteur : «Vous savez pourquoi, ici, vous avez peur des femmes qui ont un peu de force?
— Moi je n'ai pas peur ! avait dit Raouf. — Admettons, mais ce
beau mélange de femme et de peur, ça ne vous rappelle rien?
votre enfance… les servantes… vous vouliez rester dans le jardin à la nuit tombée, alors elles allaient appeler la créature du
dehors, la ghoule, la femelle aux mains de pieuvre, tête d'hyène
et dents longues comme des doigts, et velue comme une araignée, vous désobéissiez? elle allait vous manger la culotte ! ça
marque, non?» Raouf ne répondait pas, son père avait interdit
aux domestiques de raconter des histoires de ghoules à son fils,
c'est du paganisme, disait le caïd, et il n'y a pas si longtemps,
pour moins que ça, on brûlait les gens, il n'y a de divinité qu'en

Dieu ! Il arrivait pourtant à Raouf de regretter de n'avoir pas connu ces peurs-là, et de n'avoir jamais eu affaire qu'à de vrais ennemis. Il avait fini par répondre à Ganthier, quelques mots, la ghoule... la ghoule universelle... puis il s'était tu, comme par scrupule d'amitié, et Ganthier avait compris, lui-même ne se débrouillait pas trop bien en ce moment avec une femme libre, il avait lui aussi sa mangeuse d'homme, qui justement ne voulait pas manger, et Raouf était encore plus ironique que s'il avait ouvertement parlé de Gabrielle, son silence prêtait à Ganthier de vraies angoisses... à chacun sa ghoule.

Le premier mois de mariage fut un grand mois pour Belkhodja, avec une femme toujours joyeuse, peut-être pas si bonne ménagère, mais Belkhodja avait accepté qu'elle amène avec elle une servante qui faisait le relais, et puis cette jeune épouse s'entendait avec sa belle-mère, ta femme est très bien, disait celle-ci, au moins elle n'est pas bavarde ! Belkhodja passait sur le «au moins», les relations familiales étaient en ordre, et l'ordre, comme le lui avait un jour appris un client allemand, c'est la moitié de la vie. La jeune femme répondait «oui» à toutes les demandes de son époux, *na'am a sidi*, un modèle de modestie souriante, elle lui frottait le dos quand il était dans son bain, elle ne rechignait pas aux choses de l'amour, mais ne prenait aucune de ces initiatives qui auraient fait penser qu'elle pût mener une autre vie, en actes ou en imagination.

Une chose contrariait le marchand, sa femme était très troublée, presque malade, à l'idée d'entrer dans la baignoire à son tour après s'être occupée de son époux, elle obéissait, mais n'y prenait aucun plaisir, ce qui privait Belkhodja du sien ; elle ne souriait plus que d'un air contraint, ses regards se faisaient de plus en plus vagues, il n'aimait pas cet air absent, il lui demandait de le quitter pour une mine plus heureuse, qu'elle ne parvenait pas à prendre, elle se mettait au bord des larmes tout en ayant l'air de sourire. Il aimait cette baignoire, mais il avait fini par ne plus infliger à sa femme ce dont elle ne voulait pas. Ses jeux aquatiques, il les gardait pour les séjours dans son hôtel de la capitale, avec d'autres femmes. Son épouse, quant à elle, allait quatre fois par semaine au hammam. À La Porte du Sud, personne n'avait osé dire à Belkhodja que quatre fois c'était beaucoup.

11

L'HISTOIRE DE LA GLACE

Raouf trouvait que les Américains en faisaient beaucoup, au bar du Grand Hôtel, avec leur histoire de procès, mais pour Ganthier c'était comme ça, un personnage démesuré, une histoire démesurée, un scandale énorme, un fric fou. Ce qu'ils aiment, disait Ganthier, c'est le rêve, et ils façonnent leurs rêves à coups de hache, à coups de gueule, à coups de marteau-pilon ou de foreuse hydraulique, à coups de dollars, il faut que ce soit le rêve le plus gros, et s'ils sont plusieurs à se battre à qui sera *the biggest* c'est encore mieux, ils adorent les combats avec des bruits d'os qui craquent, comme leur football, il faut que ça cogne, à la fin il n'y a pas de vainqueurs, il n'y a que des survivants… Quand ils sont arrivés au front, en 1917, ils n'avaient pas d'expérience, mais ils avaient vraiment envie de cogner, ils répétaient *hit fast, hit hard*, «cogner vite, et fort», j'ai croisé un de leurs colonels qui commandait une brigade de chars, dès qu'il y avait une ouverture il fonçait, il fallait le retenir, il rêvait d'être le premier à franchir le Rhin, il voulait leur refaire la bataille d'Ulm, il s'appelait Cattone, ou Vattone, il m'a raconté la bataille d'Ulm toute une nuit, au whisky, il la connaissait à la minute près, mieux que Napoléon! Quand je lui ai demandé comment il avait fait pour relever tous les détails, il a hésité, et il a fini par me confier «j'y ai participé»… il ne plaisantait pas : il croyait en la réincarnation, il était fou, et c'est pour ça qu'il gagnait.

Et la catastrophe pour Fatty Arbuckle, avait dit Cavarro, ça a été la glace. On en avait déjà parlé, de la glace, quand Delmont et les autres avaient raconté qu'elles en avaient mis de gros morceaux sur le ventre de Virginia après l'avoir installée dans la baignoire, mais là c'était autre chose : « Qu'est-ce que Mr Arbuckle vous a dit le lendemain, mardi, à Los Angeles, à propos de glace ? » lui a demandé le procureur. Semnacher a refusé de répondre directement, il a écrit sur un papier et le procureur a lu à voix haute, le mardi, dans sa maison de Los Angeles, Fatty avait lancé à Semnacher : « Tu te rends compte, je lui ai mis un morceau de glace dans le vagin ! » Les journaux ont parlé de *preuve non publiable*, « en fait, c'était pas une preuve, aucun de ceux qui avaient assisté à la scène de la baignoire et de la glace, même Maud Delmont, n'avait prétendu que Fatty en avait mis où que ce fût, c'était une blague du lendemain, disait Samuel Katz, Fatty et ses blagues dégueulasses, le procureur le savait, l'important c'était que ça circule. — Je suis presque sûr que Cavarro et Daintree ont participé à la fiesta de Fatty », dit Ganthier à Gabrielle. On se rapprochait de la peine de mort, mais le grand jury n'a inculpé Arbuckle que d'homicide involontaire. « Et on a reparlé du pouvoir des riches », avait ajouté Kathryn. Gabrielle n'avait pas raconté l'histoire du morceau de glace à Rania.

Fin septembre, Fatty a obtenu la liberté sous caution, Neil Daintree disant que c'était là qu'il y avait eu un coup de théâtre : les Vigilantes qui surveillaient les audiences. L'une d'elles avait montré une énorme épingle à chapeau en disant qu'elle allait tuer cet assassin ; les autres avaient applaudi et, quand Arbuckle est sorti, c'est lui qu'elles ont applaudi, avec des « vas-y Fatty ! » et tout ça. Cavarro précisant qu'on avait alors parlé d'inconstance féminine : elles aiment les anges mais elles applaudissent la brute, parce qu'elles en ont besoin, comme au temps des Indiens, ou peut-être qu'elles jouaient deux rôles à la fois, défendre une morte et soutenir un vivant !

À la ferme, Rania avait répété : «Deux rôles à la fois…» Elle trouvait ça intéressant, si elles n'avaient pas été *vigilantes*, est-ce que leurs maris leur auraient permis d'aller aux audiences ? quand vous voulez vous battre, vous le faites dans les habits qu'on vous laisse… et il faut attendre, songeait-elle, *pour le plaisir aussi il faut se battre, et attendre l'obscurité… il éteint la lampe, les étoiles se glissent par la fenêtre… lui avec moi, mon cœur se serre… il m'arrachera à la prison… ou il m'oubliera… je ne supporte pas l'idée qu'il puisse m'oublier… je lui arrache ses vêtements, il est tous les plaisirs… et la douleur… je veux qu'il me regarde, et j'ai peur du moment où il le ferait, il faut attendre…* âniyatu l'hawâdith… dans le panier des heures les événements restent cachés.

Le juge voulait en finir avant la fin 1921, on a vite sélectionné le jury, Fatty avait un nouvel avocat, McNab, grande allure, disait Samuel Katz, un visage sombre, l'homme qui craint Dieu et le fait craindre, il regardait tout le monde du haut de son mètre quatre-vingt-dix, c'était lui qui avait l'air d'être un procureur, et Brady, en face, avec ses adjoints, ils faisaient magouilleurs de quartier. McNab était aussi le seul à regarder droit dans les yeux les Vigilantes du premier rang, pour qu'elles pensent à leurs propres péchés, il ne disait pas que la femme est un ruisseau de turpitudes, gloussait Samuel, mais on voyait bien qu'il en était persuadé. Ganthier se rendait compte que Samuel Katz était le seul à avoir assisté à tout le procès, le seul à essayer d'y voir clair, mais le problème c'était toutes les contradictions, certains témoins avaient parlé devant la police puis signé leur déclaration et se rétractaient, d'autres avaient refusé de signer, et dit le contraire à la barre, puis ils avaient confirmé, ou pas, la première déclaration qu'ils avaient signée, ou pas, le procureur accusait de corruption «cette défense de millionnaire», la défense affirmait que le procureur menaçait et séquestrait les témoins… Une vraie histoire américaine, continuait Samuel, du sexe, de l'alcool, des principes, de l'argent, et de l'émotion, le public venait, la morale s'exaltait, la mort planait, la presse vendait…

Cavarro était fier de voir son attaché de presse devenir le centre de la conversation, même si parfois il avait peur de le voir basculer dans des idées radicales.

À la barre, les médecins n'étaient pas d'accord entre eux sur les causes de la déchirure : force externe, déchirure interne, choc du bain froid ou contractions de vomissements, au moins dix whiskys disaient les témoins, McNab a fait répéter le chiffre en protestant qu'il ne voulait pas salir la mémoire de la victime, dix whiskys, et des vomissements. Il y avait aussi une autre buveuse à dix whiskys : le témoin de l'accusation, Maud Delmont, elle les avait avoués. Et après le week-end, Zey Prevost est venue affirmer que Virginia Rappe avait crié «je meurs, je vais mourir», dans la baignoire. Puis Fischbach, un ami de Fatty, est venu jurer qu'il n'avait pas entendu ça, il avait vu miss Rappe arracher ses vêtements dans le salon et il l'avait portée, lui-même, jusqu'à la baignoire. Le juge Louderback lui a demandé comment il avait fait, Fischbach a voulu attraper le juge par le bras droit et la jambe gauche, le juge a paniqué, l'assistance a éclaté de rire.

Gabrielle s'était excusée de raconter ces détails à Rania, tout devenait grotesque. «Pas plus grotesque, avait dit Rania, qu'une fille de douze ans qu'on marie à un vieillard, et qui avale une bouteille de Javel… Mais chez nous il n'y a pas de juges pour s'en occuper.» Elle se taisait… *le désespoir de la gosse… Javel, brûlures, agonie… le dégoût plus fort que toute douleur, et moi j'ose appeler douleur ce que j'éprouve ?*

Arbuckle était enfin passé à la barre, racontant la journée du lundi, miss Rappe par terre dans la salle de bains, je suis allé prévenir miss Prevost, miss Delmont nous a rejoints, miss Rappe arrachait ses vêtements, je suis sorti, quand je suis revenu elle était dans la baignoire, miss Delmont lui passait de la glace sur le corps, j'ai pris un morceau, elle m'a engueulé, elle m'a dit de le remettre là où il était et de sortir. Peu après, avec le directeur de l'hôtel, on a installé miss Rappe dans une autre chambre.

Un docteur a succédé à Fatty, il avait soigné miss Rappe en 1918, infection chronique. On était un peu perdu, il n'y avait que les journaux de Hearst qui étaient clairs, disait Samuel, un grand dessin de couverture, une toile d'araignée, Fatty au centre, avec deux bouteilles de whisky, et autour de lui sept visages de femmes, Rappe, Delmont, Blake, Prevost, les autres je ne sais plus, Virginia Rappe, les yeux vers le ciel comme une Madeleine, et le gros titre : «Elles sont passées par son antichambre», Neil rappelant une déclaration de Hearst : «J'ai gagné plus d'argent dans mes journaux avec le naufrage d'Arbuckle qu'avec celui du *Titanic*.»

Le procès a duré jusqu'au début de décembre, dit Cavarro, et finalement ça a fait dix voix pour l'acquittement et deux contre ! Un nouveau procès a été convoqué pour début janvier 22. Avec un score pareil ce ne serait qu'une formalité.

Et ce qui a eu de la gueule au deuxième procès, ajouta Kathryn en riant, c'est que la femme de Fatty était revenue vivre avec lui, si Fatty perdait elle n'aurait plus un sou, bien sûr, mais ça avait de la gueule, un mari salaud, une femme qui est quand même là quand ça va mal, beaucoup d'Américaines pouvaient s'identifier !

Si je comprends bien, avait plus tard dit Rania à Gabrielle, chez les Américains c'est l'argent qui force une femme à rester au foyer, pas l'amour ? Gabrielle avait ri sans répondre, gardant pour elle une confidence de Kathryn : *l'amour fait des nœuds, et puis il les arrache, j'ai été nouée et arrachée plus souvent qu'à mon tour, maintenant je reste.* Rania avait tourné la tête un instant vers la campagne et pensé à celui qui ne venait qu'en solitaire, *wa ân tamaneïtu cheï'ân, fa enta koullou attamannî*, et quand je désirais quelque chose, tu étais tout mon désir... *lui et moi, sous ma paupière... être deux, à nouveau, un foyer... mais le choisir... est-ce une faute? au point qu'on soit châtiée avant de l'avoir faite?*

Tu n'as jamais aimé la femme de Fatty, avait dit Neil à Kathryn, on se demande pourquoi. Kathryn avait serré les dents. Un jour ses amis l'avaient forcée à se cacher parce que la femme de Fatty avait trouvé un revolver et qu'elle la recherchait dans tout Hollywood, cette folle s'imaginait que j'étais en train de lui prendre son mari... ça lui donnait de la valeur.

Le procureur Brady avait encore renoncé à faire témoigner Maud Delmont, elle venait d'être condamnée à un an avec sursis pour bigamie, les deux autres filles de la fiesta lui suffisaient, Zey Prevost et Nancy Blake, mais voilà qu'elles accusaient Brady de les avoir séquestrées et menacées de poursuites pour complicité d'homicide si elles ne disaient pas comme lui! Le lendemain, le procureur a interrogé Semnacher, il a voulu reparler de la glace, Semnacher a refusé et le procureur l'a traité de menteur... L'accusation en était à insulter ses témoins! McNab a ensuite interrogé les siens, sur la victime, à petites touches, les verres de whisky, la femme saoule, les crises de rage, elle arrachait ses vêtements... les témoins ne portaient pas de jugement, même celui qui disait avoir vu Virginia Rappe «vomir ses doigts de pied» au cours d'une *party*, mais la rumeur soufflait dans l'autre sens, une sale rumeur, la meute contre la femme, disait Kathryn, le procureur Brady était sur le cul, disait Samuel, McNab avait juré qu'il ne s'attaquerait pas à la morte et voilà que ses témoins la mettaient en pièces, il ne les relançait pas, il avait même l'air de vouloir les faire taire ! Quand il s'agissait des témoins de l'accusation, il les forçait à parler ; mais les siens, ils en savaient tellement que par respect pour le jury il les retenait, et tout ça à propos d'alcool, d'avortements, d'infections chroniques.

Gabrielle avait demandé si on ne pouvait pas passer sur ces détails. «La justice américaine, avait dit Neil, aime les faits ! — Et l'argent», avait ajouté Kathryn. Gabrielle, plus tard, en avait reparlé avec Rania : en Amérique l'argent c'est presque le signe d'une élection divine, et s'ils échouent ils donnent un coup de reins et repartent. Gabrielle avait vu comment les choses se passaient dans un grand journal à New York, les affiches de la direction, dans l'ascenseur, avec le montant des récompenses versées à tel ou tel journaliste pour tel ou tel reportage, la concurrence permanente entre les gens, cette facilité qu'ils avaient à vous montrer la sortie, et le sortant était encore plus fataliste qu'un paysan de Nahbès, il quittait les lieux avec sa boîte en carton, *no hard feelings*, comment traduire ? «sans rancune» ? je te fous à la porte sans mauvaise pensée donc tu n'as pas à en avoir, on te reprendra peut-être un jour, laisse un bon souvenir, c'était la règle du jeu, au point que son journal à elle, dirigé par une espèce de maître chanteur, lui paraissait un havre de stabilité familiale.

Brady ne pouvait même plus compter sur sa victime et, pour abréger, McNab a renoncé à faire comparaître Fatty. La délibération a duré plusieurs heures, avec deux interruptions pour renseignements complémentaires, et le même score qu'au procès précédent, dix contre deux, mais cette fois Fatty coupable ! McNab avait foiré, dit Cavarro, il aurait dû faire passer Fatty à la barre, les jurés ne lui avaient pas pardonné cette défection. Ou peut-être qu'ils avaient entrevu la vérité, dit Kathryn.

12

LE BEL ÉTÉ

C'était au fond un bel été, avec de rudes séances de tournage, puis la piscine, la plage, les promenades, les soirées, on conversait entre amis, on veillait à ne casser aucun fil, beaucoup trouvaient que Ganthier avait des idées insupportables mais Neil et Francis l'aimaient beaucoup, Francis s'amusait à le provoquer : vous les Français on vous laisse parler, nous traiter de décadents matérialistes, et pendant ce temps on fabrique de plus en plus de voitures, d'avions, de machines, mais on n'est pas sûrs de revenir la prochaine fois que les Allemands vous taperont dessus... Gabrielle avait demandé au colon pourquoi il n'allait pas plus souvent discuter avec ses propres amis Prépondérants, «Ce sont des croûtes, avait répondu Ganthier, ils ne savent pas ce que doit être une grande nation. — Vous êtes notre réactionnaire de charme», avait dit Gabrielle.

Pour montrer qu'il avait du goût, le colon avait voulu faire lire à la journaliste des chroniques poétiques signées par un certain Lousteau, dans une revue de la capitale. «Non, ça n'est pas de moi, pas mon pseudonyme, croyez bien que je le regrette...» Gabrielle avait parcouru les pages en silence, puis : «Il est amusant votre poète, quand il y a des couleurs c'est "rouge, bleu, vert", et son paysage c'est "la mer, la montagne, les fleurs"!» La main de Gabrielle marquait les temps de chaque énumération, « le soleil, les baisers, les parfums », tout allait par trois, dans chaque phrase, à la queue leu leu, comme le Père, le Fils et le Saint-Esprit... Elle continuait à donner de petits coups sur la table en cadence, « maisons, temples, places publiques, et avec les verbes c'était la même chose, « abandonné au monde, rentré dans la pesanteur, abruti de soleil »... « Ganthier, vous aimez vraiment ça ? tiens, encore un, "j'apprenais à respirer, je m'intégrais et je m'accomplissais", vive le ternaire ! il en met facilement une demi-douzaine par page ! »

Ganthier avait cessé de se battre avec la guêpe qui s'intéressait à la confiture de sa tartine, il avait levé les yeux vers Gabrielle, elle attendait sa réaction, il en avait profité pour attarder son regard sur le front traversé d'une mèche de cheveux bruns, les yeux noisette, et il lui avait reproché de ne pas être sensible au rythme, elle avait haussé les épaules, ça n'était pas un rythme, c'était du zim-boum-boum, de la fanfare de régiment, un vrai rythme ça ne s'achète pas tout fait, ça s'invente ! Ganthier avait tenu bon : « Ça porte, cette prose ! — Non, ça fait rengaine à trois temps, c'est un officier, votre Lousteau ? c'est le commandant de Saint-André ? » Ganthier n'avait pas répondu, il pensait que Gabrielle regardait de trop près, ça n'était pas juste, il avait failli dire *même votre peau... vue à la loupe...* mais il avait gardé sa réflexion pour lui et enchaîné : « Personne ne lit comme ça, avec une loupe on enverrait Flaubert à la poubelle, Lousteau a des images magnifiques, vous êtes jalouse ! » Elle s'était emportée, Flaubert faisait au contraire la chasse à ces trucs-là, et zim-boum-boum à tout bout de champ ça empêchait d'inventer : « Il devrait de temps en temps chercher un quatrième terme, votre Lousteau, ça le rendrait intelligent. Quant aux images, mon coiffeur a les mêmes ! »

Gabrielle avait continué à lire d'autres fragments à voix haute, en hochant la tête : « ... "délicates bordures de longs iris bleus", on sent l'auteur qui veut plaire aux femmes ! et ça encore… "des gouttes de couleurs qui tremblent au bord des cils", j'en frémirais…» Elle tournait les pages en parodiant des frissons, puis elle eut un soupir de satisfaction : «Ah, quand même, monsieur Lousteau peut faire plus vigoureux : "des rochers que la mer suce avec un bruit de baisers et le sourire de ses dents éclatantes", vous vous rendez compte, la mer qui suce et la mer qui montre les dents, elle va mordre ! Ganthier, vous n'avez pas honte de lire des choses pareilles ! C'est Saint-André, votre cochon ?» Ganthier ne voulait pas donner de nom, c'était un vrai secret, Gabrielle avait répondu qu'elle allait chercher, qu'elle trouverait, et qu'elle divulguerait, «tandis que si vous me faites une confidence, ça restera un secret d'ami…».

Ganthier avait cédé à cause de la gentillesse qu'elle avait mise dans le mot *ami*, Lousteau était un haut fonctionnaire, en fait c'était Marfaing. «Ça ne m'étonne pas, avait dit Gabrielle, le colonisateur qui veut se sublimer dans la poésie… et c'est bien de me faire confiance.» Ganthier était furieux contre Gabrielle et contre lui-même, il aurait voulu mieux défendre ces chroniques, il les aimait, mais quelque chose en lui s'accommodait aussi du mépris de Gabrielle pour les pages de Marfaing.

Pour s'amuser, Gabrielle demandait parfois à Ganthier s'il ne voulait pas qu'elle le réconcilie avec celle qu'il appelait la jeune veuve, il refusait, la journaliste se moquait de lui : «Vous avez peur de perdre votre énergie si vous n'avez plus d'ennemie ! — Je me demande ce que vous, vous pouvez trouver d'intéressant à cette bigote ! — Rania n'est pas bigote, c'est une nationaliste, et qui rêve d'Occident, en partie seulement, c'est pour ça que vous ne l'aimez pas, et que les hommes veulent lui clouer le bec !» Ganthier se souvenait d'une gamine rieuse qui l'appelait parfois «tonton» et lui disait qu'il avait des oreilles de diable… À quatorze, quinze ans, elle lui était devenue hostile, n'apparaissant plus qu'avec un foulard serré autour du visage quand il rendait visite à Abdesslam.

De temps en temps il y avait aussi un pique-nique, la spécialité des coloniaux. « À ma ferme ! avait dit Pagnon au début du mois d'août, vous n'apportez rien, je m'occupe de tout… et ma femme supervise. » Plus d'une centaine de personnes donc, à l'heure où le soleil était encore loin d'être couché mais s'était bien radouci, on avait dressé des tables à tréteaux avec nappes blanches, bouteilles, verres, plats de salades, de charcuterie, de riz à l'espagnole, de couscous, de pommes de terre à l'harissa, chacun remplissait son assiette, faisait un tour devant les braseros et les canouns pour rafler une merguez, des sardines grillées, des travers de porc ou des côtelettes d'agneau, puis allait s'asseoir sur un siège en rotin ou l'un des fauteuils Louis XV qu'on avait sortis de la demeure, certains hommes s'installaient même sur de grosses pierres pour montrer la robustesse de leur corps, les plus agités mangeaient debout en allant d'un groupe à l'autre, il faisait soif, le vin de Pagnon faisait facilement ses treize degrés, c'était du vin à durée courte, qui descendait vite de la gorge à la vessie, et certains mettaient même des morceaux de glace dans leur verre.

Thérèse Pagnon était parfaite dans le rôle d'hôtesse, dans une robe de soie orange qui flambait sur ses hanches et sa poitrine, elle donnait à chaque homme l'impression qu'il était pour elle le plus intéressant de l'assemblée. C'était comme le vin, ça mettait de bonne humeur. Même le sanglier, c'est comme ça qu'on appelait Pagnon, avait le sourire. Il aimait voir sa femme se mettre en valeur, pas parce qu'elle était heureuse mais parce qu'il devenait le mari d'une femme qu'on remarquait, une vraie femme de chirurgien-chef.

Thérèse aussi avait le sourire, elle souriait à son mari, qui lui faisait des signes de la main, elle souriait aussi à Claude

Marfaing, qui comprenait ce qu'il y avait dans ce sourire, parce qu'il était en train de rire avec Gabrielle Conti, et pour Thérèse cette Gabrielle c'était une engeance, la Parisienne, toujours en pantalon mais aujourd'hui toutes jambes dehors, les fameuses jambes de Gabrielle, Thérèse est sûre qu'elle en a une plus grosse que l'autre, mais les hommes ne voient pas ce genre de chose, et ils les trouvent bien, ces jambes, fuselées qu'ils disent, un régal, Thérèse n'est pas d'accord, il y a trop de muscles, trop visibles, on sent qu'elle n'est pas féminine, d'ailleurs elle fait un métier d'homme, il paraît que c'est comme ça qu'elle a fait la guerre au lieu de soigner des blessés ou de s'occuper d'enfants, d'ailleurs elle ne sait pas ce que c'est, elle n'en a pas, trente ans passés et pas mariée, et les hommes s'intéressent à elle, ils ne comprennent rien, ils ne comprennent pas que les hommes elle s'en fout, *et voilà ce crétin de Claude qui rit pour la faire rire, cette femme est un danger public, une brune sans pudeur!* Et Claude Marfaing sait pourquoi Thérèse lui sourit, parce qu'elle ne peut rien faire d'autre, son mari est là, il la surveille, tout le monde regarde Thérèse qui regarde son amant papillonner avec la journaliste de Paris, une folle, vous vous souvenez de ce qu'elle a écrit il y a deux ans, quand elle est venue la première fois, au moment des émeutes du Grand Sud, ses articles sur cet illuminé, le Ben Machin, un va-nu-pieds, une espèce de prédicateur passéiste, avec sa barbe et ses haillons, elle l'avait comparé au Christ, pire qu'une folle, une provocatrice !

Alentour, les gens faisaient semblant de ne rien voir, mais tout le monde sentait que ça allait arriver, un moment déjà que le contrôleur civil tirait sur la corde, la Gabrielle Conti on voyait vite ce qu'il voulait faire avec, il était en rivalité avec Ganthier, il paraît qu'ils en plaisantaient entre hommes, une compétition qui les rajeunissait, et là Marfaing flirtait sous les yeux de Thérèse qui en devenait folle et on la comprenait... vous savez... une épouse, devant l'arrivée d'une salope, ça peut contrôler, mais une maîtresse c'est plus précaire, pas de contrat, pas de biens communs, et quand ça veut s'accrocher c'est de la bataille perdue. Le paradoxe avec Thérèse c'est qu'elle ne se maintenait que par la menace de prendre les devants, de rompre en faisant un scandale, elle obligeait Marfaing à rester avec elle en menaçant de faire une sortie plus épouvantable que tous les adieux qu'il aurait pu imaginer, et le jour était peut-être arrivé, on n'était pas des voyeurs mais on essayait de ne rien perdre, il allait être réussi, le pique-nique à Pagnon, et Marfaing personne ne regretterait ce qui allait lui arriver, quand les amours d'un prétentieux tournent vinaigre en public, la seule chose à faire c'est remplir les verres et attendre !

À un moment Thérèse s'est décidée à passer à l'action, il lui fallait un prétexte, elle s'est emparée d'une bouteille et elle a piqué à angle droit vers Marfaing, qui a tout de suite compris, tout faire pour éviter l'incident, il s'est incliné devant Gabrielle Conti, excusez-moi chère amie, encore une question de protocole à régler avec notre hôtesse…

Gabrielle n'est pas le genre de femme qu'on laisse seule dans une assemblée, deux officiers en ont profité, tandis que Marfaing est allé vers Thérèse, visage joyeux, le contrôleur civil, premier personnage de la région, son verre est presque vide, il le tient devant lui, il va au ravitaillement auprès de la femme d'un grand notable, tout est pour le mieux dans le meilleur des pique-niques, le verre en avant c'était aussi pour tenir sa maîtresse à bonne distance, elle devait avoir la gifle facile, Thérèse, elle a servi son pinard à Marfaing en l'engueulant à voix basse, tout sourires et dents serrées, il n'a pas répondu qu'il lui faisait payer ses œillades à Cavarro, il a dit qu'il était obligé de parler avec d'autres femmes sinon on allait le croire en main, et on allait chercher à qui appartenait la main, et on finirait par savoir, ou alors on allait le croire pédéraste. «Tu te fous de moi, tout le monde sait que nous sommes amants! — Oui, mais ils font semblant de ne rien savoir, et il faut les aider. — Et c'est pour les aider que tu fais sentir à cette pute que tu veux la sauter? — Sauter, c'est beaucoup dire… il paraît qu'elle veut toujours être dessus…»

Il n'aurait pas dû dire ça, pas une image pareille, Thérèse n'aime pas du tout cette image, ça se voit tout de suite, la bouche en arc dédaigneux, les paupières qui se plissent, et le visage blanc comme un lavabo, Marfaing se souvient de la réflexion d'un de ses amis parisiens, il n'y a rien de plus dangereux que l'attachement d'une femme de petite ville, il a soudain peur de la tête que fait sa maîtresse, il regrette, mais s'amuse aussi de la voir dans tous ses états, c'est une jalouse professionnelle, elle a fait tant de scènes injustes à Marfaing qu'il prend plaisir à en provoquer une dont il connaît pour une fois la raison, une belle jalousie, meurtrière mais bridée par la présence du public, le rouge aux joues maintenant, aux oreilles, sous le rose du chapeau, ça lui va bien, et elle se contrôle, c'est l'hôtesse des lieux, une hôtesse peut tout faire sauf un scandale, Thérèse comprend : «Et tu crois que je vais hésiter à mettre ma main sur ta gueule? ou sur celle de ta grosse pute? — Elle n'est pas si grosse, plutôt grande…» Thérèse ne dit rien, elle redevient blanche, mauvais ça, Marfaing change de ton, il dit qu'il arrête, non, il ne cherche absolument pas à… coucher avec cette Parisienne, il a prononcé le verbe avec un plaisir qui énerve Thérèse, ne pas l'énerver : «Non, je ne fais pas l'hypocrite», Marfaing cherche une concession, un aveu de péché véniel : «Bon, je m'amusais peut-être un peu, sans m'en rendre compte, un flirt de pique-nique. — Tu trouves ça amusant, de me rendre malade?» Thérèse ne se calme pas, ne pas la laisser dans la maladie, ne pas la laisser monter sur ses mots à elle, prendre les devants, elle va aussi dire que je la fais enrager, donc : «Je voulais juste te rendre jalouse, juste un peu… c'est doux…»

Marfaing pourrait ajouter qu'il est, lui, jaloux des amabilités
que Thérèse a pour Cavarro chaque fois qu'elle le rencontre,
mais il ne le fait pas, il n'a jamais fait ce reproche, peut-être
que Thérèse ne se rend même pas compte de ce qu'elle fait avec
l'acteur, pas besoin de réveiller ce qui dort, et puis Marfaing
sait qu'avec Cavarro, qui n'est même pas là aujourd'hui, il n'y
a aucun risque, les fiches de police sont formelles, alors il se
contente d'avouer sa faute, il va pouvoir se faire pardonner,
dire à Thérèse qu'elle est belle quand elle est comme ça, que
c'est presque aussi fort que quand elle est dans ses bras, il sait
que quand Thérèse est jalouse elle se trouve laide, et sa jalousie devient de plus en plus laide, c'est dangereux parce qu'une
jalousie qui se trouve laide peut chercher à tout salir, heureusement, avec Thérèse, il suffit de la rassurer : « Tu n'as jamais été
aussi belle, tu as le dos le plus élancé du pique-nique », Thérèse
se croit de grosses fesses, Marfaing ajoute qu'elle est resplen-
dissante, tous les hommes ont envie d'elle, et puis elle n'a qu'à
regarder : « Ton mari vient vers nous, il n'est pas comme toi, lui
au moins il sait que je t'aime, il n'a aucun doute, et ça le rend
mauvais. » C'est ce qu'il faut, mettre Thérèse en alerte, devant
un danger plus gros que celui d'un amant qui flirte : un mari qui
se révolte. Pagnon vient vers le couple, lentement, l'air encore
plus mauvais qu'à l'ordinaire, ça n'est pas sa faute, il n'a jamais
réussi à prendre l'air avenant, avec personne, il sait que ça lui
joue parfois des tours dans son métier, un chirurgien avec une
tête de gardien des enfers... c'est pour ça que je n'ai pas choisi
d'exercer dans le privé, dit-il parfois, mais d'un autre côté ça fait
sérieux, un médecin n'a pas à faire de la retape, on n'est pas des
vendeurs de cravates.

13

L'ŒIL À TOUT

« Voilà un triangle qui devient de la dynamite, si vous me permettez ce mélange de métaphores », a dit Ganthier à d'autres invités qui observaient à distance ; il n'avait pas supporté le jeu de Gabrielle et de Marfaing, *elle fait semblant de s'intéresser à lui pour me faire réagir et quand je réagis elle m'envoie promener, elle n'aime personne, elle n'aime que ce qu'elle fait : surgir, fouiller, écrire, provoquer, disparaître.* Autour de Ganthier, on buvait du petit-lait, la gueule de Pagnon était plus sinistre que d'habitude, le scandale allait éclater, mais non, c'était trop beau, personne ne pouvait jouer à ça, à deux mois des élections au Grand Conseil, ni le contrôleur civil ni un notable comme Pagnon, et Thérèse devait le comprendre, pas le moment de tout casser en public. D'ailleurs, le scandale c'était pour elle un fusil à un seul coup, et la présence de tout ce monde allait la retenir. « Non, disaient les plus impatients, le public, ça peut empêcher l'incident, mais le jour où l'un des deux estime que ça doit péter, ça fait une belle caisse de résonance. » À un moment le groupe d'observateurs avait changé de sujet pour complimenter une enfant qui passait en robe jaune d'or : « Tu n'as pas peur ? — Non, il est vraiment gentil, je lui ai même donné une mouche. » Elle promenait un lézard d'une dizaine de centimètres, une ficelle attachée autour du ventre.

Pagnon s'avançait en ruminant, *ce crétin de Marfaing met Thérèse en rogne, et à la maison c'est moi qui vais prendre le contrecoup, il ne peut pas se contenter de coucher avec ma femme, il faut qu'il la fasse enrager.* «Alors, cher contrôleur, qu'est-ce qu'elle voulait la grande Gabrielle? méfiez-vous, vous savez, ces Parisiennes, toutes des hystériques, des vraies, et tous les trous...» Pagnon suinte la fureur, mais pas pour ce qu'on croit, il en a après la robe de sa femme, trop décolletée, elle montre trop de sein, et ce qu'elle cache elle le laisse deviner, on voit tout ce qui se passe sous le tissu, elle est devant ce con de Marfaing et on voit tout, Marfaing lui aussi a remarqué ce qui se passait, les deux hommes se font la même réflexion, elle a dû se procurer un de ces soutiens-gorge américains, une vulgarité sans nom, c'est pour ça que Pagnon a immédiatement donné dans le registre graveleux, être encore plus vulgaire que ce soutien-gorge, Marfaing s'est crispé, Pagnon se croit encore en salle de garde, le contrôleur civil se force à sourire devant les propos du médecin, montrer de la complicité virile, mais pas trop, on ne sait pas comment Thérèse peut réagir, elle a pris le masque, les coins de la bouche qui remontent quand même, pour la galerie, elle reste là, bouteille en main.

Le chirurgien-chef s'en donne à cœur joie: «La belle Gabrielle, vous lui faites risette en plein pique-nique, et elle va vous réclamer un duc d'Aumale dans le champ d'à côté...» Maintenant c'est le menton de Thérèse qui tremble, elle hésite, elle ne sait à qui s'en prendre, Pagnon ajoute qu'avec ces folles on devrait avoir le droit de donner un coup de bistouri là où il faut, il sent que sa femme va exploser, il prend les devants: «Et puis, ma chérie, cette Gabrielle, c'est de ta faute!» Il marque un temps: «Tu en fais trop avec elle, tu lui parles, tu l'invites, elle se figure que tu lui fais des avances, un de ces jours tu sais ce qu'elle va faire? elle va lâcher Marfaing et se jeter sur toi, ou même sur moi, alors que tout le monde sait que je n'aime que les jeunes. » Sourire bienveillant de Pagnon à sa femme, il lui a mis la main sur l'épaule, ne pas la pousser hors de ses gonds, elle doit continuer à faire les honneurs du pique-nique, Pagnon sait recevoir, les gens se sentent bien quand ils sont en groupe avec lui, ils sauront s'en souvenir au moment des élections au Grand Conseil, pas facile de se faire élire par des colons quand on est toubib, même quand on a une ferme, mais ça devrait pouvoir passer, grâce à Thérèse, à son entregent, et avec l'appui de Marfaing, Pagnon sourit à sa femme et au contrôleur civil : «Allez, je vous laisse, il faut que j'aie l'œil à tout, enfin… presque. »

C'était peut-être une dernière flèche à l'égard des amants, mais Pagnon a vraiment l'œil attiré par ce qui se passe, là-bas, derrière l'endroit où l'on a garé les voitures, loin derrière, il est rentré dans sa maison, il est ressorti sur la véranda avec ses jumelles de chasse, à près d'un kilomètre un homme grimpe la butte de pierraille en courant, suivi de loin par trois autres hommes. À un moment le fuyard s'est retourné, Pagnon l'a reconnu, Mohand, un des ouvriers de la ferme, pas le pire, et Mohand a reconnu la grosse silhouette tout en blanc sur la véranda, il s'était mis à courir en voyant trois hommes venir vers lui avec de la corde, il avait tout de suite compris : deux bouteilles de vin manquantes sur les cent cinquante qui avaient été sorties pour le pique-nique, il avait entendu Saïd, l'homme de confiance, faire le compte des vides et des pleines, recompter en jurant, ordonner une recherche, infructueuse. Personne n'aime les histoires de vol, surtout avec les Français. Pour les Français, quand il y a des Arabes, un autre Français ne peut pas voler, ça ferait trop de honte, c'est toujours sur un Arabe que ça retombe, et là, en voyant les trois hommes, Mohand a compris que c'était pour lui, *ça m'apprendra à accepter de m'occuper des bouteilles, j'aurais dû faire comme les autres, parler de la religion, ils auraient trouvé un Maltais pour s'en occuper, j'ai voulu faire plaisir…* Mohand courant, loin des gens, loin du pique-nique, des odeurs de méchoui, de merguez, de sardines, loin des rires, les trois autres derrière ne se pressaient pas, des supplétifs, des soldats pour les petites besognes, peu entraînés mais qui savaient d'avance ce qui doit se passer quand le ciel est bleu, que le soleil tape encore, que les pierres du sol sont là pour couper, que la côte se fait raide, que c'est toute la campagne qui n'aime pas les fuyards, Mohand pourrait prendre à gauche, redescendre vers le lit de l'oued, courir sur du mou, pieds nus, plus vite, il n'y va pas, au bout de cinq minutes, il a ralenti, il s'est arrêté, il a du sang dans la gorge, ça ne sert à rien de courir, ça les énerve, il vaut mieux se faire attraper après une petite course, les trois types auront l'air d'avoir accompli une mission difficile, ils seront de bonne humeur, ils frapperont peut-être moins fort, Mohand a soulevé une grosse pierre, vérifié qu'il n'y avait rien dessous, il s'est assis et il a remis ses sandales.

Ils l'ont rejoint et ramené sans violence excessive vers la fête, mais un peu à l'écart, au milieu des voitures. Ils lui ont lié les mains à un porte-bagages de toit, en plein soleil, il ne peut pas s'asseoir. Saïd, le contremaître de Pagnon, ne lui a rien demandé, il lui a enfoncé un chiffon dans la bouche et il a commencé à taper avec un nerf de bœuf. Puis Pagnon est arrivé, l'air contrarié : « Tu avais besoin de faire ça ? à quoi ça sert ? tu voles et tu te sauves, et quand on t'attrape tu n'avoues pas ? tu as mal ? tu as chaud ? cette nuit il va faire frais, Mohand, si tu n'avoues pas, tu connais Saïd, il va te donner aux soldats, toute la nuit, et demain tout le monde va en parler. » Mohand a fini par avouer. On l'a détaché. Il a pu s'asseoir par terre, adossé à une roue de voiture. Saïd lui a rendu son bâillon pour qu'il s'essuie.

Neil Daintree à Pagnon, plus tard : « Vous m'aviez dit que vous ne battiez pas vos employés ? » Pagnon répondant qu'il tenait parole, c'était Saïd, son homme de confiance, qui se chargeait de ça, dans le temps Saïd aussi avait volé, une condamnation à six ans de travaux forcés pour vol aggravé, c'est Pagnon qui lui avait épargné de les faire, le sursis à condition qu'il travaille pour lui, Saïd était efficace et dévoué, c'était rare, et en plus il avait l'œil : «Nous autres Européens, nous ne devons jamais frapper les indigènes, nous devons montrer que nous ne sommes pas comme eux, quand je bats mon chien, c'est toujours avec la laisse, il croit que c'est la laisse qui le bat, de temps en temps il me bouffe une laisse, mais il continue à m'aimer.» Saïd c'était la laisse de Pagnon, et Mohand ne lui en voudrait pas trop, il savait que c'étaient les ordres. «Et comme ce n'est pas moi qui le frappe, et que ça s'arrête quand j'arrive, il ne m'en veut pas trop non plus. — Qu'est-ce que vous allez en faire?» Mohand avait avoué, Pagnon passait l'éponge, il ferait travailler Mohand sans salaire pendant un mois ou deux, plutôt deux, mais au moins il pourrait rester sur la propriété. «Si je le vire, il crève en trois semaines.»

Autour du méchoui, certains avaient tout suivi, discrètement, on avait vu un homme pourchassé au loin, puis ramené derrière les voitures, on l'avait perdu de vue, on avait imaginé la suite, on ne savait pas trop ce qui s'était passé, on ne demandait pas, peut-être qu'il était allé regarder des femmes au petit coin, non, non, c'était un vol, sans doute de l'argent, dans une voiture. Puis Pagnon avait parlé avec un des officiers, on avait capté des bribes, des bouteilles de vin, ça c'est le pire, vous savez, parce qu'ils ne savent pas se contrôler, le vin c'est interdit par leur religion, alors, quand ils en ont, ils boivent tout le plus vite possible, en croyant que ça ne se verra pas, ni ici ni là-haut, ces choses-là il faut punir tout de suite, très dur, le nerf de bœuf, d'ailleurs ils aiment la justice, vous savez! Ceux qui avaient fini par connaître l'histoire de Mohand en gloussaient en se fourrant dans la bouche des morceaux de viande et des tranches de pain trempé dans la graisse et l'huile de cuisson, il est bon, le méchoui, j'en profite, dans un mois c'est la cure à Vichy.

Une heure plus tard, le fils cadet du capitaine de gendarmerie Marchal avait vomi en public, et son frère aîné s'était éloigné vers un arbre pour en faire autant, ça sentait la vinasse, des gamins, treize et quinze ans. Et la rumeur avait couru chez les esprits forts, pas parce qu'elle innocentait Mohand, mais parce que ça faisait une belle relance, sur le dos des gendarmes, avec encore un vrai rire pour la conversation, du bonheur pour les officiers de la Légion et ceux des spahis, qui ne supportaient pas les gendarmes ; on l'avait vite démentie, la rumeur, mais le vin, quand c'est passé par les boyaux tièdes d'un être humain, c'est une odeur qui porte.

Pagnon s'était rendu compte que Daintree savait, il n'avait pas cherché à lui donner le change, Daintree était digne de partager la vérité, et sans préliminaires : « En fait, c'étaient ces jeunes cons... Mon ouvrier innocent, ça me soulage, vraiment. Je lui verserai son salaire, avec une prime. — Et pour les voleurs ? — Une frasque, deux gamins, deux bouteilles ! On a tous fait ça, mais on n'était pas des fils de gendarmes, incapables de faire une bêtise sans la dégueuler ! On va les oublier. » Quant à Mohand on l'oubliait aussi, il serait payé, non, pas exactement innocenté, ici on ne pouvait jamais reconnaître qu'on avait puni à tort, ça ferait perdre la face, on avait le droit d'être aveugles, pas d'être en tort, s'excuser c'était une perte d'autorité. « Il est innocent, ajoutait Pagnon, mais on a eu raison de punir. — Il va passer pour un voleur de vin ? demanda Daintree. — Non, tout le monde sait déjà qu'il est innocent... leur téléphone arabe... Il n'a rien volé, il ne perd pas la face, nous non plus. Je sais, c'est pas très juste, mais pour lui c'est le destin. Il s'est trouvé là au mauvais moment, *mektoub*. Vous savez ce que ça veut dire... — Je sais, le grand livre... — Exactement... leur fatalisme. »

Daintree avait rejoint Raouf et Ganthier, il avait rapporté sa conversation en citant le *mektoub* de Pagnon, Raouf s'était perdu dans la contemplation d'une plante à grosses feuilles vertes veloutées qui s'étalaient à quelques centimètres au-dessus du sol, elles étaient couvertes de cristaux blancs qui brillaient dans les derniers rayons du soleil, il avait commenté sans relever la tête : « Le *mektoub*, ça les aide à tenir les gens... ils nous le reprochent, mais ils savent s'en servir... et si on essaie d'en sortir, ils disent qu'on est des révolutionnaires. » Ganthier avait repris : « Et dans vos familles on raconte que vous êtes devenus athées, chère jeunesse prise au piège de l'histoire ! » Daintree avait de la poussière sur ses chaussures, il eut envie de les essuyer sur les feuilles vertes, il y renonça en voyant que Raouf les contemplait, demanda : « Qu'est-ce que c'est que cette plante qui arrive à prospérer sur des cailloux ? — Il doit y avoir un nom savant, avait dit Ganthier, mais on appelle ça l'"herbe glaciale", un drôle de nom pour ici ; les cristaux, c'est de l'eau, et ça se mange, en salade, avec de l'huile. »

De loin Pagnon avait vu les trois hommes en conversation, il avait dit à sa femme que c'était bizarre, ces trois-là, ils avaient tout pour se détester et ils passaient leur temps à se parler : « Celui que j'aime le moins, c'est le jeune bicot, avec ses allures de petit chef, sa place n'est pas ici, Ganthier n'aurait jamais dû l'amener ; il joue un drôle de jeu, Ganthier, plus colon que tous les colons, mais toujours fourré avec un Arabe, et il leur parle en arabe, quand il n'est pas avec le fils, il s'engueule avec le père. » Pour Pagnon, Ganthier ne donnait pas le bon exemple, son affaire de remembrement qu'il laissait traîner... les indigènes voyaient ça et ils se mettaient à leur tour à traîner. « C'est à croire qu'il la respecte, cette veuve Machin, ou alors il y a autre chose... il la connaît depuis qu'elle est gamine... il prétend qu'il est partisan de la manière forte, mais quand on est partisan de la manière forte on n'agit pas comme ça avec ces gens-là. » Thérèse avait objecté à son mari qu'il passait sa vie à les soigner, *ces gens-là.* « Peut-être, mais ça paie, et puis je me fais la main pour quand je serai dans le privé. Et ça leur montre qu'ils ont besoin de nous. »

14

LES DEUX HAINES

Oui, avait répondu Samuel Katz à Ganthier, le troisième procès c'était en mars, à peine un mois avant qu'on ne prenne le bateau pour venir ici, ça avait laissé des semaines et des semaines aux Vigilantes pour s'attaquer au cinéma dans tout le pays. Dans les studios on commençait à dire qu'on ne pouvait pas laisser une seule pomme pourrir tout le panier, et la presse continuait à parler de glace! Dès l'ouverture du procès, McNab a vite annoncé que son client, Mr Arbuckle, viendrait déposer à la barre. Le procureur a ensuite fait témoigner le docteur Wake-field, le patron de la clinique, qui a redit que la déchirure de la vessie ne pouvait venir que d'une force extérieure. McNab a mené le contre-interrogatoire de Wakefield : « Vous avez participé à l'autopsie? — Absolument, c'est ma clinique. — Vous en aviez le droit? — Non, mais… — Est-ce que ça n'est pas un vrai délit? — Oui. — Trois ans de prison, si le procureur Brady décidait de vous poursuivre? — Oui. — Je vous remercie, plus de questions. »

C'était là que McNab était le meilleur, dit Wayne, quand il laissait parler les faits. Plus tard ça a été le tour de Nancy Blake, à bout de forces, bredouillant qu'elle n'avait jamais été séquestrée, elle avait résidé chez Mr Duffy, un attaché du procureur… oui, Mrs Duffy lui avait donné une gifle, mais c'était pour la réveiller… Celle-là, McNab l'a pilonnée : pourquoi était-elle passée d'une Virginia murmurant «je meurs», dans une première déposition à «il m'a fait mal» dans la suivante, puis «il m'a tuée»? Blake se taisait, McNab lui a demandé qui lui avait ordonné de dire «il m'a tuée», Blake s'est mise à pleurer, McNab à l'offensive, quand il regardait Brady on voyait qu'il le haïssait, le procureur croyait qu'il était le seul à avoir droit à la haine, haine de la corruption et du crime, et voilà qu'en face de lui un homme lui vouait une haine tout aussi morale, pour chantage et manipulation, et Blake a dit que le procureur l'avait forcée, que Mrs Duffy l'avait vraiment giflée, elle était saoule et elle m'a giflée… j'ai peur… McNab n'avait plus de question, Blake cherchait sa respiration, et Brady a renoncé à l'interroger, a dit Samuel, il ne voulait pas fouetter un cheval mort.

On attendait un autre grand moment, Fatty à la barre, c'est venu deux jours après, c'est le procureur adjoint U'Ren qui a mené l'interrogatoire, un superbe numéro, il décochait ses questions en tournant autour du pot, il guettait le moment où Fatty baisserait sa garde, il le faisait parler de sa carrière, de son métier d'acteur, de son talent, il le mettait en confiance, il avait pris un ton amical : «Au fond, Mr Arbuckle, qu'est-ce qu'un bon acteur?» Fatty était aux anges, mais dans le public beaucoup avaient compris, Fatty allait s'envoyer lui-même au tapis, et il a répondu : «Un bon acteur… c'est celui qui… éprouve la vérité et qui l'exprime… c'est un… serviteur de la vérité!»

Regard mauvais du procureur Brady vers U'Ren, l'accusé venait de les baiser. Brady a encore fait défiler des témoins de moralité pour Virginia, tout en annonçant qu'il engageait des poursuites pour faux témoignages contre ceux de la défense. On commençait à s'ennuyer et c'est là que McNab a fait un drôle de coup, un coup dégueulasse, a dit Kathryn, non, a dit Neil Daintree, c'était la réalité, dans les autres procès l'accusation avait aussi utilisé la réalité, les deux portes, celle de la chambre et celle de la salle de bains, installées au beau milieu de la salle d'audience, avec discussion sur les empreintes de Fatty et celles de Virginia, on avait eu du réel sous les yeux pendant des jours et des jours, c'étaient les portes du procureur, les portes de la mort. McNab a donc eu le droit de produire lui aussi un morceau de réalité, et un greffier est entré avec une grosse boîte, silence dans la salle, du genre qui vous fait penser que ça sent le chaud, la sueur, le parfum sucré, il a posé sa boîte sur la table, enlevé le couvercle, on se serait cru chez un grand chapelier, il a repéré la tache de lumière sur la table, il a sorti un grand bocal, l'a posé dans le rayon de soleil, et le soleil a éclairé une vessie malade. McNab n'a rien dit, l'accusation n'osait rien dire, ce n'était plus seulement par des portes qu'elle était présente, Virginia Rappe. Tout le monde avait la nausée, c'est exactement ce que voulait McNab. C'était à lui de parler, il a dit qu'il se contenterait de lire les diagnostics des médecins que l'accusation n'avait pas inculpés de parjure, c'était un joli coup, Brady avait tellement poursuivi de gens qu'un témoin non poursuivi ne pouvait dire que la vérité, et McNab a lu, premier avortement à quinze ans, Brady a voulu objecter, le juge a dit non, McNab lançait parfois un regard sur les Vigilantes, soins pour éthylisme chronique, soins pour infection des voies uro-génitales, 1908, 1911, 1914, 1917, 1919… la voix de la science, McNab, puis il a posé sa feuille et cessé de parler, c'était tout. Pour les réquisitoires, c'est U'Ren qui s'en est pris à Fatty, Kathryn disant : il a surtout décrit ses fiestas et il n'avait pas tort ! Et Neil répliquant que l'accusation manquait d'éléments matériels et de vrais témoignages.

Au bar du Grand Hôtel ç'avait été le plus gros incident entre Neil et Kathryn, un moment de blanc, insupportable, quand Kathryn avait affirmé que les gens avaient peur de parler, la peur et l'argent ça aide à innocenter les riches, le sourire de Neil, il avait eu l'air de plonger dans l'histoire de sa femme, qui ne disait soudain plus rien, Cavarro semblait jouir de ce silence, mais tout le monde a senti qu'on allait avoir une vraie catastrophe, Fatty et Kathryn… il l'avait aidée en début de carrière, en échange de quoi ? Fatty était du genre à ne pas trop demander la permission, ça se savait, Neil ajoutant que quand des filles sortaient avec Fatty elles n'ignoraient pas ce qui pouvait se passer, Kathryn devenant très pâle, il suffisait de quelques mots de plus, et on se disait que Kathryn allait lâcher ce qu'on savait déjà plus ou moins, que Daintree et Cavarro avaient participé à la fiesta du Saint Francis, elle pouvait aussi donner l'âge des filles qui accompagnaient généralement son mari, et McGhill serait vite au courant, il allait faire rapatrier tout le monde, illico, Kathryn avait le regard fixe et froid… Et ce n'étaient pas des anges qui passaient, commenterait plus tard Ganthier, on avait beau être là comme garde-fous, leur servir à raconter une histoire racontable, ça n'empêchait pas le diable de leur titiller les nerfs.

Quand Gabrielle avait raconté tout ça à Rania, celle-ci avait pris le parti de Kathryn : « Vos hommes ont aussi leur façon de réduire une femme au silence, ils font croire à la femme qu'elle peut vivre et ils lui rappellent qu'elle n'a pas le droit d'avoir vécu, je veux dire d'avoir fait des erreurs, vous croyez qu'un jour nous aurons le droit de faire des erreurs et d'en profiter ? » *Être dans le juste*, pensait Rania, *dans le juste en faisant des erreurs… la sensation juste ne trompe pas… sa main sur mon ventre… la sensation de bonheur… et on lutte à deux contre le sommeil… un regard, rien n'est fini… wa sukrûn, thumma sahwûn, thumma chawqûn, l'ivresse, puis le dégrisement, puis le désir… et la proximité puis l'abondance puis l'intimité, et quand je le croise je n'ose rien lui dire.* Rania ne voulait pas demander si Kathryn avait vraiment couché avec ce monsieur Fatty, et Gabrielle n'en savait rien. À une cinquantaine de mètres de la véranda il y avait des cyprès, Gabrielle fut surprise par une espèce d'explosion sourde dans les arbres, suivie d'un petit nuage. Ce sont les pollens qui se libèrent, avait dit Rania, la nature est bien plus libre que nous, n'est-ce pas ?

C'est Samuel qui avait rompu le silence provoqué par Neil, il avait raconté la fin du réquisitoire de Brady, ses paroles aux jurés : si vous ne condamnez pas cet homme, vous trahirez votre serment, vous serez parjures ! Depuis des semaines chaque fois que Brady et ses hommes accusaient quelqu'un de parjure ils le traînaient ensuite devant un tribunal, certains jurés allaient prendre ça pour du chantage. Quand ça a été le tour de la défense, McNab a d'abord envoyé Schmulowitz devant le jury, très calme Schmulowitz, une plaidoirie de géomètre, un appel à l'intelligence du jury, le fondement du droit, le doute raisonnable, « nous ne prétendons pas connaître absolument la cause de la blessure de miss Rappe, nous savons simplement qu'il existe d'autres possibilités, aussi fortes, sinon plus, que la violence externe, et cela suffit à établir un doute raisonnable quant à la culpabilité du prévenu », il avait fini en disant qu'il s'en remettait à l'âme et à la conscience de chaque juré.

McNab s'était levé à son tour, Schmulowitz avait fait le travail de l'innocence, McNab allait s'occuper du mensonge, il a attaqué très fort, disant que les procureurs s'étaient transformés en une meute haineuse, ils avaient manipulé, menacé, séquestré les témoins pendant plus de six mois, miss Blake et miss Prevost, l'une d'elles honteusement battue au nom du peuple américain ! et ils avaient construit un idéal mensonger de la victime, « un être humain que je respecte, mais l'accusation n'a pas à en faire une sainte, c'est une victime de la société, mais qui n'appartenait pas au monde des vraies femmes », il avait du tonnerre dans la voix, McNab, il avait regardé les Vigilantes, puis le jury, et il avait cité

Ruskin, *wherever a true wife...* où qu'elle aille, une vraie femme a toujours autour d'elle sa maison !

McNab avait fini, et Brady avait laissé Friedman conclure au nom de l'accusation, il n'y était pas allé lui-même, McNab venait de leur voler la foudre, pas question d'entrer en comparaison, surtout que Friedman avait un dernier coup à jouer, ils avaient mis ça au point pendant la nuit, Brady et tous ses collègues, l'argument imparable que McNab n'avait pas prévu : « Si nous avions, comme le prétend la défense, forgé tous ces témoignages, si nous avions bâti notre dossier sur des *rayons de lune*, est-ce que nous n'aurions pas mieux soigné notre travail ? est-ce que nous aurions présenté au jury le salmigondis que nous avons été obligé de lui présenter ? » Brady s'était mis à faire la gueule, ils avaient mis au point l'orientation du discours de Friedman, mais pas ces mots-là, rayons de lune, salmigondis, McNab et Schmulowitz s'étaient regardés, Friedman venait d'avouer que l'accusation avait merdé.

Le juge avait envoyé le jury délibérer et au bout de quelques minutes le jury était revenu dans la salle, McNab était devenu blanc, une demande de renseignements complémentaires ? comme au procès précédent ? Les jurés étaient entrés, les procureurs étaient tout sourires, certains jurés avaient un visage très dur, un papier pelure d'oignon passant du porte-parole du jury à un huissier, de l'huissier au juge qui avait lu en silence, regard lourd sur Arbuckle, tout le monde transpirait, dans des moments pareils, disait Samuel, tout le monde se sent important, c'est pour ça que les gens viennent, c'était enfin un verdict à l'unanimité : non coupable !

La cohue ! Tout le monde voulait toucher Fatty, les jurés s'étaient mis à signer une feuille posée sur la table, c'étaient des excuses, Mr Arbuckle avait été victime d'une grande injustice, aucune ombre de preuve n'avait jamais été apportée par l'accusation, Mr Arbuckle n'était en aucun cas responsable, ils espéraient que le peuple américain suivrait le jugement unanime de douze personnes libres qui avaient réfléchi pendant un mois, Fatty Arbuckle innocent de tout !

Au bar du Grand Hôtel, Kathryn avait conclu que ça faisait une histoire très moderne, le contraire de Dickens ou Hugo, chez eux on a un type bien qui se retrouve condamné, ça vous tire les larmes, tandis qu'avec Fatty on avait un innocent qui était pourtant un vrai salaud. Ça n'était pas facile de reparler de cette affaire, dirait-elle plus tard à Gabrielle, on a réussi à mettre toute la poussière sous le tapis, mais ça pourrait bien nous revenir un de ces jours en plein visage. McGhill aimerait tant qu'on se déchire devant lui !

15

AU MARCHÉ

Elles s'avançaient dans les allées du marché central, trois femmes, deux chrétiennes, comme disaient les commerçants, encore qu'aucune des deux ne le fût plus depuis l'âge où les filles abandonnent leurs poupées, mais à Nahbès «chrétiennes» permettait de parler de toutes les étrangères sans avoir à se perdre dans des distinctions entre Européennes et Américaines, deux chrétiennes donc, et une musulmane dont on ne voyait que les yeux, les deux chrétiennes vêtues avec décence, avait dit Hamid, le boucher, à son fils Aymen, comme si elles avaient renoncé à leurs excentricités pour ne pas gêner la femme qui les accompagnait ou qu'elles accompagnaient, difficile à dire, tant ces trois-là semblaient être des égales, une partie des commerçants ayant d'ailleurs reconnu la femme voilée et la saluant au passage sans ostentation, pris entre la règle générale qui était de ne pas saluer une femme, et la règle particulière, propre au commerce, qui était qu'une veuve, et de famille puissante, ça se respecte, celle-là surtout, qui en plus avait apporté de la nourriture aux gens d'Asmira pendant leur procès, et qui refusait aussi de se laisser prendre une terre par un colon, certes le marché central faisait ses meilleures affaires avec les chrétiens, mais ça n'était pas une raison pour ne pas saluer une musulmane courageuse, même si certains commerçants s'y refusaient, certaines femmes pouvant exceptionnellement circuler dans certains endroits mais pas y recevoir des signes qui sont réservés aux hommes, et n'ayant d'ailleurs pas à s'occuper du marché, qui devrait demeurer une affaire d'hommes, les hommes les plus importants de Nahbès ayant même transporté leurs habitudes du marché de la ville ancienne à celui de la ville nouvelle, pas pour tous les produits bien sûr, car ça ne valait pas la peine d'acheter ici des choses qui coûtaient deux fois moins cher de l'autre côté de l'oued, mais on pouvait acheter des produits nouveaux, des confitures par exemple, ces fameux pots Félix Potin venus de Paris, ou même, pour les plus audacieux, disaient les uns, ou les plus influençables, disaient les autres, ces fameux fromages, eux aussi importés, la gloire de notre table, disaient les Français, et peut-être même que ces audacieux ou ces influençables venaient aussi acheter... non, le vin ne s'achetait surtout pas ici, on se le faisait livrer le soir à domicile, c'était la malédiction de cette époque, que des croyants contrevinssent aux prescriptions du Livre sur ce sujet et sur bien d'autres, et c'était pour ça que les femmes ne devaient pas sortir de la maison, c'est ce qu'affirmait maintenant à Hamid son voisin Abdelhaq, le vendeur de volaille le plus traditionaliste de Nahbès, que la tradition n'avait pas empêché de venir s'installer en pleine ville européenne, ce lieu de toutes les perditions, et qui demandait pardon à ses interlocuteurs chaque fois qu'il se trouvait contraint de prononcer le mot « femme » dans la conversation, oui, avait répondu Hamid, cette ville est une perdition, mais tu penses vraiment que le vin a attendu l'arrivée des Français pour couler dans la bouche des Arabes ? moi je suis bon musulman, je ne bois pas, et si j'ai envie de saluer la fille Belmejdoub, une veuve respectée, je la salue, même si elle n'a pas à répondre à mon salut. Et Abdelhaq n'allait pas plus loin, pour ne pas entrer de bon matin dans une querelle avec son voisin, mais quand même, cette veuve, Abdelhaq savait que c'était une athée, on le lui avait dit plus d'une fois, une fausse musulmane, qui se servait de la religion pour faire de la politique, alors que le seul message d'En Haut c'était que la politique tient tout entière dans la religion, et cette femme qui aidait des parents d'émeutiers voulait faire tenir la religion dans la politique, comme les Turcs, et on savait ce que ça avait donné, la politique ça n'était pas bien, les colons étaient là, pour le pieux Abdelhaq c'était la volonté d'En Haut, ça ne servait à rien de vouloir changer, c'était comme vouloir laver un corbeau.

Les trois femmes s'avançaient de front, chacune suivie par un petit porteur tenant un couffin tout neuf, Kathryn n'en revenant pas de toutes ces couleurs et odeurs. « C'est ce qu'il y a de plus difficile à décrire, disait Gabrielle. — Comment faites-vous dans vos articles ? demandait Kathryn. — Il faut en suivre une qu'on retrouve dans les autres, le jaune par exemple, j'aime bien suivre le jaune, il claque bien, et il va aussi se glisser dans le vert des feuilles, des queues de poireau, le bleu des fleurs, l'orange des fruits, du safran et des oiseaux de paradis, et le marron des dattes, et le beau jaune mat des melons qui fait songer à celui de certaines moutardes... » Kathryn demandant : « Les melons, vous savez les choisir ? — Je n'ai jamais su, à Paris je fais toujours confiance à mon marchand. »

Kathryn et Gabrielle achetaient à tout va, empilant sans trop de discernement dans les couffins, Kathryn demandant à Rania pourquoi elle n'achetait rien, Rania répondant que ça ferait scandale si elle se mettait à acheter des produits de la terre, scandale ici et scandale à la ferme, et ma seule présence est d'ailleurs un scandale, vous me voyez revenir avec des tomates ? j'achèterai quelque chose en partant, des épices, il y a deux commerçants qui vendent de bonnes épices, j'achèterai chez les deux !

« Pourquoi veux-tu aller au marché, avait demandé Neil à Kathryn, alors que tu manges toujours sur le tournage ou au restaurant? — Parce que je veux regarder, avait dit Kathryn, et sentir, et toucher, et que ça va me donner des idées. — Lesquelles? — Je ne sais pas, mais ça m'excite, le marché, cela fait des années que je n'ai pas fait ça!»

Elles circulaient, discutaient, contemplaient, hésitaient, repartaient dans les allées, il était neuf heures du matin et il faisait déjà très chaud.

En entrant sous la grande halle, Kathryn et Gabrielle avaient d'abord voulu refuser le service des gamins, qui ne s'étaient pas démontés et qui étaient restés plantés devant elles, la main déjà sur les couffins qu'elles venaient d'acheter, comme si le refus de la jeune Américaine et de la Française n'avait été qu'une formalité précédant un accord qui allait de toute façon être conclu, Kathryn s'était tournée vers Rania, disant qu'elle était contre le travail des enfants, «moi aussi, avait dit Rania, mais ce gosse ne vit que de ça, et si vous ne prenez personne, ils vont tous nous harceler… faites comme vous voulez…», Gabrielle pensant que Rania savait faire de beaux mélanges d'arguments, aider les miséreux, échapper au harcèlement, exercer sa volonté, tout en parlant avec douceur à Kathryn…

C'était particulier cette douceur entre les deux jeunes femmes, à la fois spontanée et prudente, comme si elles avaient toutes les deux peur d'une dureté qui n'aurait demandé qu'un léger signe pour s'installer entre elles. La journaliste avait mis du temps à faire se rencontrer ses deux amies, et elle n'était pas encore persuadée qu'elle avait eu raison, ça s'était passé chez Rania, le nom de Kathryn revenait toujours dans la conversation, curieux d'ailleurs, alors que le grand sujet à Nahbès chez les femmes c'était Cavarro, Rania n'en parlait jamais, et elle n'était jamais non plus la première à parler de Kathryn, elle laissait ce soin à Gabrielle, et Gabrielle finissait toujours par évoquer Kathryn, même quand elle avait décidé de ne pas le faire, *pourquoi lui parler d'elle?*

parce que je sens qu'elle en a envie ? parce que je suis incapable
de rester à l'écart de ce qui peut devenir une histoire ? à cause
de Raouf ? ou pour énerver Ganthier ?

Et Gabrielle avait fini par décider Kathryn à rendre visite à
Rania, la jeune veuve serait heureuse de les voir, de voir venir à
elle le monde dans lequel elle aurait voulu aller et venir librement.
«Parfois, disait Rania, je me sens plus libre que bien d'autres
femmes, mais je m'en veux de me satisfaire de ces miettes !» Il
y avait de la véhémence dans sa voix. Kathryn lui avait plu, elle
n'était pas comme les Européennes, elle faisait tout de suite tomber les barrières, riait, parlait à voix forte, faisait des confidences,
lui demandait au bout de quelques minutes si elle connaissait bien
Raouf, oui, depuis tout petit, un cousin, éloigné, du côté de nos
mères, et Rania se retrouvait à faire elle aussi des confidences, à
raconter qu'elle l'emmenait au hammam avec elle quand il était
gamin, à l'époque on l'aurait pris pour une fille avec ses grands
cils, ses belles lèvres et sa petite voix, il était amoureux de moi,
les autres femmes en raffolaient, il leur frottait le dos, elles le cha-
touillaient, il se rebiffait, Rania se demandant alors comment elle
pouvait raconter des choses pareilles à une Américaine qu'elle
ne connaissait que depuis une heure, alors qu'elle aurait dû la
faire parler de Raouf, lui demander comment elle avait fait pour
le transformer en chevalier servant, Rania poursuivant : je me
souviens du jour où une femme lui a dit «quand tu étais plus
petit, tu étais plus gentil», il n'avait pas six ans, il lui a lancé «je
te connaissais moins», ce jour-là, nous avons compris qu'il aimait
les mots et qu'il ne nous appartenait plus.

Rania ne savait pas pourquoi elle racontait ces histoires, mais
elle aimait les rires qu'elle déclenchait chez Kathryn, et Kathryn
était heureuse d'être devenue l'amie de Rania, comme si cette
amitié lui donnait la permission de garder son cousin comme
chevalier servant dans un monde qui se révélait au fond plus

accueillant qu'on ne le lui avait dit, « les femmes surtout sont terribles, avait affirmé Marfaing, on les empêche d'avoir des contacts avec l'extérieur alors elles voudraient qu'il n'y en ait aucun pour les hommes, ou presque pas, *hchouma*, la honte, on les met sans cesse en présence de ce mot, alors elles s'en emparent et le relancent à la face de leurs seigneurs et maîtres, on a vu Untel à une réception du contrôle civil ? *hchouma*, Untel va se rendre en France pour affaires ? *hchouma*, Untel s'est fait faire un costume à l'européenne ? *hchouma*, elles n'osent rien dire sur la présence des hommes dans les cafés de la médina, mais si c'est un café de la ville européenne, *hchouma*, elles sont devenues les gardiennes des gardiens de leur prison. Marfaing ne laissait de place à aucune exception mais Rania en était justement une, elle n'avait pas honte de s'afficher avec des « chrétiennes » en plein marché central.

À un moment les trois femmes virent une matrone, une Européenne qui marchait de dos devant elles, au moins cent kilos, une grande robe à fleurs, ample, que la sueur collait à sa peau, une demi-douzaine de gamins derrière elle, qui pouffaient et se bousculaient en la montrant du doigt à tout le marché, la matrone portait seule ses deux paniers, « vous voyez ce qui se passe quand on refuse leur aide, ils chahutent », dit Rania. Puis elle avait désigné le panier de Kathryn, vous allez mettre tout ça dans votre chambre d'hôtel ? Kathryn essayant de trouver un prétexte pour rentrer au Grand Hôtel avec des victuailles, et soudain un cri de triomphe : « Je vais organiser un dîner ! » Gabrielle demandant : « Chez qui ? — Chez vous ! je m'occuperai de tout, vous êtes d'accord ? Neil sera d'accord, je vais faire un dîner américain, nous pourrons être une dizaine, n'est-ce pas ? » Elle eut une hésitation en se rendant compte que Rania ne pourrait pas venir… « Non ! moins de monde, on n'invitera que les femmes, un dîner de femmes ! comme à New York ! Rania, vous en êtes ! »

Rania n'avait rien dit, Gabrielle s'était un peu affolée mais Kathryn l'avait rassurée, Tess, sa gouvernante, serait là pour lui donner un coup de main, « Tess sait tout faire et quand elle ne sait pas elle apprend très vite, pour elle c'est comme ça qu'on survit ». Kathryn s'était jetée sur tout, légumes, fruits, fleurs, épices, puis elle avait entraîné ses amies chez le volailler, Abdelhaq soudain obséquieux, bien sûr, la plus belle de mes dindes, faisant signe à l'un de ses aides, l'aide revenant avec dans ses bras une superbe dinde vivante qui lançait sa tête dans tous les sens, Abdelhaq se mettant à aiguiser lui-même un couteau qui envoyait des reflets que le regard de la dinde cherchait à saisir, un quart d'heure et elle sera prête, Kathryn payant, filant sans attendre vers un étal d'oignons ventrus. Derrière elle ce n'était plus un mais trois petits porteurs qui suivaient.

« Puis-je vous poser une question très indiscrète », avait demandé Rania à Kathryn. Kathryn en alerte, Gabrielle plongée dans l'examen d'une botte de poireaux, elle aurait tout donné pour éviter ça. « Tout ce que vous voudrez », avait dit Kathryn d'une voix blanche, prise au piège, une allée de marché, la question n'aurait l'air de rien, Gabrielle entendrait sans le vouloir… Et Rania toute à l'émotion d'oser une chose pareille : « Vous me raconteriez l'histoire du *Guerrier des sables* ? »

Kathryn soulagée, vite lancée en plein marché dans un résumé du scénario, le héros s'appelait Jamil, oui c'est le rôle de Francis, c'est un soldat des forces turques pendant la guerre entre la Syrie et la Turquie, il fait partie d'une tribu arabe, il déserte et, dans un village reculé, il tombe sur un dispensaire pour orphelins tenu par des missionnaires américains, le docteur Field, et sa fille, c'est moi qui joue le rôle, Kathryn se demandant soudain si Rania avait déjà vu un film dans sa vie, ne sachant s'il fallait donner plus de détails, Rania comprenant l'hésitation et disant : « Dans la maison de mon père nous avons un projecteur, j'ai même vu *Le Lys brisé.*» Elles s'étaient interrompues en voyant la matrone aux couffins repasser devant elles, la matrone avait lancé à Kathryn un regard venimeux. «Qu'est-ce que je lui ai fait? demanda Kathryn. — Ne faites pas l'innocente, répondit Gabrielle, pour les autres femmes vous êtes une véritable ennemie publique», Kathryn reprenant pour Rania : «Le chef du village veut apaiser les Turcs et il décide de leur livrer les enfants, ils seront massacrés, alors les cavaliers de la tribu de Jamil arrivent sur les lieux. — Ça, dit Gabrielle, c'est comme la cavalerie dans vos histoires d'Indiens. — Oui, et avec un coup de théâtre, Jamil, le déserteur des Turcs, est le fils du chef de la tribu bédouine, et à ce moment-là on apprend la mort du père…» Et Rania : «N'est-ce pas un autre coup de théâtre? — Au théâtre on n'oserait pas faire ça, dit Gabrielle. — Au cinéma on peut, dit Kathryn, si ça fait de belles images. — Ça s'appelle du théâtre de boulevard», conclut Gabrielle. Kathryn à Rania : «Gabrielle est la seule de mes amies qui ose faire des réserves sur le cinéma… donc Jamil devient le chef, et il risque sa vie pour sauver les enfants, il bat les Turcs…» Et Rania : «Les missionnaires convertissent les enfants? — Non, dit Kathryn, il paraît que ça risquerait de faire des histoires. — Je devine la fin, le chef de tribu épouse la fille du docteur. — Vous n'aimez pas?»

Kathryn avait ri devant le silence gêné de Rania qui gardait pour elle une pensée trop violente sur le mariage avec les étrangères, *comment dire qu'on est contre, mais sans aigreur? non, on n'est pas contre, ouvrir les frontières, mais dans les deux sens, et il suffirait de décider que plus personne n'est une marchandise…* Kathryn avait ajouté : «Au fond je suis comme Neil, je me méfie des conclusions trop belles, mais il faut vivre, n'est-ce pas? le vrai film ce sera *Eugénie Grandet*, mais nous devons d'abord rapporter de l'argent avec *Le Guerrier des sables*. — Je fais confiance à Neil, dit Gabrielle. — Gabrielle est parisienne, les Parisiennes sont très critiques, dit Kathryn. — Vous voulez dire qu'elles n'aiment pas les bons sentiments? demanda Rania. — Nous n'avons pas appris la vie dans *David Copperfield*! Regardez!» Gabrielle montrait la matrone à nouveau de dos devant elles, en transpiration dans l'allée, et le tissu de la robe à fleurs s'insinuant maintenant dans le large pli entre les fesses, les gamins criaient en se moquant, en imitant la démarche de la matrone. «Vous voyez ce qui se passe quand on refuse les porteurs», dit Rania. La clameur des gamins se transformait en chœur maladroit, en français : «Madam', madam', le cul y mange la robe, le cul y mange la robe!» La matrone n'avait pas l'air de comprendre, elle était peut-être italienne ou maltaise, ou alors elle faisait semblant de ne pas comprendre. «Elle n'est pas française, dit Rania, sinon la police du marché serait déjà intervenue, elle n'est pas française, mais elle a compris. — À quoi voyez-vous qu'elle a compris? demanda Gabrielle. — Elle ne se retourne pas. — Vous feriez un bon metteur en scène», dit Kathryn.

En sortant, elles avaient croisé Raouf et Ganthier. Gabrielle craignait que Rania ne fût gênée mais celle-ci avait au contraire pris les devants et raillé les deux hommes qui les saluaient. À travers le voile qui couvrait son visage elle les avait appelés «le protectorat en deux volumes», puis, tournée vers Gabrielle : «Vous savez ce qui se passe? Ils se voient si souvent qu'ils déteignent l'un sur l'autre, et un de ces jours chacun verra l'autre dans sa glace!» Ganthier ne disait rien, le visage sévère, comme durci par la raie qui partageait impeccablement son crâne, il tenait son chapeau à deux mains devant lui. Raouf faisait le fier, et Rania savait que c'était le signe qu'il ne trouvait pas non plus le bon rôle.

16

UNE FEMME SOURIANTE

Au fil des semaines, Belkhodja avait fini par remarquer que sa femme cessait parfois de l'écouter, elle souriait mais elle n'écoutait pas, il devait répéter. Elle avait des regards vagues, comme quelqu'un qui part dans un rêve, il n'aimait pas ça, il eut des angoisses, il les chassa. Puis, à La Porte du Sud, il surprit des sourires entre membres de la petite bande, des sourires de connivence, les angoisses revinrent, il les chassa parce que sa femme avait apparemment cessé de rêver. Mais une autre fois, l'un des jeunes l'interpela au moment où il arrivait, comme pour prévenir les autres, qui se mirent à leur tour à l'interpeler avec une gaieté qu'il trouva fausse, il dormit mal, se calma de nouveau, essaya le lendemain de tomber à l'improviste sur le groupe en passant par l'arrière-salle, ce jour-là ils firent silence, le silence c'est ce qu'il y a de pire, c'est pour cacher, parce que c'est grave, il osa en demander la raison : le silence s'était installé avant son arrivée, à cause de l'absence de Farouk, leur serveur favori, son père était mort.

Cette mort réconforta Belkhodja, il dormit mieux, mais les angoisses revinrent, plus fréquentes, plus lourdes, à chaque sourire rêveur de sa femme. La marieuse était partie dans le Nord, on ne savait où, il se reprochait de ne pas avoir continué à lui rendre visite avec des coupons de soie, personne pour parler avec lui désormais, pour l'aider à combattre le retour de ce qu'il appelait ses hyènes. Il n'avait jusque-là connu que les frayeurs du commerce, il lui en venait d'autres, il se disait parfois que la marieuse lui avait mis dans les bras le contraire de ce qu'elle lui avait promis, il chassait cette pensée, se rabrouait, chassait les hyènes, mais au magasin un client lançait à propos d'un imbécile : «Il est cocu et en plus il aide avec la main», et les hyènes revenaient, sa femme lui souriait en compagnie d'une silhouette qu'il n'arrivait pas à préciser, il filait chez lui, pour y trouver une épouse occupée à rouler du couscous dans la seule compagnie des domestiques.

Il se reprenait, il avait toujours eu des angoisses… Dans ses activités de marchand il lui arrivait de se réveiller en nage à trois heures du matin après avoir la veille expédié deux tapis sur facture à un compatriote installé à Marseille, et il était soudain sûr que l'argent ne viendrait jamais, même pas l'acompte qui aurait dû lui être versé sur-le-champ, c'était de la folie de travailler comme ça, il avait l'habitude de dire qu'il y a pire que le vol, c'est de montrer qu'on a peur d'être volé, et c'est comme ça qu'on se fait voler, se disait-il sans pouvoir se rendormir, c'était bientôt l'aube, il négligeait de faire la première prière, il reprochait à Dieu de tolérer que dans sa création il y eût place pour les mauvais payeurs, il se préparait à sortir, trop tôt, serrait des deux mains une gorge imaginaire, se reprenait, sortait enfin à grands pas de chez lui pour aller faire un scandale chez le frère de son client, et il croisait un employé de ce frère qui lui apportait l'acompte. Et avec sa femme c'était la même chose, elle n'y était pour rien, Belkhodja se calmait, il était pris de tendresse, puis il surgissait au moment où elle était en pleine infamie, il tuait l'homme d'un coup de couteau, s'acharnait sur elle, et se sortait d'un rêve éveillé qui lui avait gâché la digestion de midi, il se trouvait stupide, se réconciliait avec le monde pour deux ou trois jours, s'affolait parce qu'à La Porte du Sud quelqu'un avait dit : « La meilleure poule, c'est celle que le voisin a nourrie. » Et il se calmait à nouveau.

Un matin, devant le visage de son épouse endormie, il avait versé des larmes de tendresse et de remords, il avait chassé ses soupçons, elle avait commencé à bouger, il n'avait pas voulu la réveiller, il sortait de la chambre quand il l'avait vue remuer les jambes, toujours dormante, sourire aux lèvres, sa femme avait d'étranges rêves, les femmes qui rêvent sont les pires, il savait ce qu'il y avait derrière ce sourire, il connaissait les rêves d'autres femmes, des filles de la capitale, les pensionnaires du Sphinx et du Miramar, qui l'accueillaient avec gaieté en lui disant que depuis des semaines, même en plein jour, elles rêvaient de certaines parties de son corps ; et ces paroles qui, dans la capitale, l'enchantaient, lui revenaient maintenant en coups de fouet.

Il soupçonna la servante qu'elle avait amenée avec elle, ni jeune ni vieille, un visage ordinaire, avec des cicatrices de variole, le genre avec lequel on fait les maquerelles, il ordonna à une petite bonne de la surveiller au prétexte qu'on le volait, la petite bonne rapporta vite que la servante avait des conversations sur la terrasse avec une personne inconnue. Les images revinrent, le sol chaud des terrasses vers trois heures de l'après-midi, un couple qui se dissimule derrière les draps mis à sécher, et on croit que c'est le vent qui fait bouger le tout, il n'osait plus s'absenter de Nahbès, il n'allait plus dans la capitale, lui qui aimait tant faire de belles affaires, prendre du plaisir, dépenser et rêver de grandeur, il sacrifiait maintenant ses rêves à ceux que faisaient sa femme, mais il continuait à lisser ses moustaches et à porter beau devant ses amis, il y a plus risible que le cocu, avait un jour lancé Raouf, c'est celui qui croit l'être ! Belkhodja se dit que le fils du caïd cherchait à se venger de sa formule sur la vache de Satan, il eut envie de riposter, il y renonça. Il prenait soin de ne pas être le dernier à rire quand on racontait une histoire grasse.

Puis la folie revenait, mais pas au point de l'aveugler, de l'empêcher de s'apercevoir que la petite bonne racontait n'importe quoi au maître qui lui avait promis une récompense chaque fois qu'elle aurait un bon renseignement. Belkhodja la chassa. Et deux heures après il la fit rattraper, parce qu'il valait mieux garder sous son toit une enfant apeurée que de condamner à la rue quelqu'un que le châtiment aurait débarrassé de tout scrupule. Il demanda à l'un de ses amis de surveiller la servante, toujours au même motif, on le volait. L'ami accomplit cette mission avec sérieux, en sacrifiant même une partie du temps qu'il consacrait à sa quincaillerie, il comprit vite et dit : « Non, pas de vol, ni quoi que ce soit d'autre. » Il aimait les chansons sentimentales et trouvait Belkhodja stupide d'avoir fait un mariage sans amour pour sombrer ensuite dans une jalousie de passionné.

La jalousie était devenue le second métier de Belkhodja. Il était capable de tout plaquer et de filer en ville ancienne pour essayer de croiser un homme dont on venait de parler dans une conversation ; une marche folle, suivre la corde pour arriver au clou, déchiffrer ce qu'il y aurait sur le visage du nouveau suspect : de la crainte ? de l'ironie ? du calcul ? Et une fois devant cet homme Belkhodja n'était plus que sympathie, il se félicitait de l'avoir rencontré, c'est le destin : je fais une réunion entre amis, ce soir, quelques jeunes aussi, qui t'admirent, ils ont envie de parler avec toi, ne me fais pas l'injure… tu seras l'invité d'honneur ! L'homme mettait la main sur son cœur, acceptait, et Belkhodja rentrait en vitesse à son magasin, envoyait ses coursiers inviter les gens pour une fête impromptue, et prévenir chez lui qu'il y aurait un dîner d'amis.

L'homme venait, se montrait aimable avec tous, Belkhodja se calmait, l'observait, s'en voulait de l'avoir soupçonné, le serrait contre lui en plaisantant, lui offrait un rognon rôti à point, ruisselant d'une sauce sombre et dense, et surprenait à cet instant le regard d'un autre invité, un regard dirigé vers la porte qui donnait sur les chambres. Un grand vide, soudain, dans la poitrine de Belkhodja, c'était au chat qu'il avait confié la garde de la viande ! Cet autre invité, c'était l'ami qu'il avait chargé d'enquêter, et qui caressait des yeux l'endroit le plus sacré de sa demeure.

Le lendemain, à la première heure, il sortait rendre visite à cet ami, puis se ravisait : si celui-ci était coupable il devait attendre sa visite… Prendre patience donc, le surprendre quand la tension serait retombée, et c'était en plein après-midi que Belkhodja allait vérifier si l'ami était bien dans sa quincaillerie. Il n'y était pas, Belkhodja, fou de rage, repartait vers sa propre maison, prenant cette fois une calèche fermée pour échapper aux guetteurs, et surgir devant sa femme surprise et souriante, insoupçonnable. Il repartait pour son magasin, rasséréné ; son ami venait d'en sortir, il t'a cherché, il venait te remercier pour le dîner, il est allé à La Porte du Sud. Belkhodja se précipitait au café, avec la peur que son ami ne parlât des missions de surveillance qu'il lui avait confiées ; mais non, l'homme restait discret. Belkhodja se promettait néanmoins de l'écarter des rendez-vous de la petite bande, puis il se rassurait, on n'y discutait jamais de son mariage.

Seul Raouf, un jour qu'on évoquait le métier de guetteur au service des amants, avait semblé regarder Belkhodja avec ironie, en citant le vieux code de galanterie d'Ibn Hazm sur les déambulations sans fin du jaloux, et Belkhodja s'était dit que le fils du caïd devait savoir des choses, sans doute par son père, il devait y avoir un rapport de police sur certains déplacements autour de sa maison, Raouf savait, il était peut-être même complice, par vengeance ? Belkhodja se suçait les dents sans pouvoir aboutir à de vraies conclusions.

Il alla chez une magicienne de Nahbès, une Italienne, il se fit
tirer les cartes, la magicienne prudente ne trouva rien, mais il
savait qu'il allait de nouveau être en proie aux hyènes, ses soupçons décroissaient et croissaient comme les phases de la Lune,
il ne parlait plus des Américaines, ni de vache de Satan, il avait
peur d'avoir attiré sur lui le mauvais œil en provoquant le diable.
Il croyait vivre le pire de ce qu'une existence pouvait endurer,
mais quand il commença à n'avoir plus la force de courir les rues
après les ombres, il comprit qu'il n'avait encore rien vécu.

Au fil des jours, il se replia dans son arrière-boutique, laissant
un employé rater des affaires qu'il aurait réussies en un tourne-
main ; il n'alla plus que rarement rejoindre ses jeunes amis au
café, et il perdit jusqu'à l'envie de se lever, même quand il se
mettait à imaginer que Satan chargeait un autre homme de lui
donner un héritier. Ses cauchemars redoublaient son malheur,
sa faute c'était d'avoir recherché une créature impossible, il
avait pourtant dit lui-même que la trop bonne couturière finit par
coudre les yeux de son mari, et sa femme dormait paisiblement
pendant qu'il tressautait dans une fosse aux serpents.

Ses amis s'alarmèrent, ils firent semblant de le croire malade,
ils le tirèrent de la fosse, l'emmenèrent dans la capitale, vivre une
autre vie, et comme il s'aimait plus que tout il se remit à boire,
à manger, à jouer, à combler ses désirs, et à faire des affaires et
de longues promenades solitaires et rêveuses, la nuit, quand la
ville est déserte et qu'elle peut appartenir à un seul homme. La
capitale le sauva.

Il revint. Deux autres amis avaient enquêté en son absence et
l'assurèrent que *personne n'avait rien à se reprocher*. Belkhodja
les crut, s'accrocha à cette croyance. Il se sentait mieux, mais
c'était compter sans le hammam.

Ce que personne n'avait vu à propos de sa femme, d'autres
femmes avaient fini par s'en apercevoir au hammam, elles avaient

trouvé, comme on dit, les racines du brouillard, à la longue, en faisant parler la jeune épouse. Toutes les histoires galantes passent par le hammam qui est, pour beaucoup, le lieu de la perversion des femmes, comme le tripot est celui de la perversion des hommes, à ceci près que le hammam est pire que le tripot, car le tripot se présente d'emblée comme un lieu de mauvaise vie et de vrai plaisir, il ne cherche à tromper personne, vous y entrez et toute la ville sait ce que vous y faites, tandis que le hammam, avec ses pierres brûlantes et ses giclées de grande eau, c'est d'abord l'endroit où l'on se débarrasse des impuretés de la vie, et c'est ensuite seulement que, dans ses vapeurs, entre des corps dévêtus, viennent s'échanger des recettes malsaines et se préparer des fautes auxquelles ce lieu en ajoute une plus vile encore, l'hypocrisie. « J'ai quelque chose à te dire de la part de quelqu'un dont tu es devenue l'unique lumière. — Non ! je t'interdis de jouer à ce jeu avec moi, ne me dis rien. — Bien. — Et tu devrais avoir honte de me transmettre des propos impies. — Si c'étaient des propos impies je ne voudrais pas te les transmettre, ni te transmettre la photo qu'on m'a confiée. — Une photo au hammam, dans cinq minutes la vapeur en aura fait un chiffon ! — Non, je l'ai laissée dans mon panier, à l'entrée. — Tes messages sont faits pour perdre celle à qui ils sont adressés. — Tu as tort, c'est lui qui est en train de se perdre, à cause de toi, et tu sais bien de qui je parle. — Quand tes cousins prétendent qu'ils vont à leur perte, ils ne vont jamais bien loin. — Celui-là n'est pas comme les autres, il va partir. — Partir ? Où ça ? — Il est désespéré, il va s'engager chez les soldats français et aller au Sahara, très loin, là où on meurt. — Il est incapable de faire ça, c'est un menteur. — Non, il m'a dit qu'il irait s'engager ce soir si je n'ai pas de réponse, et si tu ne veux rien entendre je ne t'importunerai plus ! »

Et ainsi de suite, entre femmes au visage calme, et le message impie finira par être délivré, et fera l'objet d'une réponse, négative bien sûr, mais formulée de telle façon qu'elle appelle à son tour une réponse, et surtout pas un départ pour le Sahara. Ainsi le bavardage de tout le monde pourra continuer pour le bonheur des propriétaires de hammam et pour l'anxiété des clientes qui s'y rendent d'un pas dont l'ardeur n'est pas seulement due au désir de se faire propre, on bavarde et celle qui ne dit rien est aussi celle qui a le plus à cacher.

La jeune épouse de Belkhodja était souriante mais renfermée, ses compagnes du hammam avaient cherché à la faire parler, après tout, les jeunes mariées ont bien des choses à raconter, et elles le font souvent avec une naïveté qui met l'assemblée en joie, surtout les filles qui viennent de la campagne, qui ont vécu de façon plus fruste qu'à la ville, et avec moins de mots pour le dire. Celle-là avait vite été la cible des enragées pour qui une cuiller peut toujours extraire ce qu'il y a dans une marmite. Sans résultat. On avait laissé la jeune épouse à ses sourires aimables, mais son air de toujours penser à autre chose faisait dire qu'elle devait en faire beaucoup plus que ce qu'un seul mari peut réclamer à sa femme.

Et puis, petit à petit, la nouvelle venue s'était laissée aller, de parole innocente en parole innocente, et quand on met ce genre de paroles bout à bout ça finit toujours par faire quelque chose qui n'est plus tout à fait de l'innocence, d'une confidence à l'autre, d'exagérations en rectifications, elle n'était pas exactement naïve, la jeune épouse qui venait se plonger trois ou quatre fois par semaine dans les vapeurs du hammam, où l'on commençait à voir clair. Quand une amie lui avait parlé, la mère de Belkhodja avait d'abord refusé de croire à ce qu'on lui racontait, elle avait pris son temps, elle avait questionné les femmes qui rencontraient sa bru, sur ce qu'elle aimait faire, sur ses heures au hammam, sur ses activités, ses trajets, ses rencontres, sur tout, elle avait laissé parler, elle avait aussi menacé celles qui ne parlaient pas assez, elle avait interrogé sa bru directement, elle avait tendu ses pièges et elle avait fini par comprendre, comme toutes celles qui avaient déjà compris, pas naïve la jeune épouse, non, la vérité a surgi : une simplette.

Oui, simplette, un peu demeurée comme on dit aussi. D'autres formules plus franches avaient circulé, la jeune épouse rêveuse n'était qu'une vraie gourde, Belkhodja le malin avait épousé une vraie gourde, elle ne risquait pas d'être perverse celle-là. La mère avait défendu son fils, il ne pouvait pas savoir, dans une situation pareille les hommes pouvaient ne s'apercevoir de rien pendant des années. Et elle avait elle-même informé son fils, elle ne lui avait pas dit qu'il aurait dû s'en remettre à elle au lieu de confier ses intérêts à une marieuse sans scrupule, elle n'avait pas souligné qu'elle ne lui aurait jamais choisi une fille qui n'avait qu'un pois chiche dans la tête, elle s'était montrée aimante, elle avait seulement dit et répété que répudier cette femme serait perdre la face.

Belkhodja était devenu la risée de beaucoup de monde. Certains conseilleurs lui avaient dit : «Jette le tison, il emportera la fumée avec lui», mais il avait suivi le conseil de sa mère, il s'était contenté d'envoyer la simplette à la campagne, où ce genre de chose se voit moins qu'à la ville. Sur les conseils du docteur Berthommier il avait renoncé à avoir des enfants avec cette femme, mais il ne s'était plaint à personne du mal qui venait de lui survenir, il n'avait pas voulu devenir l'esclave de ses confidents, il attendait que l'oubli recouvre tout cela, il pourrait alors prendre une deuxième épouse, quand se serait éloignée l'angoisse de faire à nouveau un mauvais choix. La petite bande de La Porte du Sud avait fait bloc autour de lui. Ces jeunes gens si prompts à se moquer de tout s'étaient interdit la moindre allusion en sa présence, ils l'avaient défendu contre les calomnies, ils s'étaient efforcés de le distraire, de monter de belles discussions où ils réclamaient son avis sur des questions de religion et de politique, même si c'était pour le contredire, et ils l'avaient obligé à refaire des séjours dans la capitale, il y brassait d'excellentes affaires et passait de belles soirées à boire, rire et rêver. La honte s'avérait plus facile à soigner que la jalousie.

Un matin, au début du mois d'octobre, Raouf lui-même était venu au magasin de Belkhodja en compagnie de son amie américaine, elle était sur le départ, elle avait acheté l'une de ses plus belles pièces, un Zerrour, un choix qui avait duré des heures, à trois devant un plateau en cuivre, avec deux serviteurs qui dépliaient les tapis, et un autre qui par intervalles changeait la théière, une des plus belles conversations que Belkhodja avait eues cette année-là, Kathryn l'avait longuement interrogé sur chacun des tapis qu'il lui présentait, les points, le code des couleurs, elle s'y connaissait bien, ce qu'elle demandait à Belkhodja c'était un supplément d'expertise, laine sur laine ou laine sur coton ? ou alors la soie… « C'est plus fin, avait dit Belkhodja, mais… (il caressait sa moustache, regard mélancolique), comme c'est plus fin les dégradations du temps se voient plus vite… » Pour le grand Zerrour que Kathryn avait fini par choisir, Belkhodja avait demandé un prix tellement bas que Raouf s'y était opposé ; Kathryn avait compris, elle avait fait sentir qu'elle pourrait ne pas acheter, et Belkhodja avait consenti à augmenter son tarif. Ils étaient tous les trois heureux de ce marchandage à fronts renversés, il y avait de l'argent en cause, mais chacun montrait que ça n'était surtout pas ce qui le motivait. Ils s'étaient quittés dignement, et Belkhodja avait osé faire un compliment à Kathryn : « Vos yeux savent aussi acheter. »

Belkhodja avait voulu se venger de sa marieuse, elle était introuvable. Il avait fini par mettre cette mauvaise aventure sur le compte du destin mais il ne s'était pas contenté de l'ordinaire *mektoub*, il avait cherché une formule qui fût à lui, qui montrât qu'il avait tout surmonté, et parfois, quand la tablée des amis avait beaucoup ri, il citait un dicton qu'on n'avait encore jamais entendu mais qui semblait la voix même du destin : *pour un qui rit, il en faut toujours un qui pleure.*

Entre amertume et résignation, il recommençait à supporter son existence. Un jour il apprit qu'en ville on disait de lui qu'il n'avait pas épousé une vache de Satan mais une ânesse du bon Dieu. Il comprit tout de suite d'où ça venait. Et que le destin n'y était pas pour grand-chose.

17

JOURS DE TROUBLES

On était à ce moment de l'automne où les fruits mûrs vont céder la place aux feuilles mortes. À Nahbès on n'accueillait pas ce changement par de la mélancolie, la pluie ne venait pas mais la température au moins était clémente ; le tournage du *Guerrier des sables* avançait, mais Neil faisait durer les choses, à rythme humain, personne n'avait envie de rentrer en Amérique, on restait à l'affût des nouvelles de là-bas, le téléphone marchait mal, les journaux arrivaient avec des semaines de retard, l'affaire Fatty Arbuckle continuait à faire des dégâts dans le monde du cinéma et des spectacles, Wilbur Steel s'était fait prendre en photo avec sa maîtresse, son épouse avait pris un avocat, oui, ça s'était passé à Atlanta, très loin de la Californie, il avait fait tout le chemin pour rien, les patrons avaient dit à Wilbur « vous cassez le contrat conjugal, nous cassons votre contrat de star », et à Hollywood comme à San Francisco ou New York les acteurs étaient obligés, non, disait Kathryn, se sentaient obligés de déclarer tous les matins à tous les journalistes qu'ils n'avaient pour seules valeurs que Dieu, l'Amérique et le mariage, ce qui n'empêchait pas les ligues de vertu de continuer à crier « honte » devant les salles de cinéma, et les photographes de vous dénicher là où vous n'auriez pas dû être, il n'y avait que Marion Davis qui était tranquille, la maîtresse de Hearst, même la femme légitime de Hearst n'osait

rien dire, elle savait de quoi son mari était capable. «Nous deve-
nons une nation d'hypocrites, disait Neil, mais, comme la prospérité revient, ça n'a pas d'importance. — Prospérité à crédit,
disait Samuel Katz, le crédit c'est le mensonge, le banquier ne
vous *accorde* pas un prêt, il vous vend un produit, et cher!» On
parlait aussi de la désignation de la première femme sénateur
des États-Unis. Gabrielle félicitait Kathryn qui répondait que ce
n'était pas un changement mais un hasard. Et un matin Raouf
avait disparu de Nahbès.

Ganthier n'avait pas l'air au courant, Kathryn ne disait rien,
Gabrielle non plus; mais, le soir même, Gabrielle avait à son
tour disparu, et on avait compris quand les nouvelles avaient
commencé à arriver de la capitale, un début d'agitation politique, affirmaient les Français, la main de l'étranger, de Moscou,
du Caire, pas de prise sur le pays, ça va retomber. Certains n'hésitaient pas à faire des réflexions aux Américains, votre angé-
lisme, le droit des peuples, cette abstraction!

Les Prépondérants de Nahbès réclamaient l'instauration d'un
«couvre-feu préventif» en ville ancienne, Marfaing ne voulait
pas en entendre parler, quand on a des muscles on n'a pas besoin
de les montrer, il continuait à passer au bar du Grand Hôtel,
détendu et aimable, livrant quelques informations, censurées bien
sûr, pour combattre des rumeurs infondées au moyen de ce qu'il
appelait en riant des rumeurs fondées, oui, il y avait bien des
manifestations, mais c'était du tapage de corbeaux, rien d'autre.

En l'absence de Gabrielle, c'est Kathryn qui donnait des nouvelles à Rania, elles parlaient aussi de Raouf: «dès qu'il s'agit
de politique il ne connaît plus personne, je suis sûre qu'il oublie
les gens qui l'aiment», Rania répétait *les gens qui l'aiment* avec
prudence, et puis *les gens* c'était vague, Kathryn disant «c'est
un enfant gâté qui ne pense aux autres que quand ils sont devant
lui», elle était furieuse de n'avoir aucune nouvelle, Rania pen-

sait qu'il y avait chez Kathryn un peu de vanité et trouvait ça injuste, et pour Kathryn c'était un comportement de petit mâle, qui estimait que les femmes n'avaient plus rien à faire dès que les choses devenaient sérieuses, Rania essayant de faire diversion : «Ici les paysans racontent que des légions de martyrs vont descendre du ciel et attaquer la France par le Sahara.»

Les bruits arrivaient de tous côtés, le Souverain avait manifesté des velléités de fierté, c'était bizarre l'attitude des gens devant leur souverain, un fond de mépris, après tout c'était sa famille qui avait mis le pays dans cet état, mais dès qu'un semblant de colonne vertébrale lui revenait on faisait son éloge, ou alors on parlait du prince héritier, scénario classique, le père est docile, mais le prince est un homme bien, il discute souvent avec les nationalistes, les assure de sa sympathie. En fait, disait-on, le Souverain voulait profiter des feux de l'actualité, de la prochaine visite dans le pays du président de la République française, on allait l'afficher en souverain et voilà qu'il voulait jouer au vrai souverain, qu'il renvoyait l'un de ses ministres trop proche des colons, et recevait le consul des États-Unis en privé.

Et dans l'éditorial de *Présence française*, le journal des Prépondérants, le rédacteur en chef, Richard Trillat, réclamait le rejet de «toutes ces demandes indigènes inconsidérées et une reprise en main soucieuse de nos intérêts à long terme», ce qui signifiait la fin du protectorat et l'alignement du pays sur le régime de l'Algérie, ils en parlaient de plus en plus, l'heure n'était plus aux hésitations, et certains Prépondérants étaient oralement beaucoup plus directs, «on leur donne ça, ils réclament ça», le geste accompagnait la parole, l'index de la main gauche se posant à la base de l'index droit et remontant ensuite le long du bras droit bien tendu pour arriver en haut de l'épaule, et on ajoutait, pour être plus explicite : «Mais on n'est pas là pour baisser le pantalon!» Richard Trillat réclamait même une vraie politique de christianisation du pays, de rechristianisation, en fait, s'attirant les critiques de ceux qui se voulaient plus habiles, la France se devant de respecter la religion musulmane, «qui on le sait, disait le résident général, a le goût de l'immobilité», ce qui n'était pas sans avantage pour les intérêts de la métropole.

On racontait que le Souverain venait lui aussi d'avoir un geste explicite devant le résident général, il avait levé une main vers le ciel et s'était passé l'autre sous la gorge pour montrer à quelle extrémité il était prêt si on lui imposait des décisions contraires à sa dignité. Il détestait ses ministres, imposés par la France, question de principe, disaient ses partisans, question plus matérielle, disait-on du côté de la Résidence, certains ministres disposant de plus de ressources publiques que lui, et voulant en même temps contrôler les siennes et celles de ses fils, très prodigues par ailleurs, surtout le prince héritier. Quant à la femme du Souverain, elle cherchait à assurer son avenir de veuve éventuelle en faisant nommer un favori comme ministre.

Donc l'agitation venait du Palais, disaient les uns, non, des nationalistes, disaient les autres, et Raouf parcourait la capitale, de réunion en réunion, discutant avec ses amis communistes, socialistes, nationalistes, se faisant traiter de bourgeois éclectique par les uns ou les autres dès qu'il manifestait le moindre scepticisme sur ce qui se passait, les gens dans la rue affirmaient qu'ils étaient prêts à tout, ils s'adressaient la parole sans se connaître, discutaient au carrefour ou devant un marchand de beignets, défiaient du regard les patrouilles de policiers ou de soldats, se groupaient à dix, quinze ou plus, il suffisait d'un rien, ici aussi le monde pouvait changer de base, Raouf croisa Gabrielle : on s'inquiétait pour lui à Nahbès, il devait donner des nouvelles. Raouf répondit que s'il en donnait aux amis il faudrait qu'il en donne à son père et qu'il ne voulait pas. Il se garda de dire qu'il avait déjà été retenu plusieurs heures dans un commissariat.

Au téléphone, Gabrielle dit à Kathryn qu'elle avait croisé Raouf, qu'il allait bien, Kathryn alla aussitôt chez Rania, et cette fois ce fut Rania qui s'emporta, ça n'était qu'un gamin, qui ne donnait pas de nouvelles pour se donner de l'importance, pour affoler son père, et sa famille. La jeune veuve s'emporta encore plus contre Ganthier qui était lui aussi parti pour la capitale, il doit être en train de jeter de l'huile sur le feu, s'il croit que c'est le moyen de récupérer son lopin de terre il se trompe ! Kathryn trouva bizarres les tremblements de voix de son amie quand elle parlait du colon, elle faillit lui en demander la raison, Rania se calma, revint à Raouf : vous aviez raison la plupart des hommes de ce pays ne sont que de petits mâles, gâtés par les femmes qui n'ont que ce qu'elles méritent, elles passent leur vie à faire les quatre volontés des mâles, et les mâles appellent honneur la docilité de ces femmes, parce que leur docilité à eux, devant les étrangers, est sans honneur, de petits mâles gâtés... elle marqua un silence... ajoutant qu'ils étaient peut-être enfin en train de changer... la formule sur les petits mâles rappela à Kathryn ce que lui avait une fois confié Gabrielle : ici les femmes pourrissent les garçons, les servantes surtout, pour elles l'héritier mâle c'est sacré, l'assurance que la maison va survivre, que leurs vieux jours sont assurés, j'en ai vu embrasser la verge d'un nourrisson !... Gabrielle avait dit à Kathryn qu'elle voulait en parler dans un article : mais mon patron fera sauter le paragraphe, il parlera de pudeur, il est capable de mettre deux lignes en plus dans un papier pour dire qu'il a fallu traîner sous la guillotine un condamné à mort qui avait *des réactions incontrôlées*, mais cette histoire de servantes et de nourrissons, il n'en voudra pas, il me regardera d'un drôle d'air, me demandera si j'ai vraiment assisté à la scène.

Dans la capitale on attendait l'étincelle, on parlait d'incidents entre le Souverain et la France, la crise venait aussi de la misère, disaient les militants socialistes, aussitôt pris à partie par les communistes : vous parlez de misère parce que vous ne voulez pas dénoncer l'exploitation, vous pleurez sur le résultat pour ne pas mettre en cause le mécanisme. Pour Raouf les communistes n'avaient pas tort, mais ils prenaient quand même un malin plaisir à s'isoler et à filer droit dans un mur, lui-même n'arrivait pas à prendre parti, il en parlait avec Chemla, pour qui la lutte s'étalerait sur des dizaines d'années : il fallait accepter d'être minoritaires, simplement prendre date, ce pays devait d'abord s'embourgeoiser.

Pour *Présence française* le mal venait de Paris, comme d'habitude, de l'Assemblée nationale, où des députés de la gauche, du centre et d'une partie de la droite venaient de voter un projet désastreux, qui prévoyait une Constitution, les libertés fondamentales et une assemblée représentative pour ce pays qui n'était absolument pas une nation, et qui ne le serait pas avant très longtemps, «vous vous rendez compte, c'est Paris qui a mis le feu aux poudres, la carotte au lieu du bâton, ils fragilisent notre Afrique du Nord ! et tout ça au moment où les Allemands signent un traité avec les bolchevistes russes ! on se retrouve avec une menace à l'est et on nous en crée une au sud, sans compter ces salauds d'Anglais qui reconnaissent l'indépendance de l'Égypte !» Heureusement il y avait eu le grand entretien du Souverain dans *Le Vigilant*, un quotidien parisien très influent, et ce que disait le Souverain dans *Le Vigilant*, c'était un refus de toute réforme inconsidérée, son horreur du communisme et son amour du protectorat. Un joli coup, confiait Marfaing à Daintree, Marfaing se faisant indiscret par fierté, pour souligner la maestria des autorités coloniales, c'était le résident général lui-même qui avait dicté les réponses au journaliste, oui, le journaliste avait bien rencontré le Souverain, pas très longtemps, mes respects votre Altesse, merci votre Altesse, au revoir votre Altesse, le reste c'était de la bonne rédaction, on avait peut-être jeté le cochon-

net un peu loin, disait Marfaing, parce qu'en lisant *Le Vigilant*
le Souverain était devenu fou furieux, un journaliste vendu et
menteur le faisait mentir, mais certains nationalistes prétendaient
que le Souverain n'avait peut-être pas menti à ce point, il avait
l'habitude du double jeu, et le Souverain était encore plus furieux
qu'on lui mette les nationalistes à dos, même les nationalistes
modérés, et il décidait d'abdiquer à la veille de la visite du président de la République française, camouflet pour camouflet. Et
la nouvelle s'était répandue dans la capitale, Raouf assistant à
la fermeture des magasins, aux débrayages dans les transports,
les usines, se mettant presque à croire à ce qui se passait, la
grève s'étendant en ville européenne, les premiers cortèges, la
police, effectifs insuffisants, le résident général faisant sortir
deux régiments de leurs casernes. Au milieu des carrefours de
la ville ancienne des hommes montaient sur des caisses pour
s'improviser orateurs.

Un matin Raouf s'était surpris à aller acclamer le Souverain
à son balcon, une foule très mélangée, étudiants de la faculté de
théologie, dockers, boutiquiers, employés. Il était avec Karim
et David Chemla. Même David avait acclamé. Raouf s'était
moqué : « Un bolchevique acclamant le Souverain, j'aurai tout
vu », et David : « Tout ce qui aiguise les contradictions est bon à
prendre. » Karim avait annoncé à ses amis qu'il avait renoncé à
des études françaises et décidé de s'inscrire à la faculté de théologie de la capitale : « Eux, au moins, ils se battent ! »

Le Souverain abdiquait, créant un vide constitutionnel, Paris
affolé par l'abdication, la rumeur descendant jusqu'à Nahbès
assombrir les heures que Si Ahmed passait à attendre un signe
de son fils, et celles de Rania et de Kathryn qui se demandaient
si cela n'allait pas déclencher de vraies émeutes, avec des morts,
des jeunes surtout, « il est si maladroit », disait l'actrice à Rania,
Rania essayant de penser malgré ses craintes : une abdication,

c'était peut-être ce qui pouvait arriver de mieux à ce pays, les choses seraient claires, une république, libérée de toutes les superstitions, comme la Turquie, et les colons en simples propriétaires étrangers quand ils voudraient rester, elle était sûre que Ganthier resterait. Le soir, le résident général était allé au palais du Souverain qui l'avait reçu en robe de chambre, signe de mépris, et avait posé ses conditions : la mise en œuvre du projet de Constitution élaboré par les députés français, même monsieur Maurice Barrès et le prince Murat l'ont signé ! avec une assemblée législative, et les mêmes lois que la France pour la liberté d'expression, d'association, de réunion ! Il exigeait aussi le renvoi des ministres corrompus et détestés. Le résident général avait pris congé, mis Paris au courant et accepté de recevoir une délégation de Prépondérants qui avaient exigé la fin des « élucubrations humanitaristes », Richard Trillat ajoutant : « Quant à Paris et à l'Assemblée nationale, nous faisons le nécessaire ! »

Et le surlendemain, nouvelle visite du résident général chez le Souverain, un résident avec bicorne à plumes blanches cette fois, escorté par des chasseurs d'Afrique et, passage aux choses sérieuses, retrait de toutes les conditions, renoncement à l'abdication, très simple, sinon, non, il n'avait pas dit *sinon*, un résident général de France en pays de protectorat ne dit pas *sinon*, il dit « dans le cas contraire, avec tout le respect que je dois à votre Altesse », ce pays devient une vraie colonie, très bien « devient », pensait le secrétaire général de la Résidence qui se tenait en retrait de son supérieur, pas *deviendrait*, il faut que tu sentes qu'on y est déjà, mon petit souverain, ce pays *devient* une colonie *soudée* à l'Algérie, « et votre Altesse est déportée, je dis bien déportée, avec toute sa famille, et pas en Provence, nous envisageons Saint-Pierre-et-Miquelon, votre Altesse, oui, une terre française, plutôt froide, mais beaucoup de calme, si telle est la volonté du Tout-Puissant, bien sûr, le Souverain cédant en quelques heures, fin des fausses audaces d'un esprit faible, disaient les nationalistes, un chiffre se mettant aussi à circuler, celui d'une augmentation de la liste civile du Souverain, le résident général sachant à merveille manier l'argent, sans jamais s'oublier lui-même, les communistes appelant alors à boycotter la visite du président français, pour David Chemla c'était désormais «classe contre classe». Et Raouf : «Tu veux dire pot de terre contre pot de fer?»

Certains nationalistes voulaient aussi boycotter, comme les bolchevistes : entretien rapide du résident général avec leurs chefs, et décision tout aussi rapide des nationalistes, appelant à participer à l'allégresse générale, fin des fausses audaces nationalistes, avait riposté le prince héritier, «ils n'ont même pas un jour de retard sur mon père». «Pour convaincre mes indigènes, disait le Résident, je leur raconte l'histoire du Grec qui est resté les mains coincées dans le tronc d'arbre qu'il avait voulu ouvrir...» Des voix quand même en France, pour parler de l'exemple anglais en Égypte : ce que nous avons refusé aujourd'hui, nous nous le ferons imposer demain. Les Prépondérants avaient gagné, la loi et l'ordre régnaient de nouveau, les foules s'étaient retirées de la rue, on avait fait passer les arroseuses municipales et les nationalistes étaient réduits «à quia», disaient les éditorialistes en reprenant la formule suggérée par la Résidence, certains réclamaient même le rétablissement du *délit de murmure*, qui existait ici avant que nous arrivions, vous le saviez? Et dans *Présence française* Richard Trillat réclamait un passage à l'offensive «contre les pires trublions, ceux auxquels nous avons fait l'erreur d'octroyer notre éducation! C'est à genoux, dans la position de l'humilité la plus complète, qu'ils devraient nous remercier au lieu de se révolter». Raouf, de retour à Nahbès, avait dit à Rania : «Je n'y ai pas cru, ça ne pouvait pas aller loin, les notables n'aiment pas les épreuves de force.»

18

DE GROS ENNUIS

Les Américains étaient rentrés chez eux fin octobre. Ils avaient promis de revenir dans les six mois, pour achever le tournage et peut-être même démarrer un autre film. En ville européenne, le rythme de l'existence était brutalement retombé. Ce départ simplifiait la vie des autorités, et Marfaing ne regrettait pas que Cavarro eût plié bagage, même si l'humeur triste de Thérèse le contrariait un peu, bon débarras. Le contrôleur civil avait aussi dit à Ganthier et à Gabrielle qu'il trouvait le jeune Raouf bien serein pour quelqu'un qui venait de perdre l'amour de sa vie. Ganthier l'avait détrompé, Raouf avait eu son moment de grande passion, bien sûr, tout au début, mais Kathryn l'avait remis en place, il ne m'a rien dit de précis, mais il s'est reconverti en chevalier servant, un beau rôle, tout le monde y trouvait son compte, y compris Neil qui s'était servi de lui pour barrer la route aux vrais galants. Gabrielle n'avait pas ajouté grand-chose aux paroles de Ganthier, elle avait fait une réflexion sur les jeunes gens qui préfèrent les grandes idées à la chair fraîche et avait informé ses amis qu'elle quittait le pays, oui, un grand reportage sur ce qui se passe en Italie, des tas de choses à voir, «même si je n'aime pas ce Mussolini».

Dans Nahbès on parlait encore de ce qui était arrivé à Belkhodja, un vrai coup du destin, disait-on pour ne pas envenimer l'histoire, mais la formule sur « l'ânesse du bon Dieu » avait beaucoup circulé.

Belkhodja avait parfaitement compris le rôle que Raouf avait joué dans son mariage, il n'avait rien dit mais s'était mis à chercher un mal qui pût vraiment détruire un fils de caïd. À Nahbès trop de gens répétaient que le marchand s'était giflé avec sa propre main et on ne l'aurait jamais laissé aller très loin dans la vengeance. Les manifestations qui avaient eu lieu dans la capitale lui avaient donné une idée, il avait attendu le retour au calme, la réapparition de Raouf à Nahbès, et il avait pris le train. Une fois dans la capitale, il avait réussi de belles ventes de tapis, renouvelé sa garde-robe et, un après-midi, il s'était retrouvé avenue Gambetta, à ruminer des scrupules sous des pépiements de moineaux dans les platanes, cherchant à établir, *ennya bennya*, intention contre intention, la vérité de son âme ; c'était à une vengeance qu'il allait se livrer, il allait embrasser un serpent sur la bouche et remplacer ses plaisirs perdus par ceux d'une passion aigre et sombre, mais l'essentiel était de mettre la diablerie de cette passion au service du bien, en cessant de pleurer sur son malheur, celui qui pleure ne fait que voler son propre temps, et l'heure avançait… un *bismillah* vigoureux lui avait enfin donné la force de pousser la porte d'un immeuble occupé par des Français plus discrets que les autres, qui disaient « monsieur » et vouvoyaient les indigènes, mais savaient les tenir en laisse pour la vie bien mieux que n'eût fait n'importe quelle brute à matraque. Il avait eu une longue discussion avec eux. À un moment un des hommes avait ouvert une des armoires qui recouvraient les murs, et Belkhodja avait vu de nombreuses boîtes à chaussures portant chacune une lettre majuscule. Quand il avait pris congé, les policiers l'avaient remercié et lui avaient dit que le jeune subversif sur lequel il les avait éclairés serait mis à l'ombre pour un moment.

Quelques jours après, à Nahbès, le contrôleur civil avait convoqué Si Ahmed pour une entrevue à l'issue de laquelle le caïd s'était retrouvé encore plus lié aux Français qu'il ne l'avait jamais été, et dans l'obligation d'agir au plus vite pour éviter de gros ennuis à un fils qui lui reprochait d'être trop lié à la France, un fils qui avait tout de suite refusé de faire ce qu'on venait de prévoir pour lui, alors que dans les bonnes familles un fils répondait toujours oui, *na'am a sidi*, puis il baisait la main paternelle et se retirait, avec la liberté d'aller mâcher son désespoir dans une des pièces sans fenêtres de la maison. Seulement voilà, Raouf était fils unique, il était bachelier et – le caïd le savait bien – il n'avait pas trop d'estime pour son père. La jeunesse, ça veut se voir rêvant de justice, d'honnêteté, de liberté, d'égalité, d'indépendance, de droit, et c'était l'un des inconvénients du lycée français et de certains livres arabes qui donnaient envie à la jeunesse d'estimer librement des gens estimables.

Ces dernières années, le père avait bien essayé de faire comprendre à son fils que, s'il n'était pas là pour incarner toutes ces belles idées, ça ne voulait pas dire qu'il était absolument corrompu ; il recevait des cadeaux, bien sûr, mais juste ce qu'il fallait pour que les gens qui étaient au-dessus de lui le prennent pour un caïd de confiance, et pas pour un puritain. Les puritains étaient une menace pour l'équilibre du pays, et la corruption faisait partie, comme les spahis en grande tenue à l'entrée du caïdat, des attributs de la fonction, c'était tout, et puis, comme disait l'adage, «le pouvoir corrompt, mais il faut bien qu'il y ait des gens qui gouvernent». Cela avait failli très mal se passer quand Raouf, en réponse à cet adage paternel, en avait cité un autre, plus populaire, «ce que le paysan récolte dans la journée»… le père avait lui-même complété… «le caïd le ramasse le soir», et il avait ajouté : «Tu passes les bornes !» Sa voix était froide, celle d'un homme qui renonçait à son droit à la colère car il était déjà plus loin, dans un temps où l'on n'aime plus rien, pas parce qu'on a été déçu, mais parce que ceux qui devraient vous aimer ont cessé de le faire.

Raouf avait demandé pardon mais son père s'était gardé à l'époque de se retrouver seul avec lui ; cela les avait rendus malheureux, car ils avaient perdu l'occasion de parler de ce qui les rapprochait, Djahiz, Ibn Khaldûn, les auteurs dont Si Ahmed conseillait la lecture à Raouf, et son cher Ibn Hazm, le Cordouan, qu'il lui avait offert quand Raouf lui avait fait part de son enthousiasme pour La Bruyère et La Rochefoucauld. Le caïd ne cherchait pourtant pas à extirper de la tête de son seul héritier les idées qui les écartaient l'un de l'autre. Il s'était toujours comporté d'une façon particulière avec lui, ça s'était passé dès les premiers jours, une épouse morte en couches, un nouveau-né qui hurlait dans le salon, il avait pris l'enfant dans ses bras, il avait agité sa montre devant lui. Il voulait le calmer, l'habituer à ce monde, et il avait le sentiment, bien des années après, d'avoir toujours fait ainsi.

Ce qui avait rendu la vie du caïd encore plus difficile, c'était que Raouf, en entrant dans l'adolescence, s'était cherché des adversaires plus importants que son père, il les avait vite trouvés, parlant avec une violence grandissante de colonialisme, de domination, d'iniquité, d'hypocrisie, d'exploitation, il avait lu *Le Pays martyrisé*, avait fait lire la brochure autour de lui, et lancé des formules contre les notables de la religion, « complices de tout cela depuis des siècles ». Si Ahmed n'avait pourtant aucune animosité pour ce que devenait son fils et il se consolait en se disant qu'aucune saison n'est obligée de respecter la précédente.

Devant son père, Raouf avait répété : « C'est non !... l'Europe avec Ganthier c'est non ! si je pars, je pars seul ! ou alors je vais en prison, ça forme autant que les voyages. » Le caïd avait cherché une phrase, un appel à réfléchir, la jeunesse aime

qu'on la croie capable de réfléchir. Il lui avait offert un paradoxe à ronger : «Tu seras bien plus libre que si tu étais seul.»
Il savait aussi qu'une étrange relation s'était nouée depuis des
années entre Raouf et le colon, comme une fable, le renard et le
loup, ces deux-là se détestent et se cherchent, ils aiment discuter
ensemble, rivaliser de formules, le loup aide le renard à devenir
adulte pour pouvoir profiter de sa présence, exercer ses forces et
sa ruse sur un renard qui en a de plus en plus, et le renard sait que
c'est dans la confrontation avec le loup, et pas dans le respect des
règles patriarcales, qu'il pourra inventer sa vie.

La veille, dans le bureau de Marfaing, Si Ahmed avait parlé
avec Ganthier en l'appelant «mon vieil ami», il lui avait dit que
depuis son succès au baccalauréat son fils avait trop traîné avec
les Américains, il n'était pas allé à l'université et avait sans doute
commencé à boire, non seulement ce garçon était en train de se
séparer de la religion et des principes – on peut toujours y revenir
et Dieu sait être généreux avec les repentis –, mais il se séparait
aussi du monde réel, qui n'attend pas et ne pardonne jamais. Le
caïd voulait que Raouf voyage dans le monde réel, et pas celui
qu'on croit voir dans *Le Figaro* ou *L'Illustration*; son fils devait
aller prendre de grandes gifles de monde réel, et puisque Ganthier, son vieil ami, envisageait un prochain voyage en France,
pouvait-il accepter de prendre Raouf avec lui?

Ganthier avait écouté, «vieil ami», c'était une drôle d'expression pour toutes ces années d'affrontement venimeux entre
eux. Il n'avait pas répondu directement au caïd. Il avait souligné la brièveté de son futur voyage. Il s'était mis à parler de
ses propres affaires, de sa ferme, il est difficile de s'absenter
longtemps quand on a beaucoup d'hectares à surveiller, l'œil du
maître… Et il avait rappelé à Si Ahmed qu'il était avant tout *un
colon*, histoire de lui faire avaler d'un seul coup tout le passé,
les histoires de bornage, d'accaparement de terres, toutes les

chicanes, l'opposition de Si Ahmed à l'extension des terres de Ganthier, le prétexte qu'elles appartenaient à telle ou telle tribu, qu'elles avaient tel ou tel statut religieux ou communal, le leit-motiv du caïd : «Les colons n'ont pourtant pas tous les droits!» Ganthier répondant que ces terres n'étaient pas cultivées, ou si peu, qu'il allait les faire fructifier comme jamais, qu'il donne-rait du travail et du pain à des gens qui n'en avaient pas, le caïd disant que pour un franc donné à ses ouvriers Ganthier en met-tait quinze dans sa poche, Ganthier réussissant à s'agrandir au prix de bakchichs durement négociés avec le caïd, et de primes versées à ses propres ouvriers. «Avec un corrompu ordinaire, disait Ganthier, les choses seraient plus faciles, mais celui-là veut aussi améliorer le sort de l'humanité, ça double les frais…» Oui, Ganthier s'était fait un vrai plaisir de prononcer ce mot de *colon*.

Si Ahmed avait laissé passer la provocation, il avait même avoué qu'il reconnaissait la lourdeur des tâches de Ganthier, mais on était déjà en hiver, Ganthier n'aurait guère de difficulté à pro-longer son séjour, et lui, pendant ce temps, passerait sur les terres de Ganthier tous les dimanches, avec monsieur Marfaing, quand celui-ci accepterait de lui faire l'honneur de l'accompagner. Le contrôleur civil avait aussitôt relayé les paroles du caïd : «L'hon-neur sera pour moi», et Ganthier avait compris que le caïd ne proposerait rien de plus, *il a avalé toute mon ironie, il ne s'abais-sera pas à rappeler que la France lui doit bien ça*. Colon ou pas, Si Ahmed traitait Ganthier comme un vassal, un grand vassal à qui l'on confie son fils aîné, mais un vassal quand même, et il demandait à Ganthier de faire comme si le protectorat n'existait pas, tout ça dans le bureau de Marfaing, le maître de la région, et Marfaing, au lieu de rester au moins neutre, appuyait les paroles du caïd par de légers hochements de tête, il aurait au moins pu dire «l'honneur *serait* pour moi».

Il faisait tiède, les grands fauteuils à pattes de lion étaient confortables et propres, le café bien serré mais sans trop de marc, les maqrouds frais et sablés à souhait, les mouches inexistantes, trois hommes discutant à voix calme. Ce qui gênait Ganthier, c'était l'assurance du caïd, *il sait pourquoi je fais ce voyage, et qu'il y a de bonnes chances que je le prolonge, qui le lui a dit? Marfaing? Marfaing sait toujours tout, c'est son métier, tout savoir jusqu'au dernier ragot.*

Si Ahmed continuait à parler, en hésitant comme s'il inventait son propos, il était un peu obscur mais à la troisième allusion Ganthier avait compris : le caïd avait bon espoir pendant le voyage d'amener une certaine personne à régler le litige qui l'opposait au colon, la terre n'aime pas être divisée, n'est-ce pas? Ganthier se rendit compte que cette histoire de remembrement ne lui tenait plus tant que ça à cœur, il avait même pris l'habitude de passer deux ou trois fois par semaine, à cheval, sur le chemin qui traversait le domaine de la jeune veuve, il lui arrivait de la repérer au loin, sur sa véranda, à croire qu'elle le guettait. Si Ahmed poursuivait : ce serait un bonheur pour lui de savoir que Ganthier serait en train de montrer la France à son fils, et pas seulement la France, il pourrait même passer en Allemagne... Ganthier avait réagi : *les boches?* il s'était battu contre eux pendant quatre ans, il ne comprenait pas l'intérêt que ces gens-là éveillaient dans la jeune génération, et le caïd avait répondu que les jeunes, ce qu'on ne leur montrait pas, ils en faisaient un mirage. C'est à ce moment que Ganthier s'était rendu compte qu'il était piégé : en ergotant sur l'Allemagne, il paraissait avoir donné son accord pour le reste.

Avant l'arrivée du caïd, le contrôleur civil lui avait dit que Si Ahmed voulait lui demander quelque chose de grave, c'était politique, et la France avait besoin d'hommes comme le caïd, oui, c'était Ganthier qu'il avait choisi pour une mission de confiance, oui, un colon, et même le plus réactionnaire de la région, lui, et pas une des belles âmes socialisantes ou christianisantes qui grenouillaient autour des bons indigènes qu'ils s'inventaient. Si Ahmed n'était pas particulièrement sincère dans ce qu'il appelait son amitié pour la France, mais il ne rêvait pas et il pensait qu'un écart d'un centimètre à gauche de son souverain, c'était du communisme, il honorait Ganthier et Marfaing de sa confiance, il préparait le futur, il leur donnait son fils unique à éclairer, « et vous savez, mon cher Ganthier, qu'en ce moment il vaudrait mieux que ce jeune Raouf fasse un petit voyage, la police veut le coffrer, la Résidence générale hésite, je peux encore le protéger, mais il faut qu'il se fasse oublier, à moins que vous ne préfériez le voir derrière des barreaux pour un bon moment ».

Marfaing avait l'air de s'amuser, il savait que Ganthier ne supporterait pas l'idée de voir Raouf en prison, et Ganthier savait que si Marfaing l'avait choisi c'était parce que ses liens avec le renseignement militaire lui permettraient de protéger Raouf. Et il y avait autre chose, l'expression utilisée par Marfaing, « nous donne son fils à éclairer ». Ganthier et Marfaing appartenaient à la même loge, et plus haut qu'eux on pensait sans doute à Raouf comme à une recrue d'avenir... Ganthier avait fini par remercier Si Ahmed de lui faire cet honneur qu'il acceptait comme un très haut témoignage de leur vieille amitié, et, pendant que Si Ahmed s'inclinait une fois de plus avec affection, le colon avait un instant, pour lui seul, laissé flotter dans le bureau de Marfaing le sourire de chat de Gabrielle, après tout, ce jeune Raouf, c'était une excellente raison d'aller à Paris, Ganthier n'aurait pas l'air de s'y rendre pour courir après une femme qui portait volontiers des pantalons et ne voulait toujours pas de lui, il souriait, et les deux hommes lui souriaient.

Au moment où ils se quittaient, Marfaing avait confié à Ganthier : «Je veillerai sur Kid...» Kid était un teckel autoritaire et affectueux, le compagnon de chasse de Ganthier. Si Ahmed avait continué à parler au colon pendant qu'ils s'avançaient dans la grande allée du contrôle civil, la jeunesse d'aujourd'hui lui faisait peur, le mépris des anciens... l'ivresse du savoir... l'athéisme... Ganthier pourrait-il, là-bas, rappeler à son fils de faire ses prières? Et que le Salut soit sur Ganthier! Un Si Ahmed anxieux, paternel et pieux, qui serrait le bras de Ganthier, on en aurait oublié sa réputation de machiavélisme et d'ami des alcools forts. Ganthier se demanda soudain si Raouf était vraiment d'accord pour partir, il se rendait compte qu'en quelques minutes il s'était mis à tenir à cet arrangement, Gabrielle aimait bien Raouf, elle adorait lui donner des conseils, Ganthier se voyait déjà à Paris avec le jeune homme en guise de chandelier, un beau trio, il fallait s'en assurer, d'autant que ce Raouf était une vraie tête de mule! Au moment où Ganthier le saluait, Si Ahmed avait fini par avouer que son fils hésitait encore un peu, il voulait aussi aller en Turquie : «C'est ce qui m'inquiète le plus, vous comprenez, cher vieil ami, le mauvais exemple, si proche... ces gens-là, ces officiers turcs, c'est notre ancienne famille, aujourd'hui ils déchaînent les passions, et les passions sont des filles de la mort, vous savez ce qu'on a trouvé dans le bureau d'un de mes secrétaires? non, pas le *Manifeste communiste*, et je fais confiance à la France pour s'occuper du communisme, non, ce qu'on a trouvé ce sont les discours d'Atatürk, traduits en arabe, ils sont tous à l'affût des nouvelles de Turquie, il y a une photo qui circule en ce moment, l'entrée d'un village en Anatolie, un barrage militaire : quand les paysans arrivent, ils doivent échanger leur turban de croyant contre une casquette à l'occidentale, et en même temps on leur montre ce qu'on a construit sur le bas-côté, une potence... Vous voudriez qu'on fasse ça ici ? avec une réforme agraire ? » Ganthier avait ri, et décidé d'avoir au plus vite avec Raouf une de ces discussions où chacun essayait de paralyser l'autre, et qui les menaient jusqu'à tard dans la nuit. Il avait déjà en tête les mots qu'il allait lui lancer : « Vous n'avez pas envie d'aller voir comment on fabrique ce qui vous domine ? »

DEUXIÈME PARTIE

LE GRAND VOYAGE

Hiver 1922 - printemps 1923

19

LE *JUGURTHA*

Au port, il avait fallu lever la tête à s'en casser la nuque pour prendre la mesure de leur bateau, Ganthier disant : « Le *Jugurtha*, vingt-cinq mètres de haut à la cheminée, cent trente mètres de long, sept mille tonnes, un beau bébé. » Puis ce furent les disputes entre porteurs, les guichets, les passeports, la passerelle qui tremblait, la sirène, les passagers se pressant à la poupe pour la cérémonie des adieux, et des enfants agitaient encore le bras alors que le quai devenait une ligne mince dans le contre-jour.

Bien avant tout le monde, Raouf avait jeté sur la foule un regard dont il avait décidé que ce serait le dernier, et il était allé s'installer à la proue, seul, attendant la pleine mer, puis enfin face au large, les derniers appels de sirène enflant son impatience. Les mains vite refroidies sur la rambarde, il avait longtemps respiré, pris de vertige devant l'espace enfin ouvert, rien à voir avec celui des sables que son père avait traversé dans sa jeunesse et dont il disait qu'il ne débouchait sur rien sinon des oasis de plus en plus pauvres, et quand on arrivait de l'autre côté les villes étaient bien moins riches que Nahbès, une épuisante traversée de sable et de pierres pour arriver sur du rabougri. « Quand Dieu a créé le désert, il a été tellement content du résultat qu'il y a jeté des cailloux », disait Si Ahmed qui n'avait jamais compris l'enthousiasme des Occidentaux pour un voyage qui ne donnait

qu'une envie, celle de rentrer chez soi au plus vite, tandis que
là, à l'avant du *Jugurtha*, au-delà des vagues que contemplait
Raouf, attendaient les splendides villes où il allait entrer. Et à
chaque retombée de l'étrave, il sentait toute la violence de l'énergie qui le portait vers un monde où se fomentaient encore de
vraies révolutions.

Au bout d'un moment, il était rentré se mettre au chaud,
remarquant au passage quelqu'un qui avait dû l'observer derrière une vitre du salon, une jeune fille, habillée de vêtements
dont il n'avait encore jamais vu l'équivalent, la couleur surtout,
une jupe vert sombre, couleur de forêt, avec des pointes de rouge
refroidi. Au passage, elle avait soutenu son regard, des yeux très
clairs, transparents, des cheveux châtains sous un béret... Il avait
incliné la tête, d'un air gentil, tout s'était passé très vite, il n'avait
même pas eu le temps de noter la couleur de ses yeux.

Il avait rejoint sa cabine et ouvert ses bagages pour permettre
au steward de tout ranger. L'homme était âgé, raide, efficace.
Les tiroirs et les placards sentaient l'encaustique, la lavande, et
dans la salle de bains régnaient la Javel et la fleur d'oranger.
Les parois étaient plaquées de bois rouge, presque rose, et le
cuivre des poignées de porte et des contours de hublot relançait
le moindre rayon lumineux. Ganthier et Raouf avaient chacun
une cabine de première, le caïd ayant bien fait les choses pour
son fils. Marfaing avait dit à Ganthier : «Notre cher Si Ahmed
ne vous fera pas l'insulte de vous proposer un défraiement, n'est-
ce pas?» Bien sûr que non, et Ganthier n'aurait jamais accepté.
Mais deux jours avant son départ il s'était vu proposer une trentaine de vaches magnifiques. «Origine hollandaise mais résis-
tantes, nées dans le pays», avait dit le vendeur qui lui demandait
à peine les deux tiers de ce qu'elles valaient. Ganthier avait compris, il avait refusé. L'homme avait ajouté : «Si tu n'acceptes
pas, je vends à Pagnon.» Ganthier avait accepté.

Sur le bateau, Raouf était l'un des rares Maghrébins à voyager en première classe, et le seul à ne pas porter la djellaba ; on le regardait comme une curiosité, un indigène habillé à l'européenne c'est quelqu'un qui ne joue pas le jeu. «Vos compatriotes n'acceptent pas que je sois en complet gris, avait-il dit à Ganthier, ils sont plus aimables avec les deux vieux en burnous, j'ai même entendu une femme dire qu'elle les trouvait plus beaux *là-dedans* que dans un costume occidental.» Ganthier répondant : «Les Français n'aiment pas qu'on les imite. — C'est plutôt qu'ils n'aiment pas qu'on les rattrape. — Ça n'est pas une question d'imitation, ou de rattrapage... ils sentent qu'ensuite vous ne voudrez plus d'eux.. — Ce qui m'amuse, dit Raouf, c'est que vous ne supportez pas qu'ils me regardent de travers. Parce que je fais partie de vos bagages ? »

Raouf s'était promis de ne jamais avoir l'air gauche, mais le premier soir il était arrivé en avance dans la salle à manger. Un maître d'hôtel avenant et respectueux l'avait assis à une petite table avec vue sur l'entrée des cuisines. Ganthier était arrivé un quart d'heure plus tard, il avait cherché Raouf du regard, le maître d'hôtel les avait installés contre une des baies vitrées donnant sur la mer, à un endroit d'où l'on pouvait aussi voir toute la salle. Au dessert, le capitaine était venu s'installer à leur table. La discussion avait roulé sur les escales que faisait le navire. «Je ne comprends pas que des navires français facilitent nos relations avec l'Espagne ou l'Italie, avait dit Ganthier, et en plus ça rallonge le voyage. — Oui, mais la ligne directe ne rapporte pas assez d'argent», avait répondu le capitaine. Raouf savait que certains Français voulaient ouvrir les portes du Maghreb à des millions d'Espagnols, d'Italiens, de Maltais pour atteindre les chiffres d'une vraie colonisation de peuplement. Ganthier était contre, alors que cette immigration catholique n'aurait pas dû déplaire à l'ancien séminariste qu'il était. Raouf s'était abstenu de lui en faire la remarque.

Le deuxième jour, sur le pont-promenade, ils avaient croisé un groupe de quatre femmes, très habillées, bruyantes, elles parlaient à tout le monde, tout le monde leur parlait, mais personne ne s'attardait avec elles. « Elles sont belles, parées, capricieuses, voulez-vous que je vous présente ? » avait demandé Ganthier. Il s'était rendu compte que Raouf avait été remarqué par ces femmes et cela l'avait irrité. « Vous me croyez incapable de reconnaître des cocottes ? avait dit Raouf, vos belles dames rentrent au pays après un séjour à la cour de mon cher souverain. — Vous en voulez une ? Je suis sûr qu'elles feraient ça uniquement pour le plaisir. — Non, merci, avait dit Raouf, mais si vous avez envie d'acheter un peu d'amour tout fait, vous pouvez compter sur ma discrétion. »

Raouf avait sympathisé avec une autre passagère, une Autrichienne de son âge, elle voyageait avec ses parents, le père fabriquait et vendait des moulins à vent et des moteurs électriques dans le monde entier. Elle s'appelait Metilda, c'était celle qu'il avait remarquée derrière les vitres du salon au moment du départ. Elle jouait souvent au volant sur le pont. C'était la plus habile. Au contraire de beaucoup de ses adversaires elle n'avait aucune masse réticente à remuer, elle courait et sautait avec grâce. Comme elle gagnait chacun de ses matchs, elle jouait plus souvent que les autres, jusqu'au moment où une jeune Française, éliminée, avait refusé de lui céder la place. Des mots avaient fusé : « Ici, c'est chez nous, les boches ils attendent ! » Le père de la jeune Autrichienne, l'air contrarié, avait rappelé sa fille.

Metilda plus tard à Raouf : « Mon père m'en veut de m'être mise dans une mauvaise situation. — Qu'est-ce qu'une mauvaise situation ? c'est quand on a raison ? — Non, mon père me l'a appris il y a déjà longtemps, c'est une situation qu'on ne peut pas défendre, je ne dois pas oublier que j'appartiens à un pays vaincu. — Vous parlez comme mon propre père, mais votre pays à vous n'est pas occupé, vous pouvez y vivre tranquillement. — Cela dépend, nous devons aussi faire attention chez nous, nous sommes juifs, on nous tient pour responsables. — De la guerre? — Non, de la paix, des conditions de la paix, comme en Allemagne, la fin de l'Empire, la fin des Habsbourg, la fin des haricots comme disent les Français...» Elle avait souri, puis : «À l'étranger je suis une boche, chez moi je suis une métèque. — Vous parlez très bien le français. — Pour nous, c'était la langue des romans, des poèmes, des idées libres, des sensations, nous disions que l'allemand c'était pour la caserne et les fonctionnaires, ce qui n'est pas vrai, et aujourd'hui c'est le français qui est devenu une langue de *diktat*... non, je suis injuste, ça reste autre chose... Vous connaissez Heine? et Trakl? Georg Trakl, un poète mort pendant la guerre, j'ai un recueil avec moi, c'est très beau, je vous le prêterai, *umschlingen schmächtig sich*... — On nous parlait très peu de livres allemands au lycée, interrompit Raouf, tout au plaisir de parler du lycée à l'imparfait, mais je lirai vos poètes, si vous me promettez de lire les miens... et si vous avez des traductions.» Metilda regrettant son étourderie : «*Umschlingen schmächtig sich die sehnenden Arme*... délicatement s'enlacent les bras avides... Je vous les traduirai moi-même.» Elle avait les yeux d'un bleu très pâle.

Plus tard, Raouf lui avait confié une traduction des *Odes suspendues*. Il avait ajouté un poème recopié à la main : «Celui-là, c'est un poème français, l'auteur n'est pas connu, c'est très moderne, "Le mai le joli mai en barque sur le Rhin"... il est plus difficile que les autres à apprendre, c'est de Guillaume Apollinaire, il est mort, comme votre Trakl, blessé à la guerre, puis la grippe.» Metilda avait replié la feuille et demandé à Raouf de réciter le poème. Quand Raouf avait eu fini, elle s'était enga-

gée à apprendre le poème à son tour : «Comme ça nous pourrons le dire à deux voix.» Elle avait déjà retenu deux vers, «Les
pétales tombés des cerisiers de mai sont les ongles de celle que
j'ai tant aimée». Elle parlait aussi du voyage qu'elle venait de
faire : «Maman a obligé papa à visiter les vieux quartiers juifs
de chaque ville, et elle lui a dit : "Nous devons les aider, mais ils
doivent comprendre qu'ils n'ont rien de commun avec nous."»
Raouf avait gardé pour lui une remarque sur les préjugés de
classe. Metilda lui avait aussi demandé pourquoi son ami Ganthier avait parfois l'air triste. «Il est juste un peu mélancolique,
avait dit Raouf, il a laissé Kid, son chien, sur ses terres, et il se
reproche d'avoir fait ça, c'est un teckel, mais aussi encombrant
qu'un gros chien. — Il l'aime beaucoup? — Il dit que c'est tout
ce qu'il a ramené de la guerre, un cadeau de ses hommes, mais
il n'avouera jamais qu'il l'aime, il pense que ça ne se fait pas,
moi je l'aime bien, c'est un chien de colon mais il n'aboie pas
après les Arabes.»

Un matin, à l'avant du bateau, Metilda l'avait regardé droit
dans les yeux : «J'ai envie de faire comme un de mes cousins,
d'aller en Palestine. — Je crois que nous allons avoir une dispute sur la Palestine, avait dit Raouf, très froidement. — Non,
parlons d'autre chose.» Raouf avait fini par sourire et Metilda
avait ajouté : «Monsieur Ganthier m'a dit que vous connaissez
Francis Cavarro, et Neil Daintree, vous leur avez vraiment parlé?
— Oui, et eux aussi ils m'ont parlé, surprenant, n'est-ce pas?
— Vous êtes méchant… vous me prêtez de mauvaises pensées,
je ne vais plus avoir confiance. — Je n'ai pas voulu être méchant,
c'est plutôt un réflexe.» Raouf montrait l'horizon à l'arrière du
bateau : «Là-bas je suis souvent obligé de riposter par des choses
aigres, et là où je vais ça va être la même chose, mais avec vous
je regrette d'avoir parlé comme ça, vous n'êtes pas pareille, c'est
comme mes amis américains, ils me demandent vraiment de leur

parler, et pas seulement de tapis et de palmiers. — Et vos camarades d'étude ? — J'ai des amis français, mais je sens que, quand
ils se retrouvent entre eux, ils parlent de façon différente, vous,
ça n'est pas pareil. » Sourire de Metilda, elle se détendait, Raouf
avait souri lui aussi, il reprit : « Avouez que vous n'aviez pas
besoin de me jeter la Palestine à la figure. — Vous faites souvent
ça ? — Quoi ? — Baisser la garde, sourire avec bonté, et riposter
quand même ? — On fait la paix ? — Oui, mais pour de bon cette
fois, n'est-ce pas ? » Elle lui avait pris le bras, ils étaient repartis
dans une promenade. Metilda sans le regarder : « Vous vous rendez compte que nous venons de nous faire une scène ? »

Le temps était clément pour un mois de décembre. Ils avaient
croisé Ganthier et le capitaine. « Je n'aime pas cette température, avait dit le capitaine, quinze degrés ici, alors que là-haut (il
montrait le ciel du doigt), ça doit être moins quarante... Ça peut
très mal tourner. »

Raouf et Metilda s'étaient mis à faire comme tous les jeunes
gens dans beaucoup de pays, à parler de cinéma. Ils se querel-
laient, Metilda disant que les Américains étaient trop simples,
Raouf les défendait, il lui parlait de Daintree, elle n'avait vu
que *Les Quatre Cavaliers*. Elle connaissait très bien le cinéma
allemand, dont Raouf ignorait tout, et elle avait parfois des
réflexions très dures, elle disait que le cinéma c'était trois pas en
arrière par rapport à l'opéra. Elle faisait exprès de le dire parce
que Raouf n'avait jamais vu d'opéra, puis elle s'en voulait et
lui racontait ce qu'elle savait de la révolution à Vienne en 1918.

Ils avaient le même âge, elle savait plus de choses. Elle lui
souriait souvent, et le soir, dans leurs promenades, sa respiration
se faisait lourde. « J'adore Stendhal, avait-elle dit, la chasse au
bonheur... — Je l'ai lu... les petits objectifs individuels... je
ne cherche pas à être plus heureux qu'un autre. — Vous êtes
toujours aussi dédaigneux, avec le même ton moral ? » Il s'était

contenté d'un regard, en essayant de faire passer un peu d'amitié malgré son refus d'aller plus avant. Elle lui avait montré un couple qui venait de se former : « Vous voyez, hier, à leur première promenade, ils étaient hésitants, cet après-midi ils ont l'air d'être ensemble depuis des années, et plus gais. »

Elle l'invita à prendre le thé : « Ça ne serait pas convenable que j'aille dans votre cabine mais vous pouvez venir chez moi. — Vos parents ont des idées très larges. — Ils veulent être absolument modernes. Papa aurait horreur de passer pour une espèce de rabbin, il parle très bien yiddish mais il le cache, il est très fier de son allemand et de son français, et de son athéisme. » Elle assit Raouf à côté d'elle, lui donna une ou deux tapes sur l'épaule, posa la main sur son avant-bras. Raouf ne se dérobait pas, mais il ne faisait rien. Il était comme mou, il ne rougissait même pas, n'avait pas non plus l'air timide. Il s'animait en parlant de livres et de films, comme avec un vieux camarade. Elle n'avait jamais eu ce sentiment d'une égalité complète avec un garçon. Ses amis autrichiens aussi la traitaient en égale, mais elle sentait que les plus amoureux l'imaginaient déjà en train de donner le sein à un enfant ou des ordres à une domestique. Ça n'était pas le cas avec Raouf, il ne la voyait pas en femme d'intérieur. Ni en amante. Elle était une amie. Elle essaya de savoir s'il connaissait d'autres femmes, il n'en parlait pas, sous-entendait qu'il y en avait, disait : « J'ai vraiment d'autres préoccupations. »

C'était un agréable compagnon de traversée. Il refusait de jouer au volant parce qu'il ne voulait pas apprendre, mais il regardait gagner Metilda en tenant prête la serviette dont elle venait s'emparer à intervalles réguliers. Pour les autres, on ne pouvait s'y tromper, le jeune homme qui gardait en main la serviette humide de transpiration de cette demoiselle ne pouvait être que son amant. Une des mères à gros chignons qui surveillaient les jeunes filles avait fini par dire de ce couple : «Qui se ressemble s'assemble.»

Metilda s'en voulait de s'être avancée, elle en voulait encore plus à Raouf de ne pas répondre. Il n'était pourtant pas retors, simplement il ne faisait rien. Elle se demandait pourquoi. Elle avait fini par se dire qu'elle avait affaire à un tourmenté, semblable à ce que lui avait décrit une de ses amies viennoises, un de ces jeunes gens qui s'accrochent tellement à leurs mauvaises habitudes qu'ils en deviennent mélancoliques, et incapables de sortir de cette mélancolie qui les renvoie à leurs mauvaises habitudes et s'y alimente, ils en souffrent mais sont incapables d'agir. Elle en avait parlé à mots couverts à Ganthier, qui avait compris, et confirmé, à mots couverts : Raouf n'était pas un jeune homme facile, oui, il avait une amie américaine, «je pense qu'il en a été amoureux au début... c'était plutôt littéraire, pour éprouver ce qu'il lisait dans les romans et les poèmes, mais l'Américaine était plus âgée, elle en a fait son grand ami, oui, elle est rentrée chez elle fin octobre, il n'a pas l'air d'en avoir souffert, et il y a aussi une autre femme, une cousine, une veuve, bas-bleu, vous savez ce que... — Oui, c'est comme ça que vous appelez les femmes qui lisent des livres?»

Ganthier s'était excusé. Pour continuer à parler il avait évoqué cette autre femme, à la tête d'une grande ferme, une exception! femme cultivée, énergique, forte tête! Ganthier se surprenait à faire l'éloge de Rania... *et voilà que je me retrouve en train de discuter avec une boche...* Metilda ne ressemblait à rien de ce qu'il connaissait ou s'attendait à trouver, elle avait quelque chose de très libre, une Gabrielle en plus jeune, mais sans provocation, qui lui parlait d'égal à égal, sans avoir l'air d'en faire l'effort, sans avoir besoin d'un sac où accrocher ses mains qu'elle mettait parfois comme un garçon dans les poches de sa veste, mais différente de Kathryn, plus calme, ayant sans doute beaucoup moins eu à se battre que l'Américaine. Ganthier avait aussi compris que Metilda soupçonnait autre chose que les mauvaises habitudes et il avait démenti, Raouf s'intéressait vraiment aux femmes, mais il lui faudrait beaucoup de temps pour acquérir de l'aisance.

Pour leur dernière nuit à bord, Metilda avait décidé de ne pas être convenable, et elle avait frappé à la porte de Raouf. Surpris, il l'avait accueillie et pour une fois il avait rougi. Elle avait mis son corsage le plus audacieux, un décolleté rectangulaire. Il était en robe de chambre. Ils avaient commencé par discuter, puis Metilda avait eu un malaise et avait demandé à s'allonger un instant. Ça n'était bien sûr pas exactement un malaise mais, la mer s'étant creusée avec violence, il était trop vite devenu réel. Les tempêtes en Méditerranée sont méchantes, avait peu après dit Ganthier en croisant dans la coursive Raouf qui soutenait une Metilda au teint jaune, une serviette devant la bouche. Elle voulait aller respirer le plus d'air possible. Le vent soufflait fort, le capitaine avait fait interdire l'accès au pont. Derrière les vitres du salon, à la lumière des éclairs, ils voyaient l'étrave du *Jugurtha* foncer vers des vagues de plomb grisâtre de plus en plus hautes. «Elles font au moins dix mètres, dit Metilda. — Pas tant que ça, dit Ganthier, mais quand même…»

À l'arrivée les deux jeunes gens s'étaient promis de s'écrire. Ganthier n'avait jamais très bien su ce qui s'était passé entre eux, et en lui serrant la main Metilda lui avait lancé : «À bientôt, peut-être…»

20

LA NUIT ET LES RÊVES

À Nahbès, avant le départ de Raouf, et en donnant encore plus de gages à Marfaing, Si Ahmed avait obtenu le nom de celui qui avait calomnié son fils, oui, la calomnie, c'était l'interprétation que le contrôleur civil avait donnée dans sa réponse à la lettre qu'il avait reçue de la Résidence générale de France au sujet de ce jeune Raouf, calomnie, jalousie, jeune homme plutôt tête brûlée, certes, mais il lit et cite Pascal, Montesquieu, Balzac, premier au baccalauréat, cette jeunesse n'est rebelle qu'à elle-même, le fond est bon, si l'on sait s'y prendre, et Marfaing savait s'y prendre.

Le lendemain de sa négociation avec le contrôleur civil, le caïd avait aussi pris soin d'avoir un autre entretien avec Jacob Bensoussan, un homme très respecté dans le monde des prêteurs de Nahbès et de sa région, et Jacob Bensoussan avait très volontiers accédé à la demande de Si Ahmed, un ami de quarante ans. Puis Si Ahmed avait accompagné son fils à la gare de Nahbès. Sur le quai il avait mis dans les mains de Raouf une boîte en carton blanc : des baklavas. Raouf avait dit : «Je n'ai plus dix ans ! — Tu en as dix-huit, et tu es devenu sec.» C'était maladroit, le caïd savait que Raouf connaissait l'adage «quand on est sec, on se fait briser». Avant de monter dans le train, Raouf avait baisé la main de son père qui n'avait pas aimé ça : Raouf lui prêtait une peine qu'il ne voulait pas éprouver. Le train s'était ébranlé, il avait craché de la fumée et quelques braises vers les palmiers de la gare et il avait disparu. Le caïd aurait voulu dire : « Je suis là, je veille. »

Une fois son fils parti, Si Ahmed ne s'en était pas pris à Belkhodja, surtout pas, c'eût été donner de l'importance à la calomnie. Il avait préféré laisser le marchand mener ses affaires à sa guise, un Belkhodja qui, pour survivre à son mariage honteux, multipliait les séjours à la capitale, le grand train, les élégances. Certains critiquaient ces nouvelles façons d'un homme qu'on tenait jusque-là pour pieux et disaient que le vêtement de l'homme de bien c'est la prière. Mais, pour la majorité de ceux qui en parlaient, le nouveau gilet de Belkhodja, discrètement brodé d'or, sa jebba immaculée, ses babouches du meilleur cuir de veau, changées au moins deux fois par jour, ses chaussettes anglaises extrafines, sa moustache d'élégant, taillée par un barbier qui lui rendait visite tous les matins, son étui à cigarettes en argent, sa montre en or, et toutes ses manières d'élégant, sa lenteur surtout, qui le détachait de toutes les urgences matérielles mais le laissait plein d'attention aux demandes de la clientèle, tout cela c'était pour les affaires, une élégance de grand commerçant, nécessaire à quelqu'un qui devait fréquemment séjourner dans la capitale, un grand commerçant ne pouvait s'habiller n'importe comment, manger n'importe où, dormir n'importe où, il lui fallait un style en accord avec le niveau de ses affaires, des affaires qui lui faisaient rencontrer de plus en plus d'étrangers de qualité, des Français, bien sûr, mais aussi des Italiens, des Égyptiens, des Anglais, des Allemands même, Belkhodja était fier d'envoyer ses tapis dans le monde entier.

À Nahbès l'élégance ne coûtait pas trop cher, mais avec l'argent d'un repas dans un restaurant d'élégants de la capitale on pouvait vivre une semaine en province. Belkhodja avait honte de sa prodigalité, mais il se disait que ces dépenses l'aidaient dans son commerce. Il n'avait pas tort : ce mode de vie le mettait à portée de très belles occasions, et il parvenait à en saisir quelques-unes. Après les repas, le soir, avec ses acheteurs, il y avait aussi Le Sphinx, le Miramar, le prix du champagne, et les billets qu'on glissait dans la culotte des danseuses du ventre, tout un art, geste d'une élégance discrète mais que les autres convives devaient entrevoir pour se faire une idée de la somme et des moyens de Belkhodja. Et après le cabaret, il y avait les parties de cartes, l'art de perdre avec bonne humeur ou de replonger dans le risque quand on a gagné. Les clients de Belkhodja changeaient mais Belkhodja était toujours là, chaque soir. Passé minuit, il y avait aussi la petite poudre, un peu chère à l'achat, mais tellement plus efficace, pour rester lucide et agile, que la pipe à kif. Tout cela n'était certes pas la marque d'une grande piété, mais Belkhodja jugeait que l'injuste coup qu'il avait reçu dans son mariage contrebalancerait pour un moment les péchés qu'il pouvait désormais commettre. Il portait beau, dépensait son argent, parfois il se disait qu'il le dépensait mal, comme l'âne éparpille son orge, mais son nouveau chiffre d'affaires promettait de gros bénéfices. Belkhodja passait souvent d'une colonne à l'autre, et se faisait des avances.

Il n'y eut personne pour le mettre en garde, même parmi les amis de La Porte du Sud, presque personne à Nahbès n'était au courant d'une débauche qui se donnait libre cours là-bas, à des centaines de kilomètres, et ceux qui savaient se disaient que le marchand avait trouvé dans la débauche un bon moyen de refroidir une âme en proie aux violences de la honte et de la haine. Belkhodja aurait pu s'en tirer, en contrôlant ses dépenses et en ne jouant pas si souvent aux cartes. Le plus surprenant, c'est qu'il n'était pas possédé par le démon du jeu ; ça, c'était pour les faibles, et même la poudre blanche n'était pour lui qu'une auxiliaire qui l'aidait à mieux voir dans les cartes et les affaires. Il est vrai aussi que sur les conseils du réceptionniste de l'hôtel Excelsior, un Français qui saluait Belkhodja comme jamais un Européen ne l'aurait salué à Nahbès, sur les conseils donc de ce réceptionniste – monsieur Michel – Belkhodja demandait parfois un deuxième oreiller, pour mieux dormir, deuxième oreiller que les femmes de chambre, le matin, appelaient entre elles un paillasson de bordel, oreiller russe ou italien, d'une blondeur très coûteuse, mais Belkhodja n'en abusait pas non plus car il rentrait le plus souvent se coucher à des heures où même ce genre de créature estime devoir prendre un repos mérité. Tout cela, c'était au fond de l'agréable superflu, mais jamais nécessaire. La preuve c'est qu'il s'en passait très bien dès qu'il rentrait à Nahbès, de moins en moins souvent il est vrai.

Belkhodja n'avait donc aucune raison d'arrêter. Lui-même, devant sa conscience, se reconnaissait des fautes, mais il n'en était pas l'esclave, et le remords qu'il éprouvait donnait même à ses prières – il en faisait encore au moins une par jour – l'accent de culpabilité qui sied à la bonne piété. Non, cette autre chose dont Belkhodja ne pouvait se passer, ce qu'il attendait dès le début de l'après-midi quand il était dans la capitale, cette vraie drogue, ce qui faisait de lui un homme hors de lui, mangeur de temps, c'était la nuit. Belkhodja s'était mis à aimer la nuit et, au lieu de s'endormir en échafaudant des plans de commerçant avisé, il s'était mis à plonger dans la nuit, pas celle de Nahbès, qui compte quand même plusieurs lieux propices à la dérive des hommes honorables, non, la nuit qui perdait Belkhodja c'était celle de la capitale. Et cette passion de la nuit n'était pas venue de ce que la nuit peut offrir de plus vicieux, quand le ciel s'est voilé de noir et que les corps se dénudent. Si la nuit n'avait été que tripots et bordels, Belkhodja aurait fini par avoir un réflexe, un dégoût, une frayeur ou une fatigue, et il serait vite reparti vers le sud, le trictrac et l'alcool de figue. Non, sa passion avait commencé par des morceaux de nuit aux aspects plus recommandables, la fraîcheur de la nuit, la profondeur de la nuit, celle qui vous attend quand vous sortez d'un lieu de débauche à trois heures du matin, comme si la débauche n'avait été que le prétexte à des retrouvailles avec la face immaculée de la nuit, les abîmes d'ombre et d'étoiles où l'on peut s'enfoncer en marchant, avec la lucidité de celui qui n'a plus sommeil, nuit propice à d'immenses rêveries, quand vous êtes le dernier être humain à lui résister, que vous pouvez lui faire face de toute la force de votre imagination, que vous osez, et qu'elle vous récompense en vous donnant des rêves autrement plus riches que ceux qu'elle accorde aux gens raisonnables qui ont fini par s'endormir.

Belkhodja aimait par-dessus tout ces rêves de fin de nuit, en marchant dans le silence de la capitale, des rêves dont la réalisation ne tenait qu'à un fil, de grandes affaires qui le menaient de la vente de ses tapis à la propriété d'un bateau, puis d'un vrai paquebot, puis deux, Belkhodja passé de marchand à armateur en quelques rêves sur fond de Grande Ourse, de Capricorne et de nuages, il lançait ses paquebots à travers la Méditerranée, comme les Français, et pour mieux rêver il se rapprochait des odeurs du port, des bruits de clapot, ou bien il revenait vers le centre-ville, construisait le siège de sa compagnie maritime en pleine avenue Gambetta, il l'inaugurait en présence de toutes les autorités du pays, il investissait dans l'agriculture de sa région natale, devenait un des maîtres méditerranéens de l'huile d'olive, il n'aimait pas particulièrement cette huile mais savait qu'elle pouvait devenir de l'or liquide, il achetait aussi un journal, il en devenait l'âme, définissait une grande politique, prenait l'avion, et à chacune des grandes étapes de son rêve il faisait aussi bâtir une nouvelle mosquée.

Il marchait à grands pas dans la nuit, à en épuiser les sources, rentrait se coucher au matin, ivre de songes, et quand il repartait au début de l'après-midi dans ses activités de commerçant il avait tendance à le prendre de plus en plus haut avec des humains qui n'étaient jamais au niveau de ses rêves. Il expédiait ses affaires, dînait, et dès la fin de son dîner se précipitait au cabaret puis dans les meilleurs tripots. Il consommait, fumait et jouait pour accélérer le passage du temps, impatient de l'heure à laquelle il pourrait sortir, la tête vide, marcher dans la nuit désertée où l'on peut se parler à soi-même parce qu'il n'y a plus de passant pour vous prendre pour un fou... lancer ses activités les plus folles au moment où toutes les autres se sont interrompues... faire défiler ses succès devant ses yeux grands ouverts, dans l'air frais de la nuit. Et c'était pour plonger dans ses meilleurs rêves de passant enfiévré qu'il avait besoin que les dépenses des heures précédentes l'eussent mis dans un état proche de la panique, il voyait fondre son capital, il voyait venir le moment où ses chaussures vaudraient plus cher que lui, mais il avait de plus en plus besoin de ses rêves et ne rêvait jamais mieux de grandeur que lorsqu'il se sentait au bord du gouffre.

Pour garder son mode de vie et ses fréquents voyages dans la capitale, Belkhodja le prêteur s'était mis à emprunter des sommes de plus en plus fortes, il n'était plus question de se fournir en tapis auprès de Bédouins affamés, la faim était passée de son côté, la faim de rêves, et la vie élégante qu'il faut mener pour avoir une idée de ce à quoi on rêve, et la dette qui vous affole et vous relance avec passion dans le rêve. Un jour, Jacob Bensoussan, son prêteur habituel, lui avait donné une manière d'avertissement, il lui avait dit : «Quand la fête est finie, il ne reste que du linge sale», et peu après il avait pour la première fois refusé de l'aider. C'est à partir de là que Belkhodja avait commencé à avoir de vraies difficultés. Pendant un moment ses amis policiers français avaient réussi à calmer les créanciers de la capitale, mais sa situation s'était tendue, il lui fallait absolument un argent que Jacob Bensoussan refusait désormais de lui vendre, en exigeant même le remboursement du déjà dû. À Nahbès, on ne savait toujours pas grand-chose de la vie de Belkhodja, mais on avait vite connu l'étrange refus de Bensoussan. Dans la capitale aussi, les autres prêteurs s'étaient dérobés, Belkhodja était devenu leur cauchemar. La dégringolade s'était accélérée en quelques semaines et le marchand avait fini par regagner sa maison de Nahbès, où deux ou trois parents pouvaient au moins le nourrir et l'aider à sauver la face. Il n'avait plus de rêves, il n'avait qu'une perspective, celle d'une ruine déshonorante. Et Si Ahmed surveillait tout cela de loin.

Un vendredi à la sortie de la grande prière, Belkhodja avait croisé le caïd, il craignait son regard, mais Si Ahmed, au contraire de beaucoup de gens, l'avait salué avec bienveillance, lui avait même dit des mots de réconfort qui montraient qu'il était au courant de sa situation financière, et sur un ton qui montrait également qu'il ne savait rien d'autre. Ils se connaissaient depuis longtemps. Belkhodja savait Si Ahmed riche et discret, une grande réputation de négociateur, ne refusant jamais une affaire si elle promettait d'être bonne. On lui avait déjà conseillé de s'adresser à lui, mais Belkhodja n'avait pas osé se livrer à ce que sa conscience lui présentait comme une dangereuse provocation. Il est toujours possible d'éviter les coups d'un homme à qui l'on a fait mal, mais ça n'est pas une raison pour aller se mettre à sa portée. Après leur rencontre, il s'était quand même décidé à lui rendre visite. Ils s'étaient revus avec un certain plaisir, Si Ahmed avait parlé des misères de sa santé, son dos surtout, il avait longtemps été fier de porter lui-même le mouton de la fête, mais il payait maintenant cette fierté. Belkhodja avait profité de ces confidences pour évoquer les difficultés de son commerce, et il avait fini par faire, comme disent les Français, des «appels du pied».

Le caïd n'avait pas laissé Belkhodja en venir jusqu'à la honte de mendier et, à la visite suivante, il avait lui-même sauté quelques étapes obligées de ce genre de conversation, disant : «Je ne suis pas une forêt où l'on vient chercher du bois, j'ai aussi mes difficultés.» De la part d'un homme comme Si Ahmed, cette confidence était étonnamment claire. Belkhodja avait même trouvé qu'elle manquait de courtoisie, il avait craint que le caïd n'eût appris certaines choses, il avait cherché à le provoquer : «Tu n'es pourtant pas au plus mal, il paraît que tu as acheté une voiture, et en ville on parle d'un voyage...»

Si Ahmed avait levé les yeux au ciel, Belkhodja était une vieille connaissance, il s'était forcé à supporter ses remarques, à y répondre : «Justement, si je ne peux pas prêter, c'est que je dépense... la voiture, c'est parce qu'un jour je ne serai plus caïd, et le voyage... n'est pas pour moi...» Si Ahmed faisait allusion au voyage de son fils sans aucune aigreur, il avait poursuivi : «Et c'est quand j'ai dépensé mon argent que les gens croient que j'en ai, mais je suis caïd, pas banquier.» Belkhodja avait hésité, puis sauté sur l'occasion : «Je suis prêt à te rembourser à trente pour cent. — Oui, avait dit Si Ahmed, et pas à cinquante, comme Bensoussan, qui de toute façon ne veut plus te prêter. Et fais attention, ce n'est pas parce qu'il est juif que tu ne dois pas le payer, il y a des règles. Et tu sais que, sur la tête de mon fils, jamais je ne prête à intérêt.» Aucune ironie sur le visage de Si Ahmed parlant de la tête de son fils. Il ne se doutait de rien. Le ton marquait simplement que la conversation devait prendre fin. Belkhodja avait lancé en se levant : «Si Ahmed, je suis comme un marin qui a pris un gros coup de vent, j'ai besoin de l'aide d'un ami.»

Dans la grande maison du caïd, un bordj à la sortie de la ville, ça sentait l'huile d'olive, une odeur lourde et fruitée, un peu acide, qui imprégnait jusqu'au cuir rouge des banquettes du salon, de façon vaguement écœurante. Belkhodja avait parlé d'amitié, il était allé jusqu'au bout de ce qu'il pouvait dire, il avait ajouté dans un souffle : «Trente pour cent, à six mois. — Tu m'insultes! tu me prends pour un apostat! soixante pour cent à l'année! tu me promets à l'enfer! C'est ça, l'amitié?» Si Ahmed s'enflammait, il maudissait l'argent, cet instrument du diable, il avait pris Belkhodja par le bras, l'avait serré, disant : «L'argent fait la dette, et la dette c'est une meule sur l'amitié! Et puis, tu as encore ta maison, n'est-ce pas?» Belkhodja était sorti sans répondre et sans avoir reçu de réponse. Il n'était même pas mécontent d'être sorti, tant l'odeur d'huile lui avait paru lourde, envahissante, même si c'était une odeur de première qualité, justement.

21

LA MAIN

À leur arrivée à Paris, en entrant dans le hall de l'hôtel Scribe, Ganthier avait eu un cri de surprise : à une quinzaine de mètres, debout devant un fauteuil, elle les regardait avec une insolence rieuse en étirant une paire de gants jaune pâle. Il la croyait aux États-Unis, avec son mari et toute l'équipe du tournage. Kathryn les avait embrassés, oui, elle était seule... Neil n'était pas avec elle... il préférait surveiller les bobines de ses films plutôt que sa femme... elle devait aller en Allemagne... Berlin... je voudrais rencontrer monsieur Wiesner... oui, le réalisateur... un grand artiste... il a fait jouer Pola Negri... et je suis quand même mieux, non?... c'était fantastique ce qui se passait... elle en profitait pour visiter Paris, un séjour à Paris... un vieux rêve... oui, elle était descendue au Scribe, comme eux, non, pas exactement une coïncidence, elle savait qu'ils devaient venir à Paris, Raouf lui avait écrit, il rêvait de ce voyage, je suis sûre qu'avec vous il fait le blasé, mais il rêvait de ce voyage.

Raouf souriait d'un air contraint, Ganthier faisait la conversation. Pourquoi avait-elle choisi le Scribe? Pour les voir, bien sûr, et c'était l'avantage de ne pas être tout à fait une star, on évitait le Crillon, le Meurice, les journalistes, on avait le temps de retrouver les amis... «Et je voyage léger, Tess ne m'accompagne pas.
— Elle est restée en Amérique? demanda Raouf. — Non, offi-

ciellement on fait le voyage ensemble, mais je la laisse libre…
elle me demande rarement une faveur… elle me rejoindra au
moment du retour… tu devras te passer de ses confidences…»
Kathryn n'avait rien ajouté. Les pensées tournaient très vite dans
la tête de Ganthier, la présence de l'actrice allait simplifier les
choses vis-à-vis de Gabrielle, elles étaient amies, Gabrielle ne
pourrait pas refuser de sortir avec eux, à condition que la jeune
Américaine accepte de séjourner plus longtemps à Paris, et que
Raouf ne fasse pas la gueule, en ce moment il avait l'air content
de revoir une amie, mais avec lui on n'était sûr de rien, il devait
avoir faim d'indépendance, pas de tourisme à trois ou quatre.

La deuxième surprise de Ganthier, ç'avait été quelques heures
plus tard, quand ils s'étaient retrouvés à dîner au restaurant de
l'hôtel. Kathryn était assise en face de lui, à côté de Raouf. Soudain, elle avait rejeté la tête en arrière en riant, sans regarder
personne, ni le bras de Raouf sur lequel sa main s'était refermée.
Une pieuvre, avait songé Ganthier. Et elle avait laissé sa main là,
comme s'il s'était agi d'une posture naturelle. Ganthier n'avait
pas supporté, à Nahbès elle avait fait de Raouf son ami, on peut
prendre le bras d'un ami pour traverser la rue, on n'en fait pas sa
chose au restaurant, même ici, de quel droit cette fille faisait-elle
sa chose d'un garçon qui était quand même sous sa surveillance
à lui, un geste vulgaire, et qui allait faire des dégâts, redonner un
tas de désirs et d'imaginations à quelqu'un qui se croyait maître
de lui, et qui avait six ans de moins qu'elle, c'était obscène, un
puceau, n'ayant rien su faire de l'Autrichienne qui s'était littéralement jetée à sa tête, et voilà que Kathryn lançait sa main sur
un bras, comme ça. Un geste anodin pour elle, elle ne ferait rien
de plus, mais ça allait mettre la panique chez Raouf, cette audace
typique d'Américaine, je te touche quand je veux… ou alors elle
voulait le prendre… mais justement ces filles-là ne prennent pas,
elles allument et ne font rien, l'arrogance américaine, montrer

son désir ça leur suffit, ou alors elles vont plus loin et c'est pire !
Elle allait se servir de Raouf après le dîner, comme d'un cure-
dents, une nuit d'hôtel puis elle l'enverrait paître et filerait à
Berlin. Et c'est Ganthier qui ramasserait les morceaux, et qui les
ramènerait à Nahbès, pour les rendre à Si Ahmed, qui lui avait
fait confiance.

La main s'était retirée, très belle main d'ailleurs, le parfum
de Kathryn flottait entre eux, un mélange léger de poivre et de
citron, cette femme se permettait de poser sa main sur le bras
d'un autre alors que c'était de son bras à lui qu'elle aurait dû
s'occuper, il aurait dû se mettre à côté d'elle, il n'avait pas fait
attention, si, c'était lui qui avait choisi cette place, pour voir les
yeux de l'actrice, et de toute façon elle aurait aussi bien fait du
pied au gamin et je n'aurais rien vu, c'est moi qu'elle devrait
agripper comme ça, et pas un gamin qu'elle est en train d'expédier dans des affres qui ne sont pas pour lui, pas encore…
Kathryn avait enlevé sa main, elle avait dû se rendre compte de
ce qu'elle faisait, elle n'est pas garce à ce point, plutôt incons-
ciente, mais on n'a pas le droit d'être aussi familière quand on a
ce décolleté ! Raouf semblait troublé, pas trop en réalité, le gamin
est plus solide que je ne l'aurais imaginé, il a raison, le naturel,
c'est ce qu'il faut devant ce genre d'agression, faire comme si
c'était un vieux copain qui lui prenait le bras, la laisser s'échauf-
fer pour rien, comme l'Autrichienne.

Kathryn racontait une histoire dont Ganthier avait perdu le fil,
elle était repartie dans un rire, et la main avait de nouveau plongé
sur le bras de Raouf. Ganthier gardait un visage aimable, il avait
envie de crier « ça suffit ! ». Il n'arrivait même pas à trouver l'attitude qui aurait convenu pour casser ce manège d'allumeuse, à
quoi ça rimait tout ça ? il fallait que cette femme, qui était la plus
belle ce soir-là dans le restaurant, jette son dévolu sur un adolescent ! Elle aurait pu choisir une autre cible, elle allait donner à

Raouf une drôle d'idée de ce qu'est une femme, ça ne se fait pas, ces choses-là, Raouf avait l'air de se maîtriser mais il n'en avait plus pour longtemps avant de rougir jusqu'aux oreilles. Ganthier cherchait une phrase dure, une allusion aux raffinements d'une civilisation dont les règles sont toujours difficiles à maîtriser, il ne trouvait pas les mots, continuait à parler d'autre chose en évitant de poser son regard sur la table.

Raouf avait pris un peu d'audace et racontait maintenant l'histoire des poules de luxe qui étaient avec eux sur le *Jugurtha*, la main de Kathryn n'était plus sur son bras. Il s'exerce, pensa Ganthier, il est désarmant de jeunesse mais il parle des poules pour faire comme les grands… Raouf disant que c'était Ganthier qui avait le premier repéré ces femmes qui rentraient d'un séjour à la cour de notre cher souverain, je l'ai assuré de ma discrétion, mais je suis persuadé qu'il n'a pas cherché à consommer.

Et pour se venger Ganthier se mit à parler de la jeune Autrichienne : notre jeune ami a fait une conquête mais il était désolé de ne pas pouvoir déployer sa science stendhalienne, il n'a pas eu le temps, on s'est littéralement jetée sur lui ! Ganthier s'amusait, Kathryn se mit à minauder, à faire une parodie de scène à Raouf : tu n'as pas le droit d'avoir d'autres amies que moi, pas sans me demander l'autorisation, une tape de grande amie sur la main de Raouf, tu entends ? À nouveau un rire et la main aux ongles rouge sombre posée sur l'avant-bras. Ganthier avait regardé Raouf dans les yeux, Raouf avait rougi, elle pourrait au moins sentir la gêne du gamin, elle va le rendre fou.

Kathryn gardait sa main posée, sans minauderie maintenant, elle allait devoir quitter ce bras pour reprendre son couteau, mais elle se servait de sa fourchette et de sa main gauche pour les pommes sarladaises, elle n'aguichait même pas, et Raouf la regardait peu, mais ne mangeait pas, de peur d'avoir à libérer son bras gauche, est-ce qu'une pomme de terre rissolée dans de la

graisse de canard vaut vraiment qu'on se débarrasse de la main
de Kathryn Bishop ? se dit Ganthier, elle a un sacré culot de lui
faire ça devant moi, elle me prend pour un chandelier ? ou alors
elle me provoque... oui, elle cherche un homme pour ce soir,
elle se sert du jeune pour m'exciter, c'est peut-être même un jeu
sur mon compte avec Gabrielle, elle est capable d'avoir écrit à
Gabrielle « si tu ne veux pas de ton colon, tu me le prêtes ? », ça
se fait beaucoup aujourd'hui ce genre de chose, de toute façon sa
main n'a rien à foutre là, même pour me provoquer, ou comme si
c'était le bras d'un petit frère, il a passé l'âge des petits frères ! ils
ont joué à ça tout l'été à Nahbès, ici c'est fini, il y a des chambres
au-dessus de nous, on est chez les grands !

Kathryn retirant sa main pour prendre son couteau, Raouf se
mettant à découper sa cuisse de canard, très calme, et Ganthier
comprenant soudain : un vieux couple ! Il était en face d'un
vieux couple qui se retrouvait ! Kathryn ne faisait pas de provocation, non, la familiarité d'un vieux couple ! Dans un instant elle
reposerait sa main sur le bras en disant «*sweetheart !*». C'était
pour ça que Raouf avait disparu pendant deux heures cet après-
midi, une promenade pour chasser la migraine avant le repas,
tu parles ! il l'avait chassée à coups de plumard sa migraine, il
pouvait se donner l'air détaché, il n'était plus dans l'urgence,
un vieux couple qui se retrouve, et à Nahbès Ganthier n'avait
jamais rien vu ! pendant des mois ! Raouf en guide pour Américaine, partout, tous les marchés, toutes les excursions, il passait
des heures et des heures avec elle, personne n'avait rien vu, il la
suivait comme son ombre, les gens se moquaient de lui, et pas
un racontar, pas une indiscrétion, elle habitait au Grand Hôtel,
un endroit où un jeune Arabe se repérait comme une mouche
sur du lait, elle ne pouvait pas faire un pas dans la ville sans
que tout le monde sache qu'elle était allée là, puis là, et encore
là, le caïd non plus n'avait rien vu, rien su, comme Marfaing,

comme tout le monde, le gamin la suivait comme son ombre et pas le moindre soupçon ! Une ombre, ça n'a pas de sexe. Kathryn n'avait plus de vin dans son verre, elle prit une gorgée dans celui de Raouf en le regardant dans les yeux.

Ils n'avaient quand même pas fait ça dans les champs ? de toute façon il y a toujours un paysan qui traîne... pas en ville non plus, ou alors elle se déguisait, se voilait, et lui se déguisait peut-être en femme, il devait revivre des scènes des *Mille et Une Nuits*, se transformer en porteuse de pain pour rejoindre n'importe quelle maison d'ami complaisant en ville arabe... pas facile... Raouf en femme ça n'aurait pas dû tromper grand monde, l'amour est aveugle mais pas les voisins, mais qui d'autre alors ? un des amis de Kathryn ? peut-être Cavarro, le discret Cavarro ? il avait une villa, ou alors Wayne, le caniche, il adorait Kathryn, il était capable de se faire tuer pour elle, et une évidence, soudain : Gabrielle... Ganthier sut qu'il tenait l'explication avant même de pouvoir expliquer, oui, Gabrielle, mais comment ? ces deux-là lui rendaient souvent visite dans la maison qu'elle avait louée, ils ne se cachaient pas, toute la rue les voyait, le nez au milieu de la figure, si on avait posé la question les gens auraient répondu : oui, ils sont passés, je crois, ils sont souvent là, est-ce qu'ils sont ressortis ? peut-être, ils passent pratiquement tous les jours, vous savez. On les voyait tout le temps, donc on ne faisait plus attention, et une fois entrés elle mettait une chambre à leur disposition, la bonne partait toujours après le déjeuner, peut-être même que la journaliste leur laissait sa propre chambre, elle allait travailler au salon, oui, c'était la seule explication, elle tapait ses articles en essayant de ne pas entendre les bruits de sommier, et quand je débarquais elle me recevait au salon, pendant que ces deux-là continuaient à jouer à la bête à deux dos, en silence, parce qu'ils avaient entendu entrer du monde, en silence avec des mouvements imperceptibles, c'est encore meilleur, ils faisaient ça quand j'étais là!... et Marfaing pouvait aussi rendre visite, Kathryn surgissant au salon comme si elle venait de se repoudrer, pour tout le monde en ville c'était une réunion chez Gabrielle, autour de cette actrice américaine qui était devenue son amie... non, impossible, il aurait dû y avoir des recoupements, quelqu'un pour se demander comment elle s'y prenait pour qu'on ne la voie jamais arriver, Marfaing aussi faisait ça, il se présentait, et ensuite on rigolait en le voyant surveiller la porte, il attendait sa Thérèse, bon, ces deux-là se contentaient de prendre le thé, comme tout le monde, des gens qui venaient chez Gabrielle pour s'offrir de petits plaisirs pendant qu'un jeune couple s'en offrait un grand derrière le mur, en silence, avec des mouvements imperceptibles, et le supplément que procurent les alertes, il avait vite appris le puceau, je ne rêve pas, il a l'air d'être au Scribe depuis un mois, l'éducation en chambre ça doit exister, ou plutôt le sentiment d'être heureux, ça doit être ça, fini le désir de ce qu'on n'a pas, elle est à lui, ils sont ensemble, ça donne de la placidité, elle a dû lui en dire des choses définitives pour qu'il ait cette assurance en pleine salle d'un restaurant où il n'était jamais entré de sa vie.

Ganthier se mit à regarder Raouf d'un autre œil, se disant ce petit salaud nous a tous bernés, ils n'en sont même plus à se peloter, une main sur le bras de temps en temps, ça leur suffit, ils se sont habitués l'un à l'autre et ça reste pourtant délicieux, une main sur un bras, il est à elle et il aime ça, il nous a tous roulés, moi surtout, alors qu'on passe notre temps tous les deux à se dire les choses en face depuis des années, et en plus il a fait de moi son complice, «je ne veux pas partir, et surtout pas avec Ganthier», et c'est moi qui ai insisté, j'ai même invoqué des découvertes intellectuelles! et j'ai dû avoir l'air malin sur le bateau, à lui demander s'il voulait des conseils tactiques pour séduire sa jeune Viennoise qui le prenait pour un mélancolique, il couche avec une des grandes actrices de Hollywood depuis des mois et tu étais là à lui reprocher de faire le platonique avec une gentille Autrichienne, tu lui as parlé de Stendhal, de manœuvres, réveillez-vous, jeune Raouf, préparez-vous dès maintenant à recevoir le message de l'Europe, surmontez votre incapacité à prendre du plaisir ! Il a dû bien rigoler… pauvre Metilda, elle ne faisait pas le poids.

Ganthier se sentit seul, humilié, le partage des femmes avait eu lieu, il restait les mains vides, avec son chagrin, avec la mélancolie qu'il avait si facilement attribuée à Raouf quand ils étaient sur le bateau. À sa gauche la chaise vide aurait pu être celle de Gabrielle, et la main de Gabrielle sur son bras. Une parole de la journaliste lui revint, « je n'ai jamais rencontré un homme qui sache vraiment s'aimer », il promena son regard sur la salle pour avoir l'air de faire quelque chose. À une table voisine la conversation, jusque-là très discrète, monta d'un cran, la femme disant à deux jeunes garçons : « Maintenant vous arrêtez, on ne fait pas de sillons dans sa purée avec la fourchette, c'est vulgaire ! » Des paroles sans aucun effet, la femme s'adressant alors à son mari : « Tu pourrais les gronder ! tu vois bien que je n'ai plus aucune autorité ! » Et le mari : « Mon autorité, je ne la mets pas dans de la purée ! » Il avait marqué un temps, puis : « C'est ta faute, tu répètes les ordres au lieu de te faire respecter, tu ne changeras jamais ! » Une autre parole de Gabrielle, « les hommes croient que le mariage leur donne le droit de transformer leur femme », puis il y eut un crissement de fourchette sur la porcelaine, un des garçons avait découvert un jeu supplémentaire, son frère répondit par le même crissement, puis relança le bruit de fourchette en augmentant légèrement l'intensité, les deux enfants essayant de voir jusqu'où ils pourraient aller sans provoquer de réaction grave. Et le spectacle de ce couple encore jeune, encombré de ces deux petits imbéciles, démoralisa plus Ganthier que les réflexions silencieuses qu'il se faisait, rien d'autre que cette main sur un bras, Kathryn signifiant à Ganthier qu'elle ne voulait plus rien cacher, c'est pour ça qu'elle est descendue au Scribe, «pas tout à fait une star», tu parles, elle a choisi l'hôtel que le petit salaud a dû lui indiquer depuis longtemps, le jour où je lui ai parlé de celui que son père et moi avions choisi, un vieux couple, et j'ai l'air de quoi? et si elle va à Berlin, il va vouloir l'accompagner... et Gabrielle qui n'est toujours pas à Paris!

Ce qui frappait Ganthier, c'était le naturel de Raouf, il ne faisait ni l'innocent ni le parvenu des choses de l'amour: c'était comme ça, la vie, il y avait des gens dans les rues et des amants dans les hôtels, Ganthier n'avait qu'à prendre acte, il aurait peut-être droit à une session de rattrapage... Ganthier surprit un regard de Raouf vers le décolleté de Kathryn, ce petit salaud éprouve le besoin de vérifier qu'ils sont bien là, qu'il s'agit des plus beaux, des plus souples, des plus frais, des plus accueillants, et elle a évidemment mis la robe qu'il faut pour sentir les regards de son homme, je n'ai rien à faire ici!

Ganthier était excédé, une envie de tout plaquer, de lancer «vous n'avez plus besoin de moi, on se retrouve dans une semaine», et puis trouvant une vacherie indirecte: «Vous avez vu? la dame sur le côté, la troisième table, c'est très beau le ruban rouge autour du cou, avec un bijou dans le creux, très efficace.» Kathryn répondant: «Oui, à l'âge qu'elle a...» Les yeux droit dans les yeux de Ganthier, puis: «Vous n'allez quand même pas me dire que je devrais déjà porter un truc pareil?» Et Ganthier obligé de faire l'éloge de la fraîcheur naturelle de Kathryn sous le regard de Raouf, il s'était fait avoir, un jeune venait de le griller, Ganthier ne s'était jamais intéressé à Kathryn et voilà qu'il était sur le point de piquer une crise de jalousie, surtout pas, Gabrielle allait arriver, il aurait besoin de l'Américaine, au fond, deux couples ça pouvait être plaisant. Dans l'allée du restaurant, une femme âgée vêtue de bleu pâle s'avançait lentement au bras d'un homme en habit noir, leurs chaussures ne faisaient pas de bruit, mais les lattes du plancher crissaient une à une sous leur poids, attirant des regards qui se voulaient discrets, et qui leur étaient d'autant plus insupportables. L'homme et la femme rougissaient, essayaient d'accélérer en s'appuyant l'un sur l'autre. Kathryn dit à Ganthier : «Devinez qui va nous rejoindre après-demain?»

22

UN CARREFOUR DE DOULEURS

Au dîner, il avait suffi d'un rien, au moment où Ganthier s'était mis à raconter la rencontre de cette Autrichienne sur le bateau, ajoutant pour Raouf : « À propos, le capitaine m'a dit qu'en fait Metilda est à moitié allemande, sa mère est allemande, née à Berlin. » Kathryn plaisantant, et dans sa tête un coup d'angoisse. Au lit, l'après-midi, elle avait demandé : « C'était bien le bateau ? » Raouf, la tête posée sur son ventre, avait répondu : « Sans plus… je te raconterai. »

Plus tard elle s'était dit *c'est la formule de Neil quand il ne veut rien raconter*, elle avait préféré oublier, ne pas revivre avec Raouf ce qu'elle vivait avec Neil. Elle avait eu des sautes d'humeur qu'elle avait combattues les jours suivants en caressant la joue de Raouf, celui-ci ne sentant d'ailleurs pas ce qui se passait, trop occupé à essayer de retrouver un équilibre depuis qu'à travers la vitre du train qui l'avait amené de Marseille à Paris avec Ganthier les villes s'étaient succédé de plus en plus vite avec leurs gares rouge brique et leurs maisons à jardin, tas de bois et cordes à linge ; et les maisons étaient devenues des immeubles de plus en plus hauts, de plus en plus denses au fur et à mesure qu'on avançait, et à un moment, très loin, la tour Eiffel, un instant de rêve, elle avait disparu, puis le sentiment brutal qu'il allait être englouti, il avait envisagé quelque chose

comme « à nous deux, Paris », du haut d'un point élevé, peut-
être pas cette tour, ni le cimetière où Balzac fait parler Rastignac, mais le Sacré-Cœur par exemple, il avait vu une photo de
Paris prise des marches du Sacré-Cœur, « Le cœur content, je
suis monté sur la montagne d'où l'on peut contempler la ville
en son ampleur », mais là, dans le train, il ne contemplait rien,
il était expédié à coups de sifflet dans un monde qui le for-
cerait à toujours faire ce qu'il avait commencé à faire depuis
que la hauteur des immeubles avait augmenté : lever la tête, la
ville vous forçait à lever la tête, et quand on la baissait c'était
pour voir les voies ferrées qui devenaient de plus en plus nombreuses, Ganthier disant : « On approche de l'enfer, les entrées
s'élargissent ! » Raouf silencieux, dans sa tête un souvenir,
« nous entrerons aux splendides villes », et le train bientôt
dans une espèce de fossé qui courait entre des murs comme
des falaises de part et d'autre des voies, et des immeubles en
haut des falaises, et encore des immeubles, les murs couverts de
Banania, *L'Alsacienne*, *Dubonnet*, *Nicolas*, *Citroën*, affiches de
plus en plus grises et sales, pas la ville des places et des artères
qu'on voyait sur les photos mais celle des culs d'immeubles
noircis, tassés les uns contre les autres, « tenir le pas gagné…
nous entrerons aux splendides villes », un unique nuage gris sur
la ville, puis la grande gare enfin, descente et bousculade, Ganthier disant : « Attention, fils de caïd, ici nous ne sommes que
des piétons anonymes ! » Une odeur omniprésente de charbon
se mêlait sur le parvis de la gare à celle du crottin et des gaz
d'échappement, une poussière noire sur toutes les façades, tous
les bruits grondants, plaintifs, haineux parfois, qui s'échappaient
de la gorge des gens et des machines dans un tohu-bohu de
tramways, d'automobiles, d'autobus et de charrettes, claquements, mugissements, sous un réseau de fils de tramway qui
rayaient le ciel dans tous les sens.

Ils avaient commencé à se promener avec Kathryn dès le lendemain de leur arrivée et, pour énerver Ganthier, Kathryn disait qu'elle trouvait Paris *pretty*, pas de comparaison vulgaire avec New York ou Chicago, non, *pretty* lui suffisait, elle adorait Paris, surprenait le regard de Raouf posé sur une passante, disait : «Ferme la bouche, elle va te prendre pour un crétin», Raouf riant, sans le moindre sentiment d'être en faute, Kathryn riant à son tour, et l'histoire de l'Autrichienne et du bateau lui revenait, c'est le pire, songeait-elle, quand ils font les choses sans s'en rendre compte... il ne parle jamais de cette fille, il faudra lui arracher les mots un par un, comme j'ai fait pour Rania, mais cette Autrichienne c'est plus dangereux, il n'y pense peut-être plus, oui, mais si nous allons à Berlin elle y sera, après tout elle est à moitié allemande, à moins que Ganthier ne refuse de faire le voyage, je serai à Berlin, elle y sera, pas de Raouf, oui, mais elle est capable de le rejoindre à Paris pendant que je n'y serai pas, pourquoi est-ce que je n'ai pas été vraiment jalouse de Rania ? parce que j'ai décidé que Raouf et elle c'était impossible ? une cousine qui l'aime beaucoup, sans plus.

Kathryn oubliait à nouveau Metilda, c'était le bonheur des retrouvailles et de la vie à deux, enfin sans se cacher, le choix d'un chapeau avant de sortir : «Le jaune te va mieux... non... tout te va très bien», Raouf également d'accord avec un changement de robe au dernier moment parce qu'il pouvait revoir Kathryn en combinaison, et qu'elle changeait parfois même de combinaison. «Tu sais, toutes les femmes ne sont pas impudiques comme moi.» Ils s'embrassaient, parfois elle retirait serviettes et vêtements de la salle de bains pour obliger Raouf à en sortir nu. «Raouf, comment tu fais ? — Comment je fais quoi ? — Tu manges deux fois plus que moi, tu pourrais avoir un peu de ventre», Raouf embrassant le léger début de ventre de Kathryn :

«C'est ce que tu as de plus délicieux», elle riait, le traitait de maladroit : «Je n'ai rien de plus délicieux?»

Kathryn n'osait pas demander à Ganthier ce qui s'était passé à bord du *Jugurtha* et Ganthier n'osait pas lui poser de questions sur Gabrielle qui avait surgi au Scribe deux jours après leur arrivée, éclatante, elle rentrait d'Italie, elle s'était montrée gentille avec Ganthier, se mettant dans la même génération que lui, disant «les enfants» à propos de Kathryn et Raouf, elle lui prenait le bras dans la rue, ils faisaient un joyeux quatuor. En fin de journée, Ganthier était presque heureux. La nuit, à l'hôtel, il entendait Raouf sortir de la chambre voisine pour rejoindre celle de Kathryn, et lui n'osait pas se rendre jusqu'à l'appartement de Gabrielle à une demi-heure du Scribe, il attendait une occasion, se savait incapable de la créer, l'inventait en rêvant, faisait des insomnies et se composait au matin la figure qu'il fallait pour réintégrer le quatuor.

Quand il était un instant seul avec Kathryn, il arrivait à Ganthier de faire une offre d'échange, d'échange d'informations : «Raouf grandit vite, sur le bateau c'était encore un gamin», Kathryn laissant échapper : «Quel âge avait-elle? — Qui? — L'Autrichienne, j'ai déjà oublié son nom. — Metilda? le même âge que lui, et une allure de débutante. — Mais Raouf fait plus mûr que son âge!» Kathryn n'ajoutant rien, attendant une suite qui ne venait pas, décidant de ne rien dire à Ganthier de ce qu'il attendait à son tour, puis devant sa mine : «Parfois, à Nahbès, Gabrielle me fatiguait, à tout le temps parler de vous.» Ganthier rougissait, Kathryn pensant : autrichienne, allemande, Berlin, le même âge que lui, une débutante... à New York les gosses de riches allaient au bal des débutantes, puis disant à Ganthier : «*Débutante*, chez nous aussi on l'utilise, le mot français, j'en ai horreur, ça veut faire snob, mais ça fait gourde. — Ça dit pourtant bien ce que ça veut dire. — Pourquoi?» Ganthier heureux de pouvoir développer : «Débuter, au jeu de boules, c'est écarter du "but" les boules adverses, les débutantes sont celles qui viennent écarter les filles de l'année précédente.» Kathryn s'était tue.

Certains soirs, il arrivait à Raouf de disparaître après dîner, ou même avant. «Raouf en goguette!» disait Gabrielle. Tous les trois savaient. En voyant une fois le jeune couple rentrer après minuit, Kathryn déguisée en garçon, Ganthier avait prévenu Raouf : «Vos meetings révolutionnaires c'est votre risque, mais si Kathryn s'y fait prendre, sa carrière est foutue.» Raouf s'éclipsait désormais seul, Kathryn n'était pas jalouse de ces sorties, disant à Gabrielle : «J'ai mon mariage, le sien c'est la politique.» Elle guettait autre chose, une lettre… Un jour, à la réception de l'hôtel, regard vers les casiers, elle s'était surprise à dire : «Rien pour nous?» C'était pour éviter à Raouf de reposer la question, et elle faisait désormais ça même quand elle était seule devant l'homme aux clés d'or, pas de lettre de l'Autrichienne, mais Kathryn savait ce qui se passe sur les bateaux quand on n'a pas trop le temps… Et Ganthier n'osait rien dire de la dernière nuit et de la tempête, il se reprochait ses précédentes indiscrétions mais guettait en vain celles de Kathryn sur Gabrielle, *pourquoi m'a-t-elle dit «elle aime se venger»? elles doivent pourtant s'en faire des confidences…* Il avait dit à propos du bateau : «C'était amusant… une jeune fille entreprenante, un Raouf qui semblait ne rien comprendre, mais désormais je comprends tout.» Regard sur Kathryn, puis : «Metilda n'avait aucune chance.» Ganthier ne rapportait que des choses innocentes, et pour Kathryn c'était peut-être pire, un garçon et une fille qui avaient éprouvé tellement de plaisir à être ensemble qu'ils n'avaient même pas songé à aller plus loin… *maintenant elle doit lui manquer, non, je suis bête, ils ont baisé, j'ai suffisamment pris le bateau, et s'ils n'ont rien fait elle essaiera de nouveau, moi je n'aurais pas lâché, elle va chercher à le retrouver, moi j'écrirais, quand on veut un homme on ne le laisse pas respirer.*

Kathryn vivait tantôt à retardement, sur un bateau qu'elle n'avait jamais pris, tantôt au bord d'une catastrophe qu'elle différait en ne demandant rien à Raouf. Puis elle se calmait, reprenait sa couronne d'amoureuse et le bras de Raouf, et le plaisir de marcher en couple dans Paris ; de temps en temps, sans le regarder, elle pressait son bras, disait à mi-voix : « Mets ta main sur la mienne », ou bien c'était le cri d'une concierge qui les surprenait à s'embrasser sous un porche : « Les hôtels, c'est pour les chiens ? » Kathryn se faisant même une fois traiter de *baise-debout, et pour pas cher*, et allant aussitôt se disputer à la fenêtre de la concierge : « C'est pas vrai, je vaux très cher ! » Et plus tard à Raouf : « Combien je vaux d'après toi ? — Debout ou couchée ? » avait demandé Raouf. Elle aimait le surprendre, lui embrasser la main en plein salon de thé, lui dire : « Tu es ma part de gâteau », lui faire une fausse scène quand il retirait sa main : « Tu as honte de nous ! » Elle faisait aussi des choses plus discrètes, et, quand il la précédait pour entrer dans un café ou un restaurant, elle lui passait parfois la main sur les fesses.

Dans leurs promenades toute la ville prenait enfin un rythme joyeux, la coulée de la Seine, les quais, les belles voûtes des ponts, Raouf disant : « "Bergère ô tour Eiffel le troupeau des ponts bêle ce matin." — C'est de qui ? — Un poète, Apollinaire », les bouquinistes, le vertige de Raouf devant les bouquinistes, un pas en avant et Michelet surgissait, puis une intégrale de Balzac, et Shakespeare, et Dostoïevski, les journaux de Stendhal, André Gide, parfois les frères Tharaud. « Qu'est-ce que c'est ? demandait Kathryn. — Du cliché colonial, avec de temps en temps un coup d'œil juste. » Ils repartaient, passaient dans le jardin des Tuileries, le pas léger sur le sol en terre fine, Kathryn se mettait à tourner autour de Raouf en riant et en répétant « je

t'aime », ils croisaient des jeunes filles nu-tête, observaient un
instant les gens qui tentaient de se réchauffer en s'adossant
au mur d'une terrasse ensoleillée, des jardiniers à insignes de
cuivre, un curé en soutane allant droit devant lui, il y avait beaucoup de chaises en fer ajouré d'étoiles, et des dames maigres
circulaient de l'une à l'autre, échangeant des tickets de location
contre quelques sous, et, en les apercevant, de jeunes livreuses en
bonnets blancs se levaient précipitamment ; à côté du grand bassin une mère s'adressait à son enfant : « Je te l'avais bien dit ! »,
le ton était triomphant, l'enfant en pleurs portait un gros bateau à
voile, inutilisable : le bassin était gelé. Plus loin un chien s'énervait après un gros ballon, devant eux ils avaient la perspective de
l'Arc de triomphe, parfois c'était l'heure où l'ombre s'allongeait
dans le grand jardin et commençait à monter sur les troncs des
chênes ou des platanes, le soleil laissait derrière lui une lumière
rouge de plus en plus foncée, Raouf se mettait dos contre un
arbre, elle s'adossait à lui, il l'enlaçait, elle s'emparait de ses
mains, les pressait contre elle, il y avait encore des nuages clairs,
et un reflet rouge d'un instant sur les vitres d'un dernier étage.

Les bouquinistes fermaient, Raouf achetait *in extremis* un
exemplaire d'*Alcools* qu'il offrait à Kathryn, le fleuve se faisait de plus en plus pâle, abandonnait sa pâleur à l'obscurité,
les abîmes des rues devenaient de plus en plus sombres, les
immeubles se métamorphosaient en falaises noires déchiquetées
de lumières qu'on voyait s'allumer les unes après les autres. Ils
aimaient aussi prendre le métro aérien, la chenille de ferraille
illuminée qui se glissait au-dessus des boulevards à hauteur des
chambres et salles à manger de deuxième étage, un enfant faisait ses devoirs sur un coin de table déjà dressée, les appartements étaient de plus en plus grands au fur et à mesure qu'on
se rapprochait de Passy, Metilda était sans doute là, dans un de
ces appartements, *cette fois je ne me laisserai pas faire, on ne*

sait jamais quand il faut dire « ça suffit », si c'est trop tôt, on est folle, ou alors on leur fait découvrir ce qu'ils n'avaient pas vu, Kathryn confiant une fois à Gabrielle : il m'est même arrivé de montrer des femmes à Neil en lui disant que je les trouvais belles, je le faisais peut-être exprès, lui, il faisait le réservé, il trouvait des défauts, pour m'entendre faire des éloges, on ne sait jamais quand il faut dire d'arrêter, et quand c'est trop tard ça ne sert plus à rien, on n'a que le mauvais rôle. Metilda entrait et sortait de la tête de Kathryn comme une passante sans visage, Kathryn en voulait à Raouf, il a encore lu dans un de ses livres que la jalousie entretient le désir, il fait exprès de ne rien dire, il n'aurait que deux ou trois mots à prononcer, «elle était gentille… un peu encombrante… ». Raouf ne disait rien, *c'est parce qu'il n'a rien à dire, je suis bête, il n'y pense plus, il n'y a jamais pensé, il n'y a rien eu, rien, mais pourquoi ai-je si mal ? ça ne trompe pas, la douleur.*

Kathryn devenait un carrefour de douleurs soudaines, Paris la cachette d'une débutante, et l'alcool ne calmait rien. Ils prenaient tous les deux un autobus, piquaient un fou rire devant une passagère qui tricotait une énorme chaussette rose puis, sans prévenir, la ville envoyait ses pointes dans la poitrine de Kathryn. Le bus s'arrêtait, ils descendaient, décidaient de marcher de Passy jusqu'au Trocadéro, Kathryn se disait *pas de question, pas de mensonge*, et embrassait la nuque de Raouf. Les rues étaient silencieuses, leurs pas en harmonie, un écriteau devant une porte, «Chambres à la journée», et cinquante mètres plus loin Kathryn était toute blanche, Raouf inquiet : « Qu'est-ce que tu as ? — Rien… un point de côté, ça m'énerve ! » Au mensonge elle ajoutait un peu de vérité : « J'ai horreur d'avoir mal. » Il sentait que les regards de Kathryn devaient être durs, il ne les cherchait pas, elle se calmait, ils rejoignaient l'Arc de triomphe par l'avenue Kléber, le plaisir de descendre les Champs-Élysées, une pression sur le bras qu'elle tenait, *mets ta main sur la mienne*, ils sautaient dans un taxi, retrouvaient Gabrielle et Ganthier à l'hôtel. «Raouf me fait connaître des poètes.» Kathryn récitait : «"Bergère ô tour Eiffel le troupeau des ponts bêle ce matin." — Je n'entends pas de vers, disait Ganthier, je vois une image saugrenue, on appelle ça de la poésie maintenant?»

Ils se changeaient au moment où la nuit reprenait ses droits, et tous les quatre filaient se dépouiller de leur allure de mannequins corrects dans un dîner dansant, l'orchestre qui venait jouer au milieu des tables, l'éclat des bijoux, des couverts, les joies bruyantes, brutales, la concurrence des autres couples et les fous rires de filles aux seins splendides quand un obèse essayait de cambrer la taille dans un tango.

«Cendrillon est partie», disait Ganthier au maître d'hôtel qui voulait remplir à nouveau le verre de Raouf, Gabrielle se levait pour éviter une invitation de Ganthier et se lançait dans les bras d'une cavalière qu'elle avait l'air de connaître, Ganthier invitait Kathryn pour lui éviter d'autres invitations.

Raouf était dans un taxi, en route vers la Grange-aux-Belles ou le treizième arrondissement, vers d'autres salles, enfumées et humides, où prenaient la parole des hommes maigres qui évoquaient à voix tremblante un monde au-delà des mers. «Nous ne sommes pas des arriérés!» C'était un représentant de l'Union intercoloniale qui parlait, un Indochinois, il ajoutait : «Et l'Europe n'est pas le tout de l'humanité», petite taille, pommettes saillantes, des yeux creusés de fatigue, «Nous ne sommes pas non plus l'armée de réserve de votre révolution. — Ce camarade est incontrôlable», commentait un Français en parlant à un voisin de Raouf.

Le petit homme aux yeux creusés s'appelait Quôc, il retouchait des photos pour vivre, traduisait Montesquieu en vietnamien et voulait écrire un livre qu'il appellerait *Les Opprimés*,

Raouf eut honte de n'avoir pas de projet aussi fort. Quôc parcourait le monde depuis 1911, il était allé en Amérique, en Afrique noire, il disait : «J'ai appris le français à Saigon, l'anglais à Londres et le russe à Montparnasse.» Ganthier avait prévenu Raouf : «La police surveille votre Annamite, elle vous aura aussi dans le collimateur.» Gabrielle dit à Raouf qu'elle le protégerait.

Rue de la Grange-aux-Belles on mettait Quôc en garde contre ce bourgeois arabe trop bien habillé, Quôc répondait qu'il était recommandé par plusieurs camarades d'Afrique du Nord, et qu'un indicateur de police se serait changé pour les rejoindre, il avait confiance : «Il pense comme quand j'étais plus jeune, j'étais comme lui, fils de notable, vous n'avez pas confiance en moi?» Raouf avait essayé d'intéresser Quôc à son pays, il avait découvert que celui-ci en savait presque autant que lui sur le Maghreb et l'Afrique noire, et quand il parlait de l'Indochine c'était toujours très précis : «Vous savez que chez nous il y a des débits officiels d'opium? des licences, comme pour l'alcool, une distribution assurée par l'État colonial, pour mille villages la France a ouvert chez nous mille débits d'opium et six écoles, elle est en train d'en construire une septième», il n'avait pas besoin de prendre un air ironique, poursuivait : «Nous aussi nous avons eu nos volontaires qui s'enrôlaient pour la mère patrie en 1914... les officiers français faisaient tendre une corde en travers de la rue, à chaque extrémité du village, et tous les jeunes gens qui étaient entre les cordes étaient volontaires... il y en avait même qui ne voulaient pas exercer cette volonté, alors ils se frottaient les yeux avec du pus, ou de la chaux.» Il disait à Raouf qu'il avait commencé par vouloir des réformes, il avait cherché l'appui des gens éclairés de Paris, mais l'impérialisme est une pieuvre, on ne négocie pas avec une pieuvre, on lui coupe les tentacules, et après on négocie...

Raouf croisait aussi Quôc dans des assemblées plus bourgeoises, comme le Club du Faubourg, ou celui des Amis de l'Art. En le voyant, l'Indochinois s'interrompait et présentait son nouvel ami à une dame corpulente, qui parlait un français magnifique en roulant les «r». «Madame est un grand écrivain!» Raouf s'inclinait respectueusement. Il se rendit vite compte que Quôc connaissait aussi bien Colette que Léon Blum, Marcel Cachin ou Marguerite Moreno.

Et le lendemain, au petit déjeuner, Raouf demandait des précisions à Gabrielle, oui, Marguerite et Colette étaient plus ou moins ensemble, mais Colette aimait aussi beaucoup les hommes : «Non, Ganthier, elle ne couche pas avec Marcel Cachin, soyez sérieux!» Le rire de Kathryn les interrompait, elle lisait le *Daily Mail*, un titre «*Mobbed in London*», Raouf demandant ce que voulait dire *mobbed*, c'était quelque chose comme «*coincés par la foule*», sur la photo on reconnaissait Mary Pickford et Douglas Fairbanks, *mobbed* devant leur hôtel, une foule d'admirateurs, Kathryn traduisait : «Douglas a été obligé d'évacuer sa femme en la portant sur ses épaules... — Portée sur les épaules de Douglas Fairbanks, j'aimerais bien être Mary Pickford pendant un quart d'heure, dit Gabrielle. — Pas plus longtemps, dit Kathryn, après il se remet à boire.» Gabrielle tentée par des épaules d'homme : un soulagement s'emparait de Ganthier.

23

LE FRÈRE ET LA SŒUR

Les médecins du grand hôpital français avaient dit que c'était dû à un très mauvais état général. Ils avaient quand même réussi à ramener le père de Rania, Si Mabrouk, de là où son corps voulait l'entraîner, pour le moment, disaient-ils. Le reste dépendait d'un régime très strict, et ils étaient sûrs que, malgré cette attaque cardiaque, des jours heureux étaient encore envisageables, à peu près heureux, c'est-à-dire, sauf le respect de votre excellence, des jours sans alcool, sans sucreries, aucune matière grasse, quelle qu'elle soit, cuite ou non, oui, poisson maigre, blanc de poulet, pas de sel non plus, oui, cela veut bien dire pas de fritures, le corps est gras, le cœur est gras, les artères sont grasses, la graisse opprime le sang, il fallait perdre du poids, la graisse visible et la graisse invisible, ça n'est pas parce que le patient a survécu qu'il est tiré d'affaire, les affaires continuent disait le chef du service de cardiologie avec son gloussement d'homme-allumette, une vraie allumette, pas un gramme de plus qu'une allumette d'un mètre soixante, un régime strict, il faut se battre, votre excellence !

Si Mabrouk avait interdit qu'on prévînt sa fille, mais, entre ceux qu'elles alarment, ceux qu'elles attristent et ceux qu'elles réjouissent, les nouvelles de ce genre vont très vite, et le jour même où elle avait été, comme on dit, atteinte par la nouvelle, Rania était montée à la capitale : « Je vais m'occuper de toi ! »

Puis, devant la tête de son père, elle avait rectifié : « Tu vas t'occuper de toi et je vais t'aider, tu verras, tu vas t'en sortir. — Mais
j'en suis sorti », disait son père alité en se frappant la poitrine
avec précaution. Et Rania : « Les médecins ne disent pas tout à
fait ça, mais tu vas t'en sortir, avec de la discipline ! » Elle invo-
quait rapidement l'aide de Dieu, et semblait heureuse de pouvoir
incarner la discipline. Elle avait écrit à Gabrielle de lui faire parvenir des livres de médecine, qui n'arrivaient pas.

Le frère de Rania, Taïeb, trouvait scandaleux qu'une femme
se mît à parler du corps humain en général, et de celui de son
père en particulier. Si Mabrouk ne voulait pas qu'elle reste : si
tu es là, ça veut dire que je vais très mal, c'est vraiment ce que
tu veux que je me dise ? j'ai deux infirmières européennes, on
s'occupe bien de moi (il montrait son déjeuner), je n'avale plus
que des feuilles de salade, du poisson bouilli, du riz et de l'eau,
je n'ai même pas droit à la graine du couscous et, si tu es ici,
Taïeb va continuer à venir tous les jours, pour nous surveiller,
ça va m'énerver, c'est très mauvais pour le cœur, et puis il y a
des choses dont je ne veux pas discuter avec toi, tu le sais bien,
pour ne pas m'énerver non plus, ni m'angoisser, contente-toi d'y
réfléchir, mon seul souci c'est ta situation vis-à-vis de ton frère,
il vaudrait mieux faire les choses quand il est encore temps, tu
pourrais choisir ton mari, Taïeb, lui, ne te laissera même pas
choisir, pour lui la famille n'est qu'un tribunal, décide-toi… mais
si tu choisis trop vite, cela va m'inquiéter, que pensent les docteurs ? ils sont moins vagues ? ils ont parlé de sursis ? de toute
façon je ne veux pas le savoir, mais si le… délai… est vraiment
très court j'aimerais mieux continuer à manger des choses qui
ont le goût de la vie, non, ne dis rien, je me suis engagé à suivre
ce régime, je n'ai qu'une parole.

Si Mabrouk réfléchissait à voix haute devant sa fille, le regard
fixé sur les reflets de lumière renvoyés par les montants d'acier

de son lit flambant neuf, une bouteille d'oxygène était posée à côté de la table de nuit : si tu veux garder le domaine de Nahbès il va falloir trouver un moyen, ça n'est pas facile, Rania disant : je n'aurai pas besoin de ça, je n'aurai besoin de rien ! Ce qui était la réponse la plus inquiétante qu'elle pouvait faire, le père et la fille jouant chacun au jeu des réponses inquiétantes, Si Mabrouk continuant : je pourrais vendre à un homme de confiance, Rania gardant le silence, le père poursuivant : et tu lui rachèterais la ferme avec l'argent que je t'aurais donné, Rania disant en riant : une ferme comme celle-là, ça ne se restitue pas facilement, il faudrait un homme de très grande confiance. Elle était tentée de dire à son père que cela ne servirait à rien, puis se rendait compte que les calculs qu'il faisait l'aidaient à oublier sa faim, car il avait faim, je rêve de méchoui, répétait-il, j'en suis à rêver de méchoui, de tagine, de couscous, de baklava, ça ne m'était jamais arrivé, je donnerais mon âme pour le miel, les amandes, le croustillant de la moitié d'un baklava, bien bruni par le four…

Certains entretenaient cette faim par les réflexions qu'ils faisaient devant le malade : tu as trop maigri, Si Mabrouk, ça n'est pas bien ; un vieil ami lui avait même dit « un sac vide, ça ne peut pas tenir debout », l'ancien ministre affirmant : je ne suis pas malade, je suis convalescent, je pourrai bientôt faire de petits écarts ; il n'avait pas non plus droit au tabac, chez les médecins c'était la nouvelle école, le tabac c'est l'ennemi, avec l'alcool et les graisses, et les sucres, « on m'affame et on m'interdit la cigarette qui trompe la faim ! ». Rania avait donné ses consignes aux servantes et aux infirmières, filtrer les visiteurs, il fallait du repos. Mais un malade, chez les gens civilisés ça se visite, et ce malade est astreint aux lois de l'hospitalité, il doit recevoir ; et un visiteur, surtout un parent, ça ne peut qu'apporter des gâteaux, faits à la maison, par la personne la plus respectable de la maison, que faire devant le neveu qui vous dit : c'est grand-mère qui les a faits?

Rania avait mis le holà, la réponse à toute visite était que le maître était assoupi, on pourrait revenir dans quelque temps, bien sûr on pouvait laisser les gâteaux, ça ferait plaisir au maître, ou alors on donnait une heure pour une visite groupée, en vexant les gens, et son père finissait par avoir la réputation d'un grabataire somnolent, «je ne peux ni manger, ni fumer, ni discuter!», c'était faux, on acceptait les amis qui respectaient les consignes, et pas celui qui avait eu affaire à Rania parce qu'il avait quand même apporté des cigarettes, un ancien ministre lui aussi, un assassin, c'est ce que lui avait lancé la jeune veuve, en ajoutant qu'elle ferait connaître son comportement en haut lieu, l'homme s'était retiré, Si Mabrouk avait ri après son départ : il ne cherchait pas à me tuer, il voulait seulement me faire plaisir, mais c'est un peu vrai que c'est un assassin, il a dû croire que tu savais des choses, ou que je t'en avais raconté… tu sais, pour la ferme, je connais des gens capables de tenir parole, au moins un homme à Nahbès, Si Ahmed, la meilleure solution ce serait de te donner la somme en liquide, tu lui rachèterais la ferme, tu l'aurais en nom propre, et quand j'aurai fermé les yeux tu pourras rester là-bas, mais ça n'empêchera pas Taïeb d'essayer quand même de te marier à sa convenance, et si tu possèdes un beau domaine ça multipliera les prétendants et les pressions.

Parfois Taïeb surgissait dans la chambre, il baisait la main de son père, saluait sa sœur, un bon garçon affectueux, il disait : ne vous interrompez pas pour moi, de quoi parliez-vous? furieux déjà que sa sœur ne se retirât pas à son arrivée, il était le frère aîné, elle aurait même dû l'appeler *sidi*, comme c'était la règle dans les familles bien tenues, elle ne le faisait jamais, ou alors pour se moquer, il était contre nature de laisser autant de place à une fille mais son père avait toujours agi ainsi, un jour il l'avait entendu dire à un ami « elle est née, et il s'est passé quelque chose dans mon cœur, et depuis ça n'a pas changé », pour Taïeb c'était une sœur gâtée, son père avait passé son temps à s'extasier devant elle, devant ce qu'il osait appeler son intelligence, sa précocité à parler, à lire, à écrire, à compter, elle était la seule de la maison à pouvoir lui tenir tête sans voir aussitôt se dessiner la trajectoire d'un coup de cravache, et il y avait aussi un signe qui ne trompait pas, maintenant que son père ne buvait plus il s'en rendait compte, jamais Si Mabrouk ne s'était trouvé en état d'ébriété devant sa fille, alors que devant lui... sans aucune dignité... *comme si je ne comptais pas plus que le tapis sur lequel il finissait par vomir.*

Taïeb avait vu sa sœur parler progressivement d'égale à égal avec son père qui s'extasiait des audaces de sa fille, c'était le monde à l'envers, le monde à l'occidentale, qui ne retrouvait sa hiérarchie que dans les rappels à l'ordre que Si Mabrouk faisait à son fils, une fille qui aimait les livres, et Taïeb les avait rejetés aussitôt qu'il avait vu qu'elle les aimait, il n'en avait gardé qu'un, qu'il citait en permanence, un recueil de hadiths, et il était devenu fou quand sa sœur avait commencé à critiquer l'usage qu'il en faisait, le pire c'était le jour où elle l'avait insulté, lui avait dit : tu veux revenir à la vieille loi parce que tu crois que tu paieras moins d'impôts, même pas trois pour cent de ce que tu gagnes dans ta briqueterie puante sur le dos de cinquante pauvres types que tu fais travailler comme si Dieu n'existait pas ! Cette briqueterie, elle y était allée une fois, des hommes sombres. Parfois les gens rient quand ils travaillent, c'est signe que la misère n'a pas gagné, Raouf lui avait dit un jour : quand ils rient c'est qu'ils sentent que le monde pourrait être meilleur et ça peut leur donner envie de le transformer. Dans la briqueterie de Taïeb, personne n'échangeait de plaisanterie. En riposte à l'insulte, Taïeb avait voulu gifler sa cadette, elle lui avait bloqué les bras, elle faisait une tête de plus que lui, il avait essayé de lui donner un coup de pied, il avait vu le triomphe dans l'œil de sa sœur, c'était bien elle : l'obliger à faire des gestes infamants alors qu'il défendait le Vrai et le Juste, elle ne disait rien, elle savait qu'il était conscient de ce qu'il faisait, qu'il en souffrait, il avait encore essayé de donner un coup, sans succès.

Le père les avait séparés, « vous n'êtes plus des enfants, honte sur vous ! ». Taïeb avait remarqué qu'en prononçant le mot « honte » leur père n'avait regardé que lui. Depuis il n'avait plus jamais essayé de frapper sa sœur, il avait découvert qu'il valait mieux user d'un pouvoir froid, il se disait qu'après la disparition de son père il devrait non seulement se faire immédiatement obéir de sa sœur, mais aussi éviter un mariage trop avantageux pour elle, il avait trop souffert en présence du défunt mari qui était presque devenu un second fils de Si Mabrouk, et le préféré. Au début, son père prenait plaisir à l'appeler quand il se trouvait avec son gendre, et Taïeb se disait que son père voulait s'appuyer sur lui, donner à l'autre non seulement son opinion mais celle de son fils, celle des hommes de la famille, et puis il s'était rendu compte que Si Mabrouk parlait avec son gendre de choses que lui ne comprenait pas, ou de moins en moins au fur et à mesure que la discussion avançait, des points de droit, des façons de calculer, des hypothèses de placement, des emprunts qui permettaient de faire des investissements rapportant beaucoup plus qu'ils n'avaient coûté, il se disait que c'étaient des choses contraires à la religion, on ne pouvait pas gagner de l'argent avec de l'argent, cette Bourse de Paris n'était qu'un lieu de perdition.

Son père était toujours aimable avec lui au cours de ces discussions, en réalité il faisait ça pour l'humilier, Taïeb avait eu envie de se révolter mais s'était dit qu'il valait mieux continuer à passer pour un être simple, après tout son père pouvait penser ce qu'il voulait, jamais il ne pourrait remettre en cause sa situation de fils aîné, il n'en avait d'ailleurs même pas envie, Taïeb en était sûr, simplement c'était la coutume, traiter son fils comme un chien, pour lui apprendre, pour l'endurcir, un jour cela prendrait fin, il se demandait ce qui valait le mieux, marier sa sœur maintenant, la voir passer sous une autre autorité, quitter la maison, elle lui laisserait le champ libre, mais avec le risque qu'elle épouse un homme puissant, ou bien attendre que la mort en ait fini avec le corps paternel, et organiser un mariage avec un homme de bien, certes, mais du bien moral, un homme sans influence, un homme qui aurait toute sa vie besoin de l'appui de Taïeb, et un homme de tradition, qui ramènerait Rania dans le droit chemin, par les moyens qu'il faudrait, il fallait agir avec prudence, il en avait trouvé un. Pour l'heure, il préférait le garder dans l'ombre.

Rania écrivait régulièrement à Gabrielle, les lettres suivaient, d'étape en étape, en France et en Allemagne, elle lui avait raconté la maladie de son père, sans parler des inquiétudes qu'elle pouvait avoir sur son propre sort. «Elle n'en parle pas, avait dit Gabrielle aux trois autres, elle doit penser que s'occuper de son propre sort en ce moment ce serait dégradant, j'ai peur qu'un beau matin le ciel ne lui tombe sur la tête. — Ce Taïeb est une hyène!» avait dit Kathryn. Raouf avait acquiescé, seul Ganthier avait fait remarquer que le frère avait le droit pour lui : «Le même droit que celui de l'émeutier que vous avez naguère présenté comme un Christ aux lecteurs de *L'Avenir*, et aussi celui des gens que votre Rania a soutenus il n'y a pas si longtemps en nourrissant leurs familles, ils étaient prêts à mourir pour ce vieux droit, qui fait aux filles la place que vous savez…» Raouf avait le visage sombre, Ganthier ajouta : «Notre cher révolutionnaire est en train de découvrir l'omniprésence de la contradiction, elle n'a pas qu'un rôle positif, la contradiction, parfois, au lieu de se dépasser elle-même, gentiment, vers le mieux, elle s'amuse à broyer les gens. — Son père ne laissera pas faire», dit

Raouf. Ganthier sourit, puis : «Vous voulez parler de cet ancien ministre, "ennemi du peuple" et "valet du colonialisme"? Vous comptez sur lui pour sauver votre cousine? Vous commencez à faire des progrès!»

Dans sa réponse à Rania, Gabrielle s'était faite rassurante, elle ne doutait pas que Si Mabrouk réussirait à protéger sa fille, ce qui n'avait guère rassuré Rania, *quand les paroles des amis deviennent creuses c'est que ça va mal*, avait-elle pensé. Au bas de la lettre, il y avait une phrase de la main de Raouf, tout aussi creuse, et un surprenant «cordialement» de Ganthier. Rania avait regardé par la fenêtre, il pleuvait sur la capitale. Ses champs, ses promenades lui manquaient, et le vent de la mer qui hérissait les touffes d'herbe sur le bas-côté, et quelqu'un d'autre avec qui elle aurait voulu marcher, parler, s'enfermer... *il viendra et je le laisserai faire, non, il me laissera faire*, elle hésitait entre différents plaisirs qui n'existaient que dans sa tête... *ghadî sayûjadu amsî*, mes lendemains ne sont que des hiers... Elle revint à elle, son père allait mieux, il suivait son régime sans faire d'écart, il la pressait de rentrer à la ferme. «Ne donne pas à tes gens l'habitude d'être au loin. — Ce sont des gens qui m'aiment... — Oui mais, à part des rires et des larmes, ils ne pourront rien faire, tandis que Taïeb, avec sa volonté...» Parfois Rania se demandait comment un frère et une sœur pouvaient en venir à se détester. Elle se rendait compte que son père souffrait de n'avoir pu empêcher ça.

24

UNE NUIT CHEZ GABRIELLE

«Gabrielle, je vous raccompagne» : c'était la phrase qui trottait dans la tête de Ganthier. Il était avec Gabrielle chez les Daumas, avenue Montaigne, il avait mis du temps à parvenir à cette simplicité en quatre mots. Restait le ton. De la tendresse sur *Gabrielle*? Non, plutôt donner une raison, «je vous raccompagne, ça n'est pas prudent de rentrer seule». Non! Ça rallonge et ça fait protecteur! Faire comme si nous avions déjà décidé de repartir ensemble : «Nous y allons?» Elle restera bouche bée, gagné! Non, elle sera furieuse, et dira «je préfère rentrer seule», avec un regard pour la galerie, donc ne pas le prendre de haut avec elle, ni désinvolte ni protecteur, quelque chose comme «je peux vous raccompagner?». Mais je l'entends déjà dire «ça n'est pas nécessaire». Enlève «je peux», assume! Mais «je vous raccompagne?» c'est dangereux, elle pourrait répondre «ça n'est pas la peine», ou même, «c'est gentil, mais vous devez être fatigué», elle a quinze ans de moins que toi, elle est capable de dire ça en te toisant, au moment où tu oublies de redresser les épaules, elle n'est jamais en retard d'une rosserie, ça t'apprendra à parler de la chèvre de monsieur Seguin, le soir où tu veux la séduire, la lutte de la chèvre contre le loup, toute une nuit, tu n'aurais pas dû insister, tu aurais dû te contenter de savourer tes profiteroles, mais on t'écoutait avec intérêt, ce Ganthier, toujours aussi brillant, elle souriait, c'est un proverbe en Avignon, *femme qui sourit bientôt dessous*, mais quand une femme comme ça t'écoute en souriant c'est qu'elle te laisse t'enfoncer, elle n'aime pas les hommes, elle te regarde t'enfoncer, et tu as raconté la nuit de la petite chèvre, la lutte, le plaisir que met la biquette dans cette lutte, le bonheur d'être loup devant une chèvre pareille, elle n'a pas dû aimer la métaphore de la chèvre, trois coupes de champagne, des verres de blanc, du mercurey qui donnait envie de s'installer sous le tonneau, et pour le rouge un bâtard-montrachet, infini celui-là, verre après verre tu étais intarissable sur la petite chèvre, crétin, et les cognacs à la fin, ce qu'il faut c'est désamorcer le «non merci», une simple trace de demande donc, par courtoisie, mais avec des mots qui doivent l'obliger à répondre «oui», ou une acceptation muette, le mieux c'est l'acceptation muette.

Ganthier s'enthousiasme pour l'acceptation muette, ça fait parler le corps, elle se lève, elle ne parle pas, elle répond avec les yeux, le buste, elle rentre le ventre, si elle s'occupe de son ventre en te parlant, c'est gagné, la mettre devant un dilemme, elle accepte de tout son corps ou bien elle te fait un affront, mais l'affront elle n'osera pas, elle sait bien ce que les Daumas iraient raconter, vous vous rendez compte, hier soir elle a refusé de se faire raccompagner par Ganthier, elle ne veut pas être vue dans un taxi avec un homme, elle aurait des ennuis avec les copines! Ce qu'il faut, c'est lui rendre le «non» impossible, faire un coup de force mais dans du velours, «je vous raccompagne», pour dire un fait accompli, avec de l'interrogation, et puis une échappatoire, lui offrir une échappatoire, ça c'est bon, «je vous raccompagne à votre porte», elle doit pouvoir s'imaginer en train de me dire merci devant sa porte, et de me tourner le dos.

Au dernier moment Ganthier avait enlevé «à votre porte» et mis un peu d'hésitation : «Je vous raccompagne...» Gabrielle avait acquiescé, les paupières fermées l'espace d'un instant, oui, comme tu vas les fermer quand on sera chez toi, petite chèvre, c'est ce qu'il faut toujours faire avec les femmes, les mettre au défi, c'est ce qu'elles aiment chez nous, et j'ai eu raison pour la chèvre, un *oui* paupières fermées... Pour le ventre, Ganthier n'avait pas pensé à regarder.

Dans le taxi ils avaient continué à parler très naturellement, des Daumas, de politique, d'Europe, la crise entre la France et la Grande-Bretagne, elle savait plus de choses que lui, de façon plus précise, il l'écoutait, il regardait ses lèvres, ses épaules, puis se forçait à observer la rue, à surveiller le bruit du moteur, parfois, dans un virage, leurs épaules se touchaient.

Quand ils furent devant son immeuble, il fut audacieux, souple et précis, il ne lui laissa pas le temps de lui tendre la main pour un au revoir, il était devant la porte, tirant le cordon, ouvrant, s'effaçant pour la laisser entrer, elle murmura quelque chose en passant devant lui, il crut entendre un *si vous voulez*... n'alla pas jusqu'à lui demander de répéter. C'était un bel immeuble neuf, sur les hauteurs du Trocadéro, avec ascenseur, deux grands miroirs qui se faisaient face de part et d'autre de l'ascenseur dans le hall, et qui multipliaient leurs deux silhouettes à l'infini, un couple rentrant chez lui, c'était délicieux. Pendant que la cage de bois montait dans un luxueux silence, il respirait le parfum de la jeune femme, le trouvait sans sucre, il avait entendu un nom circuler pendant le dîner, *Mitsouko*.

Ils entrèrent dans l'appartement, il se demandait encore à quel moment il allait la prendre dans les bras, j'aurais dû faire ça dans l'ascenseur, elle enleva son manteau, lui prit le sien, lui dit : «Installez-vous.» Elle servit d'autorité deux verres de cognac, puis : «Vous m'accordez un instant?»

Elle s'était éclipsée, il avait pris ses aises, il était sûr de ce qui allait suivre, son meilleur moment c'était maintenant, beau salon, assourdi de tapis, très clair, couleurs chaudes, peu de bibelots, un splendide vase d'oiseaux de paradis, de grandes lampes, de l'espace, elle était sans doute allée retirer son corset, non, elle n'en porte pas, faire un brin de toilette, peut-être passer une robe d'intérieur, plus souple, plus chiffonnable que son tailleur.

Il s'était installé dans un des fauteuils, une faute de débutant, d'un bond il fut sur le canapé, il eut un soupir d'aise, large le canapé, beau cuir jaune, souple, profond, il imagina Gabrielle les genoux repliés, il faisait chaud... En face de lui, de l'autre côté du salon, se tenait une sculpture en bois, un énorme bouddha assis sur un éléphant comme sur un tabouret, près d'un mètre et demi de haut, et qui souriait, les yeux baissés... le canapé, ça n'était pourtant pas si évident que ça, que faire si elle trouve que tu y vas fort et qu'elle se met dans un fauteuil? Il revint dans le fauteuil, réfléchit, et vit ce qu'il aurait déjà dû voir : la table basse à gauche du canapé, avec les cigarettes, le cendrier, un livre, c'était sa place à elle. Il alla se rasseoir sur le canapé, manœuvre très napoléonienne, enveloppement par la droite. Il se rapprocha du centre, non, c'était trop. Il recula vers l'accoudoir, s'aperçut que, malgré la chaleur qui régnait dans l'appartement, il avait les mains froides. Pas le moment! Il les mit sous ses cuisses. Il imagina Gabrielle en robe de chambre entrouverte.

Elle revint, elle était nue, verre en main et totalement nue, cheveux dénoués, elle s'avança vers lui, il eut une espèce de panique, se réfugia dans une pensée, elle a fait de la danse... Elle obliqua à gauche, posa son verre sur une tablette, ouvrit un gros phonographe, elle avait deux belles fossettes au bas des reins. Il retira ses mains de dessous ses cuisses, elles étaient toujours aussi froides, pas le moment. Du phonographe s'éleva une voix de femme, de l'allemand, une femme courroucée, il ne savait comment regarder Gabrielle, il cherchait son désir à lui, jeta un coup d'œil au bouddha, il avait dû en voir de belles, il revint à Gabrielle, elle s'était retournée, elle souriait comme le bouddha, mais les yeux grands ouverts, il n'arrivait pas à soutenir son regard, la cantatrice chantait du Wagner, *Willkommen ungetreuer Mann*, elle avait fait exprès de mettre ça, il n'osait pas regarder les seins, il regardait le haut du mur derrière elle, en se disant d'arrêter de regarder le mur, elle était nue, tout sauf ça, il se demandait ce qui lui arrivait, le comble de l'intimité et tu ne fais rien? se lever? aller la prendre? attendre qu'elle vienne vers lui? *Bienvenue homme déloyal*, la colère de Vénus dans *Tannhäuser*, qui était la cantatrice? tu pourrais lui demander pendant que tu y es, et le nom du chef d'orchestre avec, ce nu, ça faisait bordel, Wagner, elle l'avait fait exprès, le type qui n'en mène pas large devant sa Vénus, comment séduire une femme nue? une poule serait déjà en train de s'activer, lève-toi, prends-la, tords-la, elle n'attend que ça, mais tu n'en as même pas envie, jamais fait une chose pareille, et trop de lumière, toutes ces lampes, une lumière de plein jour, il va falloir que je me déshabille, qu'est-ce qu'elle fout? Gabrielle était passée derrière le grand vase d'oiseaux de paradis, ça faisait des traits d'orange et de violet sur sa peau blanche, elle dégageait une fleur fanée en se servant de ses ongles, il se rendit compte qu'elle parlait depuis un moment de fleurs, de la fragilité des plantes en hiver, elle se fout de moi, la colère de Vénus avait pris fin, elle alla relever l'aiguille du phonographe, revint devant le vase, il se força à dire quelques mots, sur les plantes, je suis con, partir, partir en lui disant que je me suis trompé d'adresse. Gabrielle nue. Il n'avait pas de désir, et les mains froides. Elle passa à côté de lui, il faillit s'emparer de sa main, mais le temps de se décider et la main avait disparu, Gabrielle repartait vers la salle de bains. Les deux fossettes au bas des reins. La rejoindre? Il se fouetta, nue ou pas je me lève et je la prends. Mais je ne sens rien, rien à faire, ou trop vite.

Gabrielle à nouveau dans l'encadrement de la porte, avec une bassine d'eau fumante entre les mains, elle la posa devant l'autre fauteuil, en tournant le dos à Ganthier, les fossettes, des fesses fermes, charnues, la *royale arrière-garde aux combats du plaisir*, Verlaine, je ne sens rien, elle se redressa, se tourna, s'assit, trempa lentement ses pieds en disant «c'est bouillant» avec un murmure d'aise, si elle me demande si je veux aussi une bassine, je la gifle, il se sentit rougir, ce qu'il ne faisait que très rarement, et jamais dans l'intimité, il s'en voulut, rougit encore plus, partir en rougissant, j'aurais l'air malin, il entendait une voix de femme dire «il a eu peur, il s'est sauvé», elle se fout de moi, elle est belle, ne pas la regarder par en dessous comme un lycéen, la regarder comme je regarderais une statue, voilà, les seins, de belles aréoles, des seins haut placés, qui descendent franchement sous leur poids, un joli poids, un beau tremplin, il suivit des yeux le beau tremplin jusqu'au mamelon, puis l'arrondi vers l'arrière, rejoignant le thorax, elle sait tout ça.

Au bout d'une éternité elle écarta la bassine, s'essuya les pieds, replia ses jambes sous elle, elle se mit à parler du temps, de la vague de froid, de la montée de la Seine, elle frissonna : «Soyez gentil, vous voulez bien m'apporter mon pyjama? il est pendu dans la salle de bains, derrière la porte», Ganthier s'était levé, heureux qu'on lui dise quoi faire, il entendit la voix derrière lui : «C'est le gris clair, et il doit y avoir mes mules devant la baignoire, avec le bord en fourrure blanche!» Il revint, elle était debout, il l'aida à enfiler la veste de pyjama, elle resta un instant en face de lui, il mit une main sur son épaule, elle se recula pour enfiler le pantalon, elle le regardait avec gentillesse, elle noua lentement les cordons du pantalon, il se sentait mieux, le pyjama allait bien à Gabrielle, un pyjama un peu grand pour elle, le désir lui revint, badin, désinvolte, une envie de dénouer les cordons du pantalon, il l'avait suivie, posa ses lèvres sur sa nuque, elle se retourna : «Tiens, ça vous revient? c'est mon pyjama? voulez-vous que je vous le laisse pour la nuit?» Il dit sur le même ton : «Pardon, je m'oubliais.» Il la regarda dans les yeux, prit une de ses boucles brunes entre l'index et le majeur, elle ne réagissait pas, il abandonna la boucle, la main descendit dans le dos de Gabrielle, elle lui prit la main, la ramena entre eux, son regard était froid, il eut peur d'un «partez maintenant», il alla se rasseoir sur le canapé, prit un air humble, tendit les mains vers elle : «On fait la paix?»

Elle s'installa à son tour sur le canapé. «Je suis très maladroit, un vrai roi du contretemps.» Elle sourit, il lui prit la main, elle la retira en disant : «Qu'est-ce que vous êtes venu faire à Paris? les affaires ou la politique? à Nahbès, vous passiez pour le colonial le plus pervers du pays.» Elle se foutait de lui, colonial pervers, ça te va bien ce soir, mais bon, elle ne le congédiait pas. Il ne sait combien de temps dura l'affrontement, une lutte de toutes les secondes, une main qu'il prenait, qui ne résistait pas, mais Gabrielle se servait de la prise pour bloquer toute tentative d'aller plus loin, un baiser sur la tempe qui ne lui valait aucunes représailles, mais Gabrielle n'en permettait aucun autre, elle résistait, mais sans l'envoyer promener, elle avait beaucoup de force et s'en servait peu, elle préférait dire «non» d'un ton sec, mais elle lui permettait de passer un bras autour de ses épaules, en copain, discutant de tout, et à un moment il fut face à l'évidence, ils étaient front contre front, la chèvre et le loup, elle lui faisait payer ses plaisanteries du dîner, une série de gestes, sans conclusion, elle acceptait parfois la progression d'une main, puis la bloquait, le pyjama laissait passer toute la souplesse du corps, il essaya de dénouer le cordon, elle lui bloqua la main, et en faisant ça elle la plaqua sur son ventre, il était chaud, chaque fois qu'il essayait de défaire le cordon elle accentuait sa pression, et elle résistait en même temps de toute la force de ses muscles, un ventre de gymnaste, et les yeux le fixaient avec la même dureté, mais sans le chasser, tout cela sans animosité, sans cesser de parler.

À un moment il eut besoin d'une pause, il se recula légèrement, s'appuya au dossier du canapé, se détendit, elle finirait par céder, elle le regardait avec sympathie, c'était ça, il n'allait pas échouer, il n'en pouvait plus mais maintenant il était sûr de la suite, il se sentait simplement très fatigué… il gardait sa main dans la sienne, se reprochant d'avoir trop bu, l'alcool lui alourdissait la tête… lui fermait les yeux…

Quand elle le réveilla avec une tasse de café, il faisait jour, elle était habillée, parfumée, il fit une grimace en se levant, elle lui demanda si c'étaient les vertèbres, ajoutant : « C'est toujours traître les canapés. » Elle ne parla pas d'âge, le ton n'était ni moqueur ni gêné ; il se vit dans un des miroirs du salon, costume fripé, visage fripé, l'épaule basse, les joues déjà grises ; ses pieds gonflés dans les chaussures lui faisaient mal ; il essaya de garder un air naturel, de prendre congé comme un ami hébergé à la bonne franquette ; il en aurait pleuré de rage. Elle lui permit de sauver la face, demandant : « Que faisons-nous cet après-midi ?
— Kathryn a des envies de cinéma, elle voudrait voir un film allemand, *La Mort fatiguée*. » Gabrielle faillit éclater de rire, puis : « Parfait, vous vous en occupez ? comme ça vous serez pardonné ! » Puis la voix plus sèche : « Enfin presque. » Elle referma la porte. Un jour il saurait que Gabrielle avait confié à Kathryn : « Je lui ai montré que les femmes n'étaient pas condamnées à la pudeur, il ne s'en est pas remis. »

25

LE GOÛT DE LA RICHESSE

Malgré l'odeur d'huile qui régnait dans la maison, Belkhodja avait continué à faire des visites à Si Ahmed, qui ne lui fermait jamais sa porte. Il se disait que, si le caïd le laissait entrer, c'était que la négociation n'était pas close, ça irait mieux une autre fois, c'était écrit dans la rime de l'adage *kheira bigheira*, comme un lien nécessaire entre « le mieux » et « la fois suivante ». Il ne cherchait plus d'autre prêteur. Et Si Ahmed se contentait de dire non. Il aurait pu faire dire qu'il n'était pas chez lui, mais ç'avait été la force de Si Ahmed, il recevait Belkhodja, il l'écoutait, il lui disait non, montrait parfois sa mauvaise humeur, mais il l'écoutait… celui qui parle sème, et celui qui écoute récolte. Et Belkhodja revenait parce qu'il se disait que, dans les refus de Si Ahmed, une porte restait entrebâillée. Il se heurtait à un non, mais il restait maître des allées et venues, et du temps. Normalement, dans les affaires, un bon interlocuteur finit par vous proposer une solution, car cela ne se fait pas de dire non à quelqu'un quand on le connaît depuis longtemps et qu'on a du bien, il perd sa dignité devant vous, ça n'est pas digne de le laisser dans cet état. Et puis ça peut porter malheur. Le « quand je dis non, c'est non », c'est une parole de Français, tandis qu'un homme de tradition trouve toujours une compensation à offrir pour équilibrer son refus, il peut en dernier recours vous envoyer chez quelqu'un d'autre, avec un mot de recommandation, ça ne coûte pas grand-chose et, une fois que vous avez fait ça, le solliciteur ne peut plus vous solliciter. Mais Si Ahmed ne disait rien. Et cela pouvait parfaitement signifier que son refus n'était pas définitif, qu'il devait avoir en tête plusieurs solutions. Parfois, quand un silence durait, Belkhodja prenait conscience des cris d'un grillon, il lui arrivait de dire « il n'est pas loin », en espérant que Si Ahmed ferait venir un domestique pour se débarrasser de la bête comme lui-même l'aurait fait chez lui. Mais Si Ahmed ne faisait rien ; un jour il avait même dit : « Il m'arrive de le trouver gênant, mais quand je suis seul et qu'il se tait, ça devient le silence de la mort. »

Certains jours, quand Belkhodja semblait sur le point de renoncer, le caïd lui demandait des détails sur ses affaires, comme ça, comme pour une négociation à venir, comme s'il suffisait d'attendre que les choses finissent par se faire, et Belkhodja reprenait patience en se répétant que celui qui attend a déjà plus de chance que celui qui espère. Puis l'inquiétude revenait, car les atermoiements de Si Ahmed étaient de plus en plus gênés. Le caïd ne montrait pas d'irritation, il ouvrait sa porte au marchand mais lui fermait son visage. Et Belkhodja avait fini par avoir peur, Si Ahmed devait avoir quelque chose de grave, il pouvait être malade ou ruiné ; au fond, ses affaires étaient très mal connues, on disait qu'il possédait telle et telle ferme, des parts dans telle ou telle affaire, une minoterie, des bateaux de pêche, du bétail, une entreprise de phosphates, mais personne ne savait vraiment, et l'essentiel de ses affaires ne passait pas par un magasin dont on aurait pu évaluer la clientèle ou le stock. On croyait Si Ahmed riche parce que les caïds ont la réputation de ne jamais s'oublier, on disait même qu'il avait le teint jaune parce qu'il couchait avec son or, mais il pouvait aussi bien être aux abois, et la vérité, sombre, c'est que le caïd, pour refuser un service à un ami, devait avoir, comme disent les Français, des problèmes.

Il y avait plus, que Belkhodja osait à peine s'avouer : le fils de Si Ahmed, Raouf... les ennuis de Raouf avaient dû devenir les ennuis de Si Ahmed, ennuis d'argent et ennuis politiques devaient être en train de se conjuguer, Belkhodja était allé trop loin dans la dénonciation du fils, c'était une maladresse, il aurait dû se contenter d'accusations vagues, un jeune homme aux tendances nationalistes, qui tenait en fin de soirée des propos incontrôlés, mais le marchand avait voulu briller devant les policiers de la capitale, il avait parlé de sympathies pour le communisme, le fils du caïd était l'ami du dénommé David Chemla, un étudiant bolcheviste, et Raouf lisait *L'Humanité* chez son ancien instituteur, un autre communiste, mais intouchable, mutilé de la Grande Guerre.

Les policiers étaient restés impassibles. Pour les réveiller, Belkhodja avait ajouté que Raouf fréquentait aussi des gens qui allaient régulièrement en Égypte et en Turquie, et ça, ça avait eu l'air de les intéresser, ces gens-là étaient-ils reçus dans la maison du caïd ? et ce David Chemla, lui arrivait-il de rencontrer des nationalistes ? en compagnie de Raouf ? Belkhodja avait trouvé très fort de répondre qu'il ne savait pas mais qu'il allait se renseigner, l'un des Français s'était alors demandé s'il n'y avait pas aussi une part de double jeu chez le père du jeune homme, caïd francophile le matin, nationaliste vicieux le soir. Belkhodja se reprochait de ne pas avoir démenti cette dernière hypothèse, d'avoir répondu à d'autres questions anodines sur Si Ahmed, et voilà que tout lui revenait en catastrophe, le fruit avait cassé la branche ! Si Ahmed – et pas seulement son fils – devait maintenant avoir de vrais ennuis, devant lesquels l'argent ne pesait pas lourd, un caïd ça se nomme et ça se révoque d'un trait de plume, et ça peut faire l'objet d'une enquête pour corruption, avec confiscation des biens, le jour était peut-être proche où Si Ahmed dirait à Belkhodja qu'il est difficile à un mort d'aider un malade.

Pendant quelques jours, Belkhodja avait eu très peur, si les Français de la capitale s'en prenaient vraiment au caïd celui-ci ne pourrait plus l'aider, c'était pourtant sa seule planche de salut, on le lui avait dit et répété, il avait honte de l'endroit où on le lui avait dit, de la personne qui, dans l'ombre, lui avait désigné Si Ahmed comme son dernier recours, un conseil qui valait bien l'argent dépensé pour l'obtenir, « ton seul et unique salut », pour entendre ce conseil Belkhodja était allé à cent kilomètres au nord de Nahbès, au fin fond de la médina de Ghouraq, il avait traversé une cour étouffée d'orties monstrueuses qui laissaient apparaître les stèles de tombes oubliées, il s'était retrouvé dans une pièce aux parois tapissées de drapeaux de mosquées à la soie fanée, d'amulettes, de talismans, de crapauds et de caméléons séchés et noircis, et d'autres encore vivants, attachés par des fils, et là, dans une alcôve jonchée de coussins, une femme énorme, accroupie face à la porte, l'avait accueilli ; sur un plateau devant elle il y avait un alignement de poupées en chiffons : sultans ventrus, génies à la peau noire, houris aux hanches rebondies, guerriers égorgés, c'étaient les messagers qui mettaient la diseuse de bonne aventure en relation avec les entités bonnes ou mauvaises du plan astral, et cette femme, au bout d'une heure d'incantations, de fumigations, de retournements de cartes et de manipulations de poupées, lui avait dit : « C'est dans ta ville que réside ton seul et unique salut, une vieille connaissance et un homme puissant. » Rien d'autre. Et pourtant Si Ahmed, l'homme puissant, refusait d'aider Belkhodja, il traversait certainement une mauvaise passe, Belkhodja se souvint que le caïd avait lui-même évoqué le temps où il ne serait plus caïd, une rumeur de disgrâce politique avait dû parvenir à certains créanciers, ou alors c'était les dettes qui fragilisaient le notable.

En tournant et retournant ces hypothèses accablantes, Belkhodja avait fini par leur trouver un côté moins sombre :

Si Ahmed aux abois, cela voulait dire que Belkhodja devait pouvoir obtenir de lui ce qu'il voulait : si le caïd acceptait de prêter, et il devait encore avoir de quoi prêter, quitte à emprunter à son tour à Bensoussan, s'il acceptait donc, il pourrait ensuite arborer ce prêt comme un signe de sa solvabilité, un emprunteur est toujours suspect, pas un créancier ! Quand il développait cette hypothèse, Belkhodja se sentait mieux, mais Si Ahmed, dans son salon à odeur d'huile, passait son temps à répéter qu'il n'avait pas d'argent, et que, même s'il en avait, il n'était pas banquier.

Belkhodja essayait en vain de briser ce cercle et se perdait dans des réflexions que Si Ahmed lui laissait tout le temps de multiplier en le faisant d'abord attendre seul dans le salon où il le recevait, et un jour Belkhodja avait compris que l'odeur d'huile d'olive qui l'incommodait ne venait pas du fond de la demeure, de là où l'on faisait la cuisine, mais de derrière une porte, dans un angle du salon, d'un endroit d'où parvenait aussi un autre chant de grillon, il avait osé entrebâiller la porte, le grillon s'était tu, des bidons, huit rangées de dix bidons, des bidons de cinquante litres, une odeur forte de vierge extra, Si Ahmed stockait quatre mille litres chez lui ? pour quelle occasion ? une vente à la hausse à la veille du prochain Ramadan ? c'était une odeur très dense, une huile de luxe, Belkhodja était retourné s'asseoir dans le salon, si le caïd mettait de l'huile jusque dans une pièce à côté de son salon, il devait en avoir une belle quantité en stock ailleurs. Ce jour-là, Belkhodja n'avait rien dit mais, la fois suivante, il avait commencé à parler de l'huile, comme ça, par petites touches, l'odeur, c'était une bonne odeur, il en avait fait compliment à Si Ahmed, et Si Ahmed lui avait dit : ne me parle pas de mon huile, elle me coûte si cher ! Quand il avait raccompagné Belkhodja à la porte, la conversation ne portait plus sur une demande d'argent, mais sur de l'huile d'olive, et c'était Si Ahmed qui formulait maintenant une demande, et qui priait avec douceur Belkhodja de ne pas lui parler de son huile, un véritable péché, et Belkhodja avait senti qu'il fallait accéder à cette douce requête, qui promettait de l'indulgence pour les jours à venir.

Belkhodja, c'était un roi du tapis, mais il ne connaissait pas grand-chose à l'huile d'olive, sinon qu'elle pouvait rapporter beaucoup. Si Ahmed avait commencé à lui en raconter l'histoire, les Romains, la région couverte d'oliviers, puis la ruine pendant des siècles, et la reconquête, des plants vieux de plus de cent ans, tu sais qu'un arbre donne ses plus belles récoltes entre cinquante et cent cinquante ans ? et le pressage, le pressage à froid… Si Ahmed avait claqué dans ses mains, un serviteur était entré, geste de la main de Si Ahmed, le serviteur était revenu avec une assiette et une coupelle qui contenait du sel, il avait posé l'assiette et la coupelle sur la table basse devant Si Ahmed et Belkhodja, il avait pris dans un coin de la pièce une aiguière en argent, une bassine et une serviette, «pose ça!» avait dit Si Ahmed qui avait tenu à verser lui-même l'eau sur les mains de son hôte. Belkhodja lui avait rendu la pareille pendant que le serviteur s'éclipsait pour revenir avec un pain rond dont l'odeur tiède avait envahi la pièce, et une bouteille remplie d'une huile d'un vert si tendre qu'il en était presque doré, il avait mis le tout sur la table, «laisse-nous!» avait ordonné Si Ahmed qui avait contemplé la table avec un soupir de satisfaction, «maintenant tu vas comprendre», avait-il dit à Belkhodja en versant une belle flaque d'huile dans l'assiette, puis il avait pris une pincée de sel, l'avait répandue sur l'huile, il avait rompu le pain rond, en avait détaché un morceau, croûte et mie, avait trempé le morceau de pain dans l'huile, et l'avait tendu à Belkhodja, le pain sentait bon, la tiédeur faisait se répandre les arômes de l'huile et Belkhodja avait eu dans la gorge un goût qui pouvait devenir celui de sa richesse, Si Ahmed disant : on sent même la qualité du mulet qui a fait tourner la meule à concasser les olives, une bête patiente, bien nourrie, pas aussi forte qu'un bœuf ou un chameau, on n'en a pas besoin, pas trop lourde la meule, et il ne faut pas mettre trop d'olives à la fois dans le broyeur, le bon concassage doit être fin mais rester consistant, la qualité du mulet, et ensuite la qualité des scourtins, mon ami, les filtres du pressoir, la finesse de l'alfa des scourtins, et la qualité des bras des hommes au pressoir, des hommes dignes de faire sortir l'or liquide, et j'allais oublier : cueillette à la main, pas au bâton, ne jamais brutaliser l'arbre, sinon les fruits s'en souviennent.

Si Ahmed racontait son huile comme racontent les conteurs de la place du marché, quand tout le monde est en cercle autour d'eux, et qu'il faut savoir retenir tous ces gens, les empêcher d'aller chez l'autre conteur, ça n'est pas facile de parler d'huile comme on parlerait des aventures d'un héros ou d'un lion, et Si Ahmed savait le faire, Belkhodja le complimentait, sans plus parler de ses soucis d'argent, puis Si Ahmed avait laissé l'huile de côté, il avait changé de conversation, ils avaient longuement parlé de ce que faisaient certains de leurs amis, les réussites, les échecs, les morts surtout, qui font prendre conscience de la fragilité de toutes les joies, du caractère inattendu des coups du destin, inattendu pour les humains bien sûr, avait dit Si Ahmed, les humains ne découvrent que trop tard ce qui est écrit depuis toujours, et c'est Belkhodja qui avait reparlé de l'huile, du plaisir qu'elle apportait, ça n'était pas une huile ordinaire, pas une simple odeur ; quand on respirait, elle venait vraiment chatouiller le palais, l'arrière-gorge, elle était si active que c'était déjà un goût avant même de goûter, et Si Ahmed devenait de plus en plus doux sous les compliments qui s'adressaient à son huile, il n'était venu à sa fabrication que tardivement, une oliveraie qu'il avait fait renaître, qu'il avait agrandie, et maintenant il vendait la meilleure huile du Sud, de la *ghemlali*, d'une pureté… tu sais

qu'on m'en demande même de Paris ? Tu sais combien vaut la
bouteille à Paris ? Même la Transméditerranéenne m'en réclame
pour ses hôtels et ses bateaux !

Si Ahmed soupirait, en frottant ses paumes l'une contre
l'autre, et il repartait dans la description de son huile, on la lui
achetait sans même goûter, Si Ahmed aurait pu doubler sa production en utilisant certains procédés, mais il ne voulait que la
meilleure qualité.

Belkhodja se disait que c'était trop beau, toute cette huile de
Si Ahmed, posée là, à attendre d'être mise en vente, celle de la
pièce à côté et surtout celle qui devait être entreposée ailleurs,
où ? c'était trop beau, non, c'était un signe, Raouf et son père,
Dieu lui avait envoyé la plaie et le remède. Et ce que ne voyait
pas Belkhodja, dans le salon peu éclairé de Si Ahmed, c'était
l'éclat d'une scie à bois, celui qu'elle a quand on l'achète neuve
au magasin, le rayonnement noir d'une lame de scie, dans les
yeux du caïd.

Belkhodja s'était mis à calculer la différence de prix entre ce
qu'il devrait payer à Si Ahmed pour toute cette huile en bidons,
et une revente au détail, peut-être même au litre, la moitié au
moins au litre, le reste par cinq ou dix litres, c'était comme
si le diable lui-même avait décidé d'acheter tout son stock à
Si Ahmed en se servant de Belkhodja, pour combien devait-il
y en avoir ? de quoi charger au moins un camion, c'était sûr,
un très gros camion, deux sans doute. Si Ahmed était devenu la
proie de Belkhodja, il ne pouvait pas prêter, il devait lui aussi
être aux abois, beaucoup plus que Belkhodja, il n'avait plus
d'argent, et il gardait son huile parce qu'il ne pouvait plus la
vendre, parce qu'il devait déjà de l'argent aux acheteurs qu'il
connaissait, c'est pour ça qu'il ne la gardait pas dans un entrepôt
de la ville et qu'il la dissimulait jusqu'au milieu de sa maison,
sinon les créanciers lui auraient pris l'huile, le voyage de Raouf

en Europe avait dû achever de ruiner les finances de Si Ahmed, ce que Belkhodja avait dit aux policiers sur le fils du caïd n'avait pas été une maladresse, les choses étaient en ordre, c'était grâce à cette dénonciation que Si Ahmed était maintenant aux abois et à la merci de Belkhodja, le voyage du fils en Europe, et sans doute des bakchichs aux Français pour ne pas être inquiété, les Français prenaient rarement des bakchichs mais quand ils en prenaient c'était toujours gros, pour sauver un fils, toute cette huile dans une maison, dans la pénombre, des milliers et des milliers de litres, une vraie fortune, qu'on pouvait multiplier, un camion, deux camions chargés d'huile de la meilleure qualité, vingt, trente mille francs, peut-être pas autant, ou alors en mélangeant un peu, vingt-huit mille au moins.

26

LE GRAND MURMURE

Il y avait aussi les haltes dans Paris, des cafés à banquettes rouges, rampes de cuivre et murs de miroirs qui multipliaient lampes et visages, Gabrielle prenant discrètement en note un consommateur qui disait à son voisin : «Ça coûte cher les apéros, mais quand t'en as pris quatre ou cinq t'as plus envie de dîner, c'est déjà ça», et cet autre homme qui ne posait le regard sur rien, ils l'avaient vu surgir des escaliers du sous-sol, une allure précipitée et contrainte, un serveur le poussait devant lui en le tapant dans le dos du plat de la main, c'était dans une brasserie qui donnait sur une place en face du jardin du Luxembourg, le serveur, mâchoires serrées, sifflant quelques mots, «salopard, tu vas voir ce que tu vas voir, pour le voir tu vas le voir!» Le patron, derrière la caisse, aussi calme que son employé était agité, s'était mis à parler dans un téléphone, on n'entendait pas ce qu'il disait. «Ils ressemblent à Laurel et Hardy», avait murmuré Kathryn. L'homme que le serveur coinçait maintenant contre le bar était d'une bonne taille, gras mais costaud, il aurait pu se débarrasser du serveur d'un simple mouvement de hanches, mais il ne faisait rien, il était là, sans énergie, ses yeux rougis allaient du comptoir à la salle, son menton tremblait comme quand on va pleurer.

Le patron avait reposé le téléphone, il avait regardé l'homme et tourné la tête vers les grandes baies qui donnaient sur la place, tout était calme, les autres consommateurs n'avaient rien vu. Au comptoir, la présence du gros type, du serveur et du patron paraissait naturelle. Raouf avait demandé à Ganthier ce qui se passait, Ganthier ne comprenait pas plus que lui, Gabrielle avait demandé : « Vous allez continuer longtemps à faire les innocents ? » Ils ne trouvaient rien à répondre. Gabrielle, à voix plus dure : « Vous n'allez pas me dire que vous ne comprenez pas ! » Kathryn s'était mise à rire, ça avait fait le tour de la salle, elle s'était reculée, dos appuyé au cuir de la banquette, les mains tenant le rebord de la table, un rire toutes dents dehors, pour en finir avec l'hypocrisie des hommes. Le patron et son employé semblaient inquiets, Kathryn avait retrouvé son sérieux, Gabrielle avait dit à Ganthier et Raouf qu'elle allait les emmener dans les toilettes des dames, pour leur montrer ce que les messieurs faisaient à bonne hauteur dans les cloisons et les portes, une spécialité parisienne avait dit Kathryn, et elle avait désigné du doigt ce qu'ils n'avaient pas repéré, une petite perceuse à manivelle, que l'homme aux yeux rouges tenait à bout de bras, oui, la main gauche, derrière le pli de l'imperméable. « L'instrument du délit, avait dit Gabrielle, on appelle ça une chignole ! » Kathryn ajoutant qu'aux États-Unis il y avait rarement une histoire pareille, les hommes sont plus impulsifs, ils ne se contentent pas de regarder.

Pendant qu'ils parlaient, deux agents de police à bicyclette étaient arrivés devant la porte, képi, pèlerine bleu sombre. « Regardez bien les pèlerines, jeune Raouf, avait dit Ganthier, elles sont lestées de plomb, quand on les roule ça fait une très grosse matraque, vous savez ce qui vous attend si vous continuez à fréquenter vos chers camarades ! — Ici la police s'occupe de tout, avait répliqué Raouf, des hommes à idées comme des hommes à chignole. — Vous êtes sûr que vos camarades n'ont que des idées ? et pas de suite à leurs idées ? pas de grèves, vio-

lentes? — Peut-être… ce serait beau, une grande grève anticoloniale, sur trois continents. — On peut rêver!» Raouf avait
soupiré : «Au moins on cesserait d'être les voyeurs de notre
histoire.»

Les agents avaient garé leurs bicyclettes en les appuyant
contre la baie vitrée de la brasserie, le patron avait eu une moue
de mépris, ils étaient entrés, le patron et le garçon les avaient
salués, discussion à quatre, à voix basse, l'homme à la chignole
ne disait rien. «*Wet blanket!* dit Kathryn, ce type n'est qu'une
couverture mouillée.» Au bout de quelques instants les agents
étaient ressortis avec l'homme, l'un d'eux s'était emparé des
bicyclettes, et l'autre s'était menotté à l'homme mou, le trio avait
marqué l'arrêt devant le rond-point où tournaient des automobiles et des autobus ralentis par des piétons imprudents ou une
calèche dont le claquement de fouet faisait penser à une parade
de cirque autour du bassin dans lequel une nymphe et un triton
de bronze étreignaient un énorme coquillage. Kathryn et ses amis
suivaient des yeux les agents et leur prisonnier qui remontaient
maintenant la rue Soufflot, Gabrielle disant : «Pauvre type!»
Et Ganthier : «Vêtements de bonne coupe, pas spécialement
laid, il aurait droit à une femme comme tout le monde, mais
non, pas d'alliance, il n'aime pas les femmes, ce qu'il aime c'est
son angoisse», Kathryn, le cœur soudain serré par les mots de
Ganthier… *L'angoisse, ça n'est pas vrai, on n'aime pas son
angoisse.*

Ils sortaient à leur tour de la brasserie, repartaient en promenade… on n'aime pas son angoisse, on cherche à savoir, on a le
droit de savoir et de chercher une lettre… Une Kathryn jalouse
se revoyait faire les poches d'un manteau, d'une veste, une curiosité folle, et la peur d'être surprise, on est déjà folle, non, on
a mal, c'est tout, on a peur de le perdre, fouiller puisqu'il ne
veut rien dire. L'autre Kathryn pendant ce temps plaisantait avec

ses amis, découvrait la ville, marchait à pas vifs dans le froid, embrassait Raouf, le monde était là, le calme revenait dans un bruit de talons, Raouf faisait parfois un pas chassé pour se mettre au rythme de son amante, les vitrines c'était ce qu'il y avait de mieux, elle oubliait Metilda, elle n'était plus dans son angoisse, elle regardait des manteaux, des robes, des sacs, des écharpes, des chaussures, encore des robes, elle avait converti Gabrielle au *shopping*, Raouf et Ganthier suivaient.

Elles étaient sur le pied de guerre dès le matin, au moment où la foule surgit des grandes gueules du métro, des flots de gens non triés, les beaux habits venus des wagons rouges de première classe, et les autres, employés, secrétaires, standardistes, vendeurs de grands magasins, livreurs, comptables, modistes à boîtes rondes. «On ne les paie pas grand-chose, disait Gabrielle, mais ça leur permet de dire "je travaille à Paris près de l'Opéra".» Ils voyaient défiler un monde de visages anxieux. «Oui, disait Gabrielle, ils sont pressés, c'est le rythme moderne», et elle racontait les nouveaux venus qui se tenaient désormais à côté des chefs, chronomètre en main, donnant à chacun le temps auquel il avait droit, oui, ils disent bien *vous avez droit*, et si vous n'en voulez pas, du droit, vous pouvez toujours retourner dans votre province à rythme lent, à Lure ou à Mombard, je travaille dans le quartier de la gare à Lure, ça vous plairait ?

Kathryn et Gabrielle entraient, regardaient, achetaient ou repartaient sans acheter, Gabrielle disant sans embarras devant eux : «Je devrais acheter plus souvent, au lieu de toujours attendre d'avoir perdu deux kilos.» Chez Bailly la vendeuse ouvrait une boîte d'escarpins tout en faisant l'éloge de Kathryn, la finesse des chevilles, la légère cambrure, «Vous avez le pied grec», Kathryn songeant *ça m'étonnerait que la vache du Tyrol ait le même*, «Raouf, le Tyrol c'est bien en Autriche ? — Pourquoi tu demandes ça ? — Je ne sais pas, j'ai oublié.» À la caisse

Kathryn payait en contemplant l'escalier qui menait à l'étage le long d'un mur recouvert d'une grande glace ; au milieu de la glace il y avait deux inscriptions incongrues, « Regardez les marches », et « Tenez la rampe ». Kathryn à la caissière : « Cet escalier est si dangereux ? — Ça n'est pas l'escalier, c'est la glace... les clientes se regardent descendre et elles oublient qu'elles sont dans un escalier, nous avons eu de vraies catastrophes, et avec les messieurs c'est la même chose. »

Ils repartaient. Des vitrines de vêtements à nouveau. « Tiens, leur mode revient ! » disait Ganthier dans un sarcasme, il montrait une grande vitrine, trois mannequins habillés, silhouettes massives, de longues jupes noires, des gilets vert sombre, « la boutique est suisse, disait Gabrielle, pas allemande. — Suisse allemande ! » disait Ganthier. Ça pouvait aussi être autrichien, le bas des robes était orné de broderies rouge et or qui se retrouvaient aussi sur des corsages et des gilets, Kathryn surprit le regard de Raouf sur un corsage, elle doit avoir des seins lourds, aimer se les faire prendre, Kathryn voyant soudain une Metilda allongée dans la vitrine, un autobus passait derrière eux, nuage sombre écœurant, *je suis folle, non, j'ai mal, et maintenant elle est partout, il doit m'en parler, je ne lui demande pas grand-chose, dire ce qu'il a fait, une seule nuit sans doute, la dernière, j'en ai assez d'être folle.*

Le quatuor repartait, Kathryn serrant le bras de Raouf, regardant leur reflet dans une autre vitrine, *je fais plus jeune que mon âge, il fait plus vieux que le sien, nous formons un beau couple, nous n'avons pas besoin d'une vache du Tyrol*, elle décidait d'habiller Raouf, Gabrielle l'appuyait avec enthousiasme, tout un après-midi chez Old England, entre miroirs et rires, Raouf en tweed, velours et cachemire, Ganthier surpris de voir que ça lui allait plutôt bien, mais le traitant quand même de dandy. Ils entraient ensuite dans un Félix Potin, les aliments venaient du monde entier, Raouf en arrêt : «Regardez, la bouteille d'huile d'olive, c'est quinze fois plus cher qu'à Nahbès, je vais me faire marchand d'huile de chez nous à Paris», Ganthier félicitait Raouf : «Belle conversion au capitalisme, jeune homme! l'avenir est aux intermédiaires.» Ils ressortaient, guettaient un taxi. Un hurlement soudain, une jeune passante, elle donnait un coup de parapluie sur la tête d'un homme d'une soixantaine d'années, un chapeau melon roulant à terre, la passante prenant les gens à témoin : «Il m'a pincée!» L'homme ramassait son chapeau et repartait, très digne. Kathryn avait mal, ça finit comme ça, les hommes?

On entendait des cris des marchands de journaux, comme des mouettes dans un orage, chaque cri essayait de chasser l'autre, «L'Auvergnate égorgée dans son lit par un Russe!» ou bien «Nouveaux mensonges de l'Allemagne», ou encore «Arrestation des Polonais voleurs d'enfants», de très sales têtes en première page, et puis «Crise à Berlin!» Plus loin, un air d'accordéon surgissait d'une entrée d'immeuble, «des musiciens ambulants, ils doivent être dans la cour, dit Ganthier. — On leur donne de moins en moins, dit Gabrielle. — Pourquoi? — À cause de la radio et des tourne-disques.»

Kathryn décidait un soir d'accompagner de nouveau Raouf à la Grange-aux-Belles sans rien dire à Ganthier, ils passaient d'abord chez Mokhtar, un ami de Raouf et de Chemla, Kathryn en pantalon, blouson gris, chapeau cloche, pas de maquillage. Dans la chambre de Mokhtar un vent froid passait à travers les interstices de la porte et des fenêtres, des gouttes d'humidité sur les murs, Raouf disant à Mokhtar : «Tu sais, je ne pense pas comme toi...» Et Mokhtar : «Du moment que tu n'es pas social-démocrate...» Claque dans le dos de Raouf, puis : «Un bourgeois progressiste, ça vaut tous les sociaux-traîtres.» Un lit, et par terre un matelas : Mokhtar hébergeait Quôc, il l'aidait à survivre, lui faisait la cuisine.

Ils entraient dans le grand murmure de la Granges-aux-Belles au moment où une voix disait à la tribune : « Il n'est pas possible de penser comme nos envahisseurs, pas possible non plus de penser et d'agir comme avant. » C'était une salle de music-hall, il y avait un bar à l'entrée, séparé de la salle par une rambarde, puis un parterre avec une centaine de tables de bistrot, et une coursive le long des murs, les gens écoutaient les orateurs ou discutaient à voix plus ou moins basse, le balcon aussi était rempli de monde, un nuage de fumée s'accumulait au plafond, très peu de femmes, à part celles qui, à gauche, au coin du bar, tenaient compagnie à quelques hommes silencieux et attentifs. « Des Annamites ? avait demandé Kathryn. — Non, avait dit Mokhtar, des Chinois, ce sont les seuls qui viennent avec des femmes, et qui leur parlent. — Tu les connais ? — Pas trop, c'est Quôc qui m'a présenté à l'un d'eux. — Le petit gros, le grand maigre ou le moyen très distingué ? — Le distingué. »

Les Chinois tranchaient sur le reste du public, des tenues de travailleurs en usine avec un ton calme et des gestes retenus, Mokhtar précisant : « Des étudiants-travailleurs. » Un des Chinois était passé à la tribune, le plus grand, la voix plus gracile que celle des autres orateurs mais un français bien net, il parlait d'un pays-continent à bouleverser, de justice à faire régner, se faisait traiter de réformiste par un des Français présents, répondait en affirmant son désir de révolution totale, et pour un autre Français la Chine n'était qu'une réserve paysanne, qui devrait attendre la révolution des villes : « Laissez d'abord faire la bourgeoisie, vous lui réglerez son compte après, sinon vous aurez le fascisme, comme les Italiens ! » Le Chinois se défendait : « Les fascistes, nous les avons déjà ! » Kathryn était intriguée par la présence des filles que les garçons traitaient apparemment en égales. « Parce que ce sont des bourgeois comme Raouf, disait Mokhtar en riant. — Non, c'est parce qu'ils sont en avance », disait Raouf.

Quôc les avait rejoints, il les avait présentés aux Chinois qui avaient bombardé Kathryn de questions sur l'Amérique. Le plus grand, qui avait quitté la tribune, donnait des réponses avant Kathryn, «trusts agressifs, division de la classe ouvrière, politique du gros bâton», Kathryn ne comprenait pas grand-chose, préférait les questions du petit gros, on l'appelait Deng, un passionné d'usines, de machines et de grands magasins; le plus distingué s'appelait Chou, il se renseignait aussi beaucoup, souriait en disant : «Nous sommes venus explorer le cœur du monstre.» Il disait aussi que la France l'avait aidé à progresser : «Quand je suis arrivé, j'étais un jeune réformiste. — Comme lui», disait Mokhtar en prenant les épaules de Raouf. Et Quôc : «Nous avons tous été réformistes…» Chou continuait : «Je suis ici depuis trois ans, j'ai fini par comprendre l'ennemi, nous devons forger une arme d'acier», et Quôc, sur un ton enjoué : «Ça veut dire qu'ils sont devenus communistes! — Et que nous n'avons besoin d'aucun maître…» ajouta Chou.

Les jeunes filles regardaient Kathryn, à la fois fascinées et distantes, elles l'interrogeaient et répondaient à ses questions, oui, elles étaient câbleuses dans une usine électrique, Kathryn évitant de leur demander si c'était dur, l'une des filles s'appelait Fan, elle voulait devenir ingénieur en transmission radio, «en Chine c'est impossible, mais comme tout semble impossible, ça peut devenir possible». Elle avait assisté à une expérience, à la Sorbonne, c'était dans l'amphithéâtre Descartes, «j'ai trouvé très beau que cela se passe dans cet amphithéâtre, nous aimons beaucoup Descartes; le savant qui faisait l'expérience s'appelle Belin, c'étaient des images qu'il réussissait à transmettre par téléphone sans fil, Édouard Belin, il appelait ça une scène d'ondes, il introduisait un dessin dans une grosse machine, et le dessin réapparaissait dans une autre machine semblable, à dix mètres, sans fil, une scène d'ondes!» Le Chinois distingué, index tendu vers la jeune fille : «Elle sait construire une radio!» Raouf nota qu'il n'avait pas dit *elle sait même...*

Le lendemain, à l'hôtel, Kathryn voulait tout savoir de la vie politique, elle se faisait apporter des journaux à leur table de petit déjeuner et disait «expliquez-moi la France et la vieille Europe!» à Ganthier et à Gabrielle, en montrant *Le Figaro*, *L'Avenir*, *Le Temps* et (Ganthier n'aimait pas ça) *L'Humanité*. Quand le maître d'hôtel lui tendait ce journal d'un air très froid, Ganthier prenait le même air, et s'en voulait alors de pactiser avec un larbin. Gabrielle commentait les événements avec une intelligence que Ganthier n'aimait pas, mais c'est à Raouf qu'il réservait ses flèches : «La lecture du journal c'est la prière du matin de l'homme moderne, mais ça n'est pas une raison pour oublier les vôtres, de prières, avec le tapis, la foi, l'intention, et tout ça...» Raouf souriait gentiment, sans répondre, et sa bonne humeur faisait mal à Ganthier, il se disait qu'elle venait de la nuit, *et ce petit salaud continue à se faire plaisir en regardant sa copine engloutir une tartine de confiture!*

Ils commentaient aussi jour après jour le raid saharien des autochenilles françaises, Ganthier aimait les expéditions, l'espace, l'avenir, Raouf restait silencieux, Ganthier réclamait de l'admiration, Raouf finissait par dire : «Vos expéditions, ça sert surtout à montrer que la France est partout chez elle.» Il y avait aussi les tensions en Europe, la question des indemnités de guerre à verser par l'Allemagne, pour Gabrielle les Français avaient inventé la guerre qui ne coûte rien : «La bourgeoisie a donné ses fils, mais pas son argent.» Ganthier répondait : «Le vaincu doit payer!» Et Gabrielle : «Quand même pas jusqu'en 1980!»

Ils cessaient de se disputer en ouvrant leur courrier, une lettre de Nahbès pour Ganthier, Gabrielle demandant si c'étaient des nouvelles de son teckel, et Raouf disant que Ganthier n'avait pas besoin de nouvelles de Kid par la poste car il en prenait tous les jours par téléphone. La lettre était de Si Ahmed, il informait son *vieil ami* que tout allait bien sur son domaine mais qu'il regrettait de n'avoir pas avancé sur la question du remembrement, l'opposition étant plus vive que prévu, Ganthier se dit qu'il réglerait ça au retour, *je ferai piquer mon cheval droit sur la véranda de madame et j'aurai une explication avec elle, j'aurais dû faire ça depuis longtemps.*

La lettre de Si Ahmed ne posait pas de questions sur Raouf, c'eût été inconvenant. Ganthier était contrarié, Gabrielle s'en aperçut : «Rania vous fait enrager… — Vous la connaissez si bien que ça? — C'est une vraie amie, on s'écrit, j'ai même une photo.» Ganthier avait vu grandir la jeune veuve, il l'avait toujours trouvée un peu garçonne. Sur la photo il vit le visage d'une belle femme aux grands yeux, pommettes hautes, lèvres fines, le cou long et puissant, il osa dire : «Beau tirage d'artiste… — Vous êtes un mufle, dit Gabrielle, il n'y a aucune retouche. — Je ne la reconnais pas. — C'est parce que la photo, c'est autre chose qu'une habitude.» Ganthier fit une moue. Gabrielle : «J'ai même vu des photos de vous où vous n'êtes pas si mal.» Ils continuèrent à parler de Rania, pour Ganthier c'était une fanatique, antifrançaise. «Vous n'y comprenez rien, dit Gabrielle, la théologie, pour elle, c'est une arme», Raouf ajoutant : «Elle est tout sauf crédule», et Gabrielle : «Quant à l'anti-France, vous dites ça dès qu'on rappelle qu'un protectorat n'est pas une colonie.» Raouf s'amusait, Ganthier était plus patient avec Gabrielle qu'avec lui, Ganthier se demandait ce que voulait dire ce «vous n'êtes pas si mal», *une façon de me remettre à ma place, ou une invite… un jour, quand tout sera fini, je vais découvrir qu'elle était amoureuse de moi, il faut que je retourne chez elle.*

Kathryn s'était plongée dans un journal, puis elle montra en riant le *Petit Parisien*, une réclame pleine page, «Arthritiques,

défendez-vous ! » et Raouf, droit dans les yeux de Ganthier :
« C'est le nouveau "Debout les morts" de la bourgeoisie », Ganthier était excédé, le gamin se foutait de lui, *je le balance dans
le monde moderne et il me traite de bourgeois arthritique !* De
l'autre côté de la Méditerranée, Ganthier incarnait la civilisation
nouvelle, ici un fils de notable rêvait d'aube rouge et faisait de
lui un attardé de l'histoire.

Plus tard, au cours d'une promenade au Jardin d'Acclima-
tation, Ganthier avait donné une gifle à un homme qu'il avait
croisé. Raouf, Gabrielle et Kathryn, qui marchaient devant,
s'étaient retournés sans comprendre. L'homme très pâle avait
commencé à tendre une carte en disant : « Monsieur, je vous
prie… » Ganthier l'avait interrompu : « Pistolet ? épée ? »
L'homme avait aperçu les rubans à la boutonnière de Ganthier, et il était reparti sans rien dire, Raouf demandant ce qui
s'était passé, « il m'a bousculé, c'est tout ». Ganthier était sur
les nerfs. À la sortie du jardin, il avait grommelé : « Un arthritique ça doit se défendre ! » Et quelques jours après, cette confidence à Gabrielle : « Je ne sais pas ce qui m'a pris, le type
venait de vous croiser, et quand il est arrivé à ma hauteur je
l'ai entendu dire "paillasses à moricauds". — Faites attention,
avait dit Gabrielle la voix amusée, vous allez vous retrouver dans
la gauche anticoloniale. — Jamais ! Mais ce que je veux c'est
vraiment une France de cent millions d'habitants, une grande
nation de citoyens égaux. — Ça n'est pas tout à fait ce que réclament vos chers Prépondérants… — Vous saviez qu'à partir de
1915 la défense antiaérienne de Paris était commandée par un
"moricaud", un polytechnicien noir… de la Guadeloupe… fils
d'esclaves ? — On peut rêver… »

27

UN PAYS LIBÉRÉ

Ils avaient quitté Paris pour l'Alsace, c'était un dimanche, il avait commencé à neiger tôt le matin, une couche de plus en plus épaisse sur la chaussée, les trottoirs, les auvents, les lampadaires... le blanc assourdissant de la neige... parfois une accalmie, la neige attendait la neige, qui revenait en flocons de plus en plus gros, recouvrant la noirceur de suie et de charbon du quartier de la gare de l'Est, puis souillée de nouveau par les échappements gras d'un autobus ou le nuage qui s'échappait d'une locomotive, les flocons venant ensuite ensevelir ce que la neige faisait percevoir comme une insupportable tache, et après le départ du train il avait continué à neiger de plus en plus lourdement sur le paysage. À un moment Raouf avait entrevu des péniches semblables à celles de la Seine, immobiles au milieu d'une plaine de neige. «Le canal de la Marne au Rhin, avait dit Ganthier, elles n'avancent pas, il est gelé, doivent pas avoir chaud à l'intérieur.» Le voyage avait pris plus de huit heures, des alternances de prairies, de collines, et de plus en plus de bois déchiquetés, de grands cimetières sous la neige, de villages souvent en ruine. Dans les courbes on pouvait voir les magmas de fumée lourde que la locomotive laissait retomber derrière elle. Le train s'arrêtait souvent, dans de petites villes ou même de gros bourgs, où parfois une cloche d'église sonnait l'heure comme une lamentation. Sur les quais, Raouf et Kathryn étaient surpris de voir autant de voyageuses en noir, elles allaient par deux ou trois. «Elles cherchent encore la tombe d'un mari, avait dit Ganthier, ou d'un frère, d'un fils, d'un père...» Gabrielle avait ajouté : «Et les hôteliers leur font des tarifs de Côte d'Azur.» Un temps, puis : «Rania n'a jamais cherché à...?» Elle s'était interrompue, et personne n'avait repris.

Ils avaient ensuite traversé des forêts dont les arbres venaient parfois battre la vitre de leur compartiment, puis les congères s'étaient faites de plus en plus hautes, donnant à la voie de chemin de fer une allure de galerie d'igloo, suivie d'un long tunnel, et ç'avait été la plaine à nouveau, tout aussi blanche. «La neige qui tombe engraisse la terre», avait dit Ganthier, comme pour se rassurer.

Au-delà des Vosges le pays était plus propre, moins dévasté que celui qu'ils venaient de traverser, et à un moment Ganthier, qui guettait à la vitre du couloir, leur avait montré comme une espèce d'accroc sur la ligne d'horizon, une arête sombre, «la flèche! avait-il dit, la flèche de la cathédrale, c'est autre chose que la tour Eiffel, la flèche de Strasbourg!». Un temps de silence puis : «On ne le criait pas, on ne voulait pas se faire traiter de revanchards, mais c'est pour ça qu'on s'est battu, on disait que c'était pour la civilisation mais c'était pour ça, un morceau de patrie, c'est ce qui donne la bonne fureur, pas la civilisation!» Avec Ganthier on ne savait jamais quelle était la part d'ironie.

Dans les rues de la ville, Raouf et Kathryn avaient été surpris d'entendre parler un drôle d'allemand alors que chaque balcon, chaque fenêtre presque, portait le drapeau tricolore. Il neigeait encore plus qu'à leur départ, une neige sans vent, de gros flocons qui tombaient droit les uns sur les autres pour tout feutrer, s'installant partout en épaisseur, plus lourdement qu'à Paris. Et sur le toit des maisons les plus basses on pouvait distinguer les couches qui s'étaient superposées, au fur et à mesure des chutes qui se succédaient depuis plusieurs semaines. Le soir, c'était encore plus beau. Kathryn avait voulu faire une promenade après dîner, ils avaient abandonné la chaleur de leur hôtel place Kléber, peu de monde dans les rues, ils marchaient dans de la neige vierge, près de vingt centimètres au sol, s'avançaient dans une rue à arcades qui finissait par s'élargir en une nouvelle place, longiligne. «Qu'est-ce que c'est, la statue? avait demandé Kathryn. — C'est Gutenberg, avait dit Ganthier, on va prendre la rue à gauche.» Il avait laissé Raouf et les deux femmes passer devant lui et ce fut le même choc brutal, à quelques dizaines de pas devant eux, fermant la rue qu'ils venaient d'emprunter, cent quarante mètres de cathédrale lancés vers le ciel sombre, avec des flocons qui tombaient sur les cils quand on regardait, l'énorme portail, les deux tours, la flèche à gauche, les pierres roses et la neige qui dansait dans les appels d'air le long de la façade, à la lumière d'un projecteur, Raouf était bouche bée. «Aspiré vers le haut? avait demandé Ganthier. — Magnifique, avait dit Raouf, et purement esthétique, comme pour vous. — Rien d'autre? — Non, comme vous... enfin... comme vous aujourd'hui.»

Ganthier s'était tourné vers les deux femmes, il n'avait pas aimé cette allusion de Raouf à son passé de séminariste : «Je soupçonne même notre cher Raouf d'une petite tendance à l'athéisme... un athéisme sans alcool... c'est rare chez les Arabes. — Vous n'en savez rien», avait dit Raouf. Pour détendre l'atmosphère, pendant qu'ils s'approchaient du parvis, Gabrielle leur avait parlé de la découverte de la cathédrale, de l'Alsace et d'une certaine Friederike, par Goethe : «Il a été séduit par une jupe à falbalas qui laissait voir un joli pied jusqu'à la cheville!»

Le lendemain ils avaient dû faire un passage par la préfecture, le contrôle des passeports, l'attente dans un coin de grande salle. À l'autre extrémité, Raouf avait repéré un homme, assis à l'écart devant une table sur laquelle il y avait un encrier et des porte-plumes, sans doute un sous-huissier quelconque, un subalterne qui n'avait pas droit aux quatre murs d'un bureau et qu'on installait n'importe où, couloir, salle commune, ou même sur un palier comme à Nahbès; celui-là avait la même tête mélancolique qu'un chaouch, toutes les administrations se ressemblent, l'homme avait répondu à son regard par un sourire, il avait l'air désœuvré, puis d'autres employés lui avaient apporté des piles de papiers, et il s'était mis à tracer sur chaque feuille de petits signes à la plume, il était lent, appliqué, on aurait dit un écolier qui soigne les pleins et les déliés. Raouf avait demandé à Ganthier ce que cet homme pouvait bien faire, Ganthier ne savait pas.

Raouf s'était levé, comme pour se dégourdir les jambes, il avait fini par s'approcher de l'homme, l'avait salué, en marquant la bonne dose de respect : « Puis-je vous demander... » L'homme était affable, du bout de son porte-plume il avait montré la feuille sur laquelle il travaillait, Raouf l'avait entendu dire : « Je suis le *et mèn'che*. » Il n'avait pas compris, il hésitait, faire celui qui a compris? et attendre d'en savoir plus? il avait souvent fait cela à l'école, ou alors redemander, platement? il demanda ce que voulait dire « *et mèn'che* », il entendit le fonctionnaire répondre « l'homme des et », il ne comprit pas, le fonctionnaire ajouta : « Comme ça! » Et la plume traça un accent aigu sur le premier *e* du mot *République*, l'homme se redressa, contempla son travail, il se pencha, mit un autre accent sur la dernière lettre de *Liberté*, releva les yeux vers Raouf, « les Allemands n'ont pas nos accents », c'était son travail, poser à la plume les accents graves, aigus et circonflexes sur toutes les voyelles françaises qui en avaient besoin. « Et il y a aussi les cédilles! »

Devant l'air éberlué de Raouf, l'homme avait ajouté : « Il faut que vous sachiez, la majeure partie de nos machines à écrire sont encore allemandes, c'est par les Allemands que nous avons connu beaucoup de choses modernes, ils sont restés près d'un demi-siècle et, il faut bien le dire (l'homme avait baissé la voix), les machines allemandes sont meilleures, le seul défaut c'est l'absence des voyelles accentuées françaises, de nos chères voyelles accentuées... alors je suis "l'homme des *é*", le *é Mensch* en alsacien. » Il dit aussi que plus personne n'avait le droit de parler alsacien dans l'Administration, pour les Français c'était du boche, oui, il mettait tous les accents sur tous les documents, sa tâche était officielle, elle était répertoriée dans la liste des postes de la nouvelle fonction publique. « Et croyez-moi, c'est une tâche importante, chaque fois que je mets un accent, j'aide au retour de notre chère Alsace dans le giron de la mère patrie ! »

Sur la fin il avait parlé mécaniquement, avec un air de ne pas y croire, Raouf n'avait d'ailleurs pas tout de suite compris, parce que l'homme avait prononcé *chiron* au lieu de *giron*, il avait rectifié puis : « Les accents sont plus faciles à corriger sur le papier que dans la voix, peut-être parce que nous tenons à notre voix, nous sommes une grande plaine que beaucoup de gens ont toujours traversée, nous gardons dans la gorge la trace de ce qui s'est passé dans notre histoire. » Et, pour se faire pardonner ses airs dubitatifs, Raouf avait regardé de près le travail de l'homme, une belle calligraphie, avait-il dit en connaisseur. Chaque accent commençait sur un appui de plume, et se déliait ensuite, pour finir en pointe légère, la cadence de l'homme était rapide, précise, avec une plongée dans l'encrier tous les huit ou dix accents, ce qu'il fallait pour avoir la bonne quantité d'encre sans risquer le pâté. « Si vous êtes ici, c'est sans doute pour un passeport, avait dit l'homme, vous verrez, c'est la même chose en face, en Rhénanie, partout où nous avons nos troupes d'occupation, des *é Menschen*, un métier d'avenir pour Alsaciens ! » Il était à la fois ironique et

fier. «Non, je n'ai pas toujours travaillé ici, avant j'étais professeur d'allemand, on en a moins besoin aujourd'hui.»

Une fois les formalités accomplies, Raouf et ses amis étaient
allés se réconforter dans un salon de thé, il y avait encore plus
de gâteaux qu'à Paris, et selon Gabrielle c'était exprès, le
gouvernement voulait que le retour à la mère patrie se fasse
dans les meilleures conditions. Raouf avait raconté sa conversation avec l'homme des *é*. «Vous utilisez quelle machine?
avait demandé Ganthier à Gabrielle. — Une Remington, avait
aussitôt dit Raouf. — Il est plus observateur que vous», avait
dit Gabrielle, et Ganthier : «Encore une marque étrangère.
— Oui, mais adaptée à la langue française et *made in France*.
— De toute façon, avait dit Ganthier, la machine, ça n'est plus
le même français, vous n'écrivez pas, vous tapez!» Il y avait
de la condescendance dans la voix de Ganthier, Gabrielle se
défendit : à la machine on ne pouvait pas revenir pour corriger,
il fallait une phrase sans fioritures. Pour Ganthier c'était la fin
du style. «Non, dit Gabrielle, c'est le retour aux classiques,
l'ordre direct, les mots essentiels, et une phrase rapide, comme
l'aquarelle. — Mais ce bruit de machine... la plume ça vit,
pas le clavier! — Vous connaissez la formule de Joubert? la
musique a sept lettres et l'écriture a vingt-six notes... j'aime
bien mon clavier.»

Raouf jetait de temps en temps un regard dans la salle à
mobilier massif. Non loin d'eux, il y avait une jeune femme,
seule, assise sur une banquette, visage très poudré, lèvres rouge
vif, veste de cuir noir très souple à col de fourrure, elle était
concentrée sur son geste, la cuiller survolant lentement l'assortiment de fruits rouges accompagnés de biscuits qui occupait la
grande coupe posée devant elle à côté d'une tasse de chocolat
fumant. «Tu es toujours là, Raouf?» avait soudain demandé
Kathryn. Raouf l'avait regardée sans comprendre. Kathryn

avait marqué un temps, comme si elle attendait une réponse, puis : « Parce que si je suis de trop je peux partir ! » Le ton était devenu dur. « Et en passant je peux aussi lui demander si elle veut bien t'accepter à côté d'elle, je suis sûre qu'elle va être contente, tu pourras même lui passer une main entre les jambes ! »

Ganthier et Gabrielle se regardaient, gênés, Ganthier n'osant même plus tourner la tête vers l'autre table. Kathryn était devenue pâle, c'était une vraie scène, en public, Raouf se sentait perdu, il avait simplement essayé de voir ce que cette fille mangeait, il allait peut-être commander la même chose, c'était tout, il ne s'était pas rendu compte. « C'est ce qui me rend folle, dit Kathryn, il ne se rend pas compte, il a vraiment regardé ce qu'elle mangeait, et il n'a pas vu la façon dont elle le regarde depuis dix minutes ! » Puis, la voix à peine plus basse : « Cette… salope, c'est bien le mot n'est-ce pas ? cette salope sait qu'il est avec moi, ça ne l'empêche pas de… avec les yeux… vous avez un verbe en français ? — Zyeuter, dit Gabrielle. — Mater, dit Ganthier, mais c'est de l'argot. — C'est la même chose que zyeuter ? — C'est plus fort, c'est quand un homme possède une femme du regard. — Mais c'est ce que cette salope était en train de faire, elle possédait Raouf. — Raouf n'est quand même pas coupable, dit Ganthier. — C'est ça, défendez-le. — Je n'ai rien fait, rien », dit Raouf. Gabrielle aussi le défendait, il n'avait rien vu… Pour Kathryn c'était le pire : « Un jour, sans avoir rien vu, il se retrouvera dans le lit d'une salope. — Vous n'exagérez pas ? demanda Ganthier ? — S'il m'aime il doit être capable de repérer les femmes qui me veulent du mal ! » Ganthier pensait que ça ferait du monde à surveiller mais se gardait bien de le dire. Pendant qu'ils parlaient, la femme avait quitté le salon de thé, Kathryn s'était calmée, elle caressait la main de Raouf. Plus tard, Gabrielle à Kathryn : « Vous l'avez habillé en dandy, et vous êtes furieuse que les femmes le remarquent. »

Ganthier avait passé les six mois les plus durs de sa guerre sur les pentes du Vieil-Armand, au-dessus de Cernay. Il voulait voir à quoi ça ressemblait désormais. Ils avaient fait le voyage en voiture à travers la plaine, puis le vignoble. À Ribeauvillé, ils s'étaient arrêtés pour déjeuner dans une auberge, un beau poulet à la crème, ils étaient les seuls clients et la patronne les avait gâtés. « Ici on fait des frites, comme en France, même quand les Allemands étaient là je faisais des frites, ils ne m'ont jamais rien dit, ils étaient bien contents de venir en manger. » C'était une femme à belle tête et taille ronde, la cinquantaine bien portée, elle s'était prise de béguin pour Ganthier, elle avait multiplié les va-et-vient à leur table, soignant le mouvement de ses hanches dans ses retours en cuisine, d'un trot qu'elle voulait vif et ample, elle leur avait beaucoup parlé, était même venue s'asseoir sur la banquette près de Ganthier, s'était relevée, avait fait part de son admiration pour ses cheveux, n'avait pas tenu et avait passé la main sur sa tête en disant « *S'esch a guete Kerl !* » d'un ton rauque dont elle essayait de faire un gazouillis, on avait ri aux éclats devant les attentions de cette commère, Ganthier en « bon garçon », séducteur d'auberge.

Ils s'étaient installés pour la nuit dans un hôtel au sommet du ballon de Guebwiller, un grand chalet tout en bois, ils avaient dîné dans des assiettes où étaient peintes des scènes de vie quotidienne, les labours, la promenade, les travaux des champs, un bal avec des joueurs de tuba. Les lits étaient hauts, étroits, recouverts d'édredons rouges, Kathryn était douce. Au matin il faisait très froid, il neigeait encore, « Étoile Lou beau sein de neige rose » avait murmuré Raouf à l'oreille de Kathryn en la réveillant. Plus tard, Kathryn avait voulu passer une crème protectrice sur le visage de Raouf qui n'en voulait pas, ils avaient continué à jouer. Dehors c'était un monde de silence, de sapins, de mélèzes, un temps couvert avec des ouvertures de bleu entre deux plis de montagne arrondie, Raouf avait aimé la marche en forêt, le silence encore, le bruit des chaussures dans la poudreuse, observant des traces au sol, la même marque se répétant à presque un mètre de distance jusqu'à l'entrée d'un bois, deux pattes proches l'une de l'autre, et, derrière les pattes, une trace plus longue, plus ample. «Un blanchot, avait dit Ganthier, un gros lapin sauteur, on l'appelle aussi lièvre variable. — Pourquoi? avait demandé Raouf. — Parce qu'il change de couleur avec les saisons, du brun au blanc, pour éviter de se faire repérer. — Un vrai lapin de protectorat», avait conclu Raouf.

Ils s'étaient retrouvés face à une étendue de neige, barrée au loin par un rideau de sapins, et derrière les sapins, très loin, d'autres sommets. Les huttes en rondins supportaient d'énormes coiffes blanches, un chemin s'écartait soudain du leur, tracé par des raquettes, disparaissant derrière un épaulement de terrain, à l'horizon la neige allait se mêler au gris plomb du ciel, un peu de poudre blanche tombait des arbres dès qu'un souffle de vent les remuait. On entendait des cris de freux. Raouf aimait jusqu'à la brûlure de la neige au creux de sa main. Parfois le soleil se glissait entre les nuages et une tache claire faisait signe sur un flanc neigeux. «Que personne surtout ne prononce l'adjectif féerique», avait dit Gabrielle. Raouf et Kathryn étaient montés se coucher très tôt, Gabrielle et Ganthier avaient longtemps parlé dans le salon de l'hôtel. Ganthier avait le sentiment que Gabrielle s'apprivoisait, un soir ils se retrouveraient naturellement dans la même chambre.

Le lendemain ils avaient repris la route, étaient montés sur le Vieil-Armand, que les gens du pays appelaient encore Hartmannswillerkopf, Ganthier disant : «Nous, on l'appelait *La Mangeuse...*» Raouf avait cessé de le provoquer, ils marchaient sur de la montagne écorchée, entre des éclats de roc et de ciment, des morceaux de poutrelles rouillées, une tranchée soudain élargie par un trou d'obus, Ganthier était surpris de ne pas avoir beaucoup de souvenirs, un blessé au ventre qui avait réclamé la gourde et mordu le fer à pleines dents... Il se mit à parler pour oublier le sang noir qui sentait la tripe, quelques mots, *marmites*, des obus de mortier, soixante kilos, des saletés de *marmites*, on pouvait faire tenir dix hommes dans le trou qu'elles faisaient, et les lance-flammes, les gaz, mais pas souvent, les fronts étaient trop près l'un de l'autre, vingt mètres à peine parfois, on entendait même parler ceux d'en face, «et les deux crêtes qui descendent à notre gauche et à notre droite, on n'appelait pas ça des crêtes, on disait la cuisse gauche et la cuisse droite, excitant, n'est-ce pas? le pire c'était décembre il y a sept ans, on avait gagné quatre cents mètres, ces crétins de l'état-major n'ont pas été foutus de nous envoyer les renforts à temps, les renforts ça a été pour ceux d'en face, et ils surgissaient même derrière nous, le commandement avait oublié de faire nettoyer les fortifications qu'on avait dépassées, les boches sont ressortis dans notre dos, tout le 152ᵉ a été liquidé, excusez-moi, je deviens ennuyeux». Plus loin, au milieu des tombes, quelques femmes se partageaient un arrosoir.

Ils étaient rentrés à Strasbourg. Dans le hall de la gare, Raouf avait acheté des cartes postales, Kathryn n'avait pas demandé pour qui mais, dans le taxi qui les ramenait à l'hôtel, elle s'était assombrie. Raouf se gardait de lui demander une explication et questionnait Ganthier : «C'est vrai qu'à partir de 1870 les Allemands ont appuyé vos conquêtes coloniales pour vous détourner de Strasbourg? On aurait payé pour votre défaite? Et en 1918 les Allemands sont vraiment tous repartis de l'autre côté du Rhin? Après toutes ces années passées en Alsace? Même ceux qui avaient acheté de la terre, construit des immeubles, des usines?

Partis sans indemnités ? Ça, c'est de la bonne décolonisation ! »
Raouf se taisait un instant puis, regard vers l'extérieur du taxi,
vers la masse d'un grand bâtiment à l'aplomb du ciel violet :
« C'est beau, tout ce qu'ils ont bâti, le palais du Rhin, le palais
de justice, l'opéra, le muséum, même la gare… Ce que je préfère
c'est le palais universitaire, et la bibliothèque, c'est immense…
Vous comptez en faire autant chez nous, un de ces jours ? »

28

LE PRÉTENDANT

Rania avait fini par accepter de quitter la maison paternelle et de rentrer à Nahbès. Elle avait pris le train en compagnie de deux servantes, sous les regards des voyageurs européens qui pouvaient à la rigueur accepter qu'une indigène habillée de soie et de laine puisse accéder à la première classe, mais les deux domestiques, elle aurait pu les expédier en troisième, elle avait si peur que ça d'être seule ? Certains regards s'étaient même faits hostiles dès la salle d'attente, quand on s'était aperçu qu'elle tenait un livre, ça fait la maligne, et avec un livre français, de la littérature ! elle le tient même à l'endroit, son bouquin, il paraît que c'est un de leurs auteurs préférés, mais quand même, elle le fait exprès, elle aurait pu choisir la comtesse de Ségur, ou *Sans famille*, vous avez vu la tête des deux autres indigènes quand ils ont vu une coreligionnaire avec un livre français ? elle aurait fait le tapin que ça n'aurait pas été pire ! Rania et ses servantes s'étaient retrouvées seules dans leur compartiment. À l'arrivée les choses avaient changé parce que Si Ahmed et Marfaing étaient venus l'accueillir pour prendre des nouvelles de Si Mabrouk, un voyageur français confiant à sa femme : « Pour que Marfaing se soit déplacé avec le caïd, ça doit être une fille de grande famille, mais je ne vois toujours pas pourquoi, *un*, elle voyage sans son mari, *deux*, pourquoi ce même mari l'autorise à lire Rousseau. — Moi, on m'a toujours recommandé de ne pas le lire, avait dit la femme, il paraît que cette *Nouvelle Héloïse* c'est plein de vice. »

À la ferme il faisait froid, Rania ne supportait pas l'odeur des poêles à pétrole, elle lisait devant la cheminée, vêtue d'un burnous en poil de chameau dont elle rabattait même parfois la capuche, elle ne relevait la tête que pour se faire des idées sombres, se rabrouait... c'est l'inaction qui me donne froid, *tâla laylî min hubbîn man lâ arâhu muqâribî*, ma nuit s'allonge, celui que j'aime n'est pas à mon côté...

Elle sortait le plus souvent possible, marchait dans la campagne, devant la charrette anglaise, se souvenant une fois que Gabrielle lui avait dit « marcher pour marcher, sans obligation, c'est une invention d'Européens riches », elle était souvent au bord des larmes, puis sa respiration devenait plus ample, elle s'absorbait dans les plantes qu'elle regardait, mais ce n'était pas un simple spectacle, tout lui rappelait des gestes à faire, sarcler, arracher, redresser, dépierrer, creuser, creuser les seguias surtout, on les laissait sans soin pendant deux semaines sous prétexte que c'était l'hiver et elles s'encombraient de terre et de sable, il y a des siècles un paysan avait dû remettre la tâche au lendemain et ainsi de suite, et le pays en était mort, pendant des siècles, pas complètement, ils s'étaient gardé de quoi survivre, mais pas de quoi se relancer dans de vrais travaux, la faute à la religion, disait souvent Raouf dans ses moments les plus critiques, la faute aux Turcs, la faute à la tyrannie, la faute aux paysans eux-mêmes, la faute de personne et la faute de tous, et quelqu'un finissait toujours par dire que c'était écrit dans le grand livre des choses immuables, elle se souvenait d'une parole de Ganthier à son oncle (certains souvenirs lui faisaient détester Ganthier) : « Dans ce pays on n'a même pas été capable d'inventer le manche à balai, comme si une femme courbée jusqu'au sol, balayette en main, était le summum des activités humaines ! » Son oncle l'avait en riant traité de raciste : « Vous avez mis des siècles à inventer le licol et vous nous reprochez notre lenteur ! »

Au bout d'un mois Rania était remontée voir son père, elle avait aussitôt demandé à l'une des infirmières s'il lui arrivait de changer de blouse, et fait remarquer au médecin de famille qu'il ne passait plus que tous les trois ou quatre jours, vous connaissez mon père, il faut qu'il sente que le gendarme va venir ! Le médecin était accompagné d'un jeune homme au visage empourpré qu'il avait présenté comme l'assistant du professeur de cardiologie, le jeune homme était resté silencieux. Une servante de son père était entrée avec du thé, où est le sucre ? avait demandé Rania, dans le thé avait dit la servante, Rania avait goûté, c'était un véritable sirop, elle avait parlé à voix froide, il y avait une consigne, le thé devait être servi non sucré, et mon père peut mettre un demi-morceau dans son verre, rien de plus, la servante avait baissé la tête, tu sais bien qu'en plus le sucre ça donne faim, *hchouma*, avait ajouté Rania, pour se contenter de faire honte à la servante, celle-ci avait relevé la tête, regardé Rania dans les yeux et Rania avait parfaitement lu ce qu'il y avait dans ce regard et dans les deux secondes de trop qu'il avait passé à la scruter, il n'était plus question de sucre, mais d'un visage sans voile devant deux étrangers… Plus tard Rania avait pris la servante à part, elle lui avait dit : ces gens-là sont des docteurs, ils voient bien d'autres choses que des visages… et toi tu retournes au bled ! Si Mabrouk avait essayé de défendre la servante, Rania avait demandé de quoi était chargée cette femme dans la maison, « je peux très vite le savoir, tu sais, quand on donne des leçons on a souvent des choses à cacher, elle retourne au bled et si jamais elle revient je le saurai très vite, il faut retrouver ta santé, pas la détruire ».

En vingt-quatre heures le bon rythme était revenu et elle avait pu commencer à parler à son père, elle avait peut-être déniché un prétendant. « Toi ? toute seule ? si vite ? — Avec l'aide d'une femme d'ici, une tante de Raouf, une tante éloignée. — Tu t'es servie d'une marieuse ? tu ne vas pas me dire qu'en plus tu es allée faire des offrandes à un marabout ? » Rania n'avait relevé aucune des ironies de son père, elle avait poursuivi, c'était un homme de bonne famille, trente-six ans, oui, encore célibataire. « Pas marié à trente-six ans ? » Pour Si Mabrouk il pouvait y avoir un vice caché, cette fille si méfiante allait finir chez un client de bordel, ou alors… il se souvint d'une histoire qui courait dans la capitale, un père de famille qui ne voulait pas d'un gendre choisi par sa femme, et qui avait trouvé un moyen infaillible de l'éconduire, il avait exigé de cet homme un certificat médical attestant qu'il n'était pas un homosexuel passif, Si Mabrouk se garda de dire à sa fille pourquoi il souriait, elle prit cela pour de l'indulgence, en profita pour dire qu'à trente-six ans les hommes ont une histoire, et dans ce cas-là c'était probablement une histoire de premier mariage raté, les poumons de la fiancée. « Des fiançailles ou un mariage ? avait demandé le père, ça n'est pas tout à fait la même chose ! » Rania se rendit compte qu'elle n'avait pas plus de précision, ça étonnait Si Mabrouk : « Je t'ai connue plus soupçonneuse… bon, continue ! » L'homme n'avait pas été atteint par la maladie, il était en bonne santé, et… « Et il faut être prudent », avait dit Si Mabrouk. Dès le lendemain il avait fait prendre des renseignements : un négociant de la capitale, importateur de machines agricoles françaises. « Un métier d'avenir, avait dit Si Mabrouk, chaque machine met dans la misère une trentaine de familles ! — Mais ça augmente les rendements, avait dit Rania, ça fait plus de nourriture à proposer aux gens, donc… »

Elle s'était interrompue, son père n'avait pas besoin d'un cours d'économie, d'ailleurs il connaissait la suite, si on voulait survivre il fallait exploiter comme les Français et même mieux, on pouvait appeler ça une malédiction ou jeter la malédiction aux orties et avancer. Rania se forçait à penser à des choses pratiques, qui tenaient ses larmes à distance, elle voulait profiter de son séjour dans le Nord pour faire des achats à l'élevage des Pères Blancs, des religieux français qui faisaient des croisements dont on commençait à parler, elle avait repéré un animal qui faisait presque une tonne, un zébu d'un beau poil gris clair, aux yeux très vifs, il avait fait vibrer sa peau avec une telle force que pas une mouche, pas un taon n'avait pu y rester posé, et il s'était éloigné avec la majesté d'un fauve. Rania voulait jouer sur trois choses : du gros bétail résistant à la sécheresse, des machines pour les céréales et beaucoup de main-d'œuvre pour les oliviers, les amandiers, les fruitiers, les légumes, la bonne qualité… Dans la capitale la demande était de plus en plus forte. Si les Pères Blancs avaient été surpris d'avoir affaire à une femme, ils ne l'avaient pas trop marqué.

Le prétendant avait aussi la réputation d'être autoritaire et âpre au gain, ça avait étonné Si Mabrouk, l'intérêt de sa fille pour un homme pareil. À mots couverts Rania avait dit qu'il était temps pour elle d'accepter le monde tel qu'il était, « et tu sais bien que j'aime le progrès ». Le père en avait parlé à Taïeb comme s'il avait lui-même fait la trouvaille, mais Taïeb avait vite compris : ça venait de sa sœur, il n'avait pas aimé ce projet, ce prétendant était un moderniste, il avait déjà cherché à épouser une femme moderne, ça avait provoqué une catastrophe, il voulait recommencer, ça allait faire le pire des couples, avec les pires conséquences sur la réputation de la famille, Taïeb avait fait exprès de mettre en doute la santé de cet homme, la tuberculose… ou peut-être autre chose, il avait eu l'air réjoui en disant ça à Rania. De toute façon, avait-elle répliqué, un tiers des hommes de ce pays sont syphilitiques, et elle était aussitôt sortie de la chambre de leur père.

Taïeb avait rencontré le prétendant comme par hasard, chez le coiffeur, un Italien qui s'était installé dans le lieu le plus couru de la ville européenne, une galerie commerciale à l'intérieur d'un pâté d'immeubles, on y avait des impressions de ville ancienne, l'absence de ciel, l'étroitesse des passages, mais avec les effets éclatants de l'électricité et des vitrines à la française, un bon endroit pour une rencontre fortuite, deux hommes qui discutent assis côte à côte dans un coin, chez le coiffeur. «Tu sais ce que c'est qu'une veuve, elle prétendra en savoir plus que toi…» Taïeb avait aussi précisé que sa sœur ne disposerait pas de beaucoup de bien : «Tu vas l'acheter très cher, mais elle rapportera peu, nous ne sommes pas si riches, et quand je serai devenu chef de famille je ne serai pas en mesure de vous aider.»

L'homme ne s'était guère livré, et Taïeb était allé dire à son père que ce prétendant ne pensait qu'à l'argent : «Il croit que tu vas me léser pour établir ma sœur, dis-lui que c'est faux!» Taïeb évitait d'ajouter *tu n'en as d'ailleurs pas le pouvoir*. À part cette intervention intempestive de Taïeb, les choses ne se disaient pas directement, elles étaient rapportées par les marieuses qui faisaient le va-et-vient entre les familles, le prétendant était indécis, et le frère et la sœur s'affrontaient en ayant soin de ne pas trop harceler Si Mabrouk. Ce prétendant s'était fait rouler dans son premier mariage, tout le monde le savait, et dès que le second mariage serait officiellement annoncé on allait se demander pourquoi Si Mabrouk avait accepté pour gendre un homme de seconde main, comme disent les Français.

«Tu connais les gens, disait Taïeb à sa sœur, pour le moment ils ne mordent pas, mais dès qu'ils seront sûrs ils vont se déchaîner, ils vont te mettre sur le même plan que la précédente, ils vont raconter que cet homme a l'habitude des femmes… (Taïeb avait cherché un mot en plissant le front)… des femmes imparfaites», et il avait enchaîné à voix rapide avant que sa sœur ait eu le temps de réagir : « C'est ce que tu veux qu'on dise de nous ? que nous avons bradé une femme imparfaite ? » On sentait qu'il jouissait de ces mots, il ne les faisait pas siens, certes, il regrettait même d'avoir à les employer, mais telle était la vie, il parlait en ayant soin de rester à deux mètres au moins de sa sœur : « Entends-moi, ne va pas prétendre que je t'insulte, je dis que c'est ce que vont raconter les gens, ce que tu vas devenir dans l'opinion, si tu épouses un homme sans réputation tu vas perdre la tienne, il n'aura pas besoin de te cloîtrer, c'est toi qui n'oseras plus sortir, tu veux vraiment qu'on en parle à notre père ? » La défense de Rania mollissait, puis elle repartait dans sa défense de l'importateur, et Si Mabrouk s'inquiétait.

Pour contrer sa sœur, Taïeb s'était empressé de parler d'un autre prétendant, qu'il gardait jusque-là dans l'ombre, un professeur de théologie, une belle réputation dans son quartier, souvent appelé à diriger la prière, mais pas du tout un imam passéiste, parfois même vêtu à l'européenne, parlant bien le français, mais intransigeant sur la vraie religion, et Rania avait à son tour fait prendre des renseignements sur cet homme, elle avait vite eu de quoi s'inquiéter, il était vraiment vertueux, pas d'alcool, pas d'aventures, un homme né à la campagne, un croyant, resté honnête, comment son frère avait-il réussi à dénicher cette espèce rare ? Elle en arrivait à prêter à Taïeb l'intelligence qu'elle lui déniait depuis des années. En voyant les paupières de Rania s'alourdir de lassitude, la marieuse lui avait dit : « Je vais continuer à me renseigner sur cet homme, je trouverai, ma fille, je trouverai, tous les chameaux ont une bosse. »

29

KINDER DES VATERLANDS

Ils étaient repartis tous les quatre en train vers l'Allemagne, dans la Rhénanie occupée par les troupes françaises depuis la victoire. À Baden-Baden ils s'étaient dégourdi les jambes en attendant leur correspondance pour Mayenburg. L'avenue principale de la ville était un mélange de belles vitrines et de passants faméliques. De temps en temps on voyait une file d'attente devant une boutique, des visages fermés, quelques éclats de voix, pas longtemps, comme si personne n'avait la force de poursuivre, «Ou plutôt, disait Ganthier, comme si la faim n'était pas capable de détruire leur sens de la discipline.»

Un peu plus tard, alors qu'ils revenaient vers la gare, ils virent un groupe d'hommes marcher derrière un drapeau ; un nouvel emblème nationaliste, avait dit Gabrielle, la croix gammée. Une patrouille de soldats français fit son apparition et les manifestants disparurent. À gauche de la gare, dans une ruelle, se tenaient une dizaine de femmes en bottes à lacets. «Elles ont toutes les mêmes bottes, pourquoi ? — Parce que c'est le signe de leur spécialité, répondit Gabrielle à Raouf. — Je ne comprends pas… — Leur spécialité, ce sont les coups de fouet.» Et Ganthier, sans regarder Gabrielle : «Elles, au moins, elles font ça pour de l'argent.» Sur la chaussée, la neige tournait en soupe gris foncé. Devant la gare, des palefreniers relevaient un cheval tombé devant sa charrette, ils avaient fini de le dételer, tentaient de le faire monter sur la plate-forme d'un camion, le cheval avait retrouvé de l'énergie, il résistait. «Le camion doit puer l'abattoir», dit Ganthier. Un des palefreniers avait réussi à passer une boucle autour d'une oreille du cheval, il la serrait, et la douleur empêchait maintenant l'animal de se cabrer.

Ils avaient repris le train. Ils étaient arrivés à Mayenburg le 10 janvier, toujours en Rhénanie sous occupation française. Leur hôtel donnait sur une Schiller Platz. Ils s'étaient promenés en fin d'après-midi dans le quartier, des enfilades de grandes maisons bourgeoises, entre érables et sapins. Ganthier avait pointé le doigt vers les façades à double balcon : «Et ils racontent qu'ils sont trop pauvres pour payer leurs dettes de guerre !» Les passants les regardaient avec froideur, les militaires français étaient nombreux dans les rues, certains officiers forçaient les Allemands à quitter le trottoir sur leur passage. «Ici aussi, ils exercent la prépondérance ?» avait demandé Raouf. Ganthier n'avait rien dit.

Ils avaient dîné dans une grande brasserie sur la place. Le maître d'hôtel leur avait annoncé qu'en raison de la crise, elle-même due à une série de causes échappant à la bonne volonté du pays, et dont on ne voyait pas trop comment on se sortirait un jour, c'était malheureusement, midi et soir, un plat unique qui devait être servi. Gabrielle et Ganthier avaient traduit, Ganthier avait commenté : «Un plat unique, patates et viande en saucisse ! tout est saucisse dans ce pays... leurs femmes sont des saucisses ! même leurs phrases, c'est de la saucisse !» Ganthier savait que Gabrielle n'aimerait pas cette réflexion, il l'avait fait exprès. À la table d'à côté, trois hommes, la cinquantaine passée, discutaient devant des bières. S'apercevant que Gabrielle et Ganthier parlaient leur langue, ils avaient entrepris d'expliquer l'Allemagne à ces envahisseurs sans uniforme : «Bienvenue au pays où le ciel, la terre et l'enfer sont enfin réunis !» La conversation était ralentie par la traduction qu'on donnait à Kathryn et Raouf, les trois Allemands se faisant un plaisir de regarder Kathryn pendant qu'on lui résumait ce qui venait d'être dit, puis reprenant à voix enjouée : pour nous comprendre il faut d'abord comprendre ce qu'est le *Gemüt* (deux des hommes se mettaient la main sur la poitrine, le troisième pointait le doigt vers le plafond), c'est le cœur, le cœur naturellement orienté vers le bien, vers l'idéal, *Gemüt*, et la *Gemütlichkeit*, l'état de ce qui est bon et calme, qu'on retrouve chez soi, dans une maison douce, n'oubliez jamais qu'une des premières histoires que l'on raconte aux enfants d'Allemagne c'est celle d'une maison en sucre et pain d'épice !

Ganthier gardait pour lui ses réflexions sur la douceur allemande… Mais la douceur, continuait leur interlocuteur, comporte un risque, n'est-ce pas ? le risque de s'amollir, la paresse nous guette, la preuve c'est que nous avons plusieurs mots rien que pour dire la paresse, *Bequemlichkeit*, *Müßigkeit*, *Untätigkeit*, et l'apathie, *Gefühllosigkeit*, et surtout… la *Leidenschaftslosigkeit*, oui, c'est à partir de six syllabes que nos mots atteignent le cœur des choses, la *Leidenschaftslosigkeit*, le manque de passion… étant entendu que la passion c'est la souffrance, *Leiden*, qu'on éprouve dans la passion, mais chez nous le manque de cette souffrance est plus douloureux que la souffrance elle-même ! Heureusement, face à ce manque, nous avons au fond de notre être de quoi nous maintenir en alerte, quelque chose que vous traduiriez au contraire par une demi-douzaine de mots différents, disait un des Allemands qui parlait mieux le français qu'il n'avait d'abord voulu le montrer : inquiétude, anxiété, affolement, nervosité, agitation… des mots divers alors que chez nous… l'homme serrait le poing devant son visage, chez nous c'est un mot racine, la *Unruhe*… le grand trouble, le grand émoi, qui combat le manque de passion, et qui est l'une des deux montures indissociables de l'attelage sur lequel nous partons à la rencontre de la *Wirklich-keit*, la réalité, oui vous avez raison, *Unruhe* n'est pas un mot racine, la racine c'est le calme, *Ruhe*, mais c'est notre paradoxe allemand, le mot composé est devenu comme une racine, parce que ce qui est premier chez nous c'est la *Unruhe*, et la *Ruhe* nous ne l'obtenons qu'ensuite, grâce à l'autre monture de notre attelage, inséparable donc de la *Unruhe*, cette autre monture c'est l'*Ordnung*, bien sûr, l'autre moitié de la vie, l'ordre, l'*Ordnung* étant aussi la règle qui permet de mettre en ordre, *Unruhe und Ordnung*… et nous voilà partis derrière cet attelage pour affronter la réalité, dont le choc réveille en nous devinez quoi… le *Streben*! l'aspiration, la poursuite, la quête, l'ambition, en un mot? l'élan! mais pas n'importe quel élan, pas anarchique, le *Streben nach Vollkommenheit*, l'élan vers la perfection… nous sommes compliqués, n'est-ce pas?

La conversation avait duré longtemps, Ganthier défendant de son côté ce qu'il appelait la clarté française contre le grand tumulte allemand : tous vos mots qui se terminent en *keit* ou *heit*… vous confondez la rime et la raison, le français au contraire c'est la langue de la raison, Ganthier citant Rivarol, la clarté… sujet, verbe, complément… l'ordre direct… les passions peuvent nous bouleverser mais la syntaxe du français est inaltérable !

Les répliques et les idées s'enchaînaient, dans l'ivresse d'un entre-deux-mondes partagé et soudain plus attachant que chaque monde pris à part, on se découvrait soi-même étrange face à l'autre, comme dans un vertige, et Kathryn avait fini par confier que son grand-père maternel était né à Kiel. Les Allemands l'avaient félicitée, elle avait répondu que c'était comme toutes les naissances, un hasard, et qu'on n'a pas besoin de féliciter le hasard. On avait changé de sujet, on restait dans la chaleur des échanges, à force de tournées de bière. Au fond de la salle un petit homme rond tracassait un piano.

Au matin, Raouf s'était réveillé en sursaut. Un vacarme dehors, des cris qui montaient jusqu'aux fenêtres du quatrième étage, des mots en allemand d'abord, puis d'autres en français, très brefs ceux-là. Il avait commencé à ouvrir les volets, Kathryn était venue poser sa main sur la sienne, disant : « Fais attention, je n'aime pas ça. » Il s'était contenté de jeter un œil par l'entrebâillement. Gabrielle les avait rejoints, elle avait à son tour empêché Raouf d'ouvrir plus grand les volets : « Les balles perdues ça adore les spectateurs. » Raouf avait quand même pu voir des gens qui se regroupaient à gauche et à droite de la statue de Schiller, des civils, de plus en plus nombreux, un mélange de chapeaux bourgeois et de casquettes d'ouvriers ou d'étudiants. Il y avait aussi des femmes. Devant le groupe, un grand vide, puis des lignes épaisses, des rangées de soldats, casqués, en manteau bleu.

On avait frappé à la porte de la chambre et Raouf était allé ouvrir, c'était Ganthier, sur son trente et un, alors que les trois autres étaient encore en pyjama. Ganthier avait eu l'air soupçonneux puis il s'était lui aussi mis à observer, par une autre fenêtre. La veille, le colonel commandant la garnison française lui avait dit : « Demain ça va barder, alors votre bicot, il garde la chambre, sinon on l'embarque, et ça vaut aussi pour l'Américaine, d'ailleurs, autorisation ou pas, vous ne devriez même plus être là. » Puis le ton du militaire s'était radouci : « Si au moins vous pouviez… un tant soit peu… contrôler… madame Conti, nous vous en serions reconnaissants. » Ganthier avait hoché la tête, les militaires n'aiment pas les journalistes, surtout quand ce sont des femmes.

Le « ça va barder » du colonel, c'était l'annonce que l'armée française, en ce début janvier 23, ne se contentait plus d'occuper la Rhénanie mais prenait possession de toute la Ruhr, des mines et des aciéries du pays. L'officier avait ajouté : « Vous connaissez

leur adage ? "Il faut laisser pourrir ce qu'on ne peut pas tenir"…
Eh bien, ils ont signé un traité en 1918, et ils vont la tenir, leur
signature, sans moufter ! » À la fin de sa phrase, il avait failli
faire claquer sa badine sur le haut de sa botte ; il faisait souvent
ça avec les civils, mais il s'était souvenu que Ganthier avait lui
aussi fait quatre années de guerre.

Les cris montaient de plus en plus fort de la place, des cris
isolés, puis scandés, en chœur. On parvenait à en saisir quelques-
uns, « *Soldaten raus ! Franzosen raus !* » et Gabrielle leur en
traduisait d'autres, *Besatzung*, ça voulait dire l'occupation. Les
manifestants se serraient les uns contre les autres. « Ce sont
des gens qui ont l'habitude de manifester, dit Gabrielle, ils font
bloc. — Oui, dit Ganthier, la bouche empâtée par les bières de
la veille, ils passent leur temps à ça depuis la fin de la guerre, on
devrait tout de suite y aller à coups de crosse, sinon il faudra tirer
dans le tas ! » Raouf d'une voix neutre : « Comme chez nous ? »
Il y eut d'autres ordres en français, les soldats reculant de trois
pas. « Ça va peut-être se calmer, dit Gabrielle. — M'étonnerait,
dit Ganthier, et nos soldats ne devraient pas reculer. » Les com-
mandements continuaient à claquer, des bruits de pas rapides,
d'autres soldats avaient fait irruption sur la place, occupant l'espace libéré au premier rang, face aux manifestants. « La surprise
du chef ! » dit Ganthier, et Raouf : « Ce sont des spahis. » Ganthier reprenant, à voix grinçante : « Oui, les Allemands adorent
se faire taper dessus par des coloniaux, et quand on veut vraiment les énerver on leur envoie nos Sénégalais, mais ce matin
ils doivent déjà tous être dans la Ruhr. »

Sur la place, les officiers de spahis marchaient de long en
large devant des hommes qui avaient été enrôlés bon gré mal
gré dans une tribu de montagne au sud de la Méditerranée, et qui
se tenaient maintenant au port d'arme sur la ligne où depuis des
siècles s'affrontaient les descendants d'autres tribus, elles-mêmes

venues non pas du sud, mais du nord et de l'est, les avant-der-
niers arrivés, les Francs, s'étant retournés contre la vague suivante, les Germains, Kathryn disant d'une voix émue : « Ils ne
vont quand même pas tirer ? Ces manifestants n'ont pas d'armes,
si on leur tire dessus, je suis prête à témoigner qu'ils n'avaient
pas d'armes ! » Et Ganthier : « Comme ça, vous pourrez aussi
expliquer à une vingtaine de reporters américains ce que vous
faisiez dans cet hôtel... »

Il regardait la place, s'imaginait à côté d'un des officiers du
premier rang, deux grandes tribus, les Francs et les Germains,
les Francs étant eux-mêmes d'anciens Germains qui ne voulaient
surtout plus entendre parler de cette origine commune, deux
groupes qui avaient raffiné au fil des siècles leurs raisons de se
massacrer, frontière, trône, église, réformée ou pas, jusqu'à se
crisper derrière deux mots qui claquaient plus fort que tout, la
Patrie et le *Vaterland*, Ganthier ajoutant : « Bien sûr, ces gens
qui gueulent sont des patriotes, mais il y a des moments où le
patriotisme c'est d'accepter sa défaite », les deux mots patrie et
Vaterland ayant ensuite laissé le premier rôle à des idoles jugées
encore plus efficaces, la *Kultur* pour les gens du nord-est, et la
civilisation pour leurs adversaires de l'ouest, idoles au nom desquelles s'était organisé le dernier massacre, Raouf regardant la
statue de Schiller : « Et ceux-là aussi vous allez dire que vous
êtes là pour les civiliser ? » Les deux tribus se retrouvant comme
d'habitude au bord du Rhin, cinq ans après la paix, dans un face-
à-face que commentait la voix sèche de Gabrielle : « C'est Poincaré qui veut ça... pour obliger les Allemands à payer... et ils ne
pourront pas payer... »

Ganthier ne disait rien, de toute façon il se moquait bien de
Poincaré en ce moment, Raouf et les deux femmes en pyjama
dans la même chambre... un coup d'œil vers le grand lit, qui
était comme fait, les couettes bien lisses, Raouf et Kathryn, oui,

bien sûr, et c'était même stupide de payer deux chambres, mais
Gabrielle? qu'est-ce qu'elle foutait là? sur un des fauteuils il y
avait une robe de chambre, la sienne? mise pour circuler dans
le couloir et venir jusqu'ici? enlevée ensuite? le pyjama de
Gabrielle était un lamé gris, le même qu'à Paris, elle le remplissait toujours aussi bien, Ganthier la voyait de profil, appétissante,
elle est toujours à la limite de l'embonpoint mais jamais au-delà,
comment fait-elle?

Gabrielle penchait la tête dans l'entrebâillement des volets,
elle sentit le regard de Ganthier, se tourna, lui sourit, comme
pour faire la paix, revint au spectacle de la place, prenant des
notes sans s'arrêter, comme un œil sans paupières, la foule de
boutiquiers ou de fonctionnaires en costume, des gens en tablier
gris, des chômeurs, à quoi reconnaît-on un chômeur? à ses
gestes? plus violents? une mère et quatre gosses, dont un dans
les bras, des ouvriers, des gens mal réveillés, une foule qui pouvait devenir un vrai témoignage aux yeux non pas des Français
et des Belges que les Français traînaient partout avec eux pour
pouvoir parler de «troupes alliées», mais aux yeux des Anglais
et des Américains qui ne voulaient pas de cette invasion... les
Anglo-Saxons dont les Bourses de Londres et New York ne tar-
deraient pas à faire sentir aux Français qu'ils avaient fait une
bêtise... comme le pronostiquaient depuis quelques semaines les
journaux allemands, en ajoutant avec une joie sinistre qu'ainsi le
mark ne serait plus la seule monnaie à plonger.

Les slogans et le martèlement faisaient de plus en plus vibrer
les vitres de la troisième fenêtre restée fermée, un parfum flottait
dans la chambre, Ganthier hésitait, un Chanel, celui de Kathryn?
ou de Gabrielle? Gabrielle avait dû mettre le parfum dans sa
chambre avant de venir rejoindre ces deux-là, oui, mais elle avait
aussi pu l'emprunter à Kathryn... au point où elles en étaient
elles pouvaient aussi se prêter leurs parfums, ce petit salaud avait

dû leur servir de jouet toute la nuit, il avait appris à vivre avec son temps.

Des chants avaient succédé aux cris, une cacophonie, aucun chant ne l'emportant sur les autres. «J'aurais cru qu'ils savaient chanter en chœur, ici», dit Kathryn. Comme en riposte aux chants, des cris d'officiers avaient provoqué des éclats de métal, les baïonnettes au canon, des clameurs d'indignation s'étaient mêlées aux chants, les manifestants avaient serré les rangs, un chant passant soudain au-dessus des autres, Gabrielle disant : «C'est *Die Wacht am Rhein*, "La Garde sur le Rhin"...» En arrière-plan on entendait aussi des bribes de *L'Internationale*, Ganthier s'était reculé, il voyait Raouf et les deux femmes de dos. Il avait sorti un papier de sa poche : «Ils font les fiers-à-bras, les boches, mais c'est du courage d'épiderme, ils savent ce qui les attend!» Il avait déplié le papier, c'était une proclamation bilingue de l'état-major français, en grosses lettres, la promesse de tir sans sommation pour tout attroupement, et la peine de mort pour tout acte de sabotage, avec ou sans victimes, et couvre-feu à cinq heures du soir. Ganthier ricanant : «*Ach!* fini les cinq à sept, vous vous rendez compte, l'amant tout excité de ce qu'il va faire avec sa belle, il sonne chez *Frau* Machin, à cinq heures cinq, et pan! il se fait tirer dans le dos, comme un vulgaire saboteur!» La voix de Ganthier en avait après tous les amants du pays. Il avait regardé à nouveau à travers le volet, et murmuré : «On va leur fabriquer quelques cadavres...»

Et soudain il n'y eut plus qu'un chant, qui faisait taire tous les autres, un air encore plus guerrier, *La Marseillaise*, les soldats français qui répliquaient, la belle montée en mesure à quatre temps de *La Marseillaise*, un vrai chœur, la Patrie faisait taire le *Vaterland*, «Allons enfants»... non... c'était de l'allemand, pas les soldats français qui chantaient mais les civils, qu'est-ce qui pouvait ressembler à *La Marseillaise*? un chant du dix-neuvième siècle? «Non, c'est bien *La Marseillaise*, en allemand», dit Gabrielle, elle s'était mise à traduire, *Kinder des Vaterlands*, enfants de la patrie, *Tyrannei blutiges Banner*... l'étendard sanglant... Les Allemands avaient déjà chanté *La Marseillaise* contre leurs rois et leurs princes en 1848, mais cette fois c'était en face des Français qu'ils le faisaient, des voix fortes, qui s'accordaient de mieux en mieux. Les gens n'avançaient pas, ils chantaient en tapant du pied sur les pavés, Raouf s'était mis à rire : «Un chant contre la tyrannie? aujourd'hui? dans le grand empire français? il faut vite l'interdire!» En face des civils, les soldats s'agitaient, une voix criant «salauds!», une autre «on va vous la mettre, *La Marseillaise*!». Un officier avait crié à son tour, les soldats s'étaient tus. En face, les manifestants en étaient au refrain, *Zu den Waffen*..., en martelant le sol encore plus fortement. Cris d'officiers, suivis de bruits de culasse, puis d'un grondement, une espèce d'énorme cercueil en métal gris avait surgi, sur quatre roues, surmonté à l'arrière d'un front percé de deux fentes horizontales qui encadraient un tube noir dirigé vers l'avant, une automitrailleuse semblable à celles qu'on voyait parfois sortir de la caserne de Nahbès pour une patrouille vers le sud. «Ce sera notre plus belle réussite, dit Gabrielle, des Allemands qui chantent *La Marseillaise* cinq ans après la victoire!» Elle regardait à l'extérieur, une main posée sur l'épaule de Kathryn, Raouf se disant qu'elle essayait des phrases pour son article, elle continuait : «Les Allemands nous chantent la révolution que nous ne faisons plus!»

Raouf lui demanda si elle croyait que les Allemands allaient vraiment s'insurger. C'est Ganthier qui répondit : «Vaudrait mieux pas... et puis qu'est-ce que vous leur trouvez d'intéressant? — Ils résistent à une occupation étrangère... vous me dénoncez si j'avoue que ce matin je me sens un peu allemand? — Oh, si ça vous plaît, vous pouvez même descendre dans la rue, gueuler avec eux, vous savez comment on dit "une tâche impossible" ici ? on dit "laver un Maure", on verra bien le sort qu'ils vous réservent ! »

De la place montaient maintenant des notes de clairon, et Ganthier tout en regardant par l'entrebâillement : « N'oubliez pas que vous feriez aussi un bel agent provocateur ! » Les soldats avançaient, un, puis deux pas. Gabrielle écrivait sur son calepin. En face des soldats, les manifestants s'étaient encore plus serrés les uns contre les autres. Raouf ne comprenait pas, les soldats allaient tirer, ces hommes auraient dû au contraire s'espacer. « Oui, dit Ganthier, mais au combat l'épaule du camarade ça aide à tenir. — Ils vont se faire tuer, pourquoi ? » demanda Kathryn. Ganthier répondit que c'était pour oublier qu'ils avaient été vaincus. « Non, dit Gabrielle, c'est parce qu'ils ne veulent pas être les seuls à payer une guerre que tout le monde a voulue. — On peut manifester quand on est impuissant, chez nous à Nahbès ça s'appelle un baroud d'honneur ! » Ganthier avait fait exprès de dire *chez nous*, pour énerver Raouf.

Ils avaient dû empêcher Kathryn de descendre s'interposer sur la place. Un autre chant était monté, le *Deutschland über alles*. Ganthier disant : « Regardez, ils reculent, ils chantent leur hymne pour pouvoir reculer, ils s'en vont, vos résistants, ils se retirent comme l'eau d'un évier ! — Ils ont raison, dit Gabrielle, les vivants, ça devient rare. » Les civils quittaient la place en chantant, certains tendaient le poing vers l'automitrailleuse. Raouf à Ganthier : « Cette occupation, c'est plus agréable pour vous que la guerre, cette fois ils n'ont plus d'armée. — Oui, répondit Ganthier, et ça nous a coûté assez cher, maintenant il faut qu'ils paient ! » Le tranchant de sa main avait fendu l'air. Il ne regardait pas Gabrielle, mais il savait qu'elle écoutait. En parlant à Raouf, c'est elle qu'il cherchait à heurter.

30

POUR UN VERGER

À Nahbès, Belkhodja avait longtemps cru que Si Ahmed serait sa chance, et voilà qu'il devenait lui-même la chance de Si Ahmed, il pouvait poser ses conditions. Si Ahmed se contentait de raconter l'histoire de son huile, comme un dévot de l'amour raconte le corps de sa belle, Belkhodja n'osait secouer la tête, ou plutôt il le faisait à tout petits coups, en signe d'étonnement bienveillant, mais pour lui il était impossible de consacrer autant de temps et de scrupule à des détails que personne ne pouvait remarquer, la finesse du concassage, le poids de la meule, la qualité du mulet, les filtres du pressoir, et la qualité des bras des hommes au pressoir ! les Français ont une expression pour ça, et Belkhodja demandait dans sa tête pardon à Dieu d'utiliser une expression pareille, mais elle convenait bien à ce que faisait Si Ahmed, de la « confiture pour les cochons », à vrai dire il n'utilisait pas ces mots devant le caïd, ni devant personne, il la pensait, juste avant de demander pardon à Dieu, et cela lui donnait la force méprisante de faire tous les calculs dans lesquels Si Ahmed était toujours perdant, une perte que lui valait son comportement de fournisseur pour cochons. Tout en écoutant parler le caïd, Belkhodja réfléchissait, *acheter toute cette huile, une traite à six mois, il acceptera, il a besoin d'argent, tout comme moi, plus que moi, sa voiture il faut qu'il la paie, s'il la*

rend il va perdre son crédit, alors que c'est un homme qui peut
encore acheter à la criée sur un battement de paupières, et il y
a les ennuis de son fils, le voyage en Europe pour que ce chacal
revienne avec un poil tout neuf, ça en fait de l'argent, Belkhodja
tenait Si Ahmed, il suffisait de bien négocier la traite.

Un jour il avait osé demander au caïd s'il comptait vendre son
huile, et la force de Si Ahmed, ç'avait été de ne pas trop faire
attendre la réponse, il y a toujours un moment dans les affaires
où il faut donner à l'autre un avant-goût de victoire, pour éviter qu'il se lasse de ses rêves et qu'il se mette à faire de vrais
calculs. « Peut-être, avait dit Si Ahmed, le regard absent, les
temps sont difficiles. » C'était une moitié d'aveu, l'hypothèse
de Belkhodja était la bonne, si le caïd vendait au marché de gros
il ne ferait pas beaucoup de bénéfice, et il avait sans doute déjà
un ou deux créanciers sur ce marché, il était fatigué, il n'aurait
pas la patience de vendre au détail, il devait payer le voyage de
son fils et les bakchichs à la police française, et la voiture, et s'il
se mettait à vendre au détail tout le monde allait dire qu'il était
aux abois.

Belkhodja avait passé plusieurs jours sur les marchés, l'huile
en gros, au détail, combien coûtait la meilleure huile chez l'épicier, en bidons de trois litres, combien coûterait une mise en
bidons de trois litres, combien paierait un épicier pour vingt
bidons, ou même des bouteilles, un litre, non, trois quarts,
comme le vin, au prix du litre, combien valait une bouteille ?
la bouteille c'était plus compliqué, mais un prix de revient bien
meilleur, et pourquoi ne pas monter vers le nord, à Ghouraq,
deux camions, on pouvait faire une très belle affaire, deux gros
camions de *ghemlali*, mettre en bouteilles à Ghouraq, ou monter directement à la capitale, avec le stock, mettre en bouteilles
là-bas, Si Ahmed l'avait dit, les prix y étaient excellents, un ou
deux mois de vente au détail dans la capitale et Belkhodja rem-

bourserait à la fois ses dettes et Si Ahmed, ou même conclure
avec la Transméditerranéenne, tout vendre à la Transméditerranéenne, avec une commission décente au chef des cuisines,
c'était encore mieux, oui, et pourquoi pas une vente en France?
Belkhodja était retourné chez Si Ahmed, il s'était échauffé, il
s'était mis à faire comme un Français de la métropole, il avait
sauté les étapes, avec l'entrain des affolés, au dernier moment
il avait raccourci le délai de remboursement, une traite à trois
mois, et évoqué un prix d'ami, Si Ahmed avait fait comme s'il
n'avait rien entendu.

Quelques jours plus tard, Belkhodja était venu renouveler
son offre, il s'était assis en face de Si Ahmed, il avait décidé de
ne pas quêter le regard du caïd et il fixait le plus souvent l'un
des murs blancs de la pièce, il s'efforçait de prendre l'air de
celui qui laisse ses calculs plaider pour lui, il allait épargner bien
des fatigues à Si Ahmed, une traite à zéro pour cent, entre bons
musulmans, et sa maison en garantie, c'était une bonne hypothèque, et la force de Si Ahmed ç'avait été de répondre : «Non,
je n'accepterai jamais la maison! Quand on prend la maison, ça
veut dire qu'il n'y a aucune confiance!» Et, dans le silence qui
avait suivi, Belkhodja avait compris qu'il était en train de gagner,
on en était à la confiance. Si Ahmed avait la corde au cou, mais
soudain il avait lancé : «Maudit soit celui qui prive une famille
de son toit!» Un nouveau silence, et Belkhodja avait eu peur, il
avait cessé de calculer, Si Ahmed avait répété *maudit* et il n'avait
pas le ton de celui qui va se calmer pour conclure une affaire, il
s'appuyait sur la crainte du châtiment d'En Haut pour la refuser. Belkhodja en panique, le caïd n'avait pas la réputation d'un
homme pieux, mais quand un impie se met à craindre Dieu il
le craint dix fois plus fort que n'importe quel croyant honnête,
Si Ahmed était en train de lui recommander de faire le pèlerinage : «Tu devrais revenir à l'essentiel, te purifier, vis-à-vis de

Lui (de l'index il montrait le plafond du salon), personne n'osera s'en prendre à tes affaires pendant le pèlerinage. »

Belkhodja avait trouvé l'idée du pèlerinage insultante, il n'avait pas l'âge, il en avait voulu au caïd, il avait décidé d'accélérer, il avait sorti son dernier argument, son verger, la moitié de son verger, un verger de quarante hectares, planté en carré, les arbres bien espacés, les deux puits, toutes les rigoles auxquelles n'échappait pas le moindre morceau de terre, et la grande haie des peupliers qui montaient la garde face au vent de la mer, la dernière chose qui faisait encore de lui un homme de bien, il avait juré à son père de ne jamais s'en séparer, mais une hypothèque n'était pas une vente, pas la maison, mais la moitié du verger, quatre fois le prix de la maison. « Tu en es vraiment au point de gager les arbres de la famille ? » Il y avait de l'inquiétude dans la voix de Si Ahmed, Belkhodja n'avait pas aimé ça, il s'était levé, il n'y avait plus rien à faire, tant pis, au moins il allait cesser d'être ballotté comme la queue d'un coq, il allait sombrer dans sa dette, on saisirait de toute façon ses biens, maison et verger, et le caïd allait plonger de son côté, ils se retrouveraient tous les deux à mendier, alors qu'un marché bien conclu leur aurait permis à chacun de s'en tirer, *mektoub !* Si Ahmed raccompagnant Belkhodja à la porte de sa demeure, ne faisant rien pour le retenir, ajoutant sur le seuil, le visage sombre : « Si je t'aidais ce serait... tu me jures que ce sera la dernière fois ? »

Avant de se rendre compte de ce qu'il faisait, Belkhodja avait juré sur la tête de ses aïeux dont il gageait les arbres, et il avait enfin pu en venir au prix, quantité et prix total, frapper fort, quelque chose entre le prix de gros et le prix de détail, et Si Ahmed s'était rembruni, mouvements de menton, de gauche à droite, il n'avait pas dit non, il avait reparlé de son huile, première pression, Belkhodja avait demandé de quelle quantité il disposait, Si Ahmed ne savait pas exactement, deux cent cinquante, trois cents bidons, mais qu'il compterait le soir même, Belkhodja avait demandé si l'on pouvait envisager quatre cents bidons de cinquante litres, d'un seul coup, vingt mille litres, le ravitaillement de tous les paquebots et hôtels de la Transméditerranéenne au prix fort pour deux ans.

Si Ahmed ne disait pas non, mais il devenait aussi glissant qu'un poisson couvert d'huile, et Belkhodja s'était entendu proposer une traite de vingt-deux mille francs. « Non ! » avait dit Si Ahmed. Belkhodja ne savait plus quoi faire, à vingt mille ç'aurait déjà été trop, il faudrait aller jusqu'à Paris pour faire un vrai bénéfice, il avait prononcé le chiffre en le regrettant, peut-être que la dureté de Si Ahmed était un signe du destin, une porte que le destin ouvrait à Belkhodja pour le sortir du piège où il s'enfermait, car au moment où il avait proposé ces vingt-deux mille il savait qu'il ne réussirait pas à rembourser cette dette avec le bénéfice, même bouteille par bouteille, au meilleur prix, et en mélangeant un peu ; même celui qui fait ses comptes tout seul peut voir un éclair de la vérité, et c'était une offre folle, tout chiffre au-delà de dix-sept mille était une folie, ou alors la Transméditerranéenne, de longues négociations, et il n'aurait d'argent pour lui qu'en ne remboursant pas ses créanciers les plus faibles, Belkhodja devait au plus vite sortir de cette folie, mais il se voyait dans la capitale, dans de nouveaux habits, faisant de nouvelles affaires, bien sûr l'huile ne suffirait pas, mais elle allait rouvrir la porte des affaires, il fallait compter avec les bénéfices à venir des autres affaires, les Allemands, gros acheteurs de tapis, là il s'en sortait, il devait être au plus vite dans la capitale, la Transméditerranéenne, ou alors un accord avec Marseille, non, Paris, directement, une vente en demi-gros à Paris, à la foire de Paris ! ça pouvait multiplier le bénéfice par deux, presque, mais il y avait tous les aléas du transport, vingt mille, ça devenait faisable, non, c'était encore trop, pourquoi avait-il fixé cette somme ? Le marchand sentait sa ruse s'éloigner de lui, il devait renégocier, il s'était levé, avait pris congé, il fallait laisser passer une nuit et repartir sur de nouvelles bases, six mille de moins, et Si Ahmed, sur le seuil, l'avait pris par les épaules et lui avait dit : « Bon, d'accord, vingt-deux mille ! tu sais pourquoi ? parce que nous nous connaissons depuis près de vingt-deux ans, et aussi parce que tu étais là à la naissance de mon fils ! » Les yeux de Si Ahmed brillaient d'émotion, le mouton avait fini par entrer tout seul dans le four.

Belkhodja avait eu peur de perdre mais maintenant sa victoire lui faisait peur, il n'avait presque pas réagi quand Si Ahmed avait précisé que l'hypothèque porterait sur tout le verger, pour ne pas tenter le diable, avait-il ajouté, Belkhodja avait compris que, dans l'esprit de Si Ahmed, le diable risquait de souffler au débiteur qu'il n'aurait pas besoin de rembourser, qu'une saisie sur une moitié de verger, ça n'était pas si grave que ça. Si Ahmed n'hésitait pas à avouer qu'il devait prendre ses précautions, c'était donc une bonne affaire, il ne mentait pas, il vendait seulement cher, pas si cher que ça d'ailleurs, la meilleure huile, Belkhodja n'avait plus senti que la fin de ses efforts. En vendant avec précaution il aurait un bon prix, sans compter les bénéfices qui rentreraient ensuite de la vente des tapis.

Le désir de repartir dans le négoce et ses rêves avaient repris Belkhodja, et la tentation de vendre au plus vite, être dans la capitale sans plus tarder, de bonnes ventes d'huile et de tapis dès le premier jour, des craquements de billets de banque tout neufs dans les mains, et la nuit, la marche dans l'obscurité, les rêves et les paquebots à lancer sur les mers, pour de bon, cette fois, il lui fallait avant tout de l'argent, même si, à Nahbès, même au marché de détail, l'huile, même de cette qualité, ne dépassait pas soixante centimes le litre, il lui fallait de l'argent au plus vite, Belkhodja n'a pensé qu'à la victoire, pas à son prix, il a emporté les bidons de Si Ahmed dans la nuit, deux camions, et il a vendu plusieurs dizaines de bidons à Nahbès, à la criée du lendemain, de quoi payer la location des camions pour monter en vitesse vers le nord et y faire bonne figure, et il allait prendre la route avec ses camions quand un acheteur s'était proposé : tout le lot, en gros ! il avait montré sa liasse à Belkhodja, c'était un habitant de Ghouraq, une ville au nord de Nahbès, quinze mille francs, en vrais billets qui craquaient dans les mains du Ghouraqien, Belkhodja repartant dans ses rêves, décidant de gagner un mois de mise en bouteilles, frais de stockage, marchandages, chasse aux factures, ça n'avait pas de prix, en finir avec cette huile et se retrouver au plus vite au milieu de ses tapis et de ses rêves, l'essentiel était de solder les dettes criantes, pour le reste, s'il pouvait mettre la tête hors de l'eau il saurait nager vers le rivage.

Il avait vendu l'huile au Ghouraqien et, dans la journée, il avait gagné la capitale avec les quinze mille francs en liquide. Il avait remboursé les créanciers les plus pressants, retrouvé ses meilleurs acheteurs, les affaires avaient vite repris, il dépensait beaucoup, les vieux rêves le réclamaient, et les dettes qu'il fallait faire pour les exciter, les choses s'enchaînaient, Belkhodja faisait quelques belles ventes, puis des pertes, lourdes, il sentait toujours craquer les billets mais il en avait de moins en moins, la catastrophe arrivait, il refusait de savoir et il aimait son refus, il aurait peut-être pu réagir si une jouissance plus forte que celle de la drogue, du jeu, des rêves et de l'angoisse n'avait surgi : celle que le berger imprudent, victime d'une crue qu'il aurait pu éviter, éprouve à noyer lui-même ses dernières bêtes.

Au bout de trois mois Belkhodja n'avait pas payé la traite de Si Ahmed qui lui avait dit d'une voix triste : « Le bien est une montée, la ruine est une pente. » Le caïd lui avait donné un mois de plus, mais avec la récolte sur les arbres. Un mois que Belkhodja avait passé en rêveries nocturnes sur le port de la capitale. À la fin du délai, Si Ahmed avait pris possession du verger, un des plus beaux des environs, un verger de trente mille francs, au moins, il l'avait pris juste avant la récolte, il voulait la récolte à cause de la marine française, elle avait beaucoup de bateaux pour faire comprendre aux Italiens et aux Espagnols qu'elle était la plus forte, et il lui fallait des oranges et des citrons sinon, les marins, les dents leur tombent. Si Ahmed avait vendu la récolte à la marine française, un bénéfice net de trois mille francs, quatre fois le prix de la criée, mais de vrais agrumes, au bord de la maturité, et puis il avait dit aux Français qu'ils pouvaient venir cueillir eux-mêmes les fruits sur les arbres, et les marins étaient venus. À la fin de la journée ils avaient même eu le droit de passer par une grande baraque en planches construite à la hâte à l'extérieur du verger et gardée par des gendarmes, cinq minutes pour chaque homme, avec du vin et des cris de femmes. La baraque se voyait, on aurait pu la cacher dans le verger, mais pour Si Ahmed il n'était pas question de souiller son bien.

Quand on a connu toute l'histoire, les gens de Nahbès ont dit que la morale était sauve, Belkhodja n'était qu'un panier percé, il avait même perdu l'argent mis de côté pour son pèlerinage, et, comme il avait un diabète, il ne savait pas si Dieu lui laisserait le temps de retrouver cette somme, Dieu peut un jour décider qu'il en a assez fait pour les gens comme Belkhodja et laisser faire le dernier créancier, la mort. C'est Si Ahmed qui s'était interposé, pendant que Raouf était encore en Europe, il était venu en aide à Belkhodja, il lui avait payé le médecin, il lui permettait de survivre, des gens disaient que ça ne lui avait pas coûté trop cher, une fraction à peine de son bénéfice sur les oranges et les citrons des Français, l'aumône n'est jamais que le sel des riches, mais tout le monde avait quand même marqué de l'admiration devant ce geste, Si Ahmed avait sauvé une âme avec de l'argent pris aux marins chrétiens, l'âme de Belkhodja, un habitué des mauvais lieux de la capitale, un drogué, un homme qui tombait dans le paganisme, on l'avait même vu à Ghouraq chez une Maltaise qui faisait des fumigations, et le bruit courait de plus en plus que l'ancien marchand avait fricoté avec la police française. Si Ahmed avait donné à Belkhodja beaucoup moins que le pourcentage qu'il aurait dû verser par simple devoir de charité s'il avait été un vrai croyant, disaient certains, mais, pour Si Ahmed, ce qui comptait ça n'était pas le montant de l'aumône, c'était comme pour l'huile, ce qui comptait c'était la qualité.

Le Ghouraqien du marché de gros, celui qui avait acheté l'huile de Belkhodja pour quinze mille francs en billets qui craquaient dans la main, n'était jamais revenu à Nahbès, et Belkhodja n'avait pas à savoir que cet homme n'était qu'un prête-nom de Si Ahmed. Personne ne le lui a dit, il avait absorbé toute l'amertume de cette histoire, il n'avait pas besoin de la vomir.

31

EN PAYS OCCUPÉ

Rouge et noir sur du blanc, il faisait froid sur les aciéries de la Ruhr, avec parfois une coulée de feu en plein air sur la neige, quelque chose d'élémentaire, et des foules, gris et noir, devant des portails, des piquets de grève, les troupes françaises, une salve parfois, et le calme. Certains soirs Gabrielle tapait ses reportages, Ganthier demandant : « Je peux ? » et Gabrielle : « Bien sûr. » Ganthier s'apprêtant à lire un récit et tombant sur une liste des mesures fixées par les autorités françaises d'occupation pour réglementer les droits de douane, les taxes sur le bois, la circulation des péniches, des alcools, du tabac, des gens et du fer, et les interdictions de circulation sur telle route, à moins d'un sauf-conduit signé par telle ou telle autorité, et tous les pouvoirs spéciaux de la Mission interalliée. « En fait, nous n'avons plus d'alliés, disait Gabrielle, les Anglais et les Américains sont contre nous, nous n'avons plus que les Belges. » Il y avait aussi des règlements sur les syndicats et les associations, la presse, les trains et les tramways, et des lois françaises sur les lois allemandes, sur le droit civil, le droit pénal, sur les voyages, les journaux, les écluses, la monnaie... Et Ganthier : « Ça n'est pas un peu fou de mettre tout ça dans un article ? » Le ton était paisible, pour faire passer le mot *fou*. Gabrielle avait souri : « Vous savez qu'elle va faire plaisir à la censure militaire, ma liste folle ? et elle va avoir du succès… pas seulement à Paris. » Les articles de Gabrielle étaient parfois publiés en traduction aux États-Unis. Elle continua, dans une espèce de joie sombre : « Vous imaginez les gens à New York, devant toutes ces taxes et règlements ? Ils vont croire que Poincaré installe le communisme en Allemagne ! » Et Ganthier : « Ça n'est pas très honnête… »

Kathryn était sortie de son silence, à voix tendue, disant que la presse française n'était pas plus honnête avec les Américains : « À lire *Le Figaro* on a l'impression que nous passons notre temps à nous disputer du whisky de contrebande à coups de mitraillettes ! Tout ça parce que nous ne soutenons pas cette invasion… » Ganthier avait refusé l'affrontement en se perdant un moment dans la contemplation d'une gravure accrochée au-dessus de la table où s'était installée Gabrielle, une charge de cavaliers, l'un avec un arc, un autre avec une épée, un autre encore avec une balance de justice et le quatrième était un vieillard maigre armé d'un trident, Dürer, l'*Apocalypse*, puis il s'était replongé dans les feuilles de Gabrielle, des noms propres suivis d'une profession, médecin, avocat, professeur, journaliste, pasteur… « Qu'est-ce que c'est ? — Ce sont des otages, on les met sur les locomotives, ordre de l'état-major, ils feront les premières victimes d'un attentat. — Les otages, c'est un truc de Prussiens, jamais un officier français ne ferait ça, c'est faux ! » Puis Ganthier se dit que c'était sans doute vrai, et la presse parisienne allait même s'en vanter. Kathryn avait ajouté que, la veille, un officier français lui avait dit qu'il était là pour réparer les erreurs du président Wilson.

Ils avaient passé plusieurs jours entre Duisbourg et Dortmund, ils dînaient tôt, dans des endroits sonores où régnaient des odeurs de graisse, d'oignon et de bière que la marche dans le froid leur rendait agréables, et ils se retrouvaient ensuite à discuter dans une de leurs chambres, parfois assis sur un grand poêle en faïence en forme de banquette d'angle, dont on leur facturait le charbon au triple du marché noir. Chaque carreau de faïence représentait tantôt un jeune homme, tantôt une jeune femme, tantôt le couple, des paysans, trois motifs qui se répétaient sur toute la surface, en bleu et blanc.

Ils repartaient le lendemain, descendaient de voiture à intervalles réguliers, avançaient prudemment sur le verglas, se mêlaient aux passants, s'attardaient devant une affiche avant qu'une patrouille ne vînt la déchirer, la France en ogresse accroupie sur des cheminées d'usine, Gabrielle prenait parfois une photo, au grand mécontentement de l'officier qui les surveillait à distance mais qui finissait toujours par laisser faire sur un signe de tête de Ganthier, Raouf disant : « Je me demande d'où vient ce pouvoir discret que vous avez sur eux… » Et Ganthier : « Vous n'allez pas vous en plaindre, maintenant ? » Il avait montré un groupe d'ouvriers maigres et fatigués : « Regardez autour de vous, vous croyez vraiment que ces gens-là vont faire une révolution ? » C'était le but de Ganthier, faire sortir Raouf de ses rêves, faire comme Kathryn, le déniaiser, « je devrais en être capable au moins autant qu'une actrice américaine, en politique, je veux dire », confiait-il à Gabrielle pour la faire rire. Il lui arrivait aussi de défendre Kathryn, d'excuser les duretés qu'elle avait pour Raouf, ses crises de jalousie, elle souffrait, et elle était fragile, Gabrielle demandant : « Fragile ? Vous avez vu ses ongles ? — Qu'est-ce qu'ils ont ? — Ils ne cassent jamais. »

Kathryn avait reçu une lettre postée de Paris. Raouf avait vu l'enveloppe mais gardé le silence. « C'est de Tess, avait dit Kathryn, elle s'est installée à Montparnasse et elle est heureuse. » Comme Raouf ne disait toujours rien, Kathryn lui avait raconté ce qui était resté caché derrière le malaise de Tess à Nahbès, ce qu'elle savait d'une course-poursuite, en Louisiane, le pays de Tess, quand elle s'appelait Lizzie, non, ce n'était pas elle qui courait, c'était un homme, un bon coureur des bois, et une meute de poursuivants, c'est presque du cinéma, tu sais, on peut imaginer, il les distance, et comme il sent qu'il les distance il court encore mieux, jusqu'aux premiers aboiements de chiens, et il comprend que ça va être plus dur, mais il continue de foncer, jusqu'à ce qu'il comprenne que les chiens ne sont pas derrière mais qu'ils arrivent sur les côtés. Et la suite racontée, rapportée ou imaginée par Kathryn, était une histoire de morsures, puis de coups de bâton, et un ordre qui avait tout arrêté, et on avait enchaîné le coureur des bois, peut-être même qu'une voix avait dit « avec le fer, pas de surprise », et que ça avait fait rire, et le reste était dans le journal, une photo, le journal que Tess qui ne savait rien avait ouvert deux jours après, c'est tellement ordinaire que ce genre de chose ne figure pas en première page mais à l'intérieur, une photo avec le nom de son cousin, le cadavre de son cousin, ce qu'il en restait, sur un lit de braises au sol, une fosse avec un lit de braises, le photographe avait même capté de la fumée, et tout autour il y avait une foule de badauds, des policiers, et une légende en dessous, « Le violeur finit sur les braises de l'enfer », et la semaine suivante on avait su que le cousin n'y était pour rien, les gens n'ont même pas cherché à nier son innocence, on a dit « il s'est trouvé au mauvais endroit, au mauvais moment », en ajoutant « au moment d'un accès de colère légitime de la population », c'étaient les mots du procureur quand il avait renoncé à aller plus loin, Kathryn disant : « "Colère légitime", tu comprends ce que Tess a pu éprouver ? » Plus tard Raouf avait osé une remarque : « Je connais l'écriture de Tess, ça n'était pas celle de l'enveloppe. » Kathryn avait dit que le reste de l'histoire était difficile à partager.

Autour d'eux la monnaie et la vie se détérioraient, tandis que leurs francs et leurs dollars leur procuraient tous les privilèges. Parfois Gabrielle disparaissait. Un soir, un commandant français

avait pris Ganthier à part, il était très remonté, il allait faire raccompagner Gabrielle en France, «votre amie la journaliste, il y
a cinq ans j'aurais encore eu le droit de lui mettre douze balles
dans la peau, elle a passé une partie de l'après-midi avec des bolchevistes allemands et un Français, ce genre de contact avec le
diable ça devrait au moins suffire à mettre madame Conti dans un
train pour Paris!». Ganthier l'avait pris de haut avec le commandant, qui s'était calmé et avait donné quelques détails, le communiste français s'appelait Péri, ses chefs l'avait envoyé organiser
des fraternisations entre soldats français et ouvriers allemands,
cette rencontre était un crime! Ganthier demanda à l'officier s'il
avait jeté un œil sur les états de service de Gabrielle Conti pendant la guerre, il avait des vibrations dans la voix, en face de lui
le commandant s'était mis à sourire, sans aucun doute ce civil
devait sauter la journaliste. Ganthier s'énerva, il était furieux
d'être soupçonné de faire ce qu'il n'arrivait pas à faire depuis des
mois, il eut une envie de gifler : «Vous savez bien, commandant,
où madame Conti a son rond de serviette quand elle est à Paris,
les ministres aiment être informés… arrêtez votre Péri si vous
voulez, mais mon conseil d'ami, pour madame Conti, c'est de
lui foutre la paix.»

Ils avaient fini par arriver à Berlin. Cette ville était un lupanar,
avait prévenu Ganthier, une crève-la-faim, avait dit Raouf, surpris de voir des visages aussi creusés dans une métropole européenne, une famine dans un jardin, avait dit Kathryn au moment
où leur taxi longeait un troisième grand parc, Gabrielle laissait
la ville lui filer entre les yeux, un pêle-mêle d'images, comme
cet alignement d'unijambistes devant un dispensaire, encore
plus maigres que les passants ordinaires. «Ils ne mouraient pas
tous…», dit Ganthier en montrant une énorme voiture décapotable avec chauffeur en livrée et, sur la banquette arrière, un
homme à grosses joues, en bonnet de fourrure, emmitouflé dans

des couvertures de voyage ; plus loin, une foule sortait d'une
église, Raouf se souvenant d'une réflexion de son ancien instituteur, Montaubain, « c'est la guerre qui a fait revenir Dieu, avec
la gangrène » ; plus loin encore passait un cortège d'hommes
au visage dur derrière une fanfare et des drapeaux, une ville
de camions, d'embouteillages encore plus denses qu'à Paris et
soudain le calme d'un lac, d'un bois, et puis des échafaudages,
des grues, des ponts roulants, des cheminées d'usine, des chan-
tiers de construction arrêtés, une porte devant laquelle attendait une longue file d'hommes, l'air mauvais, « *rass al-'âtel*...
dit Raouf, la tête du chômeur est pleine de démons », une ville
lépreuse par endroits, et impossible de savoir si la lèpre gagnait
ou reculait ; ils s'avançaient, Kathryn avec ses élans d'amour
fou et ses colères imprévisibles, Raouf avec ses rêves et ses
feintes, Gabrielle avec son carnet de notes, Ganthier avec des
sarcasmes, ville encore plus noircie que Paris, des quartiers
entiers de façades aux volets fermés, des vitrines sales, des
stores déglingués, des gens autour d'un brasero, tenant chacun
une pomme de terre au bout d'une pique, des patrouilles de policiers casqués. « Les policiers paraissent rêveurs, disait Kathryn
à Ganthier. — Vous savez de quoi ils rêvent ? — De nourriture ?
— Non, regardez ! » Un policier s'était penché vers ses chaussures. « Regardez, il ramasse un mégot ! »
Une femme passait, Gabrielle disant « les Berlinoises sont
plus souvent en cheveux qu'à Paris », un accordéoniste alternait
mélodies tendres et airs martiaux, une douzaine de belles vaches
sortaient d'un grand portail, une ferme en pleine ville, le bétail
rouge et blanc dans les rues, allant au pré ; les quatre amis se
détendaient en voyant passer un mitron en blouse, une servante
de maison enjouée, robe noire et bandeau clair, panier d'osier
au bras, une armée de facteurs aussi, et d'écoliers, beaucoup de
petites filles cartable au dos, beaucoup plus qu'en France, disait

Gabrielle; ils s'arrêtaient devant un immeuble pour regarder une énorme grille d'acier étincelant s'enfoncer lentement dans le sol, sans un bruit. « Les gens ici ont le culte de la mécanique sans défaut, de la crémaillère parfaite, disait Ganthier, heureusement que le traité de Versailles les a obligés à inscrire *made in Germany* sur leurs produits, ça nous protège. » En disparaissant, la grille dégageait une grande vitrine de montres et d'horloges, un article sur deux était d'occasion. Ils repartaient, et Raouf à un moment : « Je sens que les femmes sont différentes des Parisiennes, mais je n'arrive pas à trouver en quoi », Kathryn gardant le silence, il fait des progrès, se dit Ganthier, il cherche à la provoquer, puis, en riant : « Les femmes font moins attention aux hommes, ici elles ont une vie intérieure ! » Dans certaines rues des gens nettoyaient, dans d'autres non. « Ils ont perdu l'habitude de faire les choses ensemble, dit Ganthier, tant mieux pour nous ! » Et Raouf : « C'est ce que vous direz dans votre rapport au renseignement militaire ? »

Un chauffeur soulevait sa casquette au moment où son patron arrivait, et le patron lui aussi le saluait en soulevant son chapeau, l'air très sérieux. Dans le salon de leur hôtel, un Allemand bavard leur avait expliqué : « Depuis l'avènement de la République, nous avons introduit le respect pour tous et le sérieux dans le respect, le reste est inchangé. Nous sommes un peuple très sérieux, mais pendant la guerre un *Herr Doktor* a réussi à vendre à des centaines de milliers de mes compatriotes une recette pour faire du pain en remplaçant la farine par de la paille, il était très convaincant, il y croyait ! » Plus tard, Ganthier avait ajouté : « C'est un de leurs problèmes, ils disent eux-mêmes qu'un Allemand ne peut pas raconter un mensonge sans y croire. »

À la demande de Raouf, ils allèrent un matin marcher au bord du canal de la Landwehr. « Tu pourras jeter une rose ? » lui avait écrit David Chemla. C'était pour honorer la mémoire d'une révolutionnaire, Rosa Luxemburg. Le canal était désert, le quai aussi, Raouf avait oublié la rose, s'était promis de revenir mais ne l'avait pas fait, sans doute parce que Gabrielle lui avait entre-temps appris que pour Rosa Luxemburg les luttes nationales n'étaient pas de vraies luttes. À l'hôtel, le même Allemand leur avait dit : «Nous sommes une génération de désespoir et de mépris, mais nous avons retrouvé le culte de la grandeur, nous voulons désormais les plus grandes brasseries, les plus grands hôtels, les plus grands cinémas, les plus grands bordels de toute l'Europe!» Et soudain, dans la rue, Kathryn avait vu un grand panneau de réclame, plusieurs fois le même panneau au bord d'une avenue, *Les moteurs Goldfarb.* À Paris, Ganthier lui avait dit : «Le père est un fabricant de moteurs industriels, un Juif de Vienne, Goldfarb.» Depuis, Kathryn n'avait plus pensé au père. Ce fut brutal, Metilda était là, avec son père, sa mère berlinoise, pas une vache du Tyrol mais une fille de la ville, avec toutes les libertés et l'intelligence de la ville, elle sut que ça allait se passer, et les jours suivants elle vit le nom de Goldfarb dans les rues, les pages des magazines, les réclames au cinéma, une grande campagne berlinoise pour les moteurs Goldfarb, Metilda était là, le même âge que Raouf.

Kathryn parcourait la rubrique «mondanités» dans les journaux, ne trouvait rien, cette fille savait aussi se cacher, Kathryn décidant de ne plus se mettre en colère, les colères ne servent qu'à le rendre silencieux, il fallait rire, aimer, flatter, désarmer, questionner, elle s'imaginait aussi tombant malade, gravement, à l'agonie, et Raouf à son chevet, répondant enfin à ses questions, il n'avait jamais aimé qu'elle, Metilda n'était qu'une erreur, une seule fois, il était en larmes, oui, il l'avait rencontrée à Berlin, Kathryn se surprit à lui dire dans un dernier souffle qu'elle leur souhaitait tout le bonheur du monde, il ne contrôlait plus ses larmes… Elle sortit de son rêve en secouant la tête, se disant *elle*

est ici, il la baise, non, il est amoureux de moi, mais justement,
ça l'excite, mais il ne sort jamais sans moi… ou rarement, il
doit me dire si elle lui a fait signe, je ne lui demande pas grand-
chose, avouer ce qu'il a fait, Kathryn inventait un dialogue : «Tu
lui as dit que tu étais mon amant? — Je n'ai pas osé. — Pas osé?
— J'aurais eu l'air de me vanter, non?» Raouf mentait, la vraie
raison c'est que, devant cette fille, il voulait avoir l'air d'être
libre. «Il faut que tu lui envoies une photo de nous!» Oui, une
photo, il fallait forcer Raouf, nous deux dans nos manteaux, souriants sur la neige comme des lutins en fête, qu'elle voie qu'on a
envie de rentrer nous mettre au lit, elle comprendra, et elle aura
mal, et elle le laissera tomber, et il aura mal à son tour, il demandera pardon et à ce moment-là je le plaquerai. Kathryn n'aimait
pas certains aspects du rôle qu'elle donnait à Raouf, elle n'arrivait pas à parler à un pleurnichard, Raouf cessait de pleurnicher,
et pas besoin d'envoyer une photo, il fallait une rencontre, pour
faire vraiment mal à Metilda, la mettre K.-O., le scénario plaisait
à Kathryn, une rencontre à l'heure du thé, nous trois, et pourquoi
pas avec Gabrielle et Ganthier? et peut-être un ou deux cinéastes
allemands, un dîner alors, une belle tablée, on parlera de tout, je
parlerai cinéma avec les Allemands, je raconterai l'Amérique, ils
écouteront, Gabrielle m'appuiera, Ganthier s'occupera de Raouf,
je serai gentille… Metilda, vous ne dites rien? il ne faut pas vous
laisser intimider comme ça, racontez-nous Vienne, c'est vrai que
les écoles de filles sont très strictes? qu'on vous interdit de vous
toucher les cheveux en public? Kathryn posait sa main en riant
sur celle d'un réalisateur, Raouf faisait la tête, Kathryn triom-
phait, et soudain Raouf ne l'intéressait plus, tu as ta petite Autrichienne, va la baiser et n'interrompez pas la conversation des
grands, Raouf avait des regards suppliants, Kathryn se demandait
à quoi ressemblait le réalisateur, celui qu'elle était venue rencontrer n'était pas à Berlin, il fallait attendre, quelques jours, il

saura renouveler mon personnage, c'est un maître du clair-obscur, quand l'ombre devient un appel, même sur un visage, mon clair-obscur, que Neil n'a jamais voulu filmer, il dit que ma force c'est d'être claire et nette, elle s'imaginait avec de plus en plus de précision en face du réalisateur allemand, devenait son actrice fétiche, je suis trop dure avec Raouf, qu'est-ce qui me prend ?

Kathryn sortait de ses rêves, elle souffrait dans cette ville mais elle l'aimait, Berlin était un bruit de vent dans les arbres, mêlé de cris d'oiseaux, quatre ou cinq fois Central Park dans Berlin, et Berlin lui faisait aimer Raouf, la lumière dorée de Berlin sur la neige, un matin, et Raouf : « En allemand ils disent que l'heure du matin a de l'or dans la bouche... » Kathryn n'osant pas demander qui lui avait appris cette expression, et furieuse de ne pas oser, et prise de colère froide contre Raouf qui n'y comprenait rien, Kathryn disant « embrasse-moi ! » dans un emportement de tendresse, pour effacer sa colère, de l'or dans la bouche... c'est au lit que l'autre avait dû lui dire ça ! Un autre matin, en plein Tiergarten, une femme avait appelé « Grete ! Grete ! », une pointe d'énervement dans la voix, la femme était devant eux, à une trentaine de mètres, dans une grande allée, elle répétait « Grete ! », une angoisse, une enfant disparue, ville de jardins et ville de crimes, et ils avaient vu une tache rouge dans un bosquet, à droite, presque à leur hauteur, un manteau, une petite silhouette qui se plaquait contre le tronc d'un gros chêne, une fillette, à peine six ans, la voix de la femme s'affolait, et la petite fille laissait sa mère s'affoler. « En voilà une qui en sait déjà beaucoup sur le plaisir », avait dit Gabrielle. La voix répétait « Grete ! » en se fêlant. Là-bas, à côté de la mère, des passants commençaient à regarder alentour, deux cavaliers s'étaient arrêtés. « La garce, j'ai envie de la dénoncer », avait dit Ganthier, et Gabrielle : « Non, la mère est peut-être méchante, on ne sait jamais ce qui se passe entre une mère et sa fille, laissons-les se débrouiller, venez !

— Juste une seconde, avait dit Kathryn, je veux voir quand elle va se décider à sortir. — Elle va rire comme une bonne farceuse, dit Raouf. — Ou alors elle va dire qu'elle s'était perdue », dit Kathryn. La mère criait à voix cassée maintenant, la petite fille en manteau rouge avait quitté l'arbre, et fait un détour par l'intérieur du bosquet en criant « *Muttie !* » avant de se retrouver en larmes dans la grande allée. « Des larmes sincères, avait dit Ganthier, elle pleure de la vraie peur de prendre une rouste. — C'est comme des larmes d'actrice, avait dit Kathryn, elle en fait la peur de s'être perdue. — Et en plus, je suis sûre que la mère va se croire coupable d'avoir égaré sa fille, avait ajouté Gabrielle, regardez la gamine, elle ne court même pas vers sa mère… c'est sa mère qui l'a perdue, c'est à elle de venir la chercher. — Tout est bien qui finit bien, avait dit Kathryn, mais je voudrais bien voir la même scène avec un garçon. — Les garçons ne font pas ça, dit Raouf avec toute la sincérité du monde dans la voix. — Les garçons n'apprennent pas très tôt à mentir et à s'échapper ? comment font les hommes alors ? demanda Kathryn. — Les mères, dit Gabrielle, ne quittent pas un garçon des yeux, parce qu'elles savent que ça ne pense qu'à filer. — Je n'ai pas eu de mère », avait dit Raouf.

Kathryn s'était attendrie, mais la remarque de Gabrielle ne la quittait pas, *il ne pense qu'à filer*, elle se souvenait de ce que Gabrielle lui avait raconté à Nahbès, les servantes, le nourrisson, ce qu'elles lui faisaient, Metilda penchée sur Raouf… Et le lendemain, dans la rue, ce fut tout naturel : « Ton amie du bateau, c'est celle des moteurs, sur les réclames ? — Oui. — Tu crois qu'on pourrait la rencontrer ici ? Ce serait amusant. » Raouf avait trouvé cela amusant, il allait écrire pour voir si c'était possible. Kathryn était sûre qu'il l'avait déjà fait. Des policiers déambulaient, deux par deux, « il y en a vraiment beaucoup », dit Kathryn, et Ganthier : « N'oubliez pas qu'ici, il y a un an à peine, c'était l'insurrection.» Devant eux apparut un homme-sandwich, on ne voyait que sa tête et ses bottes, il était couvert de journaux, avec de gros titres sur une manifestation organisée par le parti d'un certain Adolphe Hitler, «un petit parti d'excités, et pas le seul», disait Gabrielle en traduisant, ajoutant : «Si la France était un jour traitée comme l'Allemagne, on aurait vite nos Adolphe Dupont!» Ganthier se demandait si elle pensait vraiment des choses pareilles, *en fait elle n'aime que les paradoxes, l'ivresse de penser pour penser, c'est ce qu'il y a de pire, pas étonnant qu'elle ait de la sympathie pour ce pays.* Raouf avait réussi à traduire tout seul un autre titre : «Le peuple allemand n'est pas encore un des peuples coloniaux de la France».

Ils grelottaient. Et le soleil lui-même, quand il apparaissait, était glacé. Ils entraient se réchauffer dans un café où de grosses boules miroitantes et colorées faisaient aux clients des lèvres très épaisses, des yeux creusés, des oreilles qui n'en finissaient pas et un teint jaune ou bleuâtre, comme si la vie n'était qu'une farce mal foutue. Les clients avaient l'air d'aimer ça. En sortant, Raouf s'esclaffait : «Regardez le bel attelage, *Unruhe* et *Ordnung*!» Sur la chaussée, deux hommes maigres, plastron blanc, frac noir et haut-de-forme, chevauchaient un tandem qui faisait un inquiétant bruit de ferraille; le premier était penché sur le guidon, grimaçait, gesticulait, se tordait tout en redressant la nuque pour ne pas faire tomber son chapeau, l'autre se tenait très droit, menton en avant, sans faire d'autre mouvement que celui de ses jambes. Où allaient-ils?

32

UNE TÊTE DE MOUTON GRILLÉ

Un matin, Taïeb était venu chez son père avec un ami avocat : non, je veux simplement te le faire connaître, j'ai toute confiance en ton avocat, mais le mien est un ami, il a beaucoup de relations, il sait tout, il connaît le passé des gens. Le but de Taïeb était de faire peur à sa sœur, il suffisait qu'elle sût qu'un nouvel avocat avait passé un moment avec son père, et si les affaires de son prétendant n'étaient pas claires on allait vite le savoir, désirait-elle vraiment qu'on fît tout la lumière ? Le prétendant lui-même commençait à se lasser, il faisait dire qu'il n'est jamais bon pour un homme d'être l'objet des conversations de la capitale. Et le soir, Taïeb avait demandé à Rania un moment d'entretien à voix calme, « je ne parle pas pour moi mais pour éviter qu'il t'arrive du malheur », cette fois il ne cherchait pas à briser sa sœur, il essayait de la surprendre par ses arguments, « que veut cet importateur en t'épousant ? ça n'est pas de l'argent, c'est ta beauté bien sûr, et ton intelligence, je pourrais te dire que c'est pour régner dessus, mais tu sais déjà tout cela, c'est dans tes livres, asservir une femme comme toi c'est plus satisfaisant qu'épouser une femme de ménage, tu vois, je sais aussi penser à la façon d'aujourd'hui, mais ça n'est pas l'essentiel, et puis tu le connais déjà, tu as pris tes renseignements, tu as même eu quelques conversations discrètes avec lui, c'est normal, vous êtes modernes, une simple question alors, est-ce qu'il t'a à un seul moment paru avoir ne serait-ce que le dixième des qualités de ton défunt mari ? ».

Taïeb prenait garde à ne rien dire d'offensant, Rania était surprise par ce ton nouveau, elle avait répondu prudemment, l'homme s'intéressait à sa vie, sa vie à la campagne, Taïeb avait continué : « tu sais, la ferme, tu pourrais la garder ». Rania entre méfiance et confiance, disant que le « futur » avait admiré la façon dont elle tenait les comptes, Taïeb souriait, ne rien forcer, sa sœur raisonnait, il suffisait de la laisser faire, et lentement des bribes de raisonnement s'étaient mises en place dans l'esprit de Rania, Taïeb avait au passage repris le mot de comptable, une comptable de confiance, il fallait qu'elle comprenne, une épouse condamnée à faire les comptes, Taïeb disant que les affaires de cet importateur étaient passées par des moments difficiles, elle le savait bien, et tu devines comment certains commerçants se sortent d'un moment difficile... tu vas passer ta vie dans des chiffres, des chiffres trafiqués, oui, il les trafique, sinon il ne gagnerait pas tout cet argent. À un moment Rania avait eu un regard froid vers Taïeb : « Les comptes trafiqués, tu connais ! » Il n'avait pas relevé, il avait poursuivi : « Tu ne seras pas esclave d'un mari, tu seras complice d'escroqueries, à la fin ça fera une belle histoire, comme celles que tu lis dans tes romans égyptiens, et notre père sera le père et le beau-père de gens qui sont convoqués chez le juge... »

Taïeb avait laissé les pensées circuler, puis il avait organisé une réunion avec le prétendant de son choix à lui, Si Bougmal, c'était dans le bureau de son père, et son père ce jour-là avait une mine superbe. Dans la pièce flottait encore le parfum de Rania, *elle a dû essayer de livrer sa dernière bataille*, songea Taïeb, *elle a perdu, mon père ne nous aurait pas reçus comme ça si c'était pour éconduire Si Bougmal.*

Si Mabrouk avait été d'une très grande amabilité. Bougmal était un homme mince, lèvres minces, cheveux ras, gestes lents, un sourire destiné à montrer qu'il recevait en permanence une lumière qui ne lui venait pas seulement du monde matériel, Taïeb était fier de présenter à son père un homme de cette allure, et Si Mabrouk avait longuement félicité le prétendant : «Tu as une vie modèle, Si Bougmal, j'ai les moyens de tout savoir et je sais que tu bois très peu, et seulement pour ne pas te distinguer de tes semblables quand tu es avec eux, tu es craint de tes étudiants, peu aimé de tes collègues, mais cela n'est pas nécessairement un mauvais signe, et ta situation est prospère, très prospère, tu as la respectabilité d'un théologien et de bons revenus, aucun père ne saurait être indifférent à cela, et tu es calme, pas comme un homme qui se réfrène mais comme celui qui n'a jamais besoin de la violence, et personne ne t'a jamais accusé de te rendre ou de t'être rendu dans aucun mauvais lieu, ce qui fait de toi un être remarquable entre tous, tu es une bénédiction, Si Bougmal, une bénédiction avec des revenus immobiliers, un vrai réconfort pour l'âme (Si Bougmal avait levé les yeux au ciel), un réconfort pour l'âme d'un père soucieux de l'avenir de sa fille et des enfants qu'elle aura, et tu es propriétaire du plus grand bordel de cette ville !»

Taïeb avait sursauté, indigné par la remarque de son père qui avait fait un geste de la main, et qui avait repris à voix mécanique : «Tu ne pratiques pas le vice, Si Bougmal, tu te contentes d'en vivre, et l'argent est versé à l'intendant de ta ferme, comme si tu faisais d'excellentes affaires sur le blé, les amandiers, les dons de Dieu…» Si Mabrouk tapotait, d'une main aux veines très apparentes, un dossier à couverture grise posé sur son bureau, Taïeb lançait des regards perdus sur le prétendant qui ne disait rien, continuait même à sourire, Si Mabrouk fixait le prétendant avec froideur, se disant *est-ce que tous les truands sont comme*

*ça? quand je lis Badi' Ezzamân j'aime bien son héros, truand,
imam, maquereau, blagueur, farceur, ivrogne, mais celui-là est
inerte comme une merguez...* puis, à voix haute : «Est-ce que tu
t'amuses dans ton bordel, ou est-ce que tu te contentes des plaisirs de l'hypocrisie, cher Si Bougmal?» Le mot avait fait réagir
Si Bougmal, il avait objecté à voix très maîtrisée, il n'était pas
propriétaire, pas exactement, il faisait partie d'une société, elle-
même... Si Mabrouk l'avait coupé : «une société dont tu es propriétaire à quatre-vingt-dix pour cent». Si Bougmal avait dit que
ça n'était pas interdit, par aucune loi, et dans un geste instinctif
il montrait la paume de ses mains, Si Mabrouk avait lancé : «On
peut avoir les mains propres et l'âme dégoûtante!» Le regard
de Taïeb allait de son père à Si Bougmal; Si Bougmal souriait
encore, mais comme une tête de mouton grillé; Taïeb s'était levé,
il avait entraîné le prétendant hors du bureau paternel, l'avait
reconduit devant la maison, il était revenu auprès de son père,
s'attendant au pire des orages, c'était au tour de Si Mabrouk de
sourire, très calme.

Rania était aussi dans la pièce, ils avaient laissé Taïeb s'expliquer, ses paroles ressemblaient à de la fièvre, il ne savait rien,
il le jurait, sur le Livre saint, tout le monde pouvait se tromper,
Rania elle-même s'était trompée sur son prétendant, un profiteur! «Oui, mais toi tu as failli me faire enfermer dans un bordel! Je me demande pourquoi tu n'as pas vérifié...» Taïeb restait
sans voix, il avait compris que dans le *je me demande* se cachait
une manière de réponse... sa sœur en savait plus long que ce
qu'elle avait raconté à leur père... *elle est au courant des deux
mille francs que Bougmal m'a prêtés, elle aurait pu parler beaucoup plus tôt à notre père de ce qu'elle a découvert, il aurait
tout annulé, elle m'a laissé m'engager le plus loin possible, et
maintenant mon père me prend pour un imbécile, elle pourrait
me faire passer pour un salaud, parler de ma dette, parler de*

complot, elle préfère que je ne sois qu'un imbécile aux yeux de mon père, Taïeb se torturait, il avait manqué de lucidité, s'il n'y avait pas eu cet importateur il serait allé moins vite, Rania avait certainement une preuve de son lien avec Bougmal, c'était dans les comptes de la briqueterie, il avait pioché dans la caisse et renfloué la caisse avec cet emprunt à Bougmal, qui aurait dû être soldé par le mariage, mais le bordel il n'en savait rien, Bougmal ne lui avait rien dit, cette dette c'était désormais de l'argent de bordel… il eut un vertige, sa sœur le tenait, et elle lui échappait, à tout moment il lui suffirait de demander «pourquoi as-tu voulu me donner à cet homme?».

Les jours avaient passé, et Si Mabrouk avait fini par dire à Rania qu'au fond elle n'avait jamais voulu de son importateur de machines agricoles, «tu n'avais pas envie de l'épouser, tu voulais obliger ton frère à exhiber son champion, pour pouvoir prendre tes renseignements, et maintenant tu le tiens, tu t'es bien amusée, ma fille, c'est donc que je ne vais pas si mal». Si Mabrouk essayait de négocier des allègements de son régime avec le jeune assistant du professeur de cardiologie qui passait le voir, mais celui-ci était encore plus terrorisé qu'une servante par les regards de Rania.

Toutes ces péripéties avaient fatigué la jeune veuve, son père allait vraiment mieux, elle était rentrée à Nahbès. Elle refusait à Si Ahmed la conclusion de l'échange des terres avec Ganthier, mais en l'absence du colon cette histoire la passionnait beaucoup moins, le caïd ne faisait d'ailleurs pas preuve d'impatience, comme s'il avait d'autres chats à fouetter. Elle se réconfortait en s'occupant de son domaine. Ses amies étrangères lui manquaient, et pas seulement elles, elle fermait les yeux pour entourer une silhouette de ses bras, le désir, les larmes, et le sale espoir… *je pourrais le supplier… ce que j'éprouve est un poison, je n'existe pas pour lui, il n'y a rien à faire, mais je ne veux rien d'illicite, je voudrais l'épouser... il paraît que le mariage d'amour est une invention occidentale, qui n'a même pas un siècle, pourtant mon premier mariage... non, ça n'était pas un mariage d'amour, il avait fait demander ma main, je voulais entrer dans la vie, il était beau, déjà riche, plein d'énergie et d'avenir, une vraie alliance disait mon père... l'amour est venu très vite... est-ce que l'amour c'est simplement le moyen de rendre une alliance agréable? non... quand il avait un quart d'heure de retard je tremblais, et quand je me montrais contrariée il était triste, nous nous sommes inventés... est-ce que je ne l'aime plus?* Elle rêvait à un vivant en pensant à ce qu'un disparu lui avait fait éprouver, c'était à la vie de décider, mariage d'amour, pourquoi lui en avait-on parlé? Elle pensait aussi à l'autre femme, elle était sûre qu'en réalité il n'y avait rien, *je vais trouver le bon moment pour lui dire, ou pour laisser voir, qu'est-ce que le bon moment?* Un jour elle se déciderait, elle se déguiserait en Européenne, elle irait le surprendre, une voilette sur le visage, elle essayait des robes devant un grand miroir, s'annonçait en prenant une voix aiguë, «c'est madame de Wolmar», et partait en fou rire.

33

OTTO

Ils étaient au restaurant avec Otto, un officier de l'ancienne armée impériale qui tentait de se reconvertir dans la littérature. On avait dit à Ganthier : « Vous cherchez à comprendre l'Allemagne, il cherche à comprendre la France, ça devrait marcher. » Un modèle d'officier prussien, crâne rasé, moustache fine, la sécheresse d'une épée et les yeux bleus. La première fois il s'était montré aimable avec tout le monde sauf avec Raouf à qui Gabrielle avait glissé « pour lui vous êtes plus près du cannibale que de l'Europe. — Le plus grand cannibale, avait répondu Raouf, c'est l'Europe ». Otto connaissait admirablement les auteurs français, les classiques, on l'avait complimenté, il s'était enhardi : « À treize ans je parlais mieux le français que l'allemand, nous vous avions vaincu en 1870, nous pouvions vous admirer, peut-être que vous allez faire la même chose maintenant, mon auteur préféré c'est La Rochefoucauld, je le connais par cœur, très critique sur la guerre, mais justement, un vrai guerrier doit se confronter à la critique de La Rochefoucauld ! »

Otto était content de faire la leçon à des Français, la critique de la valeur, du courage au combat, index levé pour soutenir la citation : « La parfaite valeur et la complète poltronnerie sont deux extrémités où l'on arrive rarement », sourire. Raouf regardait son verre, comme gêné, les autres saluaient la culture d'Otto, on l'invitait à poursuivre, et Raouf soudain, à voix dure : «Poltronnerie complète !» Et Otto : «Je vous demande pardon ?» Il y avait du mépris dans la voix de l'officier, ce dandy basané n'allait quand même pas venir ajouter sa moutarde à leur conversation, on avait dit à Otto que monsieur Ganthier et madame Conti avaient de l'influence, ils pouvaient être intéressants, Otto voulait bien parler avec ces gens-là mais pas avec n'importe qui, pas avec ça ! Il cherchait le regard de Raouf comme un duelliste cherche le fer, pour tuer. Raouf ne quittait pas son verre des yeux, Ganthier cherchait un moyen de faire retomber la tension, Raouf disant alors : «Pas "complète poltronnerie" mais "poltronnerie complète"», et Otto : «Peu importe !», mais sans violence, ce dandy avait peut-être raison, Otto n'était plus très sûr, répétant à tout hasard «peu importe !», Raouf les yeux toujours sur son verre : «Non, c'est important l'ordre des mots, a-b-b-a, "la parfaite valeur et la poltronnerie complète", c'est un chiasme !» Une leçon de rhétorique maintenant, pensait Ganthier, à pédant pédant et demi. Et les yeux de Raouf soudain dans ceux d'Otto : «Vous comprenez pourquoi ?» Et, après un silence, «a-b-b-a, la valeur et la poltronnerie se retrouvent l'une à côté de l'autre, elles se touchent, elles frayent, parce que au fond elles sont de même nature, et tant pis pour la valeur ! Belle mise en scène, n'est-ce pas ?» Raouf avait pris un air mélancolique, pas du tout l'air agressif sur lequel comptait Otto pour battre le fer. L'officier avait incliné la tête : «Vous avez de la finesse, monsieur», et Raouf comme pour s'excuser : «J'ai eu de bons professeurs.» Gabrielle à Raouf, plus tard : «Il doit se dire que sous votre teint il y a quelque chose, mais faites attention, il n'a pas aimé que vous lui montiez sur le toit, comme ils disent ici…»

Otto était devenu plus réservé, on parlait de tout et de rien, mollement, Ganthier racontant à Otto l'anecdote des hommes à smoking qu'ils avaient vus passer le matin sur leur tandem,

Otto répondant que c'étaient sûrement des employés des pompes funèbres, ils font souvent ça, ils n'ont plus de quoi se payer le tramway, Otto finissant par demander à Raouf s'il connaissait *un peu* de littérature allemande, et Raouf : « On ne nous parlait jamais d'Allemagne au lycée français, mais je connais deux poètes, Heine... — Évidemment... — Et un poète autrichien. — Autrichien ? — Oui, Trakl, Georg Trakl, une jeune Viennoise m'en a parlé un jour. » Otto avait alors eu un regard presque affectueux, il avait précisé que Trakl était mort pendant la guerre, après la bataille de Grodek.

Kathryn s'était figée. Deux jours auparavant, Raouf lui avait présenté Metilda, elle n'avait jamais vu de fille avec un regard d'un tel bleu pâle, et tout le contraire d'une vache, Metilda lui avait dit d'emblée : « J'avais peur de cette rencontre, Raouf m'a dit que vous étiez très jalouse, mais j'estime que les femmes ne doivent pas se porter préjudice, n'est-ce pas ? » Elle se prenait pour une femme. Une jupe longue, des bottes, et pour le haut une chemise blanche, cravate, veste sombre, cintrée, au bon endroit... Elles avaient fait assaut de naturel, Metilda avait parlé de la traversée, et Kathryn des bêtises qu'on fait le dernier jour d'une traversée. « Le dernier jour, avait dit Metilda, je l'ai passé devant une cuvette, en pleine tempête. » Elle savait se moquer d'elle-même. Ça avait inquiété Kathryn, mais elle avait fini par se dire qu'il ne s'était rien passé, l'idée l'arrangeait, et voilà qu'au beau milieu du restaurant Raouf avouait des poèmes, ça n'était pas une simple rencontre de voyage, les poèmes c'était pire que baiser, une fureur la prit, elle demanda à voix joyeuse : « Tu lui as aussi récité des poèmes arabes ? » Et Gabrielle à ce moment-là : « Regardez ! » Un homme s'avançait dans la salle, nu-tête, on ne voyait plus que lui, smoking, monocle, une ombrelle rose sur l'épaule, en plein hiver, on attendait une femme derrière lui, il n'y en avait pas.

L'homme avait pointé l'ombrelle refermée vers une table, le maître d'hôtel s'était précipité pour reculer un siège, l'homme au monocle avait marqué un temps puis s'était installé, il avait posé l'ombrelle sur la table, en face de lui, et il avait mis sur sa tête une casquette de voyou. Aux autres tables certains convives avaient pouffé, un acteur venu faire un numéro ? Sur un claquement de doigts l'homme s'était fait servir du champagne, n'y avait pas touché, il avait plongé l'ombrelle à côté de la bouteille dans le seau à champagne, deuxième claquement de doigts, un mot au serveur, qui était revenu avec une grande assiette de frites et un pot de mayonnaise, des murmures dans la salle au passage des frites, l'homme était impassible, il prenait une frite avec ses doigts, la trempait dans la mayonnaise, la mangeait, buvait une gorgée de champagne et ainsi de suite en regardant la salle. « Ça n'est pas un acteur, avait dit Otto, c'est un cinéaste, il a perdu un œil mais l'autre est une vraie caméra, il paraît que sa femme lui impose de faire ce genre de numéro pour combattre la timidité, il s'appelle Wiesner, Klaus Wiesner », et Ganthier dit que ce ne devait pas être un très grand cinéaste, quand on fait de vraies œuvres on n'a pas besoin de faire le clown. « Si, c'est un grand, avait dit Kathryn, souvenez-vous à Paris, ce film, *La Mort exté-nuée*, c'était de lui, c'est lui que je veux voir. » Otto n'avait pas l'air surpris des excentricités de Wiesner : « C'est un personnage singulier, je le connais, on lui attribue des choses bien pires que ce qu'il fait ici. »

Aucun des quatre amis ne s'était risqué à poser une question à Otto. S'il avait envie de raconter ces *choses bien pires*, il le ferait ; s'il n'en avait pas envie, rien ne le ferait sortir de la joie mauvaise qu'il pouvait y avoir à laisser sur sa fringale de ragots un auditoire de gens bien élevés. Raouf évitait le regard de Kathryn, il avait compris qu'elle était furieuse, il n'aurait pas dû parler des poèmes, il avait croisé une jeune fille sur un bateau, elle était devenue une amie, seulement une amie, et les poèmes c'était seulement l'amitié, Kathryn était en colère, mais pas comme d'habitude ; une colère à lèvres pincées, se disait Gabrielle, une colère voulue, il y a une semaine elle lui aurait fait une scène, en plein restaurant, malgré Otto, et maintenant elle est en colère seulement parce qu'elle le doit, en fait ce qui l'intéresse c'est ce fou avec son ombrelle, et Raouf va bientôt regretter le temps de la vraie jalousie. Otto demandait qui était cette jeune Viennoise, et Kathryn, très naturelle : « Une de nos amies, très moderne, elle nous a affirmé que dans sa génération plus personne n'a envie de mourir à la guerre ni d'aimer des gens qui vont se sacrifier pour la patrie », la voix était sèche, Otto payait pour Raouf. Avant que le Prussien ait réagi, Gabrielle lui posait une question : « Que fait la femme de ce monsieur Wiesner ? — C'est une scénariste, une grande raconteuse d'histoires, l'une des meilleures ! Le mari se met sur le dos des histoires impossibles, mais la femme sait en raconter de captivantes. » Otto n'avait pas l'air de vouloir en dire plus. Moment de silence, que Ganthier avait fini par couper : « Vous ne m'avez toujours pas dit où vous étiez ? » C'était un coq-à-l'âne, sans aucune précision, comme si une telle question, posée par un homme qui avait à peu près le même âge, ne pouvait concerner qu'un seul endroit, une seule époque. « La plupart du temps sur le front de Meuse, aux Éparges... » Et Ganthier : « J'y suis passé, en face, avec beaucoup d'autres. » Puis regard vers l'homme à l'ombrelle : « Lui aussi ? C'est là que vous l'avez connu ? — Non, il est d'origine autrichienne, comme Trakl (regard vers Raouf), il a reçu un éclat de shrapnel sur leur front russe, maintenant il est allemand, et prêt à défendre le *Vaterland* ! » Un silence, Otto reprenant : « Il a gardé le goût des armes à feu... Et il a été marié une première fois. » Il n'était pas allé plus loin.

Quand Ganthier leur avait présenté Otto, Gabrielle lui avait dit qu'elle ne comprenait pas son intérêt pour un type pareil : « Ou alors c'est l'extrême droite qui vous rapproche ? — Je vous signale, chère amie, qu'en public un *type pareil* nous dédouane, surtout en ce moment. » Raouf avait demandé : « On en veut moins aux Français quand ils fréquentent des fascistes ? » Ganthier n'avait pas répondu, ajoutant seulement qu'Otto naviguait entre plusieurs rôles, le guerrier des corps francs quand il était avec ses camarades, le gentleman dans la vie sociale, le passionné de littérature française, dans la tradition de Frédéric II, sans oublier beaucoup d'emprunts à *Faust* et à Wagner.

À propos de l'homme à l'ombrelle, Otto avait repris : « Nous l'aimons bien, il y a quelque temps nous avons même fait bloc autour de lui », et il avait fini par raconter la suite, tout un carrousel d'hypothèses qui s'était emballé après leur sixième bouteille de champagne, « la première femme de monsieur Wiesner est morte, on en a beaucoup parlé à l'époque, on dit qu'elle s'est tiré une balle dans la poitrine, avec le pistolet de son mari, on a tout de suite trouvé ça bizarre, oui, entre les seins, sans doute parce qu'elle voulait emporter leur beauté dans sa mort, ou peut-être a-t-elle cru au dernier moment que dans la poitrine ça ne serait pas si grave, grâce à la guerre nos chirurgiens sont devenus experts en balles dans la poitrine, une blessure alarmante, dont elle serait revenue, mieux aimée… mais, malheureusement pour elle, il y a eu beaucoup de temps avant qu'on ne prévienne les secours, ça aussi c'était bizarre, c'était il y a deux ans et demi, à peu près, il y a tellement d'événements en ce moment qu'on a tout oublié, c'est difficile d'être une épouse dans ces milieux du cinéma, si vous n'êtes pas actrice vous êtes une femme de l'ombre, donc très vite une ombre de femme », Otto était très content de son chiasme, il regarda Raouf, Raouf n'avait pas bronché, Otto reprenant : « Et dans la lumière il y a toujours une autre femme, même si elle est elle-même mariée, vous êtes la légitime, vous êtes jalouse mais, si cette autre femme voit votre mari plus souvent que le sien, c'est parce qu'elle travaille avec votre mari, un travail très utile à l'art, pas comme vous, il faut laisser les artistes faire leur travail d'artistes, et l'autre mari, lui, il est tout sauf jaloux, c'est un bon mari, officiel et placide ; l'autre femme elle travaille de plus en plus en tête à tête avec votre mari dans la cabine de montage, et c'est toujours une scène stupide, celle où la légitime tombe sur un adultère en cours d'exécution, dans une cabine de montage... et là les hypothèses divergent, sur les détails de l'activité à laquelle se livraient les amants, et même sur le lieu, la fameuse cabine ou alors un salon, avec l'éternel canapé du salon, et la question de savoir qui est à genoux, disait Otto en regardant Raouf, et pour la suite il y a une hypothèse d'un sombre romantisme, la femme trompée s'enfonce dans les brumes du désespoir, s'enferme dans la salle de bains et se tire une balle entre les seins, ou alors elle a une réaction plus... méri-dionale, elle se jette sur le couple, arme au poing, on lutte, et dans la mêlée le coup de feu part, une rixe conjugale, et un acci-dent, mais on dit que l'autre femme, qui ne nie pas sa présence au côté de notre réalisateur, seulement les modalités, affirme que l'épouse s'était vraiment retirée dans la salle de bains, et qu'elle, la collaboratrice, peut témoigner qu'elle a toujours été au côté du mari, qui n'a donc pas pu faire le moindre mal à sa femme, façon de parler, bien sûr, et il y a une hypothèse plus sombre encore, l'amant excédé par les scènes que lui fait son épouse a un geste emphatique, comme au cinéma, c'est très dangereux les gestes emphatiques quand on les fait dans la vie, avec un vrai pistolet, devant une épouse et une amante, les amants peuvent alors deve-nir... en France on dit "diaboliques", n'est-ce pas ? »

Otto s'était tourné vers Kathryn : « En Amérique, ce genre de chose, c'est traité comment ? — On fait un procès, et même plusieurs, mais le résultat est généralement le même, l'homme s'en tire ! » Otto ajoutant, « ici ça n'est pas toujours utile d'avoir un procès quand de très honorables citoyens, des officiers décorés ou un très gros producteur de cinéma par exemple, affirment qu'il ne s'est rien passé de criminel, qu'ils peuvent en témoigner, la police croit beaucoup les témoignages qui ont du poids social, même si le très gros producteur ou les officiers décorés n'étaient pas à proprement parler sur les lieux, nous sommes dans un temps de… "vaches maigres", comme vous dites en français, alors nous faisons confiance aux témoignages de poids, tout cela a fait beaucoup d'opinions sur le sujet, à cette époque-là il y a vraiment eu une course entre opinions, à celle qui deviendrait… l'opinion courante ». Il y eut un silence, Otto souriait à Raouf, Raouf restait de marbre, et Otto : « L'opinion courante aujourd'hui c'est qu'il y a du tragique dans la vie de ce monsieur au monocle. — Il paraît, dit Kathryn, que c'est un prince de la lumière et du rythme. — Il est notre plus grand cinéaste, dit Otto, il fait beaucoup de jaloux, donc beaucoup de ragots, surtout à cause de son propre pistolet, l'arme de la tragédie, un souvenir de guerre, c'est impitoyable, les souvenirs qu'on rapporte de la guerre, on finit toujours par s'en servir, dans une rixe conjugale, ou en face d'un traître. »

Otto n'avait plus rien dit, il laissait maintenant ses nouveaux amis s'envoyer des piques sur les amants et les maîtresses, le vrai désir, la dissimulation et la vengeance, ces Français étaient pleins de bonne volonté, désireux de comprendre ce qui se passait, ce Ganthier, un adversaire respectable, mais les troupes françaises étaient dans la Ruhr, à se comporter comme la hache dans la forêt, rien de respectable, Otto souriait, les Français comme d'habitude n'étaient pas capables d'exploiter la situation, ils venaient de se brouiller à la fois avec les Anglais et les Américains, c'était bien leur genre, se couper des alliés qui leur avaient donné la victoire, ils se croyaient seuls vainqueurs, il fallait les laisser croire tout cela, un jour les yeux leur en tomberaient de la tête, Otto ne dirait pas qu'il revenait d'un camp d'entraînement de son organisation, deux jours passés à manœuvrer en pleine campagne avec des lycéens, des étudiants, des anciens combattants, des fonctionnaires, des petits bourgeois ou des aristocrates, ou des ouvriers, c'était ça le plus exaltant, la présence de travailleurs d'usine venus avec leurs patrons, derrière le drapeau, et depuis l'arrivée des Français dans la Ruhr ils se montraient de plus en plus aux réunions de l'organisation, le vrai peuple allemand, reformé, et qui cessait de se disperser des cendres sur la tête, une vraie victoire dans la défaite, un de ses camarades avait imaginé de recouvrir quatre tracteurs avec de la toile de camouflage, considérons ça comme des chars d'assaut, avait-il dit, désormais la guerre ira très vite, le fantassin doit apprendre à courir derrière un char d'assaut, on n'y croyait pas trop, mais courir faisait du bien, le chemin serait long, Otto avait confiance. Ganthier avait demandé ce qu'était devenue l'amante de monsieur Wiesner. «C'est sa seconde épouse, bien sûr, elle l'a bien enroulé autour de son doigt, et de temps en temps elle l'envoie combattre sa timidité dans des lieux publics.» Le lendemain Gabrielle dirait à ses amis : «Je suis persuadée qu'Otto connaît les gens qui ont assassiné le ministre Rathenau l'an dernier.»

Après le restaurant, Otto avait refusé de les accompagner dans un cabaret, «vous avez vraiment envie de voir un homme en chemise de nuit retroussée se faire fouetter au son d'un mauvais tango par deux putains en robe du soir ? je suis sûr qu'à Paris on fait ça avec plus de *chic*». Raouf en avait profité pour refuser lui aussi, malgré les regards de Kathryn, où allait-il filer ? avec Otto ? Kathryn et Gabrielle avaient insisté auprès d'Otto. «Si j'accepte, vous venez aussi ?» avait demandé Otto à Raouf. Raouf se demandait à qui ressemblait Otto, le champagne brouillait ses souvenirs, il était sûr d'avoir rencontré quelqu'un qui lui ressemblait, dans un livre, feuilleté sur les quais, pas lu, j'aurais dû l'acheter... un officier, manières aristocratiques, cultivé et désinvolte, dans le livre il avait un monocle, traversait une salle, et l'auteur disait qu'il laissait son monocle voler devant lui.

Le grand boulevard où ils se trouvaient, le Kurfürstendamm, devenait le soir un royaume du vin, des femmes, des chants et du dollar, les rues adjacentes surtout, avec filles à cravache et rabatteurs qui vous proposaient aussi de la cocaïne et des spectacles «avec de l'interdit!». Otto parlait maintenant des bals de travestis de Berlin où des centaines d'hommes en vêtements de femme et de femmes habillées en homme dansaient sous les regards bienveillants de la police, les plus déchaînés c'étaient les gens de la bourgeoisie, «le berceau de notre puritanisme! disait Otto, ma jeune cousine m'a dit que, dans son école, être vierge à seize ans est une honte, pour avoir du succès, pour être une vraie meneuse dans la classe, il faut avoir beaucoup de choses précises à raconter aux... *copines*... sur ce qu'on sait faire de son corps et du corps d'un homme, et du corps d'une femme, et de plusieurs corps en même temps». Kathryn avait demandé en riant à Raouf si Metilda en savait autant. «Ça n'est pas gentil d'en parler comme ça», avait répondu Raouf. Il était content d'avoir fait preuve de fermeté.

Ils étaient finalement entrés au Papagaio, l'un des cabarets chics du Kurfürstendamm, deux personnages en smoking, gilet rose, nœud papillon blanc, lèvres rouge vif et joues fardées, accueillaient la clientèle et l'installaient dans un univers d'hommes au cheveu rare et de jeunes femmes à bijoux éclatants. Sur scène les filles étaient plus maigres qu'à Paris, l'une d'elle tourna le dos au public, se pencha, fit passer sa tête et sa poitrine entre ses jambes et regarda tête renversée les nouveaux arrivants en chantant *Willkommen*, on l'applaudit. La moitié de ces filles, dit Kathryn, n'aurait pas survécu au casting d'un club new-yorkais, elle vit que Raouf n'avait pas l'air troublé par le spectacle, beaucoup plus leste qu'à Paris, est-ce à cause de moi ? ou de Metilda ? ce doit être Metilda, il est ailleurs. Otto était celui qui buvait le plus, qui résistait le mieux à l'alcool, et se montrait le plus bavard. Il avait salué à petites inclinations de la tête plusieurs hommes dispersés dans la salle, Gabrielle lui disant : « Vous n'êtes pas le seul officier à entrer dans un cabaret ce soir. » Il avait souri, c'étaient des camarades, ils étaient là comme lui, pour s'amuser et prendre des forces avant la grande fête, il n'avait rien dit de plus et il avait fallu une question de Gabrielle pour apprendre que la grande fête c'était celle qui permettrait de nettoyer ce pays et de restaurer l'individu, contre le déclin, contre la démocratie, la bourgeoisie, le libéralisme, le monde moderne, il avait failli dire le monde américain, il avait ajouté : « Mais nous ne sommes pas réactionnaires, nous voulons un ordre révolutionnaire, impérial et socialiste, l'Allemagne assurera le relèvement de l'Occident ! » Ganthier, en aparté à Raouf : « Ils n'ont pas de quoi acheter vingt grammes de beurre et ils veulent relever l'Occident ! » Raouf répliquant : « En face d'Otto, vous pourriez passer pour un homme de gauche. »

Otto n'était plus dans une conversation, il courait devant ses mots, et on le laissait dire son fait pour tâcher d'en apprendre un peu plus, la politique ça n'était pas ce qui est préférable à la guerre, « la politique aujourd'hui c'est la guerre, et *besser eine eiserne Diktatur*... mieux vaut une dictature du fer que l'anarchie de l'or, j'ai marché, il y a deux ans, dans un putsch qui a mal tourné, nous n'avions pas d'orateurs, aujourd'hui il y a peut-être quelqu'un, dont nous pourrions nous servir un moment, ce monsieur Hitler, un ancien caporal, encore un Autrichien, sa seule qualité c'est qu'il sait parler », et Ganthier, agacé : « Qu'est-ce que c'est, savoir parler ? » Pour Otto, c'était dire à des gens désespérés de voir des tanks étrangers dans leurs rues : «Ceux qui n'osent pas s'attaquer à des tanks avec leurs cannes n'arriveront jamais à rien ! » Otto réprimant un fou rire, reprenant : «Alors les gens vous ovationnent, tout le monde sait qu'il ne faut surtout pas s'attaquer à des tanks avec des cannes, ce Hitler le premier, mais ça donne la force de rêver, et avec cette force on regarde les tanks d'un autre œil, nous ne sommes pas des nihilistes, nous voulons l'avènement du travailleur, en gardant le capitalisme, Marx a raison, c'est la forme la plus puissante de création du monde, mais il faut d'abord faire sauter la démocratie, et le nationalisme est l'explosif dont monsieur Poincaré nous fournit de belles quantités, à chaque bruit de bottes étrangères dans nos rues ! » Otto, champagne dans une main et cigare dans l'autre, remplissait les verres en proclamant qu'il fallait toujours faire la lumière au fond des bouteilles.

Plus tard, Gabrielle avait dit à Ganthier : «Ce type ferait sauter la planète pour atteindre la Lune, et il m'invite chez lui ! Il veut me montrer un *Strandkorb*, vous savez ce que c'est ? — Oui, une corbeille de plage, un grand fauteuil en bois et en osier, il l'a installé sur son balcon, deux places, il m'a dit que ça lui rappelle les plages de son pays occupé, oui, "occupé", le coin de Prusse qu'on a refilé aux Polonais, le corridor de Dantzig, c'est toujours risqué d'habiter un endroit qui peut se transformer en corridor, il dit que c'est le pays de Kant, en fait Königsberg est plus à l'est, après Dantzig, ce sont les deux grandes spécialités du pays, le Strandkorb et Kant, très ingénieux le fauteuil, une tablette rétractable sur chaque accoudoir pour poser sa bière, une autre tablette qui coulisse sous chaque siège en guise de repose-pied, je suis sûr qu'Otto rêve de passer un après-midi là-dessus avec vous. — Je ne crois pas que je l'intéresse vraiment, je ne crois pas que les femmes l'intéressent. »

34

FASCINATION

Kathryn avait fini par obtenir un rendez-vous avec Wiesner, «ça n'est pas parce que vous êtes américaine que je vous reçois, c'est parce que je vous ai vue dans un film de votre mari, *La Marchande de roses*, c'est très fort, très maîtrisé». Kathryn avait honte de ce film, il avait rapporté beaucoup d'argent mais c'était une histoire facile, à larmes faciles, avec deux fins au choix, le mariage heureux ou la mort tragique, les producteurs avaient exigé une fin heureuse, croyant que la fin tragique n'intéresserait que les intellectuels, c'est-à-dire les gens capables de lire le journal, mais la fin tragique avait autant de succès que le mariage de l'héroïne, et on demandait aux directeurs de salles : vous voulez la mort ou le mariage? ou les deux à la fois? De toute façon ça larmoyait, Neil non plus n'aimait pas ce film et il comptait beaucoup sur sa future *Eugénie Grandet* pour retrouver la considération des artistes, Neil était comme ça, toujours en avance d'un film qui rétablirait tout, et toujours en avance d'une femme, se disait Kathryn, il doit s'amuser là-bas, je n'ai même plus envie de savoir avec qui, je me demande même pourquoi nous sommes encore ensemble, parce qu'on se voit peu? parce que ce cochon d'Arbuckle en a trop fait et que les studios ne veulent pas de divorces... parce que nous ne tenons pas assez l'un à l'autre pour avoir l'énergie de rompre, parce que nous n'avons plus de vanité, parce que la situation est commode, avant notre arrivée à Nahbès je n'avais jamais vécu de l'autre côté de la tromperie, c'est en trompant Neil que j'ai compris à quel point c'était facile, et Raouf a ensuite payé pour Neil? mes scènes de jalousie... Metilda a dû lui paraître bien plus commode à vivre, c'est ce que recherchent les hommes, des femmes commodes...

Kathryn se demandait s'il y avait de l'ironie dans l'admiration de Wiesner pour cette *Marchande de roses*, le cinéaste lui parlait à voix aimable mais elle sentait qu'à tout instant il cherchait à être le maître, elle avait besoin de lui, un grand film tourné à Berlin ça faisait de vous quelqu'un à part à Hollywood, elle savait qu'elle ne serait jamais une vraie star mais elle pouvait être quelqu'un à part, Berlin était sa chance, Wiesner le savait aussi, il en usait déjà pour dominer, mais ce qu'il ne disait pas et qu'elle savait c'était qu'il avait aussi besoin d'elle, faire jouer une Américaine connue c'était un vrai passeport, alors qu'aux États-Unis les films venant de Berlin étaient encore obligés de se faire passer pour *européens*. Pendant la guerre, dans la cour des écoles, beaucoup d'écoliers américains avaient brûlé leurs manuels d'allemand.

Vous savez, disait Wiesner, je suis quand même, si vous le permettez, intéressé par un jeu différent de celui que vous aviez dans *La Marchande de roses*, que vous avez peut-être encore un peu, nous allons essayer de changer certaines choses, si nécessaire... C'était bien ça, il méprisait ce film. Kathryn fut rassurée sur les goûts de Wiesner, pas sur son honnêteté, elle resterait sur ses gardes. Les jours suivants, dans le studio et sur le plateau, il avait été d'une douceur inattendue avec elle, pas du tout comme avec les autres, «oui, s'amusait-il, notre société devient anarchiste en ce moment, ça a de bons côtés, il faut libérer les formes pour pouvoir créer, mais si l'on veut que le travail soit fait, rien ne vaut le bon vieux *Kasernenhofton*, le ton "cour de caserne"».

Plus tard, elle l'avait entendu lancer un mot qui avait fermé tous les visages, oui, il avait bien dit *Hundsfötsche*, une maquilleuse avait fini par traduire, vagin de chienne ? à qui avait-il dit ça ? on ne savait pas exactement, pourquoi personne ne réagissait ? parce que l'essentiel était que le travail soit fait, et pour les gens sur le plateau ça n'était pas sa pire injure, un câble emmêlé, un mauvais raccord de rouge à lèvres, et le pire surgissait, en langue originale, *travail français* ! Avec Kathryn, Wiesner installait un halo de calme, de mots aimables et précis, mais la violence et la crainte rôdaient tout autour et agissaient sur elle comme un encerclement, la main de Wiesner effleurait son épaule, sa joue, Kathryn était flattée, une fois elle avait vu la femme de Wiesner les regarder, très froide, une blonde, cheveux courts.

Ce que demandait Wiesner était difficile, contradictoire, pour lui les acteurs étaient des couleurs, qu'on devait pouvoir modifier dans l'instant, les grands acteurs de théâtre faisaient ça très bien. Wiesner ne disait rien d'autre, ne lui demandait pas si elle avait fait du théâtre, ni si elle était une grande actrice, il avait une conception très directive mais réclamait du naturel, il faisait souvent reprendre une scène, avec douceur, même quand il avait l'air satisfait, et plus il faisait reprendre, plus il demandait à Kathryn d'avoir l'air d'improviser, il lui soulevait le menton tout en lui faisant pivoter la tête, lui demandait de garder la pose pour des essais de lumière, elle finissait par avoir mal à la nuque, n'osait rien dire. Il la fit tourner avec une autre femme, une seule consigne, soudain, « séduisez ! », l'actrice lui avait mis la main sur la poitrine, « *parfait* ! avait dit Wiesner, beau mouvement de surprise ! il faudra le garder, avec moins d'expression... le contraire maintenant, mettez-vous dans son dos, glissez votre main, non, n'essayez pas de prendre un air compliqué, un simple geste d'effraction dans l'échancrure, mais avec une tête d'ingénue, vous n'avez jamais fait ça ? Vous n'êtes pas comme mes actrices, elles disent qu'elles préfèrent les hommes seulement quand elles sont saoules… Et maintenant, plus compliqué, vous prenez un air chaste et rassasié, oui, les deux à la fois, pas facile, la marque des grands… nous y arriverons, avec beaucoup de travail», il marquait un silence, se plongeait dans ses notes, pensant *ces actrices qui croient que l'œuf est plus intelligent que la poule, il faut pourtant tout leur montrer!*

La femme de Wiesner les rejoignait souvent à la pause, elle complimentait Kathryn d'une voix froide, une fois elle avait montré à son mari un article de journal, il avait ri, désigné une colonne : «C'est un instituteur qui a écrit une lettre où il fait le bilan de sa carrière, ce monsieur a tenu des livres de comptes, trente ans de métier, vous savez ce que ça donne?» Wiesner avait traduit en lisant : «Quatre cent mille coups de canne, cent vingt mille séances de fouet, cent trente mille coups de règle sur les mains, dix mille deux cents coups de poing sur les oreilles, il est très content d'avoir formé la jeunesse!» Wiesner se moquait de l'instituteur, mais on sentait qu'il était d'accord, l'instituteur était seulement un peu maniaque.

«Vous avez été souvent battu?» osa demander Kathryn, elle pensait aussi aux jeunes années de Raouf, à ce qu'il appelait ses deux écoles. «Au pensionnat de Linz, dit Wiesner, nous devions réciter nos leçons du lendemain juste avant de nous coucher, la baguette se fait mieux sentir à travers le tissu d'une chemise de nuit.» Kathryn dit qu'elle n'avait jamais été battue, par personne. «Vraiment? c'est parce que vous n'êtes pas un garçon. — En Amérique on bat de moins en moins, ça s'appelle l'éducation démocratique…» Wiesner et sa femme échangeaient des regards, Kathryn eut envie de se faire respecter, elle ajouta d'une voix suave : «C'est ce qui nous permet de battre les autres…» Wiesner ne répliqua pas, cette fille sautait par-dessus son harnais, et elle y prenait du plaisir! Il s'était levé pour aller donner des ordres, sa femme l'avait suivi, Raouf revint dans les pensées de Kathryn, *il aurait pu m'accompagner, il ne veut pas, il fait le modeste, ça lui permet d'aller voir son Autrichienne, je ne nous savais pas si modernes.*

Plus tard, Kathryn dit à Wiesner que cette liste d'instituteur ça pourrait faire un superbe montage comique, séquences brèves, rythme vif, Wiesner approuvait de la tête, de quoi se mêlait cette fille? elle était là pour se mettre devant une caméra, pas derrière, il n'était pas son mari. Il dit en souriant qu'on y verrait une critique de la bonne éducation, mais c'était tant mieux, « quand, dans un film, je m'écarte de mes opinions, c'est le signe que j'invente; pour Tchekhov, une histoire originale au vingtième siècle ce serait celle d'un banquier honnête... » Wiesner se demandait ce qu'il allait réussir à faire de cette Américaine, le visage n'était pas assez maigre, elle n'accrocherait pas la lumière, mais elle la retenait comme rarement... *pas l'allure d'une star, elle ne sera jamais un précipice, plutôt une femme avec qui on aurait envie de vivre, belle, mais placide, c'est un très bon personnage secondaire, ou alors une victime, peut-être... le symptôme de la crise des valeurs c'est que cette femme soit une victime, innocente, ou alors elle commettrait une petite faute, comme nous tous, mais pour elle ça tournera au tragique, il faudra la faire mourir, mais d'abord passer par l'infamie, à cause d'une petite faute, elle tresserait elle-même sa propre corde, dans du clair-obscur... et, avant la mort, un grand espoir.* Il prit l'air affable, lui demanda : «Chère Kathryn, de quelle petite faute seriez-vous capable? les petites fautes, vous savez, c'est ce qui rapproche les spectateurs du personnage.»

Au fond, Kathryn ne trouvait pas Wiesner très intéressant et elle commençait à se dire qu'elle avait fait une erreur, Neil reprenait à ses yeux quelques qualités, il lui arrivait de crier sur le plateau, mais on s'en foutait, et on s'amusait. À sa demande,

Wiesner lui avait montré un de ses films, une folie de noirs, de blancs, d'éclairs et d'ombres, sur l'écran s'étaient succédé une insurrection, un putsch, un assassinat, un homme et ses déguisements, des cartes à jouer, un maître laissant son valet se droguer pour mieux le tenir, maître de l'heure et des pièges bien tendus, impitoyable sur les retards, un train qui file, soudain elle ne fut plus maîtresse d'elle-même, et l'horloge de la Bourse, et cent kilomètres heure, *je n'avais jamais vu un ivrogne aussi bien filmé*, un faux ivrogne, faux-monnayeur dans son repaire, repaire d'aveugles, et fausse nouvelle en Bourse, et les cours qui s'effondrent, la foule à la Bourse, au centre un homme est seul, comme un pilier, ça pleure, ça se gratte la tête, ça remet son chapeau, ça crie, ça s'éponge, ça remue des papiers, vingt-quatre images seconde, et dans chaque seconde au moins dix gestes de dix personnages différents, et la scène soudain plus vaste, au moins cent personnages, et jamais les mêmes gestes, la baisse des cours, la chute, la crise, les cours remontent, l'escroc maintenant millionnaire, *comment fait-il pour que je ne lâche pas ce charivari ? il a dû en couper au moins la moitié, chaque coupe crée une tension, et les événements ne se succèdent pas, ils se bousculent, il est plus américain que les Américains*, et le vainqueur en Bourse devient psychanalyste, promet de guérir tous ses malades par le dialogue, *même pas le temps de sourire, j'étouffe, au moins vingt minutes que ça a commencé*, une lumière qui n'éclaire pas, qui agresse, qui troue, qui fait choc, qui attaque comme une voleuse, *presque une demi-heure maintenant sans respirer et je ne veux pas que ça s'arrête*, et une femme maintenant, sur la scène, comme une bouffée d'air frais, *être cette femme, être filmée comme elle, en bouffée d'air frais, on n'a pas besoin d'habit de princesse, dans ce rythme on est royale, et je disparais avant qu'on m'ait assez vue, je deviens un regret.*

Ce film était fou. Le meilleur moyen de faire un bon film, disait Wiesner pendant qu'on changeait de bobine, c'est de brûler ses vaisseaux, prenez l'exemple d'un homme qui triche et qui en ruine un autre aux cartes, c'est grossier, c'est pour le tout-venant ! Mon personnage à moi, l'escroc, il gagne lui aussi, mais… il renonce à encaisser son gain, pourquoi ? vous voyez, ça vous intrigue, c'est parce que j'ai d'abord décidé de le faire renoncer, avant même d'en connaître la raison, il faut se mettre au bord de l'inconnu pour que le spectateur ait lui aussi la sensation de l'inconnu, et après j'ai trouvé, pourquoi fait-il ça ? parce que ça n'est pas un simple escroc, c'est un homme qui brise la morale pour éprouver ses instincts, pour lui c'est ça l'essentiel, pas l'argent, et c'est ça le cinéma, faire surgir du jamais-vu, même si c'est infernal… ça n'est pas très américain n'est-ce pas, deux heures d'illusion pour ne laisser d'illusions à personne ?

C'était supérieur à tout ce qu'elle avait pu voir jusque-là, c'était tout ce que Neil avait envie de faire, qu'on ne le laissait pas faire, être actrice dans un tel film, elle écoutait Wiesner, tout changeait dès qu'il parlait de ses films, il disait qu'il fallait de la vie dans l'illusion, les autres se trompent en voulant produire l'illusion de la vie, moi je cherche à mettre de la vie dans l'illusion, et la vie dans l'illusion c'est un accroc, une syncope, mais qui relance le rythme ! quand, dans un film, un couturier présente un défilé de mode par exemple, il tient par la main la belle fille qui porte la robe, elle marche sur le podium, à un mètre au-dessus du sol où s'avance le couturier, ça veut seulement dire « ici défilé de mode », chez moi, à un moment, le couturier se penche sur la chaussure de la fille et il l'effleure du doigt, surtout pas pour enlever une poussière, il ne faut pas motiver, juste un signe, un peu incongru, mais c'est cela, la vie qui surgit dans l'illusion, c'est tout, ou alors un roi qui se goinfre, un roi médiéval, il ne se contente pas de prendre le gigot à deux mains, ça c'est ce que vous attendez, parce que vous le savez déjà, ici roi médiéval ! si le film imite ce que vous attendez, ça n'est pas du cinéma, il faut autre chose, par exemple le roi coupe une tranche de gigot, ça vous pouviez vous y attendre, c'est partout, mais chez moi, ensuite, il prend la tranche à pleine main pour saucer avec dans le plat… et, quand mon héros escroque les vies humaines, ça n'est pas du feuilleton, ça devient une œuvre parce qu'il s'escroque lui-même pour goûter à la ruine…

Un jour Wiesner lui avait demandé : «Mon œil de verre vous gêne ?» Elle avait dit que non, puis ajouté que cela devait être deux fois plus difficile pour mesurer vraiment l'espace, oui, avait-il répondu, au départ, j'ai été obligé de me battre contre mon regard, moins de profondeur de champ, ça m'a fait du bien, j'ai appris à rétablir, et ce que je vois c'est à moi que je le dois, pas à la nature, la nature a fourni le moyen, la vie a infligé le manque, et j'ai reconstruit !

Il fumait en permanence le cigare. Un jour qu'il se moquait de son habitude du chewing-gum (elle ne mâchait pourtant jamais quand elle était sur un plateau), elle avait fini par dire que c'était pour éviter à ses proches de se retrouver en face d'une bouche qui sentait la cigarette, depuis il ne fumait plus devant elle, elle se disait qu'elle était en train de trahir Neil, c'était plus grave que d'aimer Raouf, Neil c'était le métier, il l'avait laissée partir pour Berlin, mais elle savait qu'il ne tenait pas du tout à cette expérience allemande, et elle se cherchait des raisons de détester Neil, elle n'en manquait pas, il y en avait une qu'elle préférait, Neil cherchant une lettre, disant qu'il était sûr d'avoir laissé cette lettre sur son secrétaire, il ne la retrouvait pas, qui avait mis le bordel sur son secrétaire ? du travail de flic ! ou de femme jalouse, c'était la même chose, l'incompétence ! incompétente jusque dans la jalousie ! il avait répété trois fois le mot, elle avait réagi, le désordre du secrétaire c'était lui, le même désordre que dans sa tête, le désordre que les patrons du studio lui reprochaient ! elle savait qu'elle lui faisait mal, la production reprochait à son scénario d'*Eugénie Grandet* de manquer d'unité, il ne voulait pas de scénariste, il voulait tout faire lui-même, il n'y arrivait pas, il en souffrait, il allait devenir un vétéran de l'échec, on avait dérangé ses papiers, du travail de fouine jalouse, puis, plus direct, droit dans ses yeux à elle : je me fous que tu lises mon courrier mais remets en ordre après, elle était écœurée, je n'ai pas besoin de fouiller, je sais tout, elle est jalouse, ta maîtresse ? si tu veux, je peux la calmer, dire que tu étais avec moi... Il était devenu méchant, ne joue pas à ça... pas avec moi, d'ailleurs tu ne sais pas jouer... Kathryn répondant ce n'est pas ce qu'on me dit, n'en disant pas plus, ça n'était pourtant pas la première fois qu'elle fouillait, après tout c'était son droit... Elle avait fini par comprendre le pourquoi de la colère, elle le lui avait dit : ce qui te fout en rogne, c'est que tu crois que je cherche à lire des lettres qu'on ne t'écrit pas ! Elle était sortie en riant, pourquoi rester avec un type pareil ?

Wiesner lui montrait maintenant les cartons de son grand projet, une histoire mythique, il avait lui-même dessiné un dragon géant, mécanisé, et les esquisses de paysage. «Ce que je veux ce n'est pas le paysage, le plan général, je me moque des cartes postales, je veux les yeux du paysage, et pas trop de mots. — Vous n'aimez pas les mots ? — Quand il y a trop de mots, c'est comme trop de monnaie dans une poche.» Il s'échauffait en parlant, ils étaient dans une salle de projection privée, Wiesner avait passé un bras autour de ses épaules, elle eut peur, de l'arrivée de la femme, Wiesner comprit, dit à voix basse : «Elle empêche qu'on nous dérange.»

35

LE RETOUR

Raouf s'était retourné. Derrière eux, au milieu de la route, un coq sans tête tournait sur lui-même. «Il s'en est tiré? demanda Ganthier. — Si on veut, mais le paysan ne sera pas de cet avis.» Ganthier stoppa et fit repartir la voiture en marche arrière. Un homme était sorti de la maison à toit de chaume. Ganthier descendit, salua le paysan, lui dit qu'il ne fallait plus laisser les animaux divaguer sur la route et lui tendit un billet. Le billet disparut dans une poche. Ganthier serra la main de l'homme, remonta dans la voiture. Ils repartirent. «Je suppose que vous lui avez donné le prix de deux coqs. — Quatre ou cinq, dit Ganthier, pour nous c'est un incident, pour lui c'est un scandale… et peut-être qu'il ne lancera pas de cailloux sur la prochaine voiture.»

Cela faisait plusieurs jours qu'ils étaient sur les routes de France, parlant peu. Kathryn était repartie en Amérique, Gabrielle était en Russie, avec une amie qu'elle avait présentée à Ganthier à la gare au moment de prendre le Berlin-Moscou, une fille à la silhouette gracile, des cheveux roux, des yeux marron, des gestes maladroits, une Anglaise. Gabrielle a trouvé quelqu'un à protéger, avait pensé Ganthier, moi je ne faisais pas l'affaire. La jeune fille avait vérifié que le porteur avait bien tous leurs bagages, elle avait interrompu le geste de Ganthier et elle avait dit à Gabrielle : «Donne-moi de la monnaie ! — Je n'en ai pas, avait répondu Gabrielle, la voix timide. — Je t'avais dit d'en faire ! Tu ne m'écoutes jamais ! C'est comme si je n'étais rien ! » Gabrielle s'affolait. Ganthier, au lieu de se réjouir de ce renversement des rôles, avait fait ce qu'il avait prévu de faire, payer le porteur. En se retournant il avait vu la jeune fille passer son mouchoir sous les yeux de Gabrielle en murmurant : « *I'm sorry, so sorry…* »

Il y avait eu un instant de détente, la jeune fille avait remercié Ganthier d'un ton presque aimable, il lui avait offert une cigarette, elle avait refusé, il avait tendu son étui à Gabrielle qui avait eu un regard vers son amie, avant de refuser. Ganthier avait rangé son étui. La jeune fille l'avait toisé en souriant aimablement, puis elle avait fixé Gabrielle et celle-ci s'était empressée de tendre la main à Ganthier en le remerciant, voyant soudain devant elle un homme amical et tendre, très différent de ce qu'il avait été jusque-là, et qui souffrait. C'était trop tard. La jeune fille avait à son tour tendu la main à Ganthier, une main gracile et dure à la fois. Ganthier avait fait demi-tour et il était reparti le long du quai laissant les deux femmes discuter devant la porte de leur wagon-lit, il n'avait pas osé se retourner.

Et quelques jours plus tard, dans le train de Berlin à Paris, il avait été surpris de ne pas voir Gabrielle dans le reflet de la vitre, de ne pas pouvoir l'observer comme il le faisait pendant leurs voyages, parfois leurs regards se croisaient dans ce reflet, et Gabrielle souriait comme un chasseur qui vient d'en surprendre un autre, il avait fermé les yeux… leurs discussions… les articles qu'elle lui donnait à relire… le Tiergarten… la nuit ratée à Paris… Il avait de nouveau regardé à travers la vitre et elle avait surgi, nue dans son fauteuil, les pieds dans une bassine d'eau chaude. Il s'était levé pour aller dans le couloir, laissant Raouf seul à l'intérieur du compartiment, il regardait l'autre côté du paysage en s'accompagnant d'une phrase : *la douleur est une île déserte*, puis d'une autre : *je suis le roi des cons*.

À Paris, Ganthier avait décidé de faire le trajet jusqu'à Marseille en voiture et il en avait aussitôt acheté une. «Je veux la conduire moi-même, et savoir la réparer, je ne veux pas être la proie des garagistes!» Il avait choisi une Peugeot, une décapotable, une grosse quatre places pour remplacer la Panhard qui vieillissait à Nahbès, et il avait passé six jours au garage à la démonter et à la remonter, sous l'œil des mécaniciens.

«Votre ami, c'est un vrai bouffeur de cambouis, vous pourriez pas nous le laisser? avait demandé le patron à Raouf. — En plus je paie pour travailler, une belle affaire pour vous», avait ajouté Ganthier. Cette fantaisie lui avait coûté cher, mais il était content. Raouf aussi : il avait eu la bride sur le cou pendant toute cette période, il l'avait passée à discuter avec ses amis maghrébins et asiatiques, et surtout avec David Chemla qui avait décidé de faire ses études à Paris tout en militant au parti communiste. Ils ne s'étaient pas revus depuis des mois, depuis la veille du départ de Raouf pour l'Europe. Chemla s'était endurci, et Raouf sentait qu'un monde les séparait. Lui-même avait décidé de ne pas prendre sa carte au parti, même clandestinement. David n'avait fait aucun reproche, mais Raouf sentait qu'on ne le jugeait plus digne de vraiment dialoguer, il s'était coupé de l'avant-garde, il n'avait pas à en partager les discussions, il n'avait droit qu'aux réponses toutes faites. C'était blessant. Il avait quand même raconté de bonne grâce son voyage en Allemagne, la révolution assommée, les manifestations nationalistes. «L'espoir à protéger maintenant, c'est l'Union soviétique», avait dit David.

La veille du départ, Raouf était venu retrouver Ganthier au garage. Ganthier transpirait, il avait changé un cardan et finissait de remonter une roue. Raouf lui avait dit : «Une voiture pareille, ça remplace bien des choses. — Vous savez pourquoi j'aime bien votre conversation, jeune Raouf? Parce que vous vous chargez de tous les clichés, ça soulage.» Ganthier continuait à fixer des boulons, il releva la tête vers Raouf : « Et vous, ça y est, vous avez refait le monde avec vos Chinois ? » Il avait eu un sourire que Raouf ne lui connaissait pas, puis, à voix basse : « Nous avons tous les deux besoin de nous occuper... » Le dos tourné, il avait poursuivi : « Sauf que vous entrez dans l'âge adulte, vos jours ne sont pas encore des cadavres ! »

En réalité, Raouf souffrait moins que ne l'imaginait Ganthier, certaines choses avaient pris fin, d'elles-mêmes, d'autres s'étaient relancées, d'elles-mêmes aussi, et avaient pris fin à leur tour, Kathryn avait mis un terme à leur liaison, non, on ne pouvait pas dire ça de cette façon, d'ailleurs rien n'avait été dit, une nuit elle n'était pas rentrée à leur hôtel du Kurfürstendamm, Raouf n'avait rien demandé. Il s'était rendu compte que depuis quelque temps il ne pensait à Kathryn que lorsqu'il était avec elle. Les jours suivants ils avaient continué à converser, à se promener, il était venu à plusieurs reprises la chercher au studio en compagnie de Ganthier, qui évitait de faire des réflexions sur un rôle d'attentif enfin platonique. Kathryn considérait toujours Raouf comme faisant partie de sa vie, mais à une place différente. Elle avait même une fois tenu à le déposer chez les parents de Metilda où il allait dîner, et elle était repartie avec Ganthier dans la voiture que Wiesner mettait à sa disposition. Ganthier avait l'air triste, elle savait pourquoi et elle lui avait dit : « Je n'aime pas non plus cette Anglaise qu'a dénichée Gabrielle... » Ganthier n'avait pas répondu. Une autre fois, Raouf, de lui-même, avait rejoint la chambre qu'il n'occupait jamais, sans savoir s'il faisait ça de son propre chef ou s'il avait senti que Kathryn allait lui en faire la demande. Il revenait de l'appartement de Metilda avec laquelle il trouvait très moderne de ne pas passer des nuits entières.

Pour provoquer Ganthier, Raouf était allé visiter un garage concurrent, chez Ford. Il s'était mis au volant du dernier modèle de la firme, le «T», et il avait fait rouler la voiture sur l'avenue Foch, casquette au vent, en compagnie de Ganthier et du garagiste de Ford. Ça avait fait un choc à Ganthier, le gamin avait l'air d'un Californien. Raouf avait vu sa mine : «Vous vous rendez compte, si au Maghreb on se met à acheter des voitures américaines? le court-circuit? — Vous devriez tenir votre droite. — Il va falloir apprendre le français à beaucoup d'indigènes si vous voulez qu'ils continuent à se fournir chez vous au vingtième siècle.» Raouf conduisait de façon très inquiétante. «Je ne refuse pas d'écouter vos approximations, disait Ganthier, mais vous devriez vous concentrer sur la conduite. — Et quand vous aurez accompli cette noble tâche et que vos chers indigènes auront tous lu *Les Misérables* et *Le Contrat social*, ils vous mettront gentiment à la porte... pour aller se fournir chez les Américains. — Ça fera un beau progrès, les protégés de la France qui deviennent les larbins du dollar! — Sauf si on fait la révolution! avait dit Raouf en riant. — Tenez votre droite, ralentissez et ne vous engagez pas sur le rond-point de l'Arc de triomphe, vous êtes en proie à l'orgueil des automobilistes!»

Raouf avait accéléré, et s'était retrouvé à tourner en rond sur la place de l'Étoile, la folie venait de partout, parfois un agent sifflait, personne n'en tenait compte, il ne fallait surtout pas s'arrêter. Raouf tourna un bon moment avant de pouvoir sortir du cercle infernal. «C'est ça le monde moderne, Raouf, si on s'arrête on est foutu!» Raouf avait réussi à prendre l'avenue de la Grande-Armée, concluant : «Au fond, je préfère la fantasia... — Vous parlez de cette course qui ne mène qu'à une pétarade à blanc? c'est ça la révolution? ça vous va bien!»

Ils avaient fini par quitter Paris dans un chant de cylindres, grosses lunettes sur les yeux, manteaux et gants de cuir noir. «On va nous prendre pour des agents de la Secrète, avait dit Raouf, et dans votre cas ça n'est pas totalement faux.» Parfois un chagrin l'envahissait, il préférait le tenir pour inexplicable, agitant en silence un souvenir, la première fois, une main qui s'était soudain emparée de la sienne à Nahbès, un jour qu'ils étaient tous les deux chez Gabrielle, à l'attendre. « Il n'y a personne, viens ! » lui avait dit Kathryn, les lèvres contre son oreille. Et dans la chambre les mains et la bouche de Kathryn avaient continué à explorer Raouf. Il était resté silencieux, elle n'avait eu que quelques mots, sur un ton de constatation douce : *you never had sex before*...

En conduisant, Ganthier passait son temps à régler la carburation du moteur à l'aide d'un bouton au tableau de bord, heureux comme un gamin avec une toupie. De temps en temps il donnait une tape sur son volant, comme il aurait flatté l'encolure d'un cheval. Il respirait d'aise en voyant se dessiner une belle courbe, ou mieux : un virage serré. La route devenait de plus en plus belle, elle se bordait par endroits de platanes, et certains matins ils voyaient de la gelée blanche sur l'herbe des champs, comme une trame de rêve. « Nous avons le temps, disait Ganthier, le bateau ne part que dans six jours. » Il lui arrivait de laisser passer des oies à gros derrière qui se dépêchaient de traverser la route en lançant la tête et le cou vers l'avant. « Ça fait contrepoids », disait Raouf en riant.

La voiture ralentissait pour pénétrer dans de petites villes assoupies en plein jour. « En Allemagne, les gens avaient toujours l'air de faire quelque chose, avait une fois remarqué Raouf, ici on dirait que le temps s'est arrêté. — Oui, avec tous les morts à la guerre les choses ne se font plus qu'au rythme des parents ou des grands-parents. » Dans un numéro du *Petit Parisien* Raouf lut un article à voix haute : « Les troupes nationalistes ont défilé hier à Munich... Hitler a déclaré qu'elles constituent une armée nationale destinée à délivrer l'Allemagne... équipement complet... cris hostiles à la France et aux

Juifs, traversée de la ville musique en tête... on appelle Hitler le "Mussolini bavarois". »

« C'est Gabrielle qui a raison, avait ajouté Raouf, il y a trois mois ce type n'était rien, et maintenant chaque fois qu'un civil est tué par des Français ça lui fait des milliers de partisans. — Peut-être, mais dans trois mois il ne sera plus rien, ça n'est qu'un âne avec des cornes. — Vous croyez qu'Otto est passé dans son camp ? — Otto est né pour être fusillé, par les uns ou par les autres », dit Ganthier.

Raouf n'était pas parvenu à comprendre Otto, révolutionnaire et conservateur, et capable de passer des nuits entières à s'amuser dans des endroits qu'il voulait faire disparaître, c'était Berlin, tout le monde changeait, il suffisait d'un séjour dans cette ville pour changer. Berlin inventait le monde ! Les passions du vieux monde avaient donné la mort, la génération de Metilda ne voulait plus entendre parler du vieux monde mais d'esprits libres, d'amours libres, de corps libérés. Un matin elle avait emmené Raouf en voiture au bord d'un lac où des hommes et des femmes sortaient en courant de grandes baraques de sauna, se précipitaient nus dans l'eau glacée, et revenaient se fouetter en riant sur la rive avec des branches de bouleau avant de retourner au sauna. Raouf avait fini par accepter de les rejoindre avec Metilda dans une des baraques fumantes.

Raouf ne conduisait pas. Il assurait la navigation, surprenant Ganthier, il ne se trompait presque jamais. « Comment faites-vous ? — Mémoire visuelle. — On descend vers le sud et vous n'avez pas besoin de faire pivoter la carte, vous ne confondez jamais la droite et la gauche ? — Je suis bon en géométrie. » Raouf ne précisait pas que le soir il travaillait quand même l'iti-néraire. Il est bon que les hommes mûrs continuent à croire que la jeunesse est un miracle.

Quand Ganthier réussissait à réserver un hôtel par téléphone, il roulait volontiers jusqu'à onze heures du soir, il aimait filer dans la lumière des phares, avec des coups de volant pour éviter un lapin ou, pire, une charrette sans fanal. Raouf surveillait les panneaux Michelin, le silence s'installait entre eux, Kathryn revenait dans les pensées de Raouf, ou alors Metilda ; il essayait de ne pas éprouver de vanité, les scènes de jalousie de Kathryn ne lui paraissaient pas de mauvais souvenirs, il se disait qu'elle avait seulement anticipé, qu'elle s'était rendue insupportable et que les retrouvailles avec Metilda en avaient été d'autant plus faciles, d'ailleurs à Berlin cette jalousie avait vite manqué d'énergie. Il s'apprêtait à revoir Kathryn dans moins de six mois, Neil avait confirmé que toute l'équipe reviendrait pour finir *Le Guerrier arabe*, et entreprendre un nouveau film. « Pouvoir de nouveau travailler au calme, sans producteurs et sans photographes à nos trousses, avait-il écrit, ça n'a pas de prix. »

La Peugeot tombait parfois en panne, au grand mécontentement de Ganthier, mais jusqu'ici il avait toujours réussi à réparer et à conclure par : « Et voilà le travail ! » Ils avaient très bien absorbé les monts de Bourgogne. Un soir, ils allèrent au bal d'un village. Les musiciens étaient vieux ou très jeunes ; dans une salle trop vaste beaucoup de jeunes femmes dansaient entre elles, d'autres, qui sortaient à peine de la jeunesse, dansaient avec un enfant ennuyé ou triste, en lançant des regards vers la porte de la salle ; la musique était lente, on jetait des coups d'œil vers Raouf et Ganthier qui n'osaient pas quitter le bar, ils observaient la salle dans le miroir au-dessus du comptoir, et Raouf : « On ne dirait pas que nous sommes dans un pays qui a gagné la guerre. »

Ils repartaient généralement de bonne heure. Dans les lignes droites la voiture devenait un bolide, Ganthier et Raouf se faisaient bolides, des pieds à la tête, dans les nerfs, le cœur, les muscles, ceux de l'abdomen surtout. Raouf avait peur, ne l'aurait jamais avoué, mais s'était rendu compte que, quand il parlait de la ferme de Ganthier, celui-ci ne dépassait jamais un honnête quarante kilomètres heure. Puis l'ivresse reprenait ses droits, la charge à près de soixante kilomètres heure, et les arbres comme saluant.

À Berlin, Metilda avait été surprenante. «À Vienne je suis viennoise, disait-elle, ici je suis berlinoise, nous ne savons pas ce qui va venir, les vieilles façons d'aimer sont mortes et nous devons tout essayer, je ne t'en veux pas de ce qui ne s'est pas passé sur le bateau, je t'en veux de ne pas m'avoir parlé de Kathryn, d'avoir préféré passer pour un niais, alors que tu sais beaucoup de choses, disait-elle en riant sous les caresses de Raouf, je ne suis pas jalouse de Kathryn, je lui suis très reconnaissante, tu sais beaucoup de choses et tu donnes l'impression de les inventer, mais ta bêtise c'est de considérer les femmes comme des trophées.» En amour elle avait des mouvements d'une grande violence, mais pliait d'abord ses vêtements.

À partir de midi et demi, Ganthier perdait tout intérêt pour la route, il se mettait à chercher un restaurant. «Pas ici», disait-il souvent. Quand Raouf s'étonnait devant une façade qui présentait bien, Ganthier avait une formule pour accompagner son refus d'entrer : «On aurait la sauce d'aujourd'hui mais la viande d'hier.» Ils finissaient par trouver une table convenable. Ganthier mettait du temps à choisir, discutait avec le patron, changeait d'avis en cours de discussion, puis c'était la question du vin, Raouf disant «je n'en boirai pas, ou un demi-verre, choisissez vous-même». Ganthier mangeait lentement, Raouf au lance-pierre. Ils repartaient. Le temps était beau. Au bout d'une heure Ganthier ralentissait, entrait dans un champ, s'installait sur la banquette arrière, l'heure de la sieste, il était réglé comme du papier à musique. Raouf lisait, rêvait, se perdait dans l'observation d'un vol d'étourneaux, ou écrivait à Metilda. Quand il avait dit au revoir à Kathryn, ils savaient tous les deux qu'ils se retrouveraient sous peu, avec Metilda c'était différent, de vrais adieux, mais elle avait dit : «Nous n'allons quand même pas nous dissoudre dans les larmes?» Raouf regrettait la Metilda du bateau, celle qui parlait de chasse au bonheur, mais il s'était montré aussi fort que la Metilda de Berlin et tous deux s'étaient souhaité beaucoup de belles rencontres.

Après trois quarts d'heure de pause Ganthier reprenait le volant, s'arrêtait vers cinq heures et demie : on ne va pas laisser passer l'occasion de se détendre, regardez cette ombre, magnifique! Ils s'installaient dans l'ombre magnifique, sous une treille entourée d'arbres. Les branches semblaient se déplacer au milieu des nuages. Ganthier commandait des pastis, commençait à se préoccuper de l'endroit où passer la nuit. Quand ils arrivaient à l'hôtel, son premier soin était de faire monter dans la chambre une malle qui contenait ce qu'il avait de plus précieux : une boîte à outils, des chambres à air, un stock de bougies, un embrayage de rechange et même un cylindre neuf.

Un après-midi, ils traversaient un village, «Regardez!» dit Raouf. Une dizaine de garçons entre quinze et vingt ans étaient assis au soleil sur une murette de pierre, ils chantaient en tapant dans leurs mains. «Ça y est, nous sommes en pays méditerranéen», dit Ganthier. À Marseille, Raouf avait avec plaisir retrouvé le *Jugurtha*, qui lui avait paru plus petit. Il s'isolait parfois à la proue, songeait à ses deux amies, rêvait en les faisant dialoguer. À Berlin les occasions avaient été trop rares et, quand Metilda avait proposé d'organiser un dîner à quatre avec Wiesner, Kathryn s'était renfrognée. Le dîner n'avait pas eu lieu.

La traversée s'était faite sans orage et, au moment où le *Jugurtha* entrait au port, Raouf avait dit à Ganthier : «Ils voyagèrent, ils connurent la mélancolie des paquebots… ils revinrent…» Ganthier rieur : «Je ne veux plus penser à ça. J'ai besoin de soigner des arbres et du bétail au grand air… — Et puis vous allez retrouver Kid, vous croyez qu'il va vous reconnaître? — Vous m'emmerdez, jeune Raouf... Et vous, qu'avez-vous décidé? des études là ou là?» Ganthier avait montré la direction de la poupe puis celle de la proue. «Je ne sais pas encore», dit Raouf et, changeant de sujet : «Ce voyage, ça n'a pas marché, vous n'avez pas réussi à me convertir au Grand Empire. — *Mektoub*, dit Ganthier. — Vous n'y croyez plus? — À quoi? — À la France de cent millions d'habitants... — Personne n'en veut, surtout pas ceux qui en parlent. — Et la prépondérance? — Avec une génération comme la vôtre, ça va être difficile, au fond je n'y crois plus, ce qui m'intéresse ça n'est pas de peser sur des gens, c'est de faire des Français, il faudrait défendre l'Esprit! — Votre catholicisme qui revient... avec l'âge. — Vous m'emmerdez, jeune Raouf. — Voui missié! — Et la révolution? — Les révolutionnaires ne veulent pas qu'on la fasse chez nous, ils veulent qu'on laisse le premier rôle aux bourgeois et, comme il n'y en a pas encore assez, ça peut durer longtemps... — À Nahbès on va continuer à discuter, hein? Vous devriez épouser votre cousine, on serait voisins. — Je la connais, si elle pense à quelqu'un, ça n'est pas à moi. — Vous n'en savez rien. — Vous non plus.»

TROISIÈME PARTIE

UN AN APRÈS

Nahbès, juin 1924

36

UN VRAI RUSÉ

Les Américains n'étaient pas revenus dans les six mois mais l'année suivante, à la fin juin, et cette fois sans McGhill, le mouchard des producteurs. Neil Daintree avait entre-temps tourné trois westerns à succès, il venait achever *Le Guerrier des sables* et comptait sur ce nouveau séjour pour trouver un sujet de film plus singulier que les éternelles histoires de *cheikh*. À leur arrivée, Raouf était déjà rentré de Paris où il avait bouclé une première année de droit, Neil lui avait fait de grandes démonstrations d'amitié et ils avaient recommencé à se donner des cours d'arabe et d'anglais. Gabrielle Conti était également là parce qu'elle avait décidé que l'été se passait au soleil avec des gens qui vous aiment à peu près. Quelque chose s'était modifié dans ses relations avec Ganthier. « Où en êtes-vous avec lui ? » avait demandé Kathryn. Gabrielle avait jugé la question très américaine et avait esquivé. Et puis elle ne savait pas trop elle-même, elle découvrait de plus en plus de qualités chez Ganthier mais elle était suffisamment lucide pour se rendre compte que c'était parce qu'il lui montrait moins d'intérêt, et peut-être parce qu'il était plus musclé que les hommes qu'elle rencontrait à Paris. Rania était heureuse de revoir ses amies, elle se répétait *je suis belle… j'ai des droits…* et s'en voulait de faire ces réflexions désespérantes. Kathryn trouvait que Raouf avait les traits creusés et la voix plus dure. À Berlin ils avaient réussi à se séparer avec le sourire, et ni l'un ni l'autre n'avait désormais envie de parler de Metilda ou de Wiesner. Il y avait un peu de distance entre eux, mais c'était bon de se retrouver. Kathryn aurait quand même voulu savoir où il en était avec Metilda.

Raouf et Ganthier avaient repris leurs affrontements, qui n'étaient plus aussi vifs, Ganthier se montrant moins «prépondérant» que naguère, et Raouf semblant avoir renoncé pour l'immédiat à la révolution. «La faute au droit, disait le colon, ça rend patient, toutes ces choses qui doivent concorder entre elles si on veut que ça marche.» Raouf trouvait Ganthier mélancolique, et il se gardait de lui dire qu'il avait pris un coup de vieux. «Je suis à l'âge où l'on relit», disait Ganthier. Il s'était aussi plongé dans la lecture d'un mystique musulman, et il essayait même de le traduire, ce qui provoquait de nouvelles discussions avec Raouf. «Non, disait Raouf, traduire *qids* par "saint", ça fait mielleux, piétiste, *qids* c'est d'abord le "sacré", Hallaj n'est pas un curé de Saint-Sulpice!»

Pour fêter leur retour à Nahbès, les Américains avaient proposé d'organiser une grande séance de cinéma en plein air; Marfaing avait trouvé l'idée intéressante, il fallait aller de l'avant, «les indigènes, vous comprenez, si on leur injecte de la modernité à bonnes doses, l'électricité, l'automobile, le cinéma, ils vont finir par marcher avec nous, une partie au moins, les modernes, qui vont se couper des fanatiques qui refusent les images, et ça privera les modernes du soutien des fanatiques!». Dès qu'ils avaient eu vent du projet, les chefs des Prépondérants, Pagnon, et Jacques Doly, l'avocat, avaient fait savoir au contrôleur civil qu'ils n'étaient pas favorables, et Audibert, le colonel commandant la place, s'était lui aussi montré réticent, la foule... les débordements... Marfaing avait répondu que les débordements, quand on savait les maîtriser, c'était excellent, quelques coups de crosse par la première armée du monde, un vrai vaccin. Il forçait sur le cynisme, Marfaing, pour montrer aux militaires qu'il n'était pas qu'une belle âme. Le colonel avait dit que Daintree était plus retors qu'il n'en avait l'air, qu'on jouait avec le feu, et Marfaing avait lancé, index levé, les yeux écarquillés : « Le feu, je le vole ! et je fais l'histoire ! »

En faisant l'histoire, il faisait aussi plaisir à sa maîtresse, Thérèse Pagnon, qui mourait d'envie de voir un film avec Francis Cavarro. Daintree en avait un, qui se passait sous la Révolution française, *Scaradère*, un drôle de nom, oui, avait dit Daintree, la production a pensé que si on mélangeait *Scaramouche* et *Lagardère* ça ferait venir plus de monde. Marfaing avait hésité, la Révolution… Daintree avait dit que c'était la première partie de la Révolution, 1789, la Bastille, le peuple uni, et le message que la grande France envoie au monde entier, Liberté, Égalité, Fraternité, les Lumières. « Donc, cher Neil, avait dit Marfaing, un film pour éclairer, pas pour fanatiser, c'est bien ça ? » Neil avait aimé la formule, il avait montré des extraits à Marfaing, des féodaux stupides, un souverain apathique et veule, des jeunes gens pleins de bonne volonté, beaucoup de scènes d'amour, ça pouvait marcher, avec une majorité de spectateurs européens, des indigènes triés sur le volet, une soirée bien encadrée, les Lumières, la première révolution, celle qui plaisait à monsieur Édouard Herriot, le nouveau chef du gouvernement français. Marfaing allait montrer qu'il pouvait devenir le bon serviteur d'un gouvernement de gauche, peut-être même remplacer le résident général auquel Paris ne pardonnait pas les événements de 1922.

On s'était donné une semaine de préparation. Pour distraire Neil, Ganthier l'avait emmené à une trentaine de kilomètres de Nahbès, on va aller là où ne vont pas les touristes, ni les femmes, une sortie entre hommes, non, nous n'allons pas aux putes, mais je ne vous dis rien, vous verrez. Ils avaient avalé de la piste sous un soleil qui ne laissait subsister que le gris et l'ocre, aucune végétation à part quelques plantes couleur cendre, une géologie à l'état pur, parfois un énorme bloc en forme d'arc brisé surgissait du sol, parallèle à la route. «Surveillez bien, disait Ganthier, dans dix minutes on va apercevoir l'autre morceau, ils se sont séparés il y a très longtemps mais on voit bien qu'ils étaient ensemble...»

Leur conversation avait été pleine de sous-entendus, Neil essayant de savoir ce qui s'était passé en Allemagne, sans poser trop de questions sur Raouf, plutôt sur Wiesner, des questions joviales mais qui ne trompaient pas, Ganthier pensant : ce qui le tracasse ce n'est pas que sa femme ait couché avec un cinéaste allemand, c'est qu'elle veuille tourner sous la direction de ce type, et qu'elle ajoute, comme hier devant tout le monde, *ça pourrait faire une œuvre d'art!* Et pour Raouf est-ce qu'il sait? il pourrait s'en douter, ou alors il ne veut pas savoir, non, il doit savoir, l'amusant c'est qu'il a dû l'apprendre au moment où c'était fini, et nos deux pigeons n'ont pas l'air d'avoir repris leurs habitudes chez Gabrielle, une page tournée, peut-être, ou alors Kathryn a refait un tour en France cette année, deux amants sous les toits de Paris, et si je questionne Neil sur les voyages de Kathryn ça lui mettra la puce à l'oreille, Raouf devrait quand même faire gaffe, une jalousie, pour exploser, ça n'a pas besoin d'avoir raison.

La voiture de Ganthier avait fini par pénétrer dans un douar à maisons basses enchevêtrées, il avait fallu l'abandonner, marcher dans un mélange de sable, de poussière et de caillasse jusqu'à une place déserte. Neil s'était rendu compte qu'en fait il y avait du monde, mais sur les toits. Le chef de village avait salué Ganthier qui avait dit à Neil : «J'ai pris son fils cadet chez moi, il ne pourra pas lui laisser grand-chose, alors, avec ce qu'il apprend sur le domaine, le garçon pourra se trouver une petite ferme, il est vaillant.»

On les avait installés sur un toit protégé du soleil par un auvent de canisses. La place était restée déserte jusqu'à ce que, sous les cris, on ait soudain fait entrer un chameau, non, avait dit Ganthier, c'est une chamelle, en chaleur. L'homme qui tenait la chamelle par la bride lui faisait faire le tour de la place, on entendait des cris au loin, oui, des cris de chameaux, il y a du mâle dans le secteur, avait dit Ganthier, mais pour le moment on fait patienter. Neil demanda en riant s'il avait bouffé de la poussière pendant deux heures pour voir baiser des chameaux, Ganthier répondit qu'il fallait être patient, ça n'est pas tout à fait ce à quoi vous vous attendez, mais vous allez voir, c'est instructif. Leur hôte vint s'asseoir sur la banquette à côté de Ganthier, leur servit un thé bouillant et mousseux, on but des gorgées, en parlant de récolte, de bétail, de la dureté du temps pour les gens honnêtes, du Maître des deux mondes qui tient tout en son pouvoir, et le chef de village fit un geste de la main. Un autre chameau entra sur la place, plus grand, plus fort, et déjà la chamelle repliait sa queue contre son flanc.

Il fallait plusieurs hommes pour retenir le mâle, il criait, se cabrait, une masse presque incontrôlable, et tout autour les gens criaient aussi, puis les hommes essayèrent de tirer le mâle hors de la place, ils n'y arrivaient pas, on fit sortir la femelle, et le mâle finit par obéir à des coups de bâton. Autour de la place déserte on n'entendait plus que les cris des humains. La chamelle revint, elle voulut suivre la trace du mâle, on l'en empêcha. «Les gens prennent vraiment plaisir à frustrer des animaux?» demanda Neil.

Le mâle revint sur la place. «Non, dit Ganthier, ça n'est pas le même, il est plus petit, ça n'est pas bien d'en avoir choisi un plus petit.» Et de nouveau la chamelle replia sa queue, le mâle plus petit s'avérant aussi difficile à maîtriser que l'autre, et des cris de toutes parts, des cris comme des enchères, des billets et des pièces qui passaient de main en main, le mâle à son tour emmené hors de la place, la femelle restant seule. «Cette poche qui leur pend sous la lippe, demanda Neil, je veux dire aux mâles, c'est une blessure? — Vous êtes observateur, dit Ganthier, non, c'est la poche qui emmagasine l'eau, normalement elle est à l'intérieur.» Neil demanda si c'était parce qu'on la leur avait tirée à l'extérieur, Ganthier disant : «Vous prêtez aux gens un sadisme qu'ils n'ont pas, elle sort naturellement, vous entendez le bruit? une vraie baudruche… il n'y a que de l'air dedans, il n'y a plus d'eau, une poche qui s'enfle et se désenfle, avec ce drôle de gazouillis, elle leur remonte de l'estomac par le larynx parce qu'elle est à sec, non, on ne les empêche pas de boire, en réalité c'est le chameau qui ne veut rien boire, alors qu'il pourrait, mais ce con-là ne veut rien avaler tant qu'il n'aura pas trouvé de quoi satisfaire un besoin plus impérieux que la soif, vous avez vu comme ils bavaient en plus, comme des malades, et l'œil torve, oui, tout ça vient de l'envie de baiser, la poche, l'œil torve, la bave, le bruit de baudruche, ces cons-là font une véritable grève de la soif tant qu'ils n'ont pas trouvé de femelle, c'est notre bonne mère nature qui a mis ça au point pour obliger les chameaux à perpétuer l'espèce, tu veux boire? d'abord tu baises, et ça les rend mauvais, ils ruent, ils mordent, on les musèle, ça les rend encore plus mauvais, chez les hommes c'est quand ils boivent que ça les rend mauvais, les chameaux c'est le contraire, oui, ils vont se battre, grâce au génie des hommes, parce que le chameau ça ne se bat pas n'importe quand, des chiens anglais ça se bouffe à n'importe quelle heure du jour et de l'année, pas les chameaux, le chameau n'est pas un sauvage, il lui faut des raisons, des bonnes, et pas besoin de l'exciter comme pour les chiens, on lui apporte ça sur un plateau, on présente la femelle au premier chameau, on le met à l'écart, juste de quoi lui fouetter le sang et le reste, et on amène le second chameau, présentation à madame qui commence à s'impatienter,

et hop, on ramène le deuxième mâle plein d'ardeur dans son coin,
et ça va commencer, c'est là que des propriétaires et des parieurs
peuvent perdre leur burnous, regardez bien, ça devient sérieux, les
deux mâles à la fois devant la dame, le second est vraiment plus
petit, c'est pas normal, c'est pourtant pas un village qui a la réputation de trafiquer les combats, vous voyez comme ça s'envenime
entre couillus, ils se toisent, s'engueulent, et hop, la dame n'est
plus là, nos deux mâles face à face. » Ganthier osant dire : « dans
la même situation deux hommes modernes trouveraient moyen
de s'accorder… un jour sur deux par exemple, un compromis »,
Neil ajoutant sans rire : « le compromis c'est ce qui nous distingue
de l'animal, ça permet de continuer à travailler. — Et voilà c'est
parti ! » dit Ganthier.

Sur la place c'était un corps-à-corps, chocs d'épaule, de poitrail, et coups de sabots… « Ça c'est pour intimider, dit Ganthier,
il y a mieux, regardez, le gros cherche la prise de col, et l'autre
la refuse, et mord au passage, oui, ça fait vilain une morsure de
chameau, et vous voyez comme la poche d'eau se violace ? et les
jets d'écume ? et hop, nouvelle prise de col, évidemment, à ce
jeu-là le gros est plus fort ! »

Le petit chameau mordait par en dessous pour empêcher la
prise, et se faisait mordre à son tour, nouvelle prise de col par
le gros, ratée, les deux animaux reculant, se lançant l'un contre
l'autre, chocs et bruits mats, au bout d'un moment le chameau
le plus petit avait cédé du terrain, il baissait la tête, il acceptait
la domination. Le combat était fini ? « Non, dit Ganthier, il ne
veut pas rompre, il reste, il est plus faible mais ça n'est pas un
lâche ! — Est-ce qu'ils luttent à mort ? » demanda Neil. Ganthier
ne répondit pas, le chameau le plus faible faisait toujours face,
mais le cou penché vers la terre. « On dirait une soumission, dit
Neil. — Oui, mais ça n'en est pas une, quand on se soumet on
quitte la place, c'est fou, c'est la première fois que je vois ça,

ces mouvements de cou c'est leur arme principale, appui sur les cuisses, toute l'énergie passe dans le poitrail et le cou, le cou c'est à la fois un bras, une trompe et un serpent, ça y est ! » Le plus grand lançait son col, l'enroulant comme une trompe autour du cou de l'autre. « Une prise d'étouffement, il va le finir », dit Ganthier. L'autre ne cherchait même plus à mordre, il pliait les genoux sous l'attaque, dans l'assistance on voyait peu de gens mécontents, la majorité avait dû parier sur le gros. « Ça n'est pas normal », répétait Ganthier à mi-voix.

Et, de toute la force de ses cuisses de chameau, le petit s'était soudain redressé et il expédiait le costaud en l'air, presque une tonne de gros chameau à deux mètres au-dessus du sol, et qui retombait sur sa bosse, pattes en l'air dans un nuage de poussière, l'étrangleur devenant l'étranglé. « C'est le plus gros qui se fait culbuter, dit Ganthier, il est tombé sur un vrai rusé ! » Le vrai rusé s'affalait à présent sur le corps du gros, il enfonçait une patte, sa tête, sa mâchoire, les cris de l'autre se faisaient de plus en plus affolés, du sang jaillissant de son ventre, il lançait ses pattes et son cou dans tous les sens sans pouvoir placer une prise. « Un chameau sans appuis, c'est plus rien, dit Ganthier. — Pourquoi est-ce que le petit se redresse ? demanda Neil, il estime qu'il a gagné ? — Non, ruse dans la ruse, regardez ! » Le petit avait mis la tête du gros entre ses pattes, et le sang du gros commençait à gicler par les oreilles et les naseaux, il battait des jambes, en vain, ses mouvements faiblissaient. « Il va l'achever », dit Neil. Les cris d'agonie maintenant, c'était fini, des hommes avaient surgi, tiraient le vainqueur en arrière. « Pas de mort, dit Ganthier, un mâle costaud ça coûte trop cher ! »

Le vaincu se remit péniblement sur ses pattes et prit la fuite, dégoulinant de bave et de sang. On célébrait le vainqueur, cape de soie, youyous… « Les youyous il s'en fout, dit Ganthier, il ne pense qu'à la chamelle, il ne boira qu'après, et la poche retournera dans les entrailles.» Autour d'eux l'argent circulait à nouveau, Neil essayait de repérer les perdants à leur visage. «Moi j'ai gagné, dit Ganthier. — Je ne vous ai pas vu parier. — C'est le chef du village qui a parié pour moi, pas grand-chose, mais ça lui permet de ne pas se considérer comme mon débiteur, et j'accepte son argent pour ne pas l'offenser. — Et vous, ça ne vous offense pas? — Non, ça ne fait même pas un bidon d'essence, il le sait, et il sait que je le sais, *hakda l'hayât*, ainsi va la vie.»

Sur la route du retour vers Nahbès, Neil avait dit à Ganthier qu'il aimerait mettre un combat pareil dans son prochain film, «si je trouve le bon sujet... cette bagarre, ces poches baudruches, ces paris de quelques francs, c'est à la fois dramatique et grotesque, difficile à insérer, mais ça vaut la peine», avait-il ajouté, pensant : *je sais aussi pourquoi tu m'as fait voir cette bagarre de mâles, mais tu n'as rien à craindre pour ton ami Raouf.*

À un moment, Ganthier avait pris un embranchement à leur droite, une route étroite qui avait soudain plongé en contrebas s'était transformée en piste à ornières et gros cailloux, ils étaient entrés dans un défilé rocheux, et soudain ç'avait été une fraîcheur de verdure et d'ombre, de grands palmiers qui faisaient monter le paysage, des bananiers, beaucoup d'herbe, un réseau de rigoles, parfois un bassin avec des éclairs blancs à la surface de l'eau et sur les ailes des libellules, il y avait aussi des grenadiers et des plantes basses, tomates, melons, du blé pauvre, quelques hommes au travail sur les rigoles, un homme descendant lentement d'un palmier après avoir coupé un régime de dattes d'un marron brillant et sans salissure, ils avaient salué l'homme, de loin : «Ne nous approchons pas, avait dit Ganthier, il se sentirait obligé de nous offrir ses dattes.» Neil s'était assis au bord d'un bassin, avait sorti un carnet, une boîte de couleurs, un pinceau... Il avait regretté que Kathryn ne fût pas avec lui, c'était dans des moments pareils qu'il se sentait encore amoureux d'elle.

Au bout d'un moment, il avait rejoint Ganthier en disant : «C'est rare une telle chose!» Et Ganthier : «L'aquarelliste est un voleur!» À l'écart, il y avait des maisons basses couleur de terre, ils avaient salué un autre homme qui travaillait en plein soleil, il pétrissait un mélange humide d'argile et de paille, et il en remplissait de petits cadres horizontaux en bois. «Des briques de terre séchée, avait dit Ganthier, c'est fragile, friable, il faut tout le temps les remplacer, ici on n'arrête jamais de faire et de refaire, comme il y a vingt siècles, il a appris le métier de son père, qui lui-même… on dit que ces gens sont paresseux mais ils travaillent tout le temps, s'ils arrêtent, ils crèvent, venez!» Ils étaient arrivés devant un bassin circulaire, en partie taillé dans la roche, la paroi du fond était surmontée d'une mosaïque, une scène de banquet, mais dont la partie centrale avait disparu. «Une source chaude, avait dit Ganthier, les Romains en avaient fait des thermes, et peut-être autre chose, à gauche il y a un phallus gravé sur un muret, c'est ce qui attire les touristes…» En sortant de l'oasis, ils avaient croisé un groupe d'Anglais qui s'extasiaient sur le visage et les yeux des enfants qu'ils essayaient de prendre en photo. Une gamine un peu plus âgée avait forcé les autres à rentrer dans une des maisons et s'était retournée au dernier moment en crachant en direction des touristes.

37

SCARADÈRE

Le jeudi suivant, on s'était retrouvé au jardin public, en ville européenne, plusieurs centaines de personnes, aux premiers rangs les Américains et les notabilités françaises et indigènes, Marfaing, Si Ahmed, les officiers supérieurs, les directeurs des administrations, et puis les colons, les grands commerçants européens, juifs et arabes, les fonctionnaires subalternes, et le groupe des jeunes qui faisaient leurs études à la capitale et qui avaient déjà le goût du cinéma, et les petits bourgeois en djellaba qui hésitaient entre progrès et tradition, et les Italiens, les Espagnols... Sur le côté gauche, séparés par des chevaux de frise, les humbles, venus par curiosité, ou ramassés par les spahis.

Derrière l'assistance, on avait garé le camion de projection et Wayne s'était installé à côté avec un mégaphone, pour traduire en français à voix haute les cartons du film. Marfaing avait pris des précautions, une compagnie de tirailleurs sénégalais installée devant les chevaux de frise. Il avait aussi convoqué les anciens combattants, ils canaliseraient l'émotion et surveilleraient les antifrançais. Le caïd avait déployé ses chefs de rues et ses indicateurs. Et les gens avaient commencé à parler dès les premières images, en français, en arabe, en berbère, en espagnol, en italien, en sabir, il y avait ceux qui posaient des questions à un voisin, ceux qui répondaient, ceux qui répondaient qu'ils ne savaient pas, ceux qui se trompaient en répondant, ceux qui commentaient, qui s'engueulaient, les savants qui prenaient tout ça de haut, parfois sans comprendre, et les ignorants qui pouvaient avoir de vraies intuitions, les indigènes parlant à voix haute, les Européens à voix plus basse, Karim disant à Raouf : « il y a pas mal de vieux turbans, ils sont contre les images mais ils viennent quand même ». Et Raouf : « ils profitent de l'occasion, ils diront qu'on les a obligés ».

Neil était à l'affût de ce public en partie neuf, c'était aussi pour ça qu'il avait proposé la projection, pour observer des gens qui voient un film pour la première fois, leurs réactions avant d'apprendre à faire semblant, et Raouf se sentait mal à l'aise, pris entre ses réactions de familier du cinéma et celles des ingénus dont se moquaient les autres familiers heureux de pouvoir pratiquer la condescendance du petit-bourgeois progressiste ou celle du colon, il en voulait à tout le monde, à Marfaing, à Neil, à Ganthier, et à la petite bande de La Porte du Sud qui gloussait à chaque réaction d'un ingénu.

« ... pourquoi l'Américain il a droit de parler et pas nous ? — parce qu'il lit les mots écrits sur le drap — c'est pas un drap, c'est une toile — regarde, en France aussi il y a des gourbis, ils sont pauvres — qu'est-ce qu'ils racontent les Français ? la civilisation ? avec ces gourbis ? — c'est parce que c'est le passé — quel passé ? — leur passé, nous on a un passé, ils en ont un — la route n'a pas de goudron, et leurs moulins à vent ils sont en bois ! — moi, le mien, il est en fer, les yeux il m'a coûté !

— on voit tout de suite, cher ami, que le jeu de ces Américains est moins raffiné que le nôtre — oui, ils n'ont pas de théâtre, ça explique tout ! cela dit, pour le public de ce soir ça convient tout à fait.

— et le type en France avec le fusil, il tape sur un pauvre, avec la crosse ! — le pauvre, il est mort ? — oui, il est mort, regarde,

la femme pleure — et celui avec le fusil, qu'est-ce qu'il dit ?
— il dit que c'est comme ça pour ceux qui font le braconnage
— comment tu sais ? — c'est Wayne, il lit les mots sur la toile,
tu n'as qu'à écouter — en France c'est comme chez nous, seul le
riche a le droit de voler — et par ailleurs, cher ami, je ne suis pas
sûr qu'on gagne à exhiber la violence, c'est comme au théâtre, ça
devrait se passer hors scène, chez Racine c'est parfait. »

D'autres voix réclamant le silence, la rumeur se calmant,
revenant, la foule prenant parti pour un jeune homme en noir,
un avocat ; sur l'écran il consolait la veuve ; puis un cri dans
la foule, un cri de femme, une Française, une mal élevée ? une
vendeuse ? le cri à nouveau, plus clair, repris par d'autres voix de
Françaises, c'était Cavarro ! l'homme, derrière l'avocat, c'était
Cavarro ! La foule avait maintenant reconnu Francis Cavarro, on
applaudissait, puis un carrosse arrivait sur les lieux, « qui c'est
celui-là ? — Wayne il a dit c'est un marquis — il a de la poudre
sur le visage, le marquis, comme une chrétienne — la honte ! »

Puis la voix de Wayne : *tous les hommes naissent libres
et égaux en droit...* « qu'est-ce que c'est ? — Wayne il dit
que les hommes ont des droits. » Wayne répétant : *l'avocat
lit la Constitution.* Quelques applaudissements dans l'assistance, quelques cris, « *yahyia l'doustour !* — qu'est-ce qu'ils
gueulent les Arabes ? — c'est le mot d'ordre nationaliste, *vive
la Constitution.* »

Les officiers, les gendarmes, scrutant la foule, surtout les indigènes vêtus à l'européenne, un cri, *silence !* D'autres cris, *yahyia
l'doustour !* et d'autres voix, plus sourdes, en réplique, *l'Qur'ân
doustournâ...* « qu'est-ce qu'ils racontent encore ? — *l'Qur'ân
doustournâ*, ils disent que la Constitution c'est le Coran, ce sont
les vieux turbans, ils sont contre ceux qui crient *doustour*, ils
disent que le pays n'a pas besoin de Constitution, le Coran suffit. » Raouf criant lui aussi *yahyia l'doustour* avec Karim et ses

amis de la petite bande. Les officiers demandaient des ordres.
Marfaing au colonel : « non, on ne fait rien, on ne coupe pas la
main du voleur avant qu'il n'ait volé ! et puis écoutez-les, ils se
divisent, les dévots contre les gens de la Constitution, nous on
compte les points ! »

Sur la toile, le marquis avait jeté la Constitution à terre, l'avocat avait giflé le marquis et le marquis avait tué l'avocat en duel
d'un coup d'épée… « qu'est-ce qu'il dit, Wayne ? — il dit que le
marquis il dit *justice est faite !* — c'est pas la justice, les Français
disent qu'on doit faire la justice, mais chez eux ils la font pas ! le
paysan il braconne, le garde il le tue… l'avocat gifle le marquis,
le marquis il le tue… c'est la justice française ça ? c'est pire que
des blédards ! »

On demandait ce que Cavarro venait de dire… « Cavarro ?
— oui, l'ami de l'avocat — alors tu dis André ! dans le film,
Cavarro il s'appelle André, il dit qu'il va venger son ami mort. »
La foule applaudissant André. Noir sur la toile… « On change
de bobine, avait dit Marfaing. — je sais », avait dit le colonel.
Voix de Thérèse Pagnon derrière Marfaing, parlant à une amie :
« Francis est très élégant, la redingote élance la silhouette, et le
pantalon est très bien coupé. » Marfaing n'avait pas aimé que
Thérèse s'intéresse au pantalon de Cavarro, ni qu'elle l'appelle
par son prénom. Au fond du jardin public, Tess avait profité de
l'obscurité pour faire entrer dans le camion de projection une
femme voilée, et Rania avait pu s'installer sur un tabouret pour
tout voir, le public et l'écran, et l'image que la lampe lançait sur
l'écran dans un faisceau où régnait aussi une poussière que Rania
s'étonnait de découvrir aussi dense, baignant l'assemblée où elle
croyait reconnaître, mais comme dans un brouillard, le dos de
Raouf, celui de Ganthier, la silhouette de Marfaing, Si Ahmed…
voir sans être vue… alors que pour m'empêcher d'être vue… on
m'interdit de voir.

Reprise du film, voix de Wayne : *après le meurtre de l'avocat par le marquis, André va chez son parrain pour réclamer justice.* Une rumeur dans l'assistance, un nom courant dans les rangées : « Kathryn ! regarde, c'est Kathryn ! — l'Américaine ? celle qui va en ville avec le fils du caïd ? — oui, c'est elle ! » Applaudissements pour Kathryn Bishop, qu'est-ce qu'elle faisait sur le drap ? Wayne venait de dire que c'était la fille du parrain... — et le type qui est avec elle, c'est le marquis ? — oui. — tu as vu la poitrine ? la honte ! — non, elle montre pas tout — c'est la honte quand même — elle est vraiment jolie, *rani fouqha, ya rabbi !* — qu'est-ce qu'il a dit l'Arabe, derrière, avec son *rani fou* quelque chose ? — *rani fouqha, ya rabbi* ça veut dire *mon Dieu faites que je sois sur elle* — il a qu'à essayer ! ils s'intéressent à nos femmes maintenant ? — ah, vous ne vous cachez plus, mon cher, les Américaines sont vos femmes ! c'est pour ça qu'on vous voit souvent au Grand Hôtel ! »

Le parrain d'André disait qu'il allait marier sa fille au marquis, les gens s'apitoyaient, André, le pauvre, il venait pour la justice et il perdait Kathryn. Et ceux qui écoutaient bien savaient que Kathryn s'appelait Séverine, sur l'écran elle partait en carrosse... « et où il est le marquis ? — Wayne dit qu'il est parti avant — pourquoi on l'a pas vu partir ? — parce que c'est le cinéma. » Le marquis réapparaissait pour monter à son tour en carrosse... « je comprends plus, le marquis il s'en va, alors qu'il est déjà parti ? — le cinéma d'abord tu comprends pas, et après tu comprends — vous y comprenez quelque chose, mon capitaine ? — non, ces Américains n'auront jamais l'ordre naturel, la clarté française... — et là, Séverine elle est dans le château alors qu'elle était partie ! » Au premier rang, Neil tourné vers Kathryn : « le fils de pute s'est trompé de bobine, il faut dire à Wayne de passer dans le camion et de s'en occuper. »

Kathryn s'était levée, «je vais remplacer Wayne pour la lecture, j'aime bien». Et Raouf l'avait vue marcher dans l'allée
latérale, l'envie de la rejoindre, *on va me voir me lever, ça m'est
égal, est-ce que j'ai vraiment envie de la rejoindre ?* il ferma les
yeux pour ne plus la voir, les rouvrit, elle avançait lentement,
elle me laisse le temps de la rejoindre, il ferma les yeux, *un lit…
Paris… Berlin… les disputes, les promenades… avec qui est-elle
maintenant ?* il revint à lui, ça faisait plus d'un an que son cœur
n'avait pas battu comme ça…

Kathryn lisant : *comme beaucoup de gens de son époque,
André aspire à la révolution.* Un cri dans la foule, «*tahyia
atthaoura !* — qu'est-ce qu'il a crié l'Arabe dans le fond ? — il
a crié *vive la révolution*, mon colonel — embarquez, avant qu'il
fasse des petits !

— qu'est-ce qui est écrit ? Wayne il dit plus rien ? — non,
c'est une femme qui parle les mots sur la toile — c'est la voix
de Kathryn ! — non, on dit Séverine ! maintenant je sais, dans
le film, c'est Séverine ! — non, c'est Kathryn qui parle, regarde,
elle est debout, derrière le gros entonnoir, à côté du camion avec
la lumière, là où il était Wayne — Kathryn elle lit, et en même
temps elle est dans le film, comment elle fait ? — regarde bien et
tu comprends — et Cavarro, il va à cheval, comme un blédard,
alors qu'il a la Rolls ! — c'est parce que c'est il y a longtemps
— longtemps ? avant la guerre ? — oui — moi j'étais en France
pendant la guerre, c'était déjà beaucoup plus la civilisation. »

Une grande place sur l'écran, une statue équestre… «le type
sur le socle, à côté du cheval, avec les gens autour, il lit un
papier ? — c'est encore la Constitution ! — *yahyia l'doustour !*
— et sur le cheval qui c'est ? — c'est un roi — les Français
disent toujours qu'ils ont coupé la tête au roi, et celui sur la statue
il a sa tête, quand c'est qu'ils ont coupé la tête ? — après le film,
je crois — qu'est-ce que ça veut dire *après* ? — ça veut dire dans

le film ils vont faire la Constitution et après ils vont couper la
tête — avec la Constitution tu peux couper la tête ? — d'abord tu
votes, après tu coupes — *yahyia l'doustour !* — regardez, tout le
monde sur la place, ils acclament — *yahyia l'watan !* — qu'est-
ce qu'ils crient encore les Arabes ? — ils crient vive la nation
— ils se prennent pour une nation ? »

Sur l'écran un soldat tuait un manifestant, les gens jetaient
le soldat à terre et le tuaient, « c'est comme chez nous, le bœuf
qui tombe, il attire les couteaux — regarde, Cavarro il est sur le
socle, *yahyia* André ! » Marfaing au colonel : « vous voyez, ils
crient et ils applaudissent, qui ? un héros français ! j'avais raison !
pourquoi s'affoler ? »

Maintenant des cavaliers attaquaient la foule, André s'échappant, *yahyia* André ! une pierre avait jailli du public et frappé la
toile à hauteur des cavaliers qui le poursuivaient, deux spahis
s'étaient emparés de celui qui avait jeté la pierre, une rumeur
montait, un signe du colonel, commandement des officiers, les
soldats fusil en main, tout s'était calmé. Une dispute de couple
au quatrième rang « non, je ne rentre pas ! tu as voulu que je
t'accompagne pour te faire bien voir de Marfaing, je reste ! tu
n'auras qu'à me protéger ! regarde Thérèse et son mari, ils sont
parfaits ! — Pagnon n'a rien à craindre, il a ouvert le bide à la
moitié des Arabes, même les orphelins lui disent merci ! moi,
c'est pas pareil, je suis directeur des impôts ! »

On était passé chez le parrain d'André, Séverine prenant
André blessé dans ses bras. Dans la cabine, Rania prise par
l'émotion… *ce sont des ombres sur une toile, et une histoire
bête, pourquoi pleurer ?* Son regard s'attardait sur une des silhouettes de l'assistance, *je le vois sans qu'il me voie, mais le
seul monde où je peux m'asseoir à côté de lui, c'est quand je
ferme les yeux…* bakaytu mîn hubbîn mân yubâ'idunî, *je pleure
d'aimer celui qui me tient à distance, je ferais mieux de rentrer*

à la ferme, je ne suis bonne qu'à donner des coups de pied dans
ma couverture.

« ... la honte ! Séverine collée contre André alors que son
père l'a mariée au marquis ! — quand tu es blessé, les Françaises elles font ça — qui c'est celui qui dort dans le fauteuil ?
— c'est son père — le père de Séverine et il dort ? alors c'est
bien fait ! quand tu as une fille, tu fais comme le berger, tu dors
pas — Séverine elle a deux hommes, elle ment à son père avec le
premier et elle ment au premier et à son père avec le deuxième !
— elle ment pas, elle a pitié — taisez-vous, qu'est-ce qu'il a dit
André ? — il a dit à Séverine qu'il va tuer le marquis ! » Raouf
écoutant la voix de Kathryn, retrouvant le temps où elle lui parlait à l'oreille... la chaleur d'une bouche contre son oreille, la
nuit, quand ils se racontaient l'un à l'autre, *nous ne dormons pas*
assez, disait Kathryn, *c'est ta faute*, répondait-il en l'embrassant.
Sur la toile les gendarmes arrivaient, André disparaissant par une
porte « *yahyia* André *!* »

André en fuite dans la campagne, hébergé par une troupe
de comédiens ambulants, L'Illustre Théâtre, « leur cinéma, ma
chère, pas d'unité de lieu, pas d'unité d'action, pas d'unité de
temps, pas d'unité d'intérêt, ça n'aura jamais la forme d'une
belle œuvre ! » Les anciens combattants retrouvaient des souvenirs de théâtre aux armées, « moi aussi j'ai vu le théâtre, ils sont
sur une estrade au fond de la salle et ils racontent une histoire
— comme au cinéma ? — non, au théâtre les acteurs c'est des
vraies gens, tu lances un caillou, ils le reçoivent, et s'ils t'en
lancent tu reçois aussi — c'est des gens comme nous ? — oui,
mais c'est interdit d'aller les toucher. »

L'histoire repartait, André repoussait un gros comédien
qui voulait le frapper avec sa canne... « qui c'est ce gros ?
— Kathryn elle dit que c'est un acteur, il s'appelle Binet
— Binet c'est un acteur et André il a le droit de le toucher ?

je comprends pas, alors André aussi c'est un acteur ? — non, l'acteur c'est Cavarro, il fait André — pourquoi le gros Binet il veut taper ? — parce que André il est tombé sur lui du haut de la meule — elle est pas vraie cette meule, elle est trop grosse — non, elle est vraie, c'est du blé de là-bas, une meule française — ici aussi il y en a des grosses, chez Ganthier, et chez la fille Belmejdoub — elle refuse toujours d'échanger la terre, la fille Belmejdoub ? — toujours, elle a le courage d'un homme — il paraît que Ganthier va la menacer dans sa maison — non, tu peux pas aller chez une veuve comme ça — des gens ils disent que cette année ils l'ont vu — les gens ils disent n'importe quoi.

— je ne comprends pas, il y a André, il est pas acteur, et il y a le gros et les autres, ils sont acteurs ? — oui — et où elle est l'estrade ? — ils ont pas besoin, ils jouent pas, ils se reposent — j'ai compris : ils sont acteurs, ils jouent pas, donc ils sont vrais — non, ils sont au cinéma — au cinéma ils jouent, mais là ils jouent pas, donc ils sont vrais — non, ils sont acteurs — je comprends rien — écoute, je t'explique… » Raouf captant un clin d'œil entre deux spectateurs, ils faisaient semblant de ne rien comprendre pour faire tourner leur pédagogue en bourrique, ils avaient tout saisi, et ils se moquaient de celui qui croyait tout savoir, c'est de bonne guerre, se dit Raouf.

« … écoute maintenant ! Kathryn elle dit que les mois ont passé, André est devenu acteur lui aussi — tu vois, j'avais raison ! — tais-toi et regarde, c'est Paris ! — au cinéma les mois passent comme ça ? — oui — et c'est quoi cette maison ? — c'est pas une maison, Kathryn dit que c'est le théâtre ! » Kathryn ajoutant : *les acteurs sont devenus célèbres et André souffre de ne plus voir Séverine,* « c'est beau, tous ces gens bien habillés — regarde, c'est le marquis — où ça ? — à droite, au bord du balcon dans le théâtre, il est spectateur — Kathryn elle dit qu'André a mis un gros nez et il joue Scaradère — et pourquoi il donne des coups de pied au gros Binet ? parce que le gros tout à l'heure il l'a tapé avec sa canne ? — non, c'est pour faire rire la salle — et pourquoi le théâtre il s'arrête ? — parce qu'on change la bobine. » Marfaing au colonel : « Ça se passe bien, les cris nationalistes ne sont pas si nombreux, et ces Américains, ils ont une façon de raconter ! André retrouvera-t-il Séverine ? même la Révolution ils en font une histoire de cul ! — parce que vous appelez ça du cul, monsieur le contrôleur civil ? »

Sur l'écran, André avec une autre femme, Kathryn donnant son nom, *Climène*, c'était la fille de Binet, on se perdait, était-ce la maison d'André ? non c'était à l'hôtel, « en France quand tu vas dans une grande ville, tu vas à l'hôtel — tu vas pas chez la famille ? — non, à Paris ils n'ont pas de famille, ils vont à l'hôtel — des gens sans famille, les pauvres — c'est pas des pauvres, c'est des gens qui couchent avec tout le monde, ils savent plus qui c'est la famille. »

Climène lançant des regards durs à André, « et qu'est-ce qu'elle dit Kathryn ? — elle dit qu'une conquête inachevée ça blesse la vanité d'une femme — qu'est-ce ça veut dire ? — je sais pas — moi je sais, Climène elle veut André, alors elle va dans sa chambre — c'est pas la vanité, c'est la honte ! — tu as vu, sur la bouche, il l'embrasse ! — Climène elle a gagné !

— Vous saviez mon cher qu'en Amérique, un baiser c'est trois mètres de pellicule ? — oui, mais pour l'étranger, ils font plus long — au fond Francis n'en profite pas, on sent que c'est purement professionnel, mais je suis sûre que dans la vie… » Thérèse a gloussé, Marfaing n'aime pas ça.

« … maintenant Climène est partie, et qui c'est celle-là ? — c'est Séverine ! elle vient aussi chez André — toutes il les a, *cheïtan lakhor*, c'est un diable — non, regarde, il a pas Séverine, il est à genoux devant elle — Séverine dit qu'elle épouse le marquis, le marquis est riche — ils ont fait la révolution, et le marquis encore il est riche ? »

Raouf se forçait à faire un bilan, *André et deux femmes, le marquis et deux femmes, Séverine et deux hommes, Climène et deux hommes, belle géométrie, quatre triangles... Kathryn et moi, Wiesner et Kathryn, Kathryn et Neil, Metilda et moi, Neil et une autre, qui ? Metilda et qui ?* Il se rabroua, des calculs de vieux... Séverine avait disparu, André cherchait Climène, Climène était chez le marquis, « le marquis il a déjà Kathryn, il prend deux femmes en même temps ? — non, regarde la maison, une elle sort, l'autre elle rentre — et papa Binet pendant ce temps il bouffe le poulet avec les mains ! les Français nous disent la fourchette, et chez eux ils bouffent comme ça ? — peut-être Binet il est pas seulement en France, il est chez nous aussi — non, regarde, il est jamais venu chez nous, il sait pas manger avec les mains, comme un cochon il fait. »

Climène quittant le marquis, rejoignant André à l'auberge, lui disant qu'elle ne quitterait pas un marquis pour un petit acteur comme lui, et sur l'image suivante Séverine disait au marquis qu'elle l'avait vu avec Climène et qu'elle ne voulait plus le voir... « c'est bien fait, le marquis a tué l'avocat, il a dénoncé André, tu lui donnes pas une femme ! »

38

UNE LEVÉE EN MASSE

Scaradère à nouveau sur la scène du théâtre, parlant à la salle. Et soudain on était perdu dans de nouvelles images : la campagne, un duel, le marquis... «où il est le théâtre ? — regarde, c'est le champ de tout à l'heure quand l'avocat il a été tué, le marquis il en tue un autre — non, pas un autre, c'est le même, il va tuer l'avocat — je comprends plus, l'avocat il était pas mort ?» Thérèse Pagnon : «Encore une erreur de bobine !»

Kathryn à voix lente : *André raconte aux spectateurs du théâtre l'assassinat six mois auparavant de son ami avocat par le marquis.* «...André il montre le passé ? quand les gens montrent le passé ils sont fous — attention l'avocat ! le marquis il va te tuer ! — tais-toi, ça sert à rien, il va tomber, *mektoub* — un homme il peut pas montrer le passé, c'est l'œil de Dieu tout ça, je reste pas — et les gens dans le théâtre maintenant ils attaquent le marquis — au théâtre aux armées tu pouvais pas — quand tu es nombreux tu peux, nous on pourrait — tu veux dire ce soir on peut casser la tête aux colons ? — oui, et les soldats te tirent dans le ventre, et personne ne vient de la toile pour te guérir — où il est le marquis ? — tu discutes et tu regardes pas, il est parti avec Séverine.»

Rania se disant : *ces deux femmes ont raison, on se moque d'elles mais elles agissent... elles prennent ! moi aussi j'ai le*

droit d'aimer... mais s'il ne m'aime pas ? il me répond « non »
et j'ai échangé mon rêve contre du vent, je hais les hommes qui
obligent à se déclarer, mais je préfère tout perdre plutôt que
d'attendre.

Discussion entre Ganthier et ses voisins, l'un d'eux s'offus-
quant, comment faisaient les indigènes pour parler autant devant
des images, c'est quand même ce qu'on appelle de la culture ?
Et Ganthier : « non ! ce film pour eux, c'est d'abord la révolution qu'ils nous feront un jour — toujours provocateur, cher ami,
toutes vos terres, ça ferait pourtant un beau soviet ! »

Sur l'écran, André était devenu député... « oui, il parle à la
grande assemblée de Paris — la *djema'a* où nous on peut pas
aller ? — oui — mais si on a le *doustour* on peut avoir une
grande *djema'a* à nous, comme les Français. » À Paris, le marquis et les autres nobles provoquaient en duel les députés du
peuple et ils les tuaient, « pourquoi ? — parce que André et ses
amis ils veulent que chaque homme il a une voix, et les autres
ils veulent pas — ici c'est pareil, ma voix elle vaut rien devant
celle du colon — c'est parce que les Français ils disent qu'ils
ont la prépondérance — c'est quoi, la prépondérance ? — c'est
quand tu prépondères — qu'est-ce que ça veut dire ? — c'est
quand tu as les mitrailleuses et les Sénégalais — les Français
ils disent tu es prépondérant quand tu es plus civilisé — plus
civilisé ? le poulet, chez eux, comme des cochons ils le bouffent
— et les tueurs, avec les beaux habits, ils sont prépondérants
aussi ? — Kathryn dit que le noble il vient de dire qu'il tue ceux
qui sont pas civilisés — André il est pas civilisé ? — *yahyia*
André ! — prépondérant, les Français ils disent que c'est quand
tu es en avance — alors les Américains ils prépondèrent les
Français ? — André aussi il est devenu très fort avec l'épée, tous
les jours il tue un ou deux riches — bientôt il reste plus que les
pauvres. »

Raouf écoutait la voix de Kathryn et se demandait pourquoi Neil et elle étaient encore ensemble, pour éviter de faire du bruit dans les journaux ? ou alors parce qu'*on a bien de la peine à rompre quand on ne s'aime plus* ? ça aurait encore fait une belle discussion sur La Rochefoucauld avec Otto…

« … qu'est-ce qu'il dit le marquis ? — il veut tuer André — et Séverine elle veut pas, elle dit au marquis qu'elle l'épouse s'il ne fait pas le duel contre André — elle a tort, un type comme le marquis, tu l'épouses pas, la femme elle doit ouvrir les yeux avant de faire ça — oui, après elle peut juste les fermer — et là, où on est ? — au duel ! — le marquis il a perdu l'épée, il est contre le mur, tue-le ! — pourquoi André il lui laisse reprendre l'épée ? — parce que c'est un vrai noble, André, avec le cœur — il a tort, le chien enragé tu lui rends pas les dents, tu le tues. » Le marquis blessé, incapable de lever son épée, André lui tournant le dos, disparaissant, le marquis claudiquant, l'épée en main, vers son carrosse, Séverine le voyant, croyant qu'il a tué André, elle défaille, le marquis la retient, André se retourne, il la voit dans les bras du marquis… « vous entendez, colonel ? plus un seul cri subversif ! deux hommes, une femme, la magie du cinéma ! — dites plutôt du feuilleton ! Tuture croit que Tatave lui a fauché Mimine ! »

Arrêt de l'image, changement de bobine, reprise, Kathryn disant que plusieurs semaines ont passé. À l'écran une foule, un orateur, menton gros comme le poing, Danton ! Kathryn ajoutant que la révolte monte… « Danton, tu as vu les dents qu'il a ? — oui, comme les pauvres — comme ça les pauvres ils ont confiance — et André où il est ? — là, à gauche, Danton il lui donne un papier. » Voix de Kathryn : *Danton charge André d'organiser la révolution en province !* Dans les rues, une foule armée de sabres et de couteaux… « et tu as vu la meule du rémouleur, grande comme lui, elle est ! — je comprends pas pourquoi le cinéma il fait une meule grande comme ça, juste pour aiguiser, toute la toile elle prend, elle tourne à toute vitesse ! — si elle lâche, elle nous arrive dessus ! — et le rémouleur, torse nu, avec une femme à côté, la honte — la femme elle pense à la révolution — c'est pas bien, la révolution avec les femmes. » Des cris dans l'assistance, *hchouma !* Le colonel inquiet, « on devrait peut-être arrêter là… si c'est l'émeute sur l'écran… — vous entendez les cris, *hchouma*, pour eux la révolution c'est la honte ».

Rania se moquait de la honte, *je refuse de vivre avec une dalle sur le cœur, je me mets en face de lui et je parle, et s'il parle de nos différences je le traite de lâche, un homme est obligé de répondre à un mot pareil, non… les hommes ne se croient pas obligés de répondre, ils tournent le dos et ils s'en vont… tourner le dos, c'est leur droit féodal !*

« … Regarde, tous les gens dans la rue, ils cassent tout — ça va trop vite ! — le jour où ça arrive ici, tu verras comme ça va vite — les gens avec les couteaux et les fusils ils viennent de partout — Kathryn elle dit qu'ils sont entrés chez le roi — et le roi il est toujours assis, c'est pas un vrai roi, quand c'est comme ça, un vrai roi il monte à cheval et il cogne — ça y est, le roi il s'est levé — il va cogner ? — je sais pas ! »

La campagne maintenant, André chez son parrain qui lui dit que sa fille Séverine et son amie madame de Trégastel sont en danger à Paris, André décidant d'aller chercher Séverine… « André il montre un papier à son parrain, qu'est-ce que c'est ? — Kathryn elle dit que c'est un ordre de mission, signé Danton — c'est comme à l'armée, avec ça André il passe partout. » Kathryn disant qu'André veut sauver Séverine, mais pas madame de Trégastel, « qui c'est cette Trégastel ? — je ne sais pas. » Le parrain répondant à André *madame de Trégastel est ta mère !* « vive le septième art, monsieur le contrôleur, Tuture apprend que l'amie de Mimine et de Tatave, c'est sa propre maman ! »

Le rythme s'accélère, André dans une maison à Paris, Séverine découvre qu'il n'est pas mort, et madame de Trégastel prend André dans ses bras en pleurant, Kathryn lisant *mon fils, mon fils !* André montre l'ordre de mission… «attention, derrière, c'est le marquis, il a un pistolet — partout il est ce marquis ! comment il fait ? — attention André ! le chien il est revenu ! — le marquis il veut le papier et André il refuse — André aussi il a un pistolet — et Trégastel elle se met entre les deux — elle dit à André que le marquis il est son père — quoi ? — le marquis c'est le père d'André ! — les yeux comme les fous, ils ont — Trégastel elle pleure — tout le monde pleure — même le marquis pleure — il demande la paix de Dieu.

— ces scènes-là, ma chère, on a beau dire que c'est un peu gros, je marche toujours — voulez-vous un mouchoir, madame Pagnon ? — inutile, ma femme dans ces cas-là, c'est pas un mouchoir qu'il lui faut, c'est un drap !

— la paix de Dieu, tu peux pas refuser — André il donne l'ordre de mission à son père, pourquoi ? — pour qu'il se sauve de la révolution — et le marquis il refuse ! — André il a sorti l'épée — il va tuer son père ? — regarde ! il lui donne l'épée ! — le marquis il sort dans la rue avec l'épée ? contre toute la révolution ? — quand tu as vécu comme un chien, tu peux mourir comme un homme. »

La foule tuant le marquis à coups de hache, André dans un carrosse, passant une porte de Paris avec sa mère et Kathryn, la foule très agitée… «les gens maintenant ils font comme ils veulent dans les rues, ils tuent les riches dans le dos, tous ils ont la bouteille de vin, *hchouma* — la révolution avec le vin, c'est la honte ! » Le colonel demandant à Marfaing l'ordre d'intervenir, Marfaing ne répondant pas, *ça se passe plutôt bien mais Daintree m'a baisé, son film va aller jusqu'à la Terreur ! ces Américains, toujours prêts à mettre le bordel ! bon, en même temps il dénonce la révolution des femmes et du vin, les musulmans sont obligés d'être contre, mais il vaut mieux arrêter*, «Neil, ça va trop loin! on stoppe!» Raouf regrettant de ne plus avoir envie de crier «vive la révolution», *aujourd'hui ça ne me dit plus rien, c'est l'inconvénient quand on finit par n'être qu'un simple curieux... David et Karim vont être d'accord pour me traiter de bourgeois attentiste!*

Scènes de pillage à l'écran, «ils emportent les femmes sous le bras! — elles ont qu'à ne pas être dans la rue — tout, ils pillent, même le magasin de casseroles — toi aussi tu as un magasin de casseroles, tu vois la révolution? — et là, qu'est-ce qu'elle fait dans la rue la femme? — elle aiguise la hache — tout le monde il prend la hache — nous aussi on peut faire pareil — Kathryn elle dit que la foule elle crie *vive la nation! — yahyia l'watan!* — qu'est-ce ça veut dire cortège d'émeutiers? — c'est comme chez nous, il y a dix ans, quand on a tué les chrétiens au marché central — les Français ils font comme nous? on peut faire comme eux?»

Danton à l'écran, Kathryn lisant le message qu'on apporte à Danton, «Danton il dit que la Prusse elle attaque la France — la Prusse c'est les Allemands? — comme à Verdun? — oui — pourquoi le piano il fait la musique comme les militaires? — monsieur le contrôleur, je veux un ordre! — une seconde, on maîtrise encore!» Levée en masse dans les rues de Paris, «c'est la guerre, les Allemands ils attaquent — comme ils ont fait en 14, on doit y aller! — et Danton il crie aux armes! — il crie vive la nation! — *yahyia l'watan!* — les boches ils attaquent, tu es un homme, tu y vas — *nemchiou* la guerre! — arrête de te battre pour les Français — non, il a raison, on y va! c'est la guerre, *l'harb*, tu es un homme, tu y vas, et les boches tu les tires! — regarde sur la toile, les soldats ils marchent bien serrés, ils ont la baïonnette, comme nous on a fait — et on chantait aussi contre les Allemands! *La Marseillaise* — et le pianiste, Hector, il joue la même chose — et tout le monde il chante, regarde, les Sénégalais ils chantent, *Formez vos bataillons*, il n'y a que les Italiens qui chantent pas, et tous nos anciens combattants ils chantent comme à Verdun, même les mutilés, et nos tirailleurs aussi, tous — regarde, à côté de Danton, André il tient Séverine, ils chantent ensemble, *yahyia* André! et Rachid, il chante aussi parce qu'il leur vend des oranges, et M'hammed il fait pareil! *Marchons, marchons*, les Allemands, on va les taper!»

Marfaing ne disait rien, il chantait, debout, regard en coin vers le colonel, *ne pas triompher, une partie des indigènes chante* La Marseillaise*, j'avais raison, ils applaudissent un héros des Lumières et la guerre des droits de l'homme! Et Thérèse ne perd rien pour attendre.*

Sur le côté on ne chantait pas, quelques cailloux volant sur l'assistance et sur le camion de projection, on avait profité des images, on s'en vengeait. Des cris, un commandement, les Sénégalais ouvrant les chevaux de frise et chargeant à coups de crosse, la foule des pauvres se dispersant dans le ravin, une pente à dévaler comme des fous, deux des soldats plus rapides ou plus excités que les autres soudain encerclés en bas, au bord de l'oued, d'autres cris, des coups de feu… dans le jardin public on s'inquiétait, ça venait de loin mais quand même, les gendarmes faisaient évacuer le jardin dans le calme, plus de coups de feu. Et Marfaing n'en parlerait pas dans son rapport à la Résidence sur ce qu'il appellerait une belle manifestation d'amitié franco-américaine et de progrès, «qui avait permis à la partie la plus moderne de la population locale de manifester son attachement à la France et aux lumières de son protectorat!»

39

LES PRÉPONDÉRANTS

Pour Pagnon et les autres Prépondérants de Nahbès, c'est-à-dire Doly, Laganier, une demi-douzaine d'officiers, autant de fonctionnaires, beaucoup de colons, ainsi que des commerçants et artisans (qu'on n'aurait jamais admis, notait Doly, dans un cercle de qualité, si on avait été en France), pour tous ces gens, la projection ç'avait, comme on dit, été la goutte d'eau, Marfaing et ses *lumières*, Marfaing et ses Américains, Marfaing et son vent libéral qui soufflait de Paris, son petit jeu avec la gauche, et le double jeu du caïd, et le triple jeu de Ganthier, disait Pagnon, en apparence Ganthier est des nôtres, en fait il est toujours fourré avec des Arabes, et quand c'est pas les Arabes c'est les Américains, la Résidence ne veut pas y toucher et quand on essaie d'alerter Paris on se fait dire qu'il est intouchable, renseignement militaire mes fesses !

Pagnon en avait gros sur le cœur à propos de Ganthier, on avait fini par comprendre que ce n'était pas seulement politique, ça remontait à l'affaire Bellarbi. Bellarbi c'était un paysan, sec comme les orties au mois d'août, qui possédait une douzaine d'hectares, des olives, du blé pauvre, un peu de bétail, son père en avait bien vécu, ça pouvait continuer, et puis Pagnon avait voulu cette terre, pas malhonnête Pagnon, il en a offert un prix correct, refus de Bellarbi, alors Pagnon est même allé jusqu'au prix normal, mais Bellarbi a continué à refuser, alors Pagnon a offert le prix qu'il aurait proposé à un Français, refus de Bellarbi, Pagnon l'a mal pris, il a dit qu'avec ces gens-là l'honnêteté ça ne servait à rien. Sa femme a essayé de le freiner, elle n'aimait pas les histoires, et puis elle s'est dit que tout ce qui pouvait occuper son mari était bon à prendre.

Généralement ces choses-là se traitaient au contrôle civil, le soir, entre initiés, et le lendemain une mesure administrative était prise. La réunion a eu lieu, Marfaing n'a pas refusé, mais il a traîné les pieds, il a obligé Pagnon à le relancer, à redemander, et redemander c'était gênant, jusqu'au jour où Marfaing lui a dit que ça se ferait, bien sûr, mais, cher ami, ne vous énervez pas... Ça l'a énervé, Pagnon, qu'on lui dise de ne pas s'énerver, il a dit aux autres que Marfaing était un connard, qu'il fallait l'obliger à agir, et une grenade a explosé sur un chemin qui traversait la terre de Bellarbi, non, pas pour lui faire peur, pas une menace de crétin, c'était plus subtil, une explosion au mauvais moment, au crépuscule, au moment où circulait la patrouille de gendarmerie, à peu près, car ils ont seulement eu peur. Ils n'ont pas mis la peur dans leur rapport, mais ils en ont mis suffisamment pour que Marfaing soit obligé de signer et que Bellarbi soit embarqué, attentat contre l'autorité, ça tombait sous le coup d'une confiscation de terres, avec revente au plus vite et, si Bellarbi ne faisait pas trop d'histoires, la prison ne serait pas si longue. Il avait de la chance, parce qu'un attentat, même sans victimes, ça pouvait être la guillotine.

Mais Bellarbi ne s'est pas calmé, il a fait des histoires, il a parlé de machination, il a demandé justice, les nationalistes se sont remués, Si Ahmed a fini par demander ce qui se passait, et c'est là que les gendarmes ont trouvé une grenade devant leur porte, désamorcée celle-là, avec une lettre anonyme, tapée à la machine, qui disait que des grenades comme ça, il y en avait plein dans une baraque à Pagnon, avec le fil de fer qu'il fallait pour les actionner à distance, du très bon fil, solide et souple, moderne, du fil acheté en France, pas du fil d'Arabe. Les gendarmes sont allés voir Marfaing, Marfaing avait reçu la même lettre, sans la grenade, mais avec le fil, les gendarmes se sont énervés : votre taré de toubib nous ferait crever pour quelques hectares, il aurait au moins pu nous prévenir ! Marfaing a fait relâcher Bellarbi.

Les gendarmes ont voulu aller à la ferme de Pagnon mais on a tout arrêté avant que ça remonte plus haut. Pour calmer les gendarmes, Pagnon leur a fait livrer six mois de bourgogne millésimé. Il a aussi fait le deuil des terres de Bellarbi, il n'a pas aimé, il a fait comme s'il avait été victime d'une machination, il répétait qu'on avait vraiment essayé de niquer les gendarmes mais il ne savait pas qui c'était, il a même dit à des personnes de confiance que, le jour où il saurait qui avait écrit la lettre, il y aurait du sang dans la rue, c'était grave, il finirait par savoir, il y avait un traître ! Thérèse lui a dit de se taire parce que les gens allaient se demander ce que le traître avait trahi. Pagnon n'a plus insisté, surtout qu'un soir, au Cercle, Ganthier lui a fait remarquer devant tout le monde qu'à trop menacer de mort celui qui avait expédié la lettre anonyme il allait lui faire prendre les devants. Pagnon faisait la gueule, Ganthier a même blagué : « Et vous risquez de vous retrouver dans votre cimetière. » Ça a fait rire tout le monde, parce que le cimetière à côté de l'hôpital avait fini par s'appeler « cimetière Pagnon ». Le toubib s'est calmé, il a offert le champagne à tous les présents et il a dit à Ganthier que c'était dommage, que s'il avait récupéré les terres ils auraient été voisins. Ganthier n'a pas répondu.

Depuis, Pagnon n'avait plus rien dit sur cette histoire, mais il n'avait pas digéré la blague de Ganthier et, quand les Prépondérants ont commencé à s'occuper de Marfaing, Pagnon a fait mettre Ganthier en quarantaine. Pas besoin de parler de tout à quelqu'un qui parlait avec tout le monde. Il a de nouveau eu sa formule, « triple jeu ». Certains membres du cercle ont dit à Pagnon que *triple jeu* c'était quand on revenait à la position de départ. Il n'a pas trouvé ça drôle.

On a commencé à discuter sérieusement à partir d'une idée de Laganier, le secrétaire général du contrôle civil, le plus proche collaborateur de Marfaing, et qui ne pensait qu'à faire virer son patron, pour assurer l'intérim, au moins. Les incidents du cinéma en plein air l'avaient fait réfléchir, il a parlé d'abcès de fixation, c'était sa grande idée, les indigènes sont imprévisibles ? prévoyons à leur place ! Il ne fallait pas attendre le moment, il fallait l'inventer, et cogner, pas du vaccin comme Marfaing, mais un vrai remède de cheval, vider l'abcès pour dix, vingt ans, et régler son compte à Marfaing au passage, et peut-être même aux Américains, c'est pas bon ces discussions entre Arabes et Américains, ça rend nos Arabes prétentieux !

Laganier n'aimait pas l'Amérique, il parlait de décadence, de nouvelle barbarie éclairée à l'électricité, de ploutocratie mécanisée, les autres le laissaient dire, c'était pas ça l'important, l'important c'était la terre, les mesures qui permettraient de récupérer plus de terres indigènes quand on aurait bien calmé les Arabes, on avait le droit de le faire, c'était même un vieux slogan de gauche, la terre à ceux qui la travaillent ! C'est ce que plusieurs Prépondérants avaient dit à Gabrielle quand ils avaient appris qu'elle écrivait un article sur eux et l'histoire de la colonisation, leurs pères avaient débarqué sur cette terre avec des vêtements noirs, un baluchon et ce qu'ils savaient faire ; un savoir venu de très loin dans le temps, avait écrit Gabrielle, des hommes aux mains vides mais qui avaient en eux des choses fortes. Ça n'étaient pas les plus riches qui traversaient la Méditerranée, ni les plus malins, mais ils possédaient quelques-uns de ces morceaux de savoir qui demandent des siècles pour se mettre en place dans la tête des hommes, et ils arrivaient dans un pays mal cultivé, un ancien jardin pourtant, avait dit Ganthier à Gabrielle, le jardin numide, mais c'était peut-être une légende à la Ganthier, une légende dorée, avec ses fruits, légumes, olives, amandes, melons, un jardin qui avait été ensuite transformé en machine à blé par les Romains, le blé qui avait tué les autres cultures, on n'en avait rien su à l'époque, tellement c'était beau ce blé, et parce que personne n'avait d'assez bons yeux pour voir au-delà des trente ans à peine que durait alors une vie d'homme.

La ruine était venue sans qu'on la voie, ruine au long cours, on le savait aujourd'hui, dans l'amertume, mais cette fois c'était peut-être une légende noire, sécheresse et famines dans tout le bassin méditerranéen, et les gens prenaient ça pour une malédiction, la faute à leurs histoires de dieu unique ou au contraire la vengeance d'un unique contre des idolâtres, mais en réalité c'était la faute au blé, qui met tant de joie dans le cœur des hommes quand les épis sont bien lourds, les Romains en avaient eu besoin pour leurs villes à plèbe, un million de boisseaux par mois pour la Rome d'Auguste et de ses successeurs, pain gratuit pour le peuple, le nord de l'Ifriqiya devenu grenier à blé, où l'on arrache les vignes, les oliviers même, et les agrumes, et quand tout est submergé par la marée blonde on descend vers le sud, des terres encore plus ingrates, et moins de pluie, moins de rendement, sur de plus grandes surfaces, les nomades sont chassés, on capture aussi les fauves, lions, panthères et autres, on envoie à Rome, et on déboise aussi pour le blé, le carnivore se raréfie, et le paradis du blé devient un paradis des herbivores, un sol qui se dénude encore plus sous le broutement des chèvres, gazelles et moutons, et rien pour amender la terre, un an de blé, un an de repos avec de mauvaises herbes pour herbivores, on croit que ça suffit, et la terre s'envole au vent, moins de verdure donc moins de pluie, mais on ne le sait pas, et quand ça pleut ça emporte la terre, les plantes se mettent à ramper pour survivre, et ça devient un pays de ruines romaines sur une terre en ruine ; quand arrivent de nouveaux conquérants ça se redresse, et ça retombe, pendant des siècles, et arrivent d'autres conquérants, à dieu unique, pas le même mais toujours unique, conquérants peu agriculteurs, disent les uns, ayant au contraire le culte de l'eau, disent les autres, et le pays se reprend parfois, puis retombe, se reprend, et les colons en habit noir arrivent d'Europe sur une terre où on laboure encore avec un soc en bois brûlé, et les nouveaux ont dans la tête et les bras un savoir plus efficace, c'est comme les armes, tromblon de fantasia contre fusil Lebel et canon de 75, l'état d'un pays lent, des siècles surtout de turquerie, disent les uns, de bigoterie au point que les bras finissent par vous en tomber, disent les autres ; et on ne savait pas trop où ça avait commencé ce fameux progrès, là-bas, en Europe, ni comment, peut-être un hasard, un climat qui se réchauffe, ou un meilleur fer, pour la faux, bien meilleure que la faucille avec laquelle, ici, on moissonne encore accroupi en chantant ; avec la faux on a plus de foin, plus d'animaux, plus de fumier, la charrue remplace l'araire, on invente la herse, le collier d'épaules, le rouleau...

Et tout ce qui avait demandé des siècles pour s'établir dans les têtes, les choses et les corps, voilà que les nouveaux l'attribuaient soudain à leur génie, les autres n'étant pour eux que des demeurés, eux étaient les modernes, ils avaient compris, et celui qui a compris a droit à la terre, et on a pris : les friches d'abord, puis les terres des nomades, terres tribales vite sans tribus, ils ont replié la tente, les nomades, ils l'ont mise sur l'âne, ils sont repartis, *qifâ nabki*, arrêtons-nous et pleurons, dit l'autre, *mîn dhikrâ... manzili*, sur les traces d'un campement, ils ont l'habitude, et cette fois on leur a laissé leur tente et quelques chèvres, alors qu'avant, pour récupérer l'impôt, les gens du Souverain

leur confisquaient tout et ils ne pouvaient même plus changer
d'herbe, juste bons à venir en arracher entre les tombes au bord
des villes, on leur a laissé la tente pour qu'ils aillent plus loin, et
quand ils sont partis on a fait de grands domaines, des centaines,
des milliers d'hectares, c'est rentable, surtout qu'après on rappelle les nomades expropriés, pour travailler, ces gens-là, quand
ils sont bien encadrés et qu'on ne les lâche pas, ça peut aller,
et ils sont très frugaux ! Avec les colons sont aussi venus tous
ceux qui vont avec, artisans, maçons, mécaniciens, employés
de la poste ou du gaz, boulangers, instituteurs, curés, tâcherons,
patrons de bistrot, contremaîtres, gens durs à la tâche et durs à
vivre, intolérants et prolifiques, ayant cru en cette terre comme
d'autres avaient cru en l'Amérique, en plus petit, oubliant le
temps qu'il leur avait fallu pour en arriver là, appelant génie de
la race ce que les siècles avait permis d'accumuler, se désignant
comme détenteurs d'une supériorité de nature, et les plus malins
choisissant un mot plus rare que «supériorité», la supériorité
pouvant être *de fait*, alors disons «prépondérance», il y a du
droit dans ce mot, de la valeur, du légitime, et à Nahbès les Prépondérants n'étaient pas tout de suite passés à l'action, Laganier
voulait d'abord avoir l'aval de leur chef spirituel et principal responsable dans la capitale, Richard Trillat, le rédacteur en chef de
Présence française, même si tout le monde n'était pas d'accord
sur Trillat, un type un peu fou, sa phrase préférée c'était «l'en-
ténèbrement est la croix qui s'élève au carrefour de la société
d'aujourd'hui, entre la verticalité déchue et l'horizontalité triom-
phante», on trouvait ça plutôt délirant, les plus moqueurs appelaient Trillat «le marabout», Trillat ne supportait pas non plus
le slogan de «la plus grande France», c'était de la foutaise, un
Blanc est un Blanc, un Noir un Noir, un Arabe un Arabe, «pour
moi un type qui continue à s'appeler Mohammed ou Mamadou
ne pourra jamais faire partie de la France, tout le mal vient de ce

qu'on leur donne de l'éducation ! » Même la France il aimait pas
trop, Trillat. Pendant un de ses voyages, à Marseille, les douaniers l'avaient pris pour un Arabe passé dans la file des Français
au contrôle ; il avait longtemps vécu au Liban, peau mate, cheveu brun, grosses lèvres, un fonctionnaire des douanes l'avait
interpelé : « Tu es d'où, toi ? » Trillat répondant « de Corrèze »
en tendant son passeport, avec des gutturales de Levantin dans
la voix, et le fonctionnaire se demandant s'il n'avait pas affaire à
un Ben Machin déguisé, avec ce chapelet à la main, c'était ça qui
éveillait les soupçons, le chapelet, on voyait parfois passer des
Arabes chrétiens de Beyrouth, mais ceux-là se mettaient direct
dans la file des Orientaux, ils ne se prétendaient pas de Corrèze,
pas comme ce Trillat, qui était peut-être de Corrèze, le fonctionnaire des douanes lui avait rendu ses papiers, du bout des
doigts, ça aurait pu s'arrêter là, mais Trillat s'est mis à engueuler
le fonctionnaire et, plus il gueulait, plus sa voix ressemblait à
celle d'un Beyrouthin. Les douaniers se sont braqués, fouille des
valises et fouille au corps, c'est pour te donner des raisons de
nous engueuler, des raisons profondes ! Depuis ce jour-là, Trillat
pensait que la France était pourrie par ses fonctionnaires. Évidemment il ne l'avait pas dit à Laganier, qui était fonctionnaire,
et il s'était montré enthousiaste devant le projet des Prépondérants de Nahbès, très bien l'abcès de fixation, on passait enfin
aux actes, il faudra aussi coincer quelques fils de Sion dans votre
histoire, et des métèques, ils la ramènent trop, il ne faut laisser
régner ni Mohammed, ni Mardochée, ni Peppino ! notre slogan
doit être « le Maghreb à la France et la France aux Français » !
Mon journal vous soutiendra ! Laganier était sorti de chez Trillat
avec ce qu'il avait appelé une vraie bénédiction papale.

40

L'ORAGE

Ailleurs on se préoccupait moins de machination que de vivre
agréablement. Kathryn et Raouf faisaient ensemble des promenades plus naturelles que naguère, parce que cette fois ils étaient
vraiment ce qu'ils avaient longtemps fait semblant d'être aux
yeux des gens : de bons amis... chacun des deux dissimulant
désormais ce qu'il voulait, n'ayant qu'une crainte, celle de montrer un désir qui le mettrait à la merci de la vanité de l'autre, qui
s'empresserait alors de sacrifier son propre désir à cette vanité ;
Raouf avait peur de se faire rappeler ses liens avec Metilda et
ce qui pouvait passer pour de la dissimulation, et Kathryn ne
voulait pas se voir demander comment elle avait pu devenir la
maîtresse de Wiesner en quelques jours de tournage berlinois.
Ils se réjouissaient donc d'être ensemble sans en rajouter, sur un
ton qui leur permettait même de rire du passé et de continuer à
se faire des émotions partagées, comme ce jour où ils avaient été
attaqués en pleine rue par des chiens, attention, avait dit Raouf,
ils ont souvent la rage, et ça veut dire un mois de piqûres dans le
ventre ! Il avait confié l'ombrelle à Kathryn, reste derrière moi !
et il avait lentement mis la main dans sa poche, il l'avait res-
sortie tout aussi lentement, l'un des chiens s'était approché à
une quinzaine de mètres, le plus gros, babines retroussées, et,
avec une violence surprenante, Raouf avait lancé le caillou qu'il

tenait ; trop court, avait pensé Kathryn ; le caillou avait atterri à un pas devant le chien qui n'avait pas reculé, et il avait ricoché sur le macadam pour le frapper en pleine gueule, bruit sec de la pierre contre l'os, le chien s'était enfui en piaulant, suivi par ses congénères.

« Tu as souvent des cailloux dans tes poches ? avait demandé Kathryn, la voix nouée. — Quand je suis en promenade, toujours. — Il y a plein de cailloux par terre, tu n'aurais eu qu'à te baisser. — J'aime bien avoir le temps de choisir, il faut que le caillou soit assez gros, plutôt arrondi, et puis comme ça le chien ne me voit pas me baisser pour en prendre un, il ne peut pas se préparer. — Le ricochet, c'était voulu ? — D'après toi ? » Il avait fini par donner l'explication : « Un chien surveille les trajectoires directes, il ne sait pas calculer, ici on apprend à faire ça très tôt, avant même de jouer aux billes, ou aux mèchmèches. — Les mèchmèches ? — Des noyaux d'abricot, on en pose quatre par terre, en pyramide ; et avec un autre noyau, à six pas, on essaie de fracasser la pyramide, on a droit à trois coups, ou un seul quand c'est une partie "à la mort" ; celui qui réussit à détruire le tas ramasse les noyaux ; on peut corser le jeu en mettant la pyramide à cinquante, soixante centimètres devant un mur, et il faut l'atteindre en ricochant d'abord sur le mur ; si on rate son coup on doit donner, au propriétaire du tas, le noyau qui a servi au lancer, pas n'importe quel noyau, les noyaux à lancer sont de vrais bijoux, on les peint, on met sa marque, on y fait un trou dans lequel on verse du plomb fondu, pour lester, lourd ou mi-lourd, ça fait de belles trajectoires, des impacts bien nets, un beau noyau à lancer vaut jusqu'à cent noyaux ordinaires, ou même plus, ou même de l'argent. »

Le bavardage de Raouf sur les mèchmèches avait joué son rôle, il avait calmé Kathryn. Ils étaient repartis à travers un quartier de villas, le long de rues bordées d'eucalyptus ou de jacarandas avec de beaux effets de vert pâle et de violet dans les feuillages, quelques calèches, pas d'automobiles, de temps en temps une merlette grise venait sautiller devant eux, les villas appartenaient à des gens qui avaient vu grand, sans doute plus grand qu'eux, et qui avaient tenu à montrer d'où ils venaient : maisons basques, alsaciennes, bretonnes, savoyardes... Ce n'était pas l'architecture la plus adaptée au pays, mais les propriétaires aimaient qu'on appelle ce quartier La Petite France. «Ils ont du bien à défendre, et de l'aigreur parce qu'ils n'en ont pas assez, disait Raouf, c'est vraiment un coin à Prépondérants.» Le quartier était calme, bucolique, les indigènes n'étaient là que pour servir et rentraient chez eux le soir, à part les gardiens, installés sur la rue, dans des cahutes. À l'arrière des villas, les jardins donnaient souvent directement sur la campagne. En passant devant une maison aux tuiles provençales, volets déglingués, peinture écaillée, Raouf et Kathryn avaient entendu un hennissement, ils avaient jeté un œil à travers le rideau de roseaux qui aveuglait la grille d'entrée : une vieille servante était en train de panser un cheval plus très jeune mais qui avait encore de l'allure. «Je parie que c'est aussi la bonne d'enfants, la bonne à tout faire et la cuisinière, avait dit Raouf, et son maître va parader là-dessus le dimanche après-midi au milieu des gens bien, dans la carrière des haras, où on le méprise, heureusement pour lui qu'il a des Arabes à mépriser... — Tu n'en sais rien, avait dit Kathryn, je te trouve acerbe. — Un type qui fait panser son cheval par une vieille bonne, j'ai du mal à sympathiser.»

Ils étaient arrivés devant la porte d'entrée de la maison de Gabrielle, la poignée métallique était un peu branlante. Raouf avait dit à Gabrielle : «Vous êtes en train de vous intégrer au pays. — Pourquoi ? — L'an dernier vous auriez fait réparer cette poignée dans la journée.» Rire de Gabrielle : «Je commence à aimer prendre mon temps.» Raouf : «*L'ajala min echcheïtân...*

la précipitation vient du diable ! » Et après une pause : « Ici on respecte le temps, on le croit même capable de réparer les poignées de porte. »

Gabrielle n'avait pas osé demander à Raouf s'il connaissait un artisan. C'est Ganthier qui avait fini par lui conseiller un Italien, Mazzone. Mazzone travaillait bien mais il était cher, surtout avec les métropolitains et les étrangers, il savait faire des additions qui ne laissaient au client aucun moyen de protester ou de marchander ; quand il devait mettre une vis dans un mur il facturait le creusement du trou pour le taquet de bois où s'enfoncerait la vis, il facturait le ciment et la confection du ciment qui servait à fixer le taquet, il facturait bien sûr le taquet et aussi les coups de canif qu'il avait donnés dans le bois pour l'ajuster, il appelait ça « façon du taquet », les clients étaient coincés, on ne peut pas marchander un détail de quelques sous, c'est obscène, et toute son addition n'était faite que de détails de quelques sous, et si l'on tiquait sur le total exorbitant de tous les quelques sous, l'index de Mazzone se mettait à parcourir lentement la liste de ses fournitures et travaux, tandis que, de son regard bleu clair de Piémontais qui a confiance en l'harmonie divine, il guettait le moment où le client penserait pouvoir pointer une erreur qui n'existait pas. C'était sa force à Mazzone, en détail il était honnête, seul le total donnait envie de hurler, et sa meilleure défense c'était qu'il travaillait bien, et qu'on le savait. Son unique employé s'appelait Hassan, Hassan était fier de son patron, le meilleur de la région, et Mazzone était fier de son employé : « Il n'est pas comme les autres, il ne vole pas ! » disait Mazzone.

Hassan se satisfaisait apparemment de cette situation d'exception, entre *les autres* et *m'sieur Mazzone*, celui que les Français appelaient « le macaroni » quand ils étaient entre eux ou seulement avec Hassan, dans la cuisine où il était venu déboucher un siphon ; ils savaient que Hassan répéterait ce mot à son patron et ils le faisaient exprès, pour rappeler l'existence d'une hiérarchie que la politesse les obligeait à ignorer quand « monsieur Mazzone » venait chez eux. Hassan ne s'offusquait pas d'entendre son patron appelé « macaroni », ça faisait partie du monde, un monde où Hassan savait que son patron ne s'offusquait pas non plus quand on lui disait au téléphone : « Soyez gentil, si vous ne pouvez pas venir tout de suite, envoyez au moins votre bougnoule... » Un monde où, quand ils parlaient de certains bons clients, Mazzone et Hassan disaient « ce chien de francaoui » ou « cette chienne », c'était comme ça la vie.

Au bar du Grand Hôtel, on avait repris les bonnes habitudes, et, pour ne pas gâcher l'ambiance, Gabrielle et Kathryn avaient dissimulé leur colère de n'avoir pas été invitées au combat de chameaux. Gabrielle avait même affirmé qu'au Proche-Orient on avait droit à des choses plus corsées. Mais, pour Ganthier, le Proche-Orient étant plus rigoriste que le Maghreb, ça devait au contraire manquer de piment. « Ça n'est pas en me provoquant que vous me ferez parler », avait répondu Gabrielle. Les autres avaient insisté et Neil lui avait demandé dans quel pays se passaient ces choses plus corsées. Ça n'était pas tout à fait un pays, avait-elle dit, plutôt une zone, une mouvance, instable, à cheval sur plusieurs de ces pays qu'on a mis à la place de l'Empire turc en se partageant les puits de pétrole : la région des assassins, des *hachichines* si vous préférez, un pays de drogue, j'ai passé quinze jours dans leurs villages, ils n'ont pas abandonné le hachich mais ils ne tuent plus beaucoup... et pour se divertir ils ont leurs vieux cultes... le plus fameux c'est une fois par an, une nuit, pas n'importe quelle nuit, il faut une nuit sans lune et avec des nuages, quand on ne voit même pas le chemin, mais ça ne suffit pas, il y a toujours un peu de lueur, alors on fait de l'obscurité dans l'obscurité, un grand salon calfeutré dans une grande maison… «Vous y étiez ou on vous a raconté?» demanda Cavarro, Gabrielle sourit… un grand salon, tous les adultes du village, hommes et femmes, y compris le cheikh et son épouse, ils peuvent être une cinquantaine, personne n'a le droit de parler, on peut seulement bouger, il n'y a que des bruits de respiration et des frottements d'étoffes, le bruit des paillettes sur les étoffes… «Ça, ça veut dire que vous y étiez», dit Ganthier en riant, Gabrielle poursuivant : pas la moindre lueur, un vrai culte, on commence par des invocations, et puis on psalmodie, et on continue à psalmodier, on a beau s'habituer à l'obscurité on ne voit rien, il fait chaud et ça finit par ressembler à du mal de mer, on psalmodie encore et puis un grand silence, et quelqu'un dit une formule, on répète en chœur, une nouvelle formule, on psalmodie à nouveau, et tout en psalmodiant chaque homme saisit une femme dans le noir et en prend soin…

«Bon, dit Cavarro, on avait la même chose à Hollywood avant les conneries de Fatty, c'est une grande partouze ! — Jusque-là ça ressemble, si on veut, dit Gabrielle, mais il y a quelque chose qui en fait une vraie histoire, un détail qui change tout !» Elle s'interrompit, un signe au serveur, deux morceaux de glace. «Ils ont fait des progrès pour le whisky, vous ne trouvez pas ? — Si votre histoire est vraiment bonne, vous n'avez pas besoin de nous faire languir, dit Neil. — Le détail qui change tout, dit Gabrielle, c'est une règle du jeu, que vous n'avez certainement pas à Hollywood… une règle absolue : l'épouse du cheikh doit être… respectée. Et, pour éviter toute méprise, on lui a mis une clochette autour du cou.»

Gabrielle avait aussi repris ses habitudes chez Rania. Kathryn et Raouf se joignaient souvent à elles. Rania surprenait Gabrielle, elle n'hésitait jamais à porter ses lunettes. Gabrielle lui en fit la remarque. «C'est pour montrer que je ne suis pas qu'une rouleuse de couscous, avait dit Rania, cela dit, je roule parfaitement le couscous. » Une fois, de la véranda, ils avaient vu passer Ganthier au loin, à cheval. « Tu devrais vraiment régler ton histoire de terre avec lui, avait dit Raouf à Rania, ça devient grotesque ! » Kathryn avait plaisanté : « Si vous acceptez l'échange, vous n'aurez plus droit au passage du cavalier élégant. — Je saurai trouver une autre solution », avait répondu Rania, heureuse de pouvoir plaisanter devant ses amis. Kathryn avait de nouveau demandé en aparté à Gabrielle : « Où en êtes-vous avec notre cher colon ? » Cette fois, la journaliste avait répondu : « Il me tend ce que vous appelez "l'épaule froide". »

Raouf leur avait aussi parlé d'un scandale qui agitait la capitale, ça s'était passé au cours d'une réception à la résidence générale de France : un jeune avocat, le cadet d'une grande famille du pays, les Baghdadi, avait osé se présenter avec son épouse, et l'épouse n'était pas voilée ! Gabrielle s'était montrée enthousiaste, Rania avait approuvé l'audace, mais pas le choix de la manifester à la résidence générale, Raouf avait dit qu'il était d'accord avec ce geste, mais beaucoup de ses amis estimaient qu'il faudrait attendre d'avoir l'indépendance pour faire une chose pareille… « Si on veut libérer les hommes, il paraît qu'il faut l'appui de ceux qui veulent que la femme reste prisonnière, avait-il ajouté en riant. — En attendant, avait dit Rania, nos chers modernistes auront toujours la possibilité d'épouser des Européennes. » Et Gabrielle à Raouf : « Les femmes d'ici qui épousent des Européens, elles sont plus libres ? — Elles sont peu nombreuses, avait dit Rania, il faut que l'Européen se convertisse, ça fait hésiter… Et c'est pour ça que les choses restent parfois secrètes. »

Et puis il y avait eu l'orage, d'énormes masses gris sombre qui venaient de la mer et avaient soudain occupé tout l'horizon, avec des éclairs qui cassaient le ciel à coups de hache, un orage massif, un fleuve d'en haut, une aubaine, d'ailleurs, car il faisait très soif, et la pluie on la demandait. En ville, les premières gouttes qui s'écrasaient dans la poussière avaient déjà un diamètre de capsules de limonade, et les gens remerciaient Dieu. Puis l'eau s'était mise à tomber en cascade et à courir partout, comme elle fait quand elle n'en a pas pour longtemps, elle avait emporté le plus léger, le sable dans les rues, les cailloux, les papiers, puis des arbustes secs qu'on pointait du doigt en disant : « C'est la grande lessive ! » Elle avait continué à tomber de plus en plus fort, et avec l'aide du vent elle avait emporté tout ce que l'imprudence lui avait laissé, chaises, tables, étals, pastèques de marché, carrioles d'enfants, parasols, c'était violent, partout en ville les gens rentraient la tête dans les épaules et se mettaient à courir comme des poules, certains trouvaient l'abri d'une porte et attendaient la fin sous un ciel mauve, c'était le pic de violence et ça allait retomber comme c'était venu.

L'angoisse avait pris quand, dans la ville basse, on avait vu flotter une charrette sans attelage, puis deux ânes ventre en l'air, gonflés comme des baudruches, et un rat en panique, accroché à l'un d'eux, l'eau emportait tout ça dans son grondement, vers le ravin, vers l'oued dont les eaux montaient de plus en plus vite, comme pressées de rejoindre celles qui tombaient. À trop demander la pluie, on avait réveillé les eaux de l'enfer, qui étaient aussi venues de la mer, pour jeter les bateaux du port les uns contre les autres, et ça n'était pas le pire d'être un bateau dans le port car, au loin, d'autres bateaux avaient commencé à disparaître entre deux claquements de vagues, en rendant à la profondeur les milliers de poissons qu'ils lui avaient arrachés, et le pire ça n'était pas pour les felouques, une chance sur deux de s'en tirer, de se redresser en écopant à toute vitesse, le pire ç'avait été pour quelques chalutiers à moteur, parce qu'un chalutier à moteur c'est une coque construite autour d'un bloc de fonte et de fer, un moteur qui prend plus de la moitié du tonnage et n'a qu'une envie, c'est de filer au plus vite retrouver le fond de l'eau, les rochers, les minéraux, la matière brute dont on l'a tiré, il avait suffi de deux ou trois paquets d'eau plus lourds que les autres, fortune de mer, c'est comme ça qu'on dit.

Et sur terre on se félicitait de ne pas avoir à affronter les vagues, sur terre il n'y avait que des rafales, elles se sont quand même mises à arracher des murs, parce que c'étaient les rafales les plus destructrices, les coups de fouet en retour qui naissent de la dispute des vents entre eux, elles ont même arraché des maisons, celles du ravin, mélangées aux tonnes de détritus de la décharge à ciel ouvert, et la briqueterie, et la guérite en ciment à l'entrée du pont entre la ville arabe et la ville européenne, tout a été emporté en tourbillons, des heures durant, parfois un homme luttait, mourait, avec ou sans cris, certains en tentant d'en sauver d'autres, en pleine rue, de l'eau jusqu'à la poitrine, dans les deux villes, d'autres se rencognaient sous les trombes. La nuit était venue. Elle n'avait rien changé.

Au matin la pluie s'était arrêtée, les nuages s'étaient clair-semés, ils avaient fini par disparaître, la surface de la mer était redevenue lisse, le malheur avait cessé d'agir, il s'était laissé regarder, on appelle ça un bilan. On avait dégagé la boue, et enterré une vingtaine de morts, en pleurant aussi ceux que les vagues n'avaient pas rendus. Et il y avait eu beaucoup de monde dans l'église de Nahbès pour les obsèques du directeur adjoint du port, tué pendant l'orage par une chute de poutrelles, il était très aimé, tous les employés, tous les dockers, un par un, se souvenaient de lui devoir quelque chose, il n'avait pas toujours été comme ça, mais il avait perdu ses deux fils à la guerre, il était devenu émotif. Il ne supportait pas la souffrance, et la souffrance s'était vengée. En fait, toute la ville était là, devant l'église, dans l'église. «Vous vous rendez compte, les Arabes qui entrent dans la nef en tenant leurs bicyclettes!» Ganthier était à côté de l'homme qui faisait cette réflexion, et il avait répondu à l'indigné : « Rassurez-vous, pour votre cercueil ils ne viendront pas ! »

Un corbillard à six chevaux avait ensuite fait traverser la ville à la dépouille du directeur adjoint, par l'avenue Gambetta. Toutes les parties métalliques du corbillard et des calèches du cortège, tout ce qui aurait risqué de briller, avait été recouvert de crêpe, même les fouets portaient un ruban noir.

Les jours suivants, les gens avaient fini par se redresser, et la vie avait repris sous un ciel à nouveau immense et nu. Sur le tournage, il n'y avait pas eu d'inondation, seulement la bourrasque, rien de sérieux pour des Américains habitués au climat du Pacifique. Le gros matériel avait bien résisté, les accessoires un peu moins, de même que le décor local, les tentes surtout. Un peu de retard, donc. Mais on n'était pas mécontent, et c'était même prévu dans les contrats d'assurance.

41

LA CHASSE

Trois jours après, en pleine campagne, à trente kilomètres de la ville, l'eau courait encore dans le lit d'oued, à gros bouillons désordonnés, mais le chien n'a pas hésité à plonger, avant que Ganthier ait eu le temps de crier « stop ! ». Raouf, Ganthier et les autres chasseurs avaient vu le teckel disparaître dans l'eau jaune. Raouf s'était entendu hurler « Kid ! » et Ganthier lui avait fait signe de ne plus rien dire. Raouf avait compris : laisser le chien aller de l'avant, sa seule chance désormais, mais faible. Un homme se serait laissé emmener par le courant, se contentant de nager en diagonale vers la rive opposée ; mais Kid ne voulait pas s'éloigner de son but.

Ç'avait jusque-là été une partie de chasse à peu près normale, on cherchait à renouer avec une passion, après la catastrophe ; mais c'était comme le début de beaucoup de parties de chasse, une longue marche décourageante, quelques cailles qu'on osait à peine ramasser après le tir, un lapereau, on avait honte, et la nudité majestueuse du paysage accentuait la honte.

« C'est ça, votre plaisir ? » avait demandé Raouf. Il n'avait encore jamais chassé. Il n'y tenait pas, mais Ganthier lui avait proposé d'accompagner le groupe. Sans arme. Raouf avait compris : ça n'était pas une proposition pour le décider, mais la condition posée par les autres chasseurs : un Arabe, pourquoi

pas ? surtout un fils de notable. Mais sans arme. « Vous verrez, avait ajouté Ganthier, c'est assez prenant. Ça vous chan-
gera de vos livres, de vos idées. Elles ne vont pas très bien en
ce moment, les idées, hein ? Le choc de l'Europe ? Ça tient
ensemble Cheikh 'Abdouh et Lénine ? et le droit civil parisien,
et Gandhi, et les journaux… en arabe, en français, en anglais
peut-être, toujours le mélange, la révolution, les piliers de la religion, la nation, le passé glorieux, la défaite devant l'étranger, et
puis l'indépendance, à venir, si on est sage, l'égalité, le vilain
colon et son école, et l'université de la métropole maintenant,
dont vous savez si bien profiter, allez, venez prendre le goût des
poursuites au grand air, et si vous avez envie d'un fusil on verra.
« Vous n'avez pas peur que ça me donne des idées, comme à ces
montagnards du Rif qui tirent si bien sur les Espagnols en ce
moment ? » Ganthier n'avait pas répondu.

Raouf avait accepté parce que Jules Montaubain était de la
sortie, Montaubain s'était débarrassé de son fusil en 1915, à
son retour de la guerre, mais il accompagnait les chasseurs avec
son braque, il avait commencé sa carrière comme instituteur à
Nahbès puis il était devenu professeur de français et d'histoire
au petit lycée de la ville, la moitié au moins des chasseurs
l'avait eu comme maître, c'est pour ça qu'ils l'invitaient, malgré
son bolchevisme, et parce qu'il avait laissé un bras dans les
tranchées. Chaque fois que Raouf rencontrait celui dont il avait
été l'élève pendant cinq ans, son cœur bondissait, Montaubain
c'était la certitude quand on entrait en classe d'apprendre
quelque chose d'essentiel, sur l'emploi de l'imparfait, la
structure de la craie, la preuve par neuf, la bataille de Valmy,
les poèmes de Lamartine… Des années heureuses, pendant
lesquelles Raouf avait rivalisé avec David à qui saurait le plus
de choses, le plus vite. Montaubain s'en amusait, et se gardait
de faire des préférences entre deux gamins fous de culture et

de raisonnement. Le meilleur moment, c'était quand il lisait *François le Champi* ou *Les Misérables* à toute la classe. Certains parents disaient que le maître aurait dû faire moins de lectures et plus de dictées, mais tous les anciens élèves étaient d'accord : ces lectures, c'était ce dont on se souvenait le mieux.

On avait laissé les voitures en bout de piste, sous la garde de deux supplétifs de l'armée, et, au bout d'une heure et demie de marche exaspérée, le groupe avait enfin réussi à repérer une compagnie de perdrix. Il avait fallu un bon moment pour les tourner, mais les perdrix s'étaient envolées avant qu'on fût à portée. Personne n'avait compris, ou plutôt personne n'avait cherché d'explication, on n'allait pas commencer à s'engueuler pour un bruit de trop. À la jumelle, on avait pu voir les bestiaux se poser à plus d'un kilomètre et demi. Nouvelle marche de contournement, plus large cette fois, ça montait, légèrement, mais le soleil le faisait bien sentir, terrain pierreux, pas un arbre, pas vraiment d'herbe à part des touffes d'alfa sauvage, et des buissons gris de poussière enfonçant leurs racines à plus de dix mètres pour aller chercher l'humidité, on retenait les chiens pour les empêcher de se fatiguer, Ganthier avait voulu prendre Kid sous son bras, le teckel s'était vexé, il trottinait entre son maître et Raouf, se tournant parfois vers Ganthier, guettant le « va ! » libérateur. Une heure pour réussir à bien venir contre le vent, les autres chiens, de grands braques mouchetés, hauts sur pattes, commençant eux aussi à s'impatienter, et enfin libérés par des chuchotements « cherche... allez, cherche... », avançant à ras du sol vers les buissons, pattes pliées, progressant par centimètres, le nez plein d'odeurs vivantes, l'arrêt, interminable, une voix qui dit « attention, ça piète », et soudain le fracas des ailes en panique, l'envol vers le grand ciel et le salut, et chaque oiseau en belle découpe sur le fond bleu, violent de lumière, les tirs. De tous les chasseurs, seul Ganthier avait fait un doublé. Huit perdrix étaient tombées, sept du bon côté de l'oued, la huitième de l'autre. Les grands braques se sont arrêtés au bord de l'eau. Instinct de conservation. Pour Kid, l'instinct du chasseur a été le plus fort. On ne l'a plus vu. Le jaune de l'eau c'était une argile épaisse qui ne pouvait qu'alourdir le poil du chien. On a aperçu un sommet de tête fauve, et plus rien. On a cru voir un bout de museau, puis plus rien, un bout de museau encore ou d'oreille, on ne savait pas, et plus rien.

Et voilà le teckel à près de cent mètres en aval, trouvant juste ce qu'il lui fallait de pente sur l'autre rive, remontant, s'ébrouant, courant à travers l'herbe plus haute que lui le long de l'oued, queue dressée à la verticale, jappements enroués d'eau. Il l'a vite trouvée, sa perdrix tombée du mauvais côté. « Fusil de merde ! » a dit Ganthier. Il ne parlait pas d'une arme mais du chasseur dont les plombs avaient laissé assez de force à l'oiseau. « Kid, assis ! reste ! a crié Ganthier, reste ! » Mais Kid a replongé, perdrix entre les dents. Tout le monde a vu que ça allait être encore plus dur que l'aller, parce qu'une perdrix tenue entre les mâchoires, ça n'est pas seulement son poids, surtout pour un teckel, c'est que ça laisse entrer beaucoup d'eau dans le chien, de l'eau boueuse. Quelqu'un a dit : « Toute cette eau, la putain de sa mère, d'où elle sort ? » Quelques secondes, puis la voix s'est répondu à elle-même : « Et où elle va surtout ? il en restera pas une goutte pour les blés… » De temps en temps un chasseur jetait un regard vers Ganthier, son visage livide. Kid valdinguait dans l'eau enragée, disparaissait, réapparaissait, sans lâcher la perdrix. Ganthier a commencé à marcher à grands pas vers l'aval, Kid a moins cherché à lutter contre le courant, le groupe suivait Ganthier. Un homme a lancé : « Il s'asphyxie, il n'y arrivera pas. » Raouf a cru que Ganthier allait se jeter sur lui. C'était l'homme qui avait eu droit à l'expression *fusil de merde*, un gros type, avec beaucoup de menton qui lui tombait sous la bouche, Jacques Doly, l'avocat. L'homme n'aurait pas dû parler d'asphyxie, il aurait pu se taire, mais il n'avait pas osé répliquer tout à l'heure à Ganthier et voilà qu'il réussissait à faire encore plus mal qu'une réplique, tout en ayant l'air de ne faire qu'une constatation, parce qu'*il n'y arrivera pas*, ça n'est pas seulement le malheur qu'on voit venir, ça l'appelle. Ganthier s'est maîtrisé.

On voyait de moins en moins Kid. À un moment, l'oued a fait un coude, ça a rapproché le teckel de la berge, il a posé une patte contre une racine, Ganthier a couru, mais Kid a été renvoyé au milieu du courant. Un des braques a aboyé, à voix cassée, un autre a geint, comme si lui aussi savait ce qui se passait pour Kid ; il n'a pas hurlé à la mort parce que les chiens savent que ça énerve les maîtres, mais c'était tout comme. Et son maître a crié : «Ta gueule !» Certains chasseurs se sont arrêtés, essoufflés. Kid, on ne comprenait pas très bien ce qu'il avait fait. L'aller, bien sûr, c'était l'instinct du chasseur, le désir de proie. Peut-être aussi un désir de teckel, montrer aux autres chiens, aux braques, l'aristocratie de la chasse, ce qu'on sait faire quand on est petit, avec de grandes oreilles et une voix ridicule. C'est peut-être pour ça que Ganthier n'a pas surveillé son chien, il le connaissait, il savait ce qu'il était capable de faire, c'était dangereux, mais quelque chose chez Ganthier n'avait peut-être pas résisté à l'idée de laisser Kid montrer ce qu'il savait faire, les chasseurs ont l'orgueil de leur chien, et les chiens celui de leur maître, c'est pour ça que certains d'entre eux plongent quand il ne faudrait pas. Mais le retour ? À quoi bon en rajouter ? Ce n'était pas la crainte, certains maîtres battent les chiens qui tardent à rapporter, ils en font des crétins, mais personne n'avait jamais vu Ganthier battre un chien, ni un ouvrier, d'ailleurs. Et son Kid, il en était gâteux.

Plus tard, en reparlant de cette histoire, les gens diraient que le chien avait été stupide de vouloir retraverser, que Ganthier aurait été capable de rester des jours sur l'autre rive, à attendre l'accalmie. Non, dirait Montaubain, Kid n'était pas stupide, Ganthier l'avait dressé au rapport pendant des années, une balle en mousse quand il était chiot, et puis son premier oisillon, échangé contre des caresses, et sa première caille, un peu trop malaxée, il avait vite appris, et il avait fait non seulement son devoir, mais sa joie, de revenir vers son maître la gueule pleine, et il n'allait pas s'en priver pour une histoire d'oued encore violent, même au prix d'une noyade, la mort dans la joie, même les chiens peuvent marcher à ça, dirait Montaubain, parce que sinon la mort c'est vraiment trop dégueulasse. On sentait qu'il pensait à autre chose.

Quand il a finalement été sur la berge, Kid a traîné la perdrix devant Ganthier, et il s'est couché d'un seul mouvement sur le côté. Il vomissait de l'eau jaune par saccades, avec un gros bruit de boyaux. Il ne pouvait plus se lever. Ganthier a écarté la perdrix. Raouf l'a contemplée un instant, elle était belle, pas loin du demi-kilo, bec rouge, gorge blanche cerclée de noir, la poitrine gris lavande ; les pattes aussi étaient rouges. Le type qui l'avait mal tuée n'osait pas s'approcher.

Les chasseurs sont repartis le long de l'oued. Raouf et Montaubain sont restés avec Ganthier qui s'était accroupi, il marmonnait, il caressait les flancs de Kid qui n'arrivait plus à se relever et respirait avec peine entre deux vomissements. Le braque de Montaubain gémissait. «Chut!» a dit Montaubain, et Ganthier : «Non, c'est bien qu'il l'entende aussi.» Ganthier répétait : «Allez, toutoune, fais pas l'œuf!» Dans la voix il y avait de plus en plus de résignation. Puis le ton a changé, Raouf et Montaubain ont compris que Ganthier s'adressait maintenant à eux, Ganthier parlait de Kid tout en le caressant, une espèce d'oraison funèbre, Kid était arrivé dans ce pays à l'âge de trois mois, il est d'une résistance formidable, il fait des kilomètres sur la propriété tous les jours, la terre, la pierraille, c'est le seul chien qui ne revienne jamais de l'ouverture avec les pattes en sang, il est très bon sur la perdrix, tant qu'on ne lui demande pas l'impossible, je ne lui ai pas demandé, je ne voulais pas qu'il traverse. Ganthier ramassait de la pierraille, la montrait à Raouf et à Montaubain, l'ardoise, le terrain pauvre, ça fait du gibier calculateur, endurant... cette perdrix... elle savait qu'il fallait mettre l'oued entre elle et les chiens... elle savait... à moitié morte là-haut, elle a encore trouvé moyen... La voix de Ganthier s'était cassée. Il regardait le ciel, à s'en faire mal aux yeux. On n'entendait presque plus la respiration de Kid. Il faisait maintenant très chaud, un air brûlant, sans la tension de la chasse. «On va rentrer», a dit Ganthier en prenant le chien dans ses bras. Il est parti à grandes enjambées. Raouf a ramassé la perdrix, sa tiédeur l'a surpris, avec Montaubain ils ont emboîté le pas à Ganthier. Au bout d'un moment, Ganthier a commencé à trébucher comme s'il ne voyait pas devant lui. Raouf a compris : les larmes. Il a donné la perdrix à Montaubain et il a pris Kid. Quand ils sont arrivés aux voitures, Raouf a croisé le regard des deux supplétifs laissés en surveillance, un regard mort. Il s'est mis à leur place, dans leur tête, *le fils du caïd porte le chien du colon*. Il a cherché un éloge de chien de chasse dans sa mémoire, le poème d'Ibn Rabi'a, *ghodfân dawâjina qâfilân a'samouha*, des chiens aux oreilles tombantes, aux flancs maigres... et qui savent mourir sous la corne des gazelles, voilà ce qu'il allait réciter aux supplétifs, un hommage à des chiens écrit par un seigneur, mais il n'était pas sûr qu'ils comprendraient cet arabe vieux de quatorze siècles, il n'a rien dit ; pour ces hommes, le chien était un animal mauvais, celui qui attaque les anges envoyés du ciel. Ganthier a dit à Raouf : «Ils ne sont pas contents, et ils se refont une fierté sur votre dos.» Il a repris son teckel dans les bras. Il avait toujours ce réflexe : dès qu'il sentait qu'un écart s'installait entre Raouf et des gens du peuple, il le lui faisait sentir. Raouf en a voulu à Ganthier, il n'a pas répliqué, Montaubain lui a mis la main sur l'épaule, un instant, puis il s'est installé à l'avant avec son braque qui gémissait toujours. Raouf et Ganthier se sont mis à l'arrière, Kid entre eux, sur la banquette, à moitié enveloppé dans un torchon. «Fonce!» a dit Ganthier à son chauffeur. La voiture est partie sans précaution sur la piste. Kid en était maintenant aux convulsions silencieuses.

42

UN SPECTACLE ÉDIFIANT

Dans la capitale, après son entrevue avec Trillat, Laganier avait rendu visite à ses collègues des renseignements généraux. Il leur avait fait part de son intérêt pour leur informateur de Nahbès. Les collègues lui avaient dit : « Belkhodja ? On peut même vous le donner, il ne sert plus à rien ! »

Belkhodja était devenu pauvre, un pauvre qui n'en a pas l'air mais qui ne dépend plus que de l'aide qu'il reçoit. Il n'allait que rarement en ville européenne, il logeait au fond de la médina de Nahbès où un serviteur de Si Ahmed venait payer chaque semaine son ardoise dans une gargote. Belkhodja devait survivre, il était le témoignage vivant de ce qu'il en coûtait de s'attaquer à Si Ahmed. « Et il n'est pas bon qu'on te voie trop souvent en train de mendier », lui avait même dit le caïd.

Belkhodja avait compris ce qu'il y avait dans ce *trop souvent*. Il fallait choisir les occasions, de préférence la sortie de la grande mosquée une fois par semaine, sans ostentation de misère, mendier sans mendier, de quoi recevoir l'aumône discrète de quelques croyants qui l'avaient jadis connu, rien de plus, mais c'était la condition de l'aide plus substantielle que lui accordait le caïd, il fallait paraître en état de nécessiteux devant la communauté... Ainsi, quand ils le voyaient, les gens pouvaient se rappeler les fautes que Belkhodja avait commises.

Il y avait l'alcool, bien sûr, et la drogue, et le jeu, et les putains, et les dettes non remboursées, mais ce n'était pas le pire, le pire c'était de s'en être pris à Si Ahmed, on ne savait pas trop, mais ça concernait ce voyage précipité de son fils, oui, il y avait plus d'un an, on disait que par vengeance Belkhodja aurait dénoncé le fils du caïd à la police des Français, dans la capitale, peut-être pas dénoncé, mais il avait au moins commis des indiscrétions coupables, ou vraiment dénoncé, et à tort, le fils du caïd l'avait échappé belle, et son père avec, mais on n'était pas sûr, et le jeune Raouf était peut-être parti volontairement à la découverte de l'Europe, d'ailleurs ça lui avait fait du bien, et son année à Paris également, il était beaucoup moins agité désormais, on l'avait même entendu dire qu'il ne voulait plus faire de politique, le pays n'avait pas encore l'âge de la politique, il voulait devenir un curieux, ça n'avait pas l'air d'être un vrai métier mais c'était moins dangereux que bolcheviste ou nationaliste.

Le caïd tenait la tête de Belkhodja hors de l'eau, et en échange Belkhodja acceptait de mendier, rarement mais bien. Parfois, il se donnait même l'illusion d'être un homme parmi d'autres, droit, affable, il disait bonjour à une vieille connaissance, s'emparait de la conversation, jouait à celui qui est libre, riait, faisait oublier que la monture d'acier de ses lunettes était rafistolée avec du fil noir, mais une chose lui rappelait ce qu'il était vraiment, c'est qu'il n'osait plus passer à proximité de son ancien magasin et de La Porte du Sud. La petite bande du café savait tout.

Par prudence les jeunes gens faisaient semblant d'avoir oublié la dénonciation de Raouf, pour ne pas rappeler sa fuite, mais il leur restait autre chose sur le cœur : la descente de police que Laganier avait ensuite organisée au café, leur sortie menottes aux poignets, comme des criminels, coups de crosse et coups de genou, et les interrogatoires, à coups de baguette sur la plante des pieds pour ceux qui n'avaient pas un vrai rang social, à croire que Laganier s'était vengé sur eux de n'avoir pas eu le droit de mettre la main sur le fils du caïd. Il avait même interrogé personnellement certains jeunes gens, dont Karim, en se servant d'une nouvelle technique importée de Paris, elle ne laissait pas de traces, des coups sur la tête assénés à l'aide d'un gros annuaire commercial à couverture souple. « Je ne te demande pas grand-chose, avait dit Laganier, je sais que tu es nationaliste, mais pas excité, je n'en ai pas après toi, ce que je voudrais ce sont deux ou trois choses précises sur les liens d'un de tes amis avec les rouges, tu vois de qui je veux parler ? » Karim n'avait rien dit, puis Marfaing avait mis un terme aux emportements de son adjoint : « Si vous y allez trop fort ils vont rester en ville arabe, vous avez les moyens de les surveiller aussi bien qu'ici ? »

Il était difficile à Karim et aux autres de cracher sur le passage de Laganier, mais sur celui de Belkhodja et sur Belkhodja lui-même, c'eût été un plaisir libre et applaudi. Belkhodja se gardait donc de leur en donner l'occasion, il ne se sentait en sécurité qu'en ville ancienne, où il avait désormais le temps de flâner et de discuter avec des gens qui oubliaient parfois de lui tourner le dos. Il lui arrivait de s'arrêter devant un conteur, sur la place, ou une dispute entre un marchand de légumes et son fournisseur, l'affolement d'un conducteur dont la charrette avait perdu une roue, l'affluence devant les cars Citroën tout neufs, il regardait, écoutait, échappait un instant au désespoir du pauvre. Il y avait aussi le marché où il prenait un air chaleureux et discutait avec les commerçants en lançant une main désinvolte sur quelques dattes, une pêche, une demi-tranche de pastèque, il examinait sa prise, comme prêt à la remettre en place si elle n'avait pas la qualité requise, finissait par l'engloutir et repartait en saluant. Vers midi il y avait le port, à l'heure où les pêcheurs remballaient, en laissant traîner de petits rougets qu'un marchand de beignets, plus loin, permettait à Belkhodja de plonger dans son huile bouillante.

Vers cinq heures du soir il rejoignait son quartier, une place, avec un hammam et un four, les flammes du four chauffant aussi les pierres du hammam. Belkhodja était saisi par les bonnes odeurs d'agneau grillé ou de pain qui en sortaient pour lui rappeler le temps où, dans sa maison, il tenait table ouverte. Il passait aussi devant des gamins qui riaient et criaient, et lançaient des pierres sur le toit quand ils repéraient un chat. Belkhodja savait pourquoi : le chat c'est l'ennemi domestique, il mange les rats mais il s'en prend aussi à la viande qu'une petite bonne a laissée deux minutes sans surveillance dans la cour, sous un chiffon, et la petite bonne aura des bleus pendant deux semaines, alors quand les gamins peuvent repérer un chat qui n'appartient à aucune maison, un vrai voleur, ils lui font la chasse ; parfois ils réussissent à coincer le chat sur un toit, caché derrière une cheminée, et ils bombardent le toit, ce qui provoque toujours des fureurs chez les gens qui habitent en dessous, surtout quand le toit est couvert de tuiles, il faut que les gamins fassent vite, qu'ils finissent le chat avant qu'un homme sorte de la maison et les ramasse à coups de taloches ; le pire c'est quand on caillasse en guettant la sortie d'un homme, qu'on surveille la porte de sa maison et que l'homme surgit par-derrière, du coin de la rue, et devient un homme qui marche en soulevant un gamin par l'oreille, et ça geint, ça pleure, ça réclame sa mère, ça ne sert à rien d'appeler ta mère, tu n'as ni père ni mère, ces gamins de la rue, le plus souvent, ça n'a pas de vraie famille, c'est venu de la campagne, quand il a fait très sec deux ou trois ans de suite, même pas *venu*, plutôt déposé, confié, et oublié, et on les appelle orphelins parce que ça ne se fait pas d'abandonner son enfant, si on le fait on est maudit, donc on le confie, et on l'oublie, pour lui on est mort, il est orphelin, et un homme peut ensuite le soulever par l'oreille sans avoir d'ennui avec une famille reconnue. Et voilà que Si Azzedine en avait encore attrapé un, il avait la main dure, le gamin hurlait, son oreille saignait, mais il en était à un point dans la vie où ça n'était pas si mal d'être soulevé par l'oreille, parce que au moins c'était un adulte qui l'avait attrapé, en public.

Quand c'étaient des adolescents du coin qui attrapaient un des lanceurs, ça pouvait se passer plus mal, et le gamin se retrouvait dans une espèce de cave, avec deux ou trois d'entre eux, et les coups de pleuvoir, le gamin criait, on lui enfonçait un chiffon dans la bouche, nouveaux coups, et l'un des adolescents finissait par dire : «Ça y est il est mou. — Oui, disait un autre, c'est un petit mou!» Les adolescents riaient et ils se calmaient, leur voix était plus douce, ne pleure pas, on enlevait le chiffon de la bouche du gamin, on lui donnait à boire, c'est fini, tu jures de ne plus recommencer? le gamin jurait, cent fois, et quand il avait juré les adolescents riaient, disant qu'il faudrait quand même qu'il recommence, pour le plaisir, c'est ça, pour le plaisir, pour revenir les voir, et on lui redonnait de l'eau, un morceau de pain, ça craquait sous la dent, le pain avait dû traîner par terre, les adolescents continuaient à rire, gentiment, ça t'a donné faim? mange! L'un des adolescents ouvrait une boîte de sardines, allez, prends-en une, je suis sûr que tu aimes les sardines à l'huile, de la vierge, nouveaux rires, tu vas voir le bien que ça fait, on lui tendait la boîte, il prenait une sardine, tu aimes les sardines? c'est bon? Et l'un des adolescents disait aux autres : vous voyez, il a pris la plus grosse! Rires, le gamin allait mieux, on lui redonnait du pain pour qu'il sauce, on reprenait la boîte, ne sauce pas toute l'huile, on va en avoir besoin, nouveaux rires, on remettait le chiffon dans la bouche du gamin, et plus tard, s'il parlait de ce qui s'était passé, il n'était plus rien.

Belkhodja enfant avait une famille, il avait tiré sur des chats mais il avait échappé à ce genre de représailles, et désormais il se sentait de la sympathie pour les bêtes pourchassées. Il secoua la tête, s'ébroua, regarda vers le hammam. Sur le toit de tuiles, les cailloux continuaient de pleuvoir.

L'ancien marchand sentit une présence sur sa gauche, il ne bougea pas, une eau de Cologne d'Européen, il tourna la tête, Laganier, il le salua. Laganier lui rendit son salut dans un bon sourire tout en le jaugeant, Belkhodja avait les traits tirés, les yeux qui lui descendaient sur les pommettes, vêtements fripés, chaussures sales, *est-ce que cet Arabe se rend compte qu'il est au bout du rouleau? non, et il faut lui dire le contraire, et se dépêcher de l'utiliser avant qu'il crève...* Laganier félicita Belkhodja sur sa mine, Belkhodja se contenta d'un sourire. Au bout de quelques minutes, Belkhodja s'écarta légèrement de Laganier, il ne voulait pas avoir l'air d'être avec lui, mais il ne pouvait pas non plus lui tourner le dos. Entre un changement de pied et deux ou trois mouvements de la tête et des épaules vers la droite, il fit en sorte que deux mètres finissent par s'installer entre eux, un espace que Laganier vint joyeusement combler en s'emparant du bras gauche de Belkhodja et en lui désignant de son autre main un gamin armé d'une fronde : « Ils s'amusent, mais ils vont se faire coincer, ça n'en vaut pas la peine ! »

Belkhodja laissa Laganier à sa conclusion hâtive, il savait, lui, que, malgré les risques, ça valait la peine, c'était une vraie compétition, au premier qui ferait dégringoler le chat, parce qu'à ce jeu le premier qui réussit à abattre un chat malgré les risques devient chef de bande pour une semaine, il n'a plus à se préoccuper de trouver de la nourriture, il n'a même pas à cirer les chaussures dans le quartier européen, c'est très dur le cirage, pas le cirage lui-même, ça s'apprend vite, dès l'âge de quatre ans, cirage, deux brosses, chiffon, le tout dans une boîte en bois portée en bandoulière, on cire accroupi, on brosse, sans oublier le crachat, le client reste debout, le pied sur la boîte, claquement de la brosse contre la boîte pour indiquer au client qu'il doit

changer de pied, on brosse très vite, parce qu'on fait souvent
ça non loin des cireurs adultes et que c'est interdit, c'est ça qui
est dur, les coups de pied des cireurs adultes qui sont installés
avenue Jules-Ferry, et c'est dur aussi parce qu'il y a toujours un
autre gamin pour vous disputer votre coin de trottoir, disputer ça
veut dire vous attraper à la gorge et vous jeter à terre, et serrer,
et vous essayez de vous dégager à coups de poing, ou avec un
caillou dans la main, et l'autre se dépêche de serrer pour vous
enlever la force, et les hommes sont en cercle autour de vous,
ils rient, certains ont commencé à parier, l'autre gamin se met
à saigner, il essaie de conclure en vous donnant un coup de tête
sur le nez, vous saignez à votre tour, et un adulte finit par vous
séparer en vous appelant enfants de Satan ou fils de putain, et en
vous donnant, à chaque juron, des coups qui font encore plus mal
que ceux qu'on s'inflige entre gamins. C'est pour ça que c'est
bien d'avoir fait tomber un chat du haut de son toit, quand on a
fait ça on devient chef, on donne sa boîte de cireur à un faible,
il va cirer à votre place, et le soir il vous donne l'argent de la
journée, tout l'argent, et s'il triche vous donnez des coups ; la
nourriture c'est la même chose, vous êtes chef, les autres gamins
vous l'apportent à la demande, et on peut aussi réclamer des
cadeaux, des chaussures même, noires, avec une boucle, à l'européenne, et les autres gamins vous les cirent, même si elles sont
trop grandes pour marcher avec dans la rue, et ça vaut mieux car
le vrai propriétaire pourrait les reconnaître. Laganier avait tort,
ça valait vraiment la peine de faire dégringoler un chat d'un coup
de caillou, à condition de ne pas traîner.

Mais cette fois, tout autour du bâtiment, les gamins n'avaient
pas l'air de se dépêcher, ils lançaient avec calme, sans se préoccuper du vacarme que faisaient les pierres en retombant sur la
pente de tuiles vertes, et les tuiles tombaient à leur tour quand
une pierre en avait cassé une et qu'elle se détachait. D'habitude

ça coûtait très cher aux gamins, les tuiles d'une maison, parce qu'une tuile il faut la réparer tout de suite, sinon la pluie peut entrer, ou un oiseau de malheur, et il faut mettre du sel sur la queue de l'oiseau avant de le chasser, et la femme dit au mari de remplacer les tuiles, et le mari dit qu'il va le faire, et il ne le fait pas, mais il repense tous les jours aux gamins qui ont fait ça, et quand il en voit traîner un, «je t'avais interdit de revenir dans le quartier», il ne le rate pas, mais cette fois les gamins se moquaient du vacarme, des tuiles, des femmes et des maris, ils bombardaient le toit, criaient au voleur, au chat, on cherchait le chat du regard, on ne le voyait pas, quelqu'un, un adulte, avait lui aussi crié «au voleur!» et un autre homme s'était mis à rire : «Oui, un voleur, je sais même ce qu'il est venu voler!»

Les pierres s'étaient faites de plus en plus lourdes, ça n'était pas un chat bien sûr, c'était un homme-chat, qui tentait de se cacher sur le toit, qui s'aplatissait sur les tuiles au pied de la cheminée, et les adultes avaient été de plus en plus nombreux dans la rue, et ils lançaient des cailloux à leur tour, encore plus gros, ils n'avaient pas besoin de fronde, ils tournaient autour du bâtiment et l'homme-chat rampait autour de la cheminée pour échapper aux regards, on ne parlait plus de chat ni de voleur, mais de chien, et surtout de porc.

Certains cailloux avaient dû toucher la cible car des plaintes se mêlaient aux cris des hommes, parfois les tirs s'arrêtaient parce que quelqu'un avait crié : «Vous cassez les tuiles du hammam!» Puis ça reprenait, une dizaine d'hommes maintenant dans la rue, autant de gamins, mélange de pierres à fronde et de cailloux pour main d'homme, et il y avait aussi des femmes, qui sortaient du bâtiment, en courant, un couffin à la main, elles étaient furieuses, elles engueulaient le patron du hammam : honte sur toi, Si Abbade, tu laisses faire ça, tu ne surveilles pas ton hammam, les femmes honorables s'y croient en sécurité et n'importe quel cochon peut monter sur le toit et les regarder, honte sur cet homme qui n'est qu'un cochon, et honte sur toi qui permets au cochon de venir nous regarder !

Beaucoup de gamins avaient cessé de tirer, ils apportaient des cailloux aux adultes, c'était une compétition entre adultes maintenant, et Si Azzedine avait fait mouche, comme un vrai voyou, lui, un notaire respecté, les cris des femmes redoublaient, et les plaintes là-haut, sur le toit, comme une espèce d'agonie, et l'homme savait ce qui l'attendait, tous ces gens indignés.

Deux gardiens avaient fini par monter sur le toit, les tirs de cailloux avaient cessé, l'homme devait voir les bâtons, pas des manches de pioche, mais des bâtons de gardien, plus lourds que des manches, lourds en tête surtout, tête cloutée, et les gardiens les maniaient comme des jongleurs, les faisaient tournoyer, poids de la tête du bâton, vitesse du tournoiement, c'est ce qui fait la violence du coup, Laganier répondant au regard inquiet que lui jetait Belkhodja : « Non, vous savez bien que je ne peux rien faire, ce genre d'histoire, ça se règle au niveau du chef de quartier, c'est du travail de *moqaddem* ! » Chaque tournoiement était accompagné d'un « fils de chien », d'un « porc », ou d'un « tu n'es pas un homme », et le premier bâton s'abattait sur une épaule, un cri plus déchirant que les autres, et ça tournoyait, ça fracturait, non, pas la tête, les gardiens n'étaient pas des tueurs, mais le dos, les jambes, un avant-bras en parade, on l'entendait craquer.

Au bout d'un moment le *moqaddem* était arrivé et les deux gardiens avaient cessé de cogner. La suite, on ne comprenait pas très bien, un type apeuré ça n'est pas très malin, surtout quand ça commence à ne plus avoir de membres en bon état, est-ce qu'un des gardiens l'avait fait rouler sur le toit comme un caillou ? est-ce qu'il était tombé tout seul ? personne ne savait. Et quand il était arrivé en bas, ça avait fait un drôle de bruit sur la terre battue et un nuage de poussière, le vent avait joué avec, et il ne restait plus grand-chose de la vie de cet homme. «C'est Driss», avait dit une voix, et une autre avait ajouté : «Le chaouch de la compagnie des eaux», et une autre voix encore : «Oui, un pauvre type, un peu fou. — Non, pas *un peu*, c'est un vrai mahboul... il ne sait jamais ce qu'il fait, peut-être même qu'il ne regardait pas, si on avait su on aurait arrêté avant... *Allah irahmu*, que Dieu l'ait en sa miséricorde.»

Laganier avait pris Belkhodja par le bras : «C'est horrible, n'est-ce pas? un lynchage est toujours horrible! la foule qui ne se contrôle plus sous prétexte qu'elle défend ce qui est juste... et il y a pire que ça...» Laganier avait de petits yeux, comme mangés par ses grosses paupières, et qui riaient : «Imaginez, par exemple, qu'un jour la police elle-même laisse courir le nom d'un de ses mouchards, et qu'en plus on apprenne que ce mouchard n'a pas dénoncé qu'une seule personne... qu'il fait ça depuis vingt ans, un vrai second métier, bon... c'est le genre de métier qui peut encore protéger, mais si en plus la police se met à raconter qu'elle n'a plus rien à foutre de son indicateur, il va se retrouver... comme un chat sur un toit...»

Laganier parlait sans regarder Belkhodja, il ne le tenait plus par le bras, il parlait d'une voix douce et lente : tout bien considéré on n'était pas obligé d'en arriver à des choses aussi définitives, la police ça peut aussi se taire, un dossier ça peut disparaître, «nous nous comprenons, n'est-ce pas? mais si je vous aide, ce ne peut être qu'à titre personnel, on n'en parlerait à personne, vous permettez que je vous agrippe le bras? sinon les passants vont croire que nous avons une conversation amicale! vous savez que ces petits mendiants sont aussi figurants chez les Américains? j'aimerais que nous en parlions, assez vite, c'est bizarre, cet intérêt des Américains pour les petits mendiants, vous ne trouvez pas? vous savez ce qu'ils deviennent dans le film? on n'en parle pas en médina? ça aussi c'est bizarre, on devrait en parler, même si on ne sait rien de précis, nous allons en parler, n'est-ce pas ? vous et moi, en confidence… et n'essayez surtout pas de vous réfugier auprès de notre cher caïd, Si Ahmed est encore plus méchant que moi, vous en savez quelque chose… et encore, il ne sait pas tout… vous n'avez pas envie de lui faire payer tout ce qu'il vous a fait ? oui, très bien, ayez l'air de vouloir me quitter, que je vous retienne par force, les gens vont vous aimer… ces petits mendiants, nous sommes bien d'accord ? vos coreligionnaires ont le droit d'être informés… tenez, je vais vous donner un gage de ma bonne volonté, je vais mettre le plus bête de mes hommes dans vos pas, plus on saura que vous êtes suivi par un mouchard, moins vous aurez l'air d'en être un, et à partir de là nous pourrons travailler tranquillement… ces Américains, vous ne trouvez vraiment pas qu'ils se croient tout permis ? Je vous montrerai une photo, vous verrez ! »

43

LA TROGNE

Au bar du Grand Hôtel, on avait reçu d'autres nouvelles de Hollywood. On en parlait avec un peu de sarcasme, mais en faisant le gros dos. Cette fois c'était à propos de George Macphail, un réalisateur, *a good guy*, un type sympa, et un artiste, très pointilleux. Un matin que Macphail travaillait sur son plateau, le grand patron, Lakorsky, était passé en ami, c'était rare, ça avait mis tout le monde de bonne humeur, en plus on tournait une comédie. Lakorsky s'était extasié sur le décor et les accessoires, de vraies grosses araignées, avec leurs toiles, dans un coin, et un employé spécialement chargé de s'en occuper. C'est pour un plan rapproché, avait dit Macphail. Lakorsky avait apprécié. Il avait aussi ouvert les tiroirs d'un bahut, de vrais couverts en argent. Tu dois filmer un dîner ? avait demandé Lakorsky, et Macphail avait répondu que non, mais le décor devait être le plus fidèle possible, et puis, tu sais, j'ai montré le contenu aux acteurs, ils savent qu'ils jouent devant des couverts en argent, c'est important.

Lakorsky avait approuvé, on avait fait une pause et Macphail était même allé se promener au soleil en compagnie du grand patron, tous les deux à fumer des havanes, une demi-heure de conversation prometteuse, Lakorsky demandant à Macphail quels étaient ses projets, une autre comédie ? un drame ? de quel budget aurait-il besoin ? de combien de temps ? Macphail n'était pas un poulet de printemps, il faisait attention à ne pas trop y croire, mais quand même… Et puis le patron avait dit : bon, il faut que j'y aille, passe me voir quand tu veux. Macphail l'avait salué et il était retourné sur son plateau, pour y trouver un autre réalisateur au travail, à sa place, oui, je reprends le film, ordre de Lakorsky, non, je ne sais rien d'autre, tu devrais aller le voir, et si tu veux récupérer tes toiles d'araignée elles sont dans l'entrée du studio. Neil connaissait suffisamment Macphail pour savoir que celui-ci mettrait un mois à rendre visite à Lakorsky, et pas pour protester, il tenait trop à rapporter du bacon à la maison. C'était comme ça les studios, les producteurs voulaient tout contrôler, et ils se servaient de l'affaire Arbuckle et des ligues de vertu. D'autres histoires couraient, des films charcutés, pour attirer plus de public.

Au bar, l'attaché de presse de Cavarro, Samuel Katz, était de plus en plus virulent : *donner une image réparatrice*, tu parles ! ils se foutent bien de la façon dont on baise, l'essentiel pour eux ce sont les films, ce qu'on y montre… Neil renchérissait, deux films abandonnés depuis janvier… sur des paysans… deux films sans guimauve ! Et Samuel poursuivait : les Vigilantes veulent foutre le cinéma en l'air, mais Lakorsky est bien content qu'elles le poussent au cul ! Samuel se mettait dans des colères interminables malgré les efforts que Francis et les autres faisaient pour le calmer. Samuel ne se rend pas compte, disait Francis, il devrait cesser d'aboyer tout le temps au pied du mauvais arbre, à Hollywood il est toujours fourré avec des syndicalistes ; tant qu'il fait bien son travail d'attaché de presse et qu'il est avec moi la production ne lui fera rien, mais si la police s'en mêle, ça sera autre chose ; il ne devrait pas tant l'ouvrir, même si McGhill n'est plus là pour nous moucharder… Samuel l'ouvrait et disait pour combien Lakorsky avait engagé Hays, le type chargé de faire régner la pudeur et la morale à Hollywood, cent mille dollars !

Oui, cent mille… La même somme que celle qu'il a payée il y a quatre ans à un maître chanteur! Samuel s'était interrompu, il tenait son public, il avait repris : Lakorsky s'était retrouvé avec d'autres gros fromages de la production dans une auberge, à l'extérieur de Boston, une fête, avec des femmes, à l'époque la presse les avait appelées «des femmes de bonne volonté», des putes à mille dollars, tarif de groupe. Certaines étaient mariées, et, deux mois après, un procureur de Boston, Tufts, a dit à Lakorsky que les maris portaient plainte, mais lui, le procureur, il trouvait que c'était une simple histoire de beuverie, il n'avait pas envie de s'enquiquiner avec ça, et, si Lakorsky acceptait de dédommager les plaignants et de payer les frais d'avocats, lui, il classerait sans suite, pour cent mille dollars… Évidemment, ajouta Cavarro, c'était un coup du blaireau, Lakorsky-la-morale s'était fait piéger, il a eu peur de la publicité, il a payé. Et trois ans après, dit Samuel d'une voix plus âpre, il y a pourtant eu le tribunal, malgré les cent mille dollars, non, pas parce que l'histoire avait circulé : raconter que Lakorsky avait payé mille dollars pour baiser et cent fois plus pour qu'on n'en parle pas, ça pouvait juste faire rire; c'est devenu intéressant quand il y a eu de la concurrence entre les procureurs de Boston pour se faire réélire, ces informations c'étaient des armes, et les armes en période électorale on s'en sert vite. Le procureur général a décidé de poursuivre le procureur véreux, les gens aiment bien qu'on mette de temps en temps un procureur en prison, c'est bon pour la morale, et c'est bon pour les escrocs, c'est comme un accident de train, ils se disent qu'il n'y en aura plus pendant un moment. Tufts a tout nié, mais l'accusation a montré ses relevés de comptes, et au final il a été viré par la cour suprême du Massachusetts.

Une perle, le jugement, disait Samuel, Tufts avait eu dans cette affaire «le comportement qu'aurait adopté un procureur fourbe cherchant à déposséder des riches», oui, il avait eu le compor-

tement qu'*aurait eu*… Et le meilleur pour la fin, la cour a précisé que « la question de savoir si Tufts était coupable n'avait en
l'espèce pas besoin d'être tranchée »… Ils lui avaient coupé les
billes à Tufts, avec une scie pas très propre, mais coupé quand
même, c'est comme ça la justice chez nous, et Lakorsky a encore
réussi à se faire de la réclame : un type capable de lâcher une
telle somme sur une histoire de cul, ça voulait dire qu'il avait les
moyens, donc c'était un producteur de confiance ! Et ensuite il a
engagé ce Hays pour surveiller tout le cinéma, au même tarif ! Ce
baiseur de putes ne permet plus à personne de divorcer, et encore
moins de se remarier, tout ça parce qu'il a peur des églises et
de leurs Vigilantes, il a les pieds froids, parce que lui, Mayer et
Schenk ont peur des attaques contre les Juifs, alors qu'il faudrait
répondre aux Vigilantes que nous sommes le sel de la terre, et
faire de vrais films en disant *merde* à leur morale, mais ces trois-
là ne veulent pas, ça donnerait du pouvoir aux artistes !

Gabrielle et ses amis comprenaient Samuel mais pas sa violence, ni sa voix angoissée. Ils ont vite eu l'explication : les
Américains venaient d'apprendre qu'une catastrophe était en
route. La catastrophe, elle s'appelait La Trogne.

Le vrai nom de La Trogne était Arnold Belfrayn, un gros
type, avec une barbe de bûcheron, une petite voix et des restes
de sauce dans la barbe, un fouille-merde qui travaillait au *Los
Angeles Herald*, pas très bien, il ne voyait que ce qu'il avait
envie de voir, et il écrivait avec des tas d'adjectifs, d'adverbes,
des pléonasmes et des clichés. Il était capable de pondre des trucs
comme « le silence et l'indifférence sont les môles qui interdisent
l'entrée du port de l'expression d'une morale authentique », et il
faisait la gueule si un chef de service barrait la phrase. Quand
on s'apercevait qu'il n'avait rien écrit depuis deux semaines, on
parlait de le mettre à la porte, mais on en parlait aussi quand on
lisait ses papiers. Alors il sentait qu'il était au bout de sa corde

et il allait se faire oublier dans un coin, à trier les télégrammes, mais sa véritable garantie c'était qu'il renseignait le patron sur l'état d'esprit des collègues. Cela dit, il avait le sens du détail, la culotte d'une star, avec les initiales en broderie de perles, retrouvée à l'arrière d'un taxi…

Pourquoi on l'appelait La Trogne ? Il suffisait de le regarder, un nez de buveur, des joues de petite vérole, les yeux en trou de pine, de quoi haïr pour longtemps Douglas Fairbanks ou John Gilbert. Il flinguait les célébrités, chez nous les gens aiment voir les acteurs monter très haut, très vite, ça fait rêver, ça a l'air simple, et ils aiment aussi les voir dégringoler, ça les console, les gens, d'être restés là où ils sont.

À Hollywood, vers la fin avril, Belfrayn avait senti que sa situation devenait de plus en plus fragile, il lui fallait un gros coup et il avait pensé à Neil Daintree, il avait Daintree dans le collimateur parce que personne n'arrivait à le dézinguer, perché qu'il était sur son neuvième nuage. D'habitude, pour un réalisateur, il suffisait de dire que c'était un *intellectualiste* et il avait déjà les trois quarts du pays contre lui ; mais le problème avec Daintree, c'est que c'était un ancien combattant, avec des décorations rares, allez dézinguer un type comme ça dans un pays où quand des vétérans avec leurs médailles traversent un hall de gare tout le monde se lève et les applaudit ! Et Daintree se croyait tout permis, comme refuser de répondre au téléphone à Belfrayn.

Belfrayn avait vendu son projet directement au grand patron du journal : « Si on trouve les casseroles qu'ils ont au cul, ça peut faire mieux que l'affaire Arbuckle, là-bas j'entendrai tout, je parle français, je verrai tout, cette bande est trop propre, Hearst a gonflé ses ventes de vingt pour cent avec ce cochon d'Arbuckle, on peut en faire autant avec les cochonneries de Cavarro et celles de Daintree, ils étaient dans l'hôtel de San

Francisco avec Arbuckle, ils s'en sont tirés, je suis sûr que ça les a rendus imprudents.» En entendant les noms de Cavarro et de Daintree, le grand patron avait flairé la bonne histoire, coûteuse bien sûr, il avait pointé l'index vers Belfrayn : «Voyage, séjour, ça va nous coûter beaucoup d'argent, si tu merdes ce truc, tu dégages!» Puis il avait souri : «Allez, on va le faire!» Le sourire c'était parce qu'il savait que les frais de mission de Belfrayn ne coûteraient même pas le prix d'un vrai repas de conseil d'administration chez Aldo's, avec des vins français et des cognacs qui avaient l'âge de la Déclaration d'Indépendance. Il avait aussi dit à Belfrayn de se renseigner sur ce que les Français fichaient dans ce pays, là-bas : jette un œil, ils disent qu'ils *protègent*, mais il paraît qu'ils cherchent du pétrole.

Belfrayn avait réussi à bluffer son monde, le chiffre de ses frais de mission avait circulé et avait impressionné ceux qui ne déjeunaient jamais chez Aldo's. Les collègues qui détestaient Belfrayn avaient organisé une soirée de départ en son honneur, et on s'était saoulé à mort jusqu'au petit matin avant d'accompagner le veinard à son bateau en lui souhaitant de rapporter de vrais trucs sur ces salauds de rois et reines de l'écran. On lui avait chanté *«He is a jolly good fellow»*, en insistant bien sur la suite : *«and so say all of us»*... et c'est ce que tout le monde dit, tu parles, ce sac à merde partait pour deux mois de vacances payées par le journal !

Au bar du Grand Hôtel, Samuel finissait par se calmer, mais il avait vraiment peur d'une catastrophe et pensait même à rentrer au pays avant l'arrivée de Belfrayn, pour éviter à Francis de courir le moindre risque, une décision dure à prendre parce que c'était lui qui devrait la prendre, Francis ne l'obligerait jamais à faire ça, et Samuel avait aussi peur que son départ ne serve à rien, et que Francis ne profite même de son absence pour faire des conneries que Belfrayn n'aurait aucun mal à découvrir. Il avait commencé à en parler à Kathryn et à Tess, en leur demandant de surveiller son ami au cas où, lui, déciderait de s'en aller. «Tu ne devrais pas, avait dit Kathryn, il ne faut pas laisser le terrain à ces bâtards.» Tess connaissait Belfrayn, elle avait ajouté : «J'ai été obligée de le remettre à sa place d'un coup de genou.» Et Kathryn : «Ça n'est pas ce que tu as fait de plus malin. — C'était chez vous, il l'avait cherché, et je sais que c'est un lâche.» Pour Tess, Belfrayn c'était ce qui se faisait de pire : «Quand il n'est pas en train de dénoncer des Blancs, il cherche à baiser des Noires ! Et les Noires c'est pas qu'il aime ça... c'est pour mieux se détester ! Il me rappelle une blague de chez moi, le type du Sud qui débarque dans un hôtel à New York, amené par deux copains, il veut une chambre pour la nuit et un réveil à l'aube, l'hôtelier n'a qu'une chambre à deux lits, l'un des lits est déjà occupé — ça fait rien, j'ai l'habitude — c'est que... le client a une particularité... — on s'en fout des particularités, il pue des pieds, c'est ça ? — non, c'est... un homme de couleur... Les copains du type rigolent, lui disent qu'à cette heure de la nuit il ne trouvera rien d'autre : "Prends la piaule, on vide encore une bouteille et tu penseras plus au nègre !" Le type accepte...

«Je me demande, dit Samuel en riant, s'il aurait accepté si on lui avait dit "le dormeur est pédé". — Être noir chez nous est un malheur, dit Tess en riant à son tour, pas un péché capital ! — Tu crois aux péchés capitaux ? demanda Samuel. — Seule l'avarice est un péché pour Tess, dit Kathryn, surtout chez les patrons.» Tess reprit : «Le type accepte, avec ordre à l'hôtelier de le réveiller à cinq heures du matin. Il continue à se saouler, et va se coucher sans réveiller le Noir, s'endort tout de suite, ses copains en profitent pour lui passer la gueule au cirage... À l'aube l'hôtelier le secoue, le type se rhabille en vitesse, fonce à la gare, monte de justesse dans son train, se détend, les autres

passagers lui font la gueule, il va se rafraîchir au lavabo, se voit dans le miroir et dit : "Putain d'hôtelier... Il a réveillé le nègre !"
— Si tu racontes trop ta blague, dit Samuel, un scénariste finira par te la piquer. »

« On se moque de La Trogne, avait dit Neil à Ganthier, mais ce type, c'est la peste. » Et, comme jadis avant l'arrivée d'une peste, les Américains avaient décidé qu'ils n'avaient rien de plus urgent à faire que de profiter des jours qui leur restaient.

44

LA SOIRÉE DE GANTHIER

Pour fêter le sauvetage de Kid par le vétérinaire, Ganthier avait organisé un repas chez lui. «Vous m'excuserez, je n'ai pas de salle à manger», avait-il dit. On avait dîné dans le surprenant salon-bibliothèque de sa ferme. Au moment du café on avait quitté la table pour la terrasse, un cercle de fauteuils, poufs et canapés, certains s'étaient même installés sur les accoudoirs pour ne pas avoir à agrandir le cercle, on échangeait des anecdotes avec un voisin, parfois deux ou trois, parfois même c'était toute l'assemblée qui écoutait. Kid allait de l'un à l'autre en roulant des yeux, essayant en vain d'obtenir une dérogation à la consigne donnée par son maître : aucune friandise, il a un foie de la taille d'une amande.

Montaubain était venu. Ganthier et lui s'étaient beaucoup disputés avant la guerre, quand Ganthier se moquait du «grand soir» et de «l'aube rouge», et Montaubain des colons «incapables de civiliser autrement qu'avec du fil de fer barbelé», mais ces dernières années ils avaient commencé à se parler et à s'estimer, Ganthier disant : «Montaubain n'a pas le défaut des profs, il n'a jamais l'air de parler pour des ignorants.» À un moment Montaubain avait montré Raouf à Ganthier avec une affection rieuse, disant : «Il prend un air de Parisien futé, mais moi je me souviens de l'époque où il faisait seulement semblant d'avoir compris.» Raouf avait entendu la remarque : «Vous vous en rendiez compte et vous me laissiez faire? — Oui, parce que quand on fait semblant, pour ne pas se faire coincer, il faut rattraper en vitesse… Votre camarade, David, était plus franc, mais il n'y a qu'en maths qu'il allait plus vite que vous.»

Chacun s'était mis à parler de ses années d'école et Ganthier avait demandé à Gabrielle si elle avait été bonne élève, Gabrielle avait avoué des prix, surtout dans ses dernières années de lycée, lesquels? elle avait parlé de son troisième accessit de couture, «"tu n'arrives jamais à dépasser ce troisième accessit, disait tout le temps ma mère, tu pourrais faire un effort!" je faisais des efforts, ça se passait bien jusqu'aux ourlets, mais j'ai toujours calé sur les boutonnières et le faufilage, donc troisième accessit… j'ai aussi eu des choses dont elle parlait moins, le premier prix de composition française… et de thème grec… et d'histoire… et d'autres, je rentrais toute fière de la distribution avec ma mère, les bras chargés de gros livres à tranche dorée, qui sentaient bon le cuir, et ma mère me disait de monter directement dans ma chambre, parce que ton père, tu comprends, ça suffit déjà pour lui que tes frères ne fichent rien au lycée, mais si en plus tu ramènes des prix…».

Gabrielle se lâchait, c'était rare, disait Ganthier à voix basse, le plus souvent c'était elle qui écoutait ou qui se contentait de brèves remarques pour relancer les autres, cette fois on la laissait parler, elle regardait Ganthier, rajustait de la main droite la barrette d'ivoire qu'elle portait au sommet du crâne, et Kathryn s'amusait en silence parce qu'elle voyait les yeux de Ganthier suivre le mouvement ascendant de la main, du coude et surtout du sein de Gabrielle. «Au lycée mes deux frères ne fichaient rien mais chacun avait sa bicyclette sans avoir eu à réclamer, j'en demandais une qu'on ne m'accordait pas, et si j'insistais on me disait que mon coiffeur coûtait plus cher que celui des garçons, à l'époque j'avais des cheveux longs, des ondulations brunes, une tendance à friser mais pas trop, à quinze ans ma mère m'a fait changer de coiffeur, le nouveau a libéré mes tresses et il a poussé un cri, il disait : "C'est ample, épais, souple, brillant, un rare brillant, et ça tombe presque aux chevilles !" Il passait la main dans mes cheveux en me félicitant, j'étais fière et en même temps je savais que je n'y étais pour rien, il s'est tourné vers ma mère : "Sept cents francs, madame, si vous m'autorisez à couper à partir de la nuque, sept cents francs !" Ma mère a refusé, ça m'a rassurée, le coiffeur était triste, il devait avoir des acheteuses en attente, ma mère a dit : "Évidemment ça paierait la bicyclette que tu nous réclames..." Et après un silence : "Nous reviendrons !" Elle ne voulait pas rester devant la tentation. J'ai dit : "Vous pouvez couper, mais c'est huit cents francs !" Ma mère m'a grondée, elle a dit au coiffeur : "Dans notre famille on ne marchande pas !" J'ai répondu : "Ce sont mes cheveux, moi je marchande !" Le coiffeur a accepté. J'ai eu une bicyclette, plus belle que celles de mes frères, et un abonnement à *L'Illustration*. Mon père n'aimait pas ce journal, il le trouvait réactionnaire, moi aussi je le trouvais réactionnaire, mais il me faisait rêver, et les rêves sont rarement réactionnaires. »

Ganthier à Kathryn : « On vous a aussi coupé les tresses ? » Kathryn avait répondu qu'à quinze ans elle vivait déjà à Hollywood, figurante à cheveux courts, parce que les grandes chevelures c'était pour les grandes actrices.

Le regard de Raouf fut attiré par un geste entre Francis Cavarro et Samuel Katz, ils étaient assis côte à côte sur un des canapés, ils se parlaient à voix basse, très différents de ce qu'ils étaient sur le plateau ou au bar du Grand Hôtel, ils s'aidaient à allumer une cigarette, l'un entourant, de ses deux mains, la main qui lui tendait du feu alors qu'il n'y avait pas de vent. Un officier de la Légion était là. « On a été ensemble

chez Lyautey dans une autre vie, avait dit Ganthier, ça marque. »
À un moment l'officier avait cité à Gabrielle ce qu'il appelait
un adage du pays : «L'amour dure sept secondes, la fantasia
sept minutes, et la misère toute la vie. » Les hommes avaient
ri. «Je plains vos femmes», avait dit Gabrielle. Au début de la
soirée, Raouf avait été surpris de voir que Tess était là, pas pour
aider à l'organisation du dîner mais comme invitée, et pas en
bout de table, il la cherchait maintenant du regard, ne la trouvait
plus ; à un moment il se rendit compte qu'elle était assise sur un
rebord de fenêtre derrière les fauteuils, à côté de Wayne, et il
comprit ce que Kathryn avait voulu dire quand, en Allemagne,
elle avait parlé d'une histoire difficile à partager, il sourit au
couple, il allait pouvoir évoquer Montparnasse avec eux ; Tess
et Wayne répondirent à son sourire, Tess pensant que Raouf
se comportait presque naturellement à leur égard, presque…
parce qu'elle sentait dans sa gentillesse un reste du souci de
bien faire, il doit pourtant connaître ça, lui aussi, il doit le sentir,
j'imagine, le supplément de gentillesse, les gens qui profitent
de votre présence pour montrer à quel point ils sont tolérants et
bienveillants… bienveillance hypocrite… mais au fond tout le
monde y gagne.

Les autres Américains avaient l'air parfaitement au courant,
comme pour Francis et Samuel. Gabrielle s'était mise à parler
avec Kathryn, Raouf n'entendait pas leur conversation, Gabrielle
avait senti le regard de Raouf et dit à Kathryn, à voix plus haute :
«On devrait lui faire partager nos petites histoires. — Surtout
pas, avait dit Kathryn, il ne les mérite pas, ça n'est plus Chérubin,
c'est un Casanova, qui fait des ravages entre Berlin et Paris ! »
Le regard de Kathryn caressait Raouf. Gabrielle avait demandé :
«Comment sont les jeunes filles à Paris, Raouf ? — Comme
vous. — C'est gentil, mais vous pouvez être plus précis, vous
savez. — Je maintiens, comme vous, elles ont de belles lèvres,

mais elles n'aiment pas qu'on regarde leurs lèvres quand elles disent des choses intéressantes. » Tout le monde avait ri, Cavarro avait lancé : « *You're a real son...* » Il s'était interrompu, il avait gardé le *son of a bitch* pour lui, il avait fini par apprendre qu'il y a des expressions qui passent mal d'un continent à l'autre.

Il était encore tôt dans la nuit. Les conversations se faisaient plus douces, c'était presque la pleine lune, une lune bleutée, Raouf avait bu, il aimait tout le monde, la terrasse tanguait quand il regardait les étoiles, Kathryn l'avait rejoint, demandant : « À quoi penses-tu ? » Il avait montré les étoiles : « *Tasîru binâ hadi llayâlî kê'annahâ*, ces nuits nous emportent comme... *safâ'inu bahrîn*... comme des bateaux sur la mer... qui n'ont pas d'ancre... *mâ lahunna marâsî*... — Je sais de qui c'est. — Tu comprends l'arabe maintenant ? — Neil m'a dit que tu lui faisais traduire Al-Ma'arrî, et il peine ! » Ganthier était maintenant debout au bord de la véranda et bavardait avec une jeune Américaine, une photographe de plateau, on disait que c'était la nouvelle maîtresse de Neil, Gabrielle se leva, les rejoignit et se mit à parler photo avec la jeune femme, disant à Ganthier de rester, en lui posant une main sur l'épaule, sans la retirer.

L'air frais tardait à venir, alors que les dalles de la terrasse continuaient à rendre la chaleur qu'elles avaient reçue dans la journée. Quand le vent se leva enfin, on se rendit compte qu'il ne venait pas de la mer mais du sud, il était encore plus chaud que l'air ambiant, et dans la lumière des lampes on distinguait des particules de sable rouge. Même en jouant de l'éventail on n'arrivait pas à obtenir une illusion de fraîcheur. Gabrielle demanda en regardant dans la nuit : « La lumière, là-bas, qu'est-ce que c'est ? — La ferme de votre amie Rania, répondit Ganthier, elle doit aussi nous voir... — Mais elle ne peut pas venir, ajouta Gabrielle... Vous passez toujours à cheval devant chez elle pour aller rejoindre votre morceau de terre ? Vous savez qu'en France

on jaserait...» Gabrielle eut envie de prendre une voiture pour
aller chercher Rania... Mais elle refusera, se dit-elle, elle me dira
que ce serait le scandale absolu, elle me remerciera en m'embrassant, et pensera que je suis une calamité.

Ganthier se passa un mouchoir sur le front et la nuque, et
demanda à la cantonade : «Qui est déjà allé chez Aboulfaraj?»
Aboulfaraj était un Syrien, ou un Irakien, ou un Libanais, on
ne savait pas exactement, qui avait ouvert un superbe tripot au
cœur de la ville ancienne, on aurait une chance d'y trouver un
peu de frais. Ganthier n'y avait pas encore mis les pieds mais
il savait que Raouf y avait emmené Montaubain et il en était
jaloux. «Vous voulez nous embarquer dans une débauche?»
demanda Gabrielle, et Ganthier en riant : «Vous nous prenez
pour vos montagnards à clochette?»

Tout le monde s'était entassé dans trois automobiles, vitres
baissées ou capote relevée, en recherche de courant d'air sur
la peau. Une demi-heure plus tard ils étaient dans la médina,
garés sur la place du hammam, ils avaient continué à pied, à
travers les souks endormis, tous vantaux fermés et verrouillés.
De temps en temps une lanterne jetait une lumière pâle et laissait
voir les ombres qui battaient autour d'elle : des chauves-souris.
Kathryn avait eu un sursaut et en avait profité pour s'emparer de
la main de Raouf. Parfois, au-dessus de leurs têtes, un plafond de
roseaux ou de poutres leur donnait l'impression de marcher dans
un couloir. Le plafond pouvait aussi se transformer en voûte de
pierre, la ruelle se resserrait en obligeant à marcher l'un derrière
l'autre, faisait des angles droits, s'élargissait, Ganthier montrait
sur le côté une superposition de pierres plus grosses que les
autres : «Pilier romain ! — Il est content !», disait Raouf. Un
cri, suivi de deux ou trois autres : des chiens maigres sur un tas
d'ordures, et des chats attendant à quelques mètres. Gabrielle
n'arrivait pas à se rapprocher de Ganthier, à croire qu'il faisait

exprès de garder une distance. On passait dans une ruelle plus propre, mais avec des portes qui payaient aussi peu de mine que les autres. «C'est la rue où habite Belkacem, dit Raouf en montrant une porte branlante, c'est un grossiste, l'intérieur vaut des millions, et il y a une vraie porte derrière celle-là.» Une ombre assise sur une borne, un mendiant? «Un mendiant armé, c'est un des gardiens», dit Raouf, serrant la main de Kathryn et pensant c'est moi qui guide Ariane dans le labyrinthe, c'était simple, deux mains qui se prennent, se reprennent plutôt, et soudain une année s'effaçait, et la rupture, les jalousies et les disputes, on n'était plus qu'un plaisir qui se préparait, pour la fin de la nuit, non pas cette nuit, attendre demain après-midi, chez Gabrielle, et puis non, l'hôtel, au retour de chez Aboulfaraj, tant pis pour les ragots, tout le monde sait tout aujourd'hui, non, attendre, ce serait trop risqué pour elle, même si elle dit qu'elle s'en moque, même si elle en profite pour m'accuser d'être trop rationnel, comme d'habitude, cette fois je dirai *et alors?* c'est cela, répondre : *oui, rationnel, et alors?* et on s'aimera jusqu'au prochain départ, sans se faire trop de mal cette fois, on est averti.

Plus ils avançaient dans les profondeurs de la ville, plus il faisait frais. Ils croisaient parfois des puanteurs d'ordures. «Quand le soleil ne passe pas, disait Ganthier, les odeurs montent!» À un moment il y eut une cinquantaine de mètres en légère descente sous une voûte, oui, il y avait des maisons au-dessus, c'était une impasse fermée par une porte au heurtoir de cuivre ordinaire et sale, une odeur de lampe à gaz, ils entrèrent dans une courette, deux serviteurs aux vêtements sans taches, et puis une grande salle rectangulaire, les murs revêtus de carreaux de faïence blancs ou vert pâle ; au centre un bassin, entouré de tables rondes avec des chaises paillées, une quinzaine de clients solitaires, un grand silence, beaucoup de fraîcheur, rien de nauséabond, on respirait! «C'est ça, votre tripot? demanda Gabrielle à Raouf, vos débauchés m'ont plutôt l'air de grands mélancoliques ! — Au pays du soleil, la mélancolie se cultive comme un vice », répondit Raouf.

Ils passèrent dans une deuxième salle, plus confortable, aux murs blanchis à la chaux, avec un fragment de mosaïque romaine au centre d'un mur, « Orphée domptant les animaux sauvages… vive la poésie et son optimisme », dit Ganthier à Raouf, il se rapprocha, passa un doigt sur les petits carreaux, puis, d'un ton docte : « Votre Aboulfaraj doit avoir ses arrangements avec l'inspection des monuments historiques… mosaïque d'origine… troisième siècle… de notre ère… » Raouf avait laissé passer le *notre ère*, il demanda : « Vous parlez du temps où Rome avait accordé la citoyenneté à tous les habitants de l'Empire ? » Sous la mosaïque étaient accrochés deux masques grimaçants, en terre cuite, avec des creux grotesques pour la bouche et les yeux. Pas de chaises dans la salle, mais des banquettes disposées en plusieurs cercles autour de tables basses ; au milieu il y avait aussi un bassin en marbre et un jet d'eau, une grande ouverture dans le toit au-dessus du jet d'eau, comme un puits à l'envers qui laissait voir un beau rond de ciel étoilé.

La petite bande de La Porte du Sud était déjà installée, la plupart en jebba de soie, on se salua, les nouveaux arrivants se mirent un peu plus loin, Gabrielle réussissant à se placer à côté de Ganthier. On apporta des verres, des bouteilles. « Naguère on nous aurait servi de l'alcool de figue ou de palme, dit Raouf, mais Aboulfaraj a compris qu'aujourd'hui il vaut mieux vendre du whisky et même de la vodka. » Sur les tables, dans des coupelles, il y avait des amandes fraîches à décortiquer, des pistaches, des gâteaux au miel. Un homme entra, tenant d'une main des colliers de fleurs d'oranger et de l'autre un plateau où reposaient des cornets en feuille de figuier. Wayne voulut acheter des colliers, non, dit Kathryn, il y a mieux ! Raouf et Ganthier sourirent, elle acheta plusieurs cornets en feuille de figuier, les distribua, on les ouvrit, première leçon dit Kathryn, très fière, à Tess, Wayne, Francis et Samuel, ici on n'achète pas tout fait, on a la nuit devant soi ! Chaque cornet contenait des aiguilles de pin, un brin d'alfa et des boutons de jasmin, trente-deux boutons, trente-deux corolles à fixer chacune sur une aiguille de pin, il fallait rassembler le tout, le lier en bouquet avec le brin d'alfa, Kathryn disant : «Quand on a bien travaillé, on a le droit d'inspirer en fermant les yeux.»

Des rires s'élevèrent du côté de la petite bande, «c'est Karim, un de mes amis, dit Raouf à Francis et Samuel, il leur raconte une histoire, ou plutôt il la leur lit, c'est une de nos façons de pratiquer la littérature, on appelle ça une "séance", on se réunit pour lire à voix haute et commenter les bons auteurs», il prêta l'oreille, ajoutant pour tout le groupe : «c'est une vieille histoire, ça se passe à Bagdad, dans votre dixième siècle, le quatrième de notre ère, c'est une histoire de poivrots, très imbibés, ils quittent leur taverne pour la mosquée et s'installent au premier rang des fidèles, derrière l'imam… pendant la prière l'imam les repère à l'odeur, il les dénonce à l'assemblée des fidèles, "ils viennent souiller un lieu sacré, qu'ils soient exterminés !", la foule lacère les vêtements des saoulards, leur met la nuque en sang, les pourchasse dans la rue, les saoulards parviennent à s'échapper, ils trouvent refuge dans un bordel, *wa qad ja'alnâ addînâr imâmân*… "le dinar fut notre imam… on nous mena vers une femme aux formes parfaites, à la ceinture défaite", oui, dit Raouf, j'essaie de traduire les rimes, c'est de la prose rimée et rythmée, la femme couvrant les fuyards de baisers…» Karim interrompit sa lecture, ferma le livre et lança comme un défi : «La suite, Raouf !», ajoutant pour les Américains et les Français : «Il la connaît par cœur !» Karim s'était levé et avait tendu son verre en disant : «À l'amitié !» On avait trinqué. «*Come !*» avaient dit Neil et Kathryn, les Américains et les Français avaient élargi leur cercle, les deux groupes n'en firent plus qu'un… «La suite, Raouf!» Raouf se mit à réciter, traduisant lui-même, ou résumant au fil de sa récitation : la femme aux formes parfaites c'est la… ça n'est pas la patronne, comment dit-on? demanda Raouf à Ganthier. «C'est la sous-maîtresse», dit Gabrielle, et Ganthier en riant : «Vous en savez des choses!» Raouf reprenant : «La sous-maîtresse sert son vin aux fuyards… *khamrun kèrîqî fî l'udhû… liqueur pareille à ma salive… pour la douceur, et la délectation… liqueur dépositaire des âges… il n'en subsiste que le bouquet… la morsure de serpent…*» Et, dans l'histoire, le patron du bordel finissait par arriver : c'était l'imam qui avait voulu faire massacrer les saoulards et qui se mettait à boire avec eux. On applaudit. «On savait vivre, au quatrième siècle, dit Karim, on surnomme l'auteur de ce livre Badi' Ezzamân, la Merveille du Temps.»

Il y eut du bruit à l'entrée de la salle, un grand homme maigre entra, bouteilles en main, salué par les cris de satisfaction de l'assemblée. «Je vous présente Aboulfaraj, maître des lieux et grand ravitailleur!» dit Raouf. Derrière l'homme suivaient plusieurs convives de la première salle, avec leurs verres, l'homme salua et se lança à son tour dans une récitation, *ana min koulli ghubârîn, anâ min koulli makâni…* Raouf se mettant à traduire : *je suis de toutes les poussières, de tous les lieux… tantôt à la mosquée et tantôt au… bistrot…* «non, pour la rime il me faut un mot en *an*, un synonyme de bistrot. — *Beuglant!* dit Ganthier. — Je ne suis pas la seule à savoir des choses», dit Gabrielle, Raouf reprenant : *et tantôt au beuglant, ainsi fait la raison qui a compris son temps!* On applaudit à nouveau. Raouf présenta Aboulfaraj à ses amis, Aboulfaraj offrit une tournée, disant : j'offre l'alcool, le kif, les femmes aimantes, l'oubli, la poésie, la contrebande, l'intrigue et le plaisir, pas de plaisir sans contrebande… Son œil droit était sérieux, le gauche faisait le clown, on leva les verres, on continua à parler de plus en plus fort, on échangeait des anecdotes et des bribes de romans ou de poèmes, Ganthier récita même *La Mort du loup*, Gabrielle pensant que c'était la première fois qu'un poème de Vigny lui faisait cet effet, et osant ensuite dire à Ganthier : «Ne mourez pas tout de suite, on a besoin de vous... » Elle n'était pas allée plus loin, si elle en faisait trop, il ne saurait plus quoi faire... Tess se mit à chanter, accompagnée par Samuel à l'harmonica, un blues, *Mama Don't Allow No Easy Riders Here*, que Neil traduisit approximativement en «Maman, ne laisse pas entrer les cavaliers faciles»...

À un moment, Aboulfaraj fit un geste large vers la petite bande et les clients entrés avec lui : je manque à tous mes devoirs, j'ai oublié de vous présenter ma petite société, ma société en miettes, un monde que l'alcool réunit mais qui est déchiré par beaucoup de schismes, c'est l'époque qui veut ça, qui nous offre beaucoup de rôles différents, et nous les jouons en faisant croire qu'elle nous les impose... La main d'Aboulfaraj désignait les convives un à un, comme s'il avait joué à *am stram gram* : il y a le traditionaliste résigné et, à côté de lui, le traditionaliste actif ou salafiste, puis le nationaliste radical, le nationaliste modéré, le socialiste démocrate, le socialiste révolutionnaire, le communiste, le faux persécuté, nous en avons plusieurs exemplaires, avec une ou deux vraies victimes (le mouvement de la main s'accélérait), il y a aussi le mystique soufi, très aimé des Occidentaux, le radical embourgeoisé, le comploteur organisé, l'anarchiste solitaire, le croyant, qui dit que si l'on croit ça ira mieux, l'incroyant pour qui tout le mal vient de croire, mais l'incroyant n'apparaît dans toute sa splendeur que lorsque l'alcool a bien circulé, et c'est un rôle plutôt temporaire, il y a aussi le panarabe, et même un turcophile kémaliste !

Aboulfaraj fit une pirouette, remplit quelques verres, poursuivit : l'une de nos expressions favorites c'est *na'aldine França*,

maudite soit la religion de la France! en raccourci ça veut dire
« maudite soit la France! », mais (geste d'apaisement vers
Ganthier et l'officier de la Légion), parce que toute chose a un
envers, il nous arrive aussi de devenir partisans de cette même
France et de son colonialisme, c'est un rôle que chacun d'entre
nous peut prendre en fonction des maux qui lui ont été infligés
dans la journée par ceux que les colons appellent nos «coreligionnaires», et dans ce cas la victime dit *hchouma 'aleina*,
honte sur nous, et peut alors en appeler à la France, qui cesse
d'être maudite, pour qu'elle nous libère au plus vite des vieilles
coutumes et traditions qui sont le refuge des malfaisants et de
la honte, mais généralement la France ne veut pas, elle préfère
nous voir rester dans l'état où nous sommes, ça coûte moins cher,
alors à partir de minuit nous versons tous dans le *qalaq*, que vous
appelez le *spleen*, et certains le doublent d'une espèce d'athéisme
relatif, nous nous éloignons de Dieu, pour ne pas le gêner, mais
nous ne sommes pas d'absolus mécréants, nous avons une limite,
nous ne mangeons pas de porc, nous nous contentons de nous
comporter comme l'animal que nous ne mangeons pas, et nous
faisons parfois pire, car le porc, lui, ne va jamais manger sur le
lieu de ses excréments!

Aboulfaraj s'était tu, il semblait avoir peur de sa propre
bouche. Son discours avait fait rire mais la fin avait, comme le
dirait plus tard Ganthier, cassé l'ambiance. On s'était remis à
boire, on avait pu recommencer à rire plus ou moins, on avait
récité d'autres poèmes, raconté des anecdotes, puis la mélancolie était revenue, plus lourde, et on avait décidé de rentrer. Au
moment du départ, Aboulfaraj avait pris Raouf à part. Il se balan-
çait d'une jambe sur l'autre en regardant la mosaïque d'Orphée
et les deux masques grimaçants : «On m'a parlé d'une histoire
de petits mendiants à propos des Américains, reviens me voir, ça
ne sent pas bon.»

45

UN DYNAMITEUR

Belfrayn avait fait le voyage vers Southampton, puis Le Havre et Paris. Il avait passé trois jours à Paris, pour se renseigner sur l'état du pays, sa politique, les gens en vue. Il était allé à l'Assemblée nationale et au bordel. Le bordel avait coûté un peu cher, mais le *french kiss* était sans supplément et on y rencontrait beaucoup de monde. Puis ç'avait été le train vers le sud, et Marseille, un autre bordel, avec des odeurs d'ail, avait-il noté dans son carnet. Il avait aussi réfléchi à ce qu'il allait faire, les interviews *autorisées*, les questions sur le choix de l'Afrique du Nord, la vie sur place, les relations avec les natifs, le travail des acteurs, ne pas en oublier une sur le mal du pays, personne ne pourrait refuser de répondre à des questions pareilles, même pas Daintree, la presse, quand elle sait faire la pute, on peut rien contre elle.

Mais l'essentiel pour Belfrayn c'était ce qu'il réussirait à faire à côté. Là-bas, dans cette espèce de trou du cul du monde, ils devaient maintenant être au courant de son arrivée, ils devaient être en train de se préparer, ça n'allait pas faciliter les choses. Ou plutôt si, il ne fallait pas se laisser rebuter par la prudence des gens, leur façon de penser *fouille-merde* quand ils vous souriaient. Il y avait un avantage à passer pour un fouille-merde, c'est que ça finissait toujours par attirer un bavard ou deux.

Pas tout de suite, le bavard a besoin de temps pour s'exalter, et d'un lieu propice au bavardage, et le bavard ne dira jamais qu'il bavarde, le bavard échange des confidences, il faut faire de belles confidences au bavard, provoquer une rivalité des confidences, en buvant un bon alcool que le bavard est tout heureux de ne pas payer. Et il faut lui laisser le temps de marier ses confidences au désir de se faire bien voir de la presse, et quand le bavard a commencé à parler il faut guetter le moment où le remords vient lui nouer les tripes, ne pas combattre le remords, ne pas s'opposer à la bonne conscience du bavard, devant l'obstacle elle se mettrait à grandir. Ne pas la contredire, mais amener le bavard à comprendre qu'il n'a pas assez donné d'informations pour qu'on ait de quoi dissimuler la source des informations, et il faut quand même bien raconter cette histoire, n'est-ce pas ? Ne pas le faire chanter directement, plutôt le coup de la machine infernale qu'il a lui-même déclenchée, il n'en est pas responsable, mais s'il veut s'en tirer il doit tout dire.

Tout cela serait pourtant fragile, ça resterait du bavardage, Belfrayn n'avait pas fait tout ce voyage pour rapporter du ouï-dire, le seul intérêt de ces trucs c'est ce qu'ils permettent ensuite, prendre des photos, ou en faire prendre. Il faudrait engager un Arabe sur le terrain, beaucoup moins repérable, lui apprendre à se servir du Kodak, obtenir du *sur le vif*, Cavarro sur le vif, en compagnie du véritable amour de sa vie… le charmeur de ces dames devant un coucher de soleil, la main autour de la taille de son copain, ou sur une plage isolée, ne pas se contenter de ragots, réussir un beau coup noir sur blanc, et la question essentielle : qu'est-ce qui valait le mieux ? la gloire du scoop ou le fric qu'on pourrait tirer de Cavarro ? ou même de Lakorsky ? sans doute de Lakorsky, il paierait le double, pour éviter le scandale, comme Cavarro, mais aussi pour avoir de quoi tenir Cavarro. Et ne pas se contenter de Cavarro, ce petit monde devait être en train de se lâcher là-bas, de retrouver les bonnes habitudes de partouzes, discrètes cette fois, à côté desquelles ce qu'on vivait dans les bordels manquait de l'enthousiasme que les *gens bien* savent mettre dans les jeux cochons. Il y avait aussi la femme de Daintree, la Bishop, on n'avait rien sur elle, pas possible, une actrice qui ne couche qu'avec son mari depuis quatre ans, alors que le mari a toujours une débutante sous la main, tout le monde le dit : elle n'a personne d'autre, peut-être qu'elle aime les femmes, ce serait trop beau. Ou alors cette histoire de séjour en Allemagne ? Improbable… Vérifier en tout cas.

Et l'autre histoire encore, un embryon de rumeur, une seule personne lui en avait parlé à Hollywood, rien d'autre à part ça, mais de la vraie bombe si c'était vrai, la négresse de Bishop, Belfrayn avait un compte à régler avec cette négresse, ces gens de cinéma croyaient qu'ils pouvaient vivre dans un monde à part, il fallait leur apprendre ce qu'ils devaient à leur pays, et ce que ça pouvait coûter à un Blanc de jouer au lait-chocolat avec une boniche, ce que ça pouvait aussi coûter à la boniche, belle fille celle-là, une vraie chienne, la bouche qu'il fallait, trouver quelque chose sur elle, et lui en parler, ça la rendrait docile. Belfrayn fermait les yeux, dégrafait son pantalon, disait «attention, mon velours bleu, il faut que ça me plaise», et ensuite il s'empêchait de trop y croire, mais n'empêche, il se faisait l'effet d'un dynamiteur en train de choisir ses meilleures cibles… monnayer son silence sur Cavarro, balancer la Bishop et Daintree l'intouchable, et si Dieu existe je trouverai quelque chose sur la boniche. Belfrayn allait faire sauter au moins la moitié de cette équipe.

Débarqué dans la capitale, il avait décidé de prendre ses repères avant de filer vers Nahbès, il était resté plusieurs jours, avait apprécié couscous, tagine, fricassées et fritures de poissons, et visité deux bordels de qualité. Il avait aussi beaucoup discuté, avec des Français et des Arabes. Les Français répétaient tous la même chose, que tout allait bien, et que tout irait mieux si on augmentait le nombre de colons et de gendarmes, certains voulaient même faire venir d'autres Européens, des Espagnols, des Italiens, des chrétiens. Quant aux Arabes, c'étaient d'aussi bons buveurs que les Américains, on s'entendait vite avec eux, il avait lié connaissance avec un groupe de passionnés d'Amérique habillés à l'occidentale, ils l'interrogeaient sur New York et Hollywood, sur le cinéma, les gratte-ciel, sur la façon de gagner de l'argent, ils l'écoutaient et essayaient de répéter *just do it... move on... land of opportunity...* d'un air rêveur, ils étaient friands d'histoires sur l'Amérique, et, pour en obtenir de lui, ils lui en racontaient beaucoup sur leur pays, sur la cour du Souverain, sur les querelles entre ministres, entre ministres et princes, entre Français, entre Français et Italiens, entre Italiens et Juifs. Il leur arrivait de se lancer dans des élucubrations politiques en rappelant les paroles du président Wilson sur le droit des peuples. Belfrayn n'aimait pas Wilson, n'y comprenait pas grand-chose, et changeait vite de sujet.

Il commençait à boire avec ses amis arabes dès l'après-midi, au café ou chez l'un ou l'autre, des propos cyniques et joyeux, et, la veille de son départ pour Nahbès, il rigolait avec eux dans un appartement, devant des anisettes, quand la police française avait débarqué. C'était la première fois de sa vie qu'on le traitait comme ça, on l'avait jeté dans une cellule du commissariat central, assis à même la terre, à cinquante centimètres d'un tas de merde, bourdonnant de mouches qui venaient ensuite se poser sur lui. Il ne comprenait pas.

Un attaché du consulat américain était venu le chercher, ils avaient pris une calèche, ils redescendaient l'avenue Gambetta, Belfrayn pouvait respirer. Puis il se rendit compte qu'ils

longeaient la lagune : «Où on va? avait-il demandé. — Au port!
avait répondu l'attaché, et tout de suite!» Il lui fit signe de se
taire et reprit : «Vous étiez là pour rencontrer des cinéastes ou
des fouteurs de bordel? ils sont gratinés, vos copains! un sacré
mélange de fils de putes : des communistes et des nationalistes!
Et il y avait vingt kilos de propagande dans l'appartement! Vous
imaginez, les Français qui vont raconter au Souverain que des
Américains fricotent avec ça? Vous rentrez! direct! Pourquoi?
parce que vous êtes un double trou du cul! Si ça ne vous
convient pas, je vous ramène au commissariat, et vous aurez
deux rapports, le mien et celui de la police française, deux, un
pour chacun de vos trous du cul... Non! écoutez-moi! votre
patron va adorer cette histoire de contacts avec des rouges, il
va vous ouvrir le bide, votre patron, à l'ancienne, et il déroulera
vos putains de boyaux sur Sunset Boulevard! Vous vous êtes
fait piéger? c'est un complot? tant pis! Quand on est un vrai
journaliste, on ne se retrouve pas dans un kayak, sans pagaie, au
milieu d'une rivière de merde! Allez, rentrez gentiment!» Ils
allaient au trot, de temps en temps le cocher envoyait un coup
de son fouet au-dessus de leurs têtes, vers l'arrière de la calèche
pour empêcher des gamins de s'y accrocher.

Le consulat américain s'était vraiment affolé. C'est ce
qu'avait voulu la police française, et son directeur, avec
lequel Marfaing avait eu quelques jours auparavant une bonne
conversation téléphonique : vous comprenez, cher ami, personne
n'a besoin d'un trublion, ce film, cette opération franco-
américaine, c'est quand même un moyen de retrouver du crédit
auprès de leur opinion, surtout qu'on leur doit les milliards que
l'Allemagne ne veut pas nous payer, vous voyez les enjeux,
n'est-ce pas?

Marfaing avait été content de rendre ce service à ses amis
américains et à Gabrielle qui lui avait demandé de faire

l'*impossible* pour les aider. Elle avait fait exprès de choisir ce mot, sachant qu'il penserait aussitôt au moment où il pourrait à son tour lui demander l'impossible, Gabrielle se disant qu'elle n'aurait même pas besoin de dire non : la seule présence de Thérèse Pagnon suffirait à contenir les ardeurs du contrôleur civil.

À Nahbès, les Américains s'étaient détendus en apprenant le départ précipité de Belfrayn, mais Neil ne pardonnait pas cette histoire à Lakorsky. Le fouille-merde n'avait pu envisager de venir les voir qu'avec la bénédiction du producteur, un accord direct avec le patron du *Herald*, entre puissants. Lakorsky avait dû se dire que si le *Herald* dénonçait des gens ça les rendrait plus dociles. Il avait aussi écrit à Neil qu'il serait bon que le bâtiment des missionnaires qui recueillaient les enfants dans le film arbore une croix au fronton. Et à la fin de sa lettre il ajoutait que, si Neil n'avait pas de sujet à proposer pour un nouveau film «local», il devrait rentrer au pays avec son équipe.

Neil avait refusé ce qu'il avait appelé «le gag de la croix», le propre de ces missionnaires, avait-il répondu, c'est qu'ils recueillent des êtres humains, pas des clients pour leur paroisse. Lakorsky n'avait pas insisté, Neil savait ce que ça voulait dire : à Hollywood un monteur serait chargé de glisser dans le film l'image d'un bâtiment surmonté d'une croix, pour faire plaisir aux Vigilantes.

Au bar du Grand Hôtel, Neil en parlait calmement, c'était simple, ou Lakorsky acceptait de lui laisser le *final cut*, le montage définitif, ou il irait s'établir ailleurs, en France par exemple, on l'aimait bien en France, c'est l'avantage des guerres, l'amitié entre survivants, «ou alors je pourrais rester ici, je crois que j'ai un sujet, une histoire d'amants, on vient de me la raconter, un fait divers, mais pas n'importe quoi, des amants qui meurent, évidemment, sinon ça ne serait pas un vrai sujet», Neil se mettant à penser à voix haute, quatrième whisky en main, devant ses amis, une histoire avec un paysage, un horizon, deux amants, une plaine immense, grands espaces, grands désirs, c'est ça le cinéma, un paysage de moissons, et deux corps, superbes, et ça pourrait s'appeler… comment tu disais, Raouf? — *rih ach-châ'ir… le vent de l'orge* – ça ferait un beau titre, non? et de belles images, une plaine couverte d'orge qui ondule, le réel et la métaphore, deux amants beaux et jeunes, la beauté donne le droit, la jeunesse donne l'audace, n'est-ce pas Raouf?

Neil regarde Raouf, puis lance un coup d'œil vers Wayne, Wayne s'est déjà installé à l'arrière-plan, dans un fauteuil bas, on ne le voit presque plus, il prend des notes, Neil les trouvera demain matin sur son bureau, ça le rassure, il peut se lancer dans les mots, pas facile d'être amants à la campagne, et encore moins dans ce pays, vous croyez qu'ici ça peut faire trois pas ensemble, des amants? Regard de Neil vers sa femme qui reste impassible, et Kathryn se dit que Neil est reparti dans un nouveau projet, il y avait *Eugénie Grandet*, demain ce sera *Le Vent de l'orge*, et après-demain autre chose, et aujourd'hui c'est ce tournage qu'il n'arrive pas à boucler parce qu'il n'aime plus son film, il va nous rapporter de l'argent mais il ne l'aime plus, un an qu'il aurait dû le finir, il laisse traîner et il veut faire dans un nouveau film ce qu'il n'arrive pas à faire dans celui-là, et il fait semblant de défendre son originalité en refusant une croix sur un bâtiment, il a raison, mais refuser une croix sur un bâtiment ça ne suffit pas à faire de vous un artiste. Kathryn songeant aux films de Wiesner… cette femme dans l'ombre d'une cellule, tête contre le mur, un reflet de lucarne à barreaux venant jouer par intervalles sur son visage, c'était invraisemblable et prenant, et chaque fois l'ombre revenait mettre des fuites dans le visage, elle se souvenait aussi du rythme fou, et de la méchanceté de Wiesner, un opérateur disant : il ne travaille bien que lorsqu'il nous a d'abord mis le cœur dans le pantalon… les maquettes de Wiesner, un dragon géant articulé, avec deux hommes à l'intérieur pour le mouvoir, faire rouler les yeux et lancer des flammes…

Et, devant ses amis, Neil poursuit son rêve de film, même quand il n'y a pas un chat dans le paysage, il y a toujours des yeux d'homme pour repérer les amants, alors les amants ont choisi un silo où on entrepose de l'orge, à l'abri des regards, ils s'y rendent chacun de son côté, le vent de l'orge… «j'ai le titre avant d'avoir le film, chez moi on disait d'une femme qu'elle avait la peau douce comme un grain d'orge, donc des amants qui s'aiment dans la douceur de l'orge, l'ombre et la fraîcheur du silo, le crissement des graines sous les corps, non, on ne les a pas assassinés, ça n'est pas une histoire vulgaire, j'imagine qu'ils avaient fini par s'endormir, les amants, fin de l'épisode». Neil allume une cigarette, boit une bonne gorgée, repart dans les mots, dit que l'histoire ne s'arrête pas là, et pas non plus sur une vulgarité, donc pas d'irruption de gardiens, pas de dénonciation, pas de jaloux qui se venge, la mort bien sûr, mais toute seule, la mort qui vient d'elle-même, non, en fait elle est déjà là, ils sont venus chez elle, sans le savoir, *mektoub!*

Pour Kathryn, Neil faisait des progrès, *en disant* mektoub *il n'a pas regardé Raouf*, Neil poursuivant : «Et la mort les a pris par surprise, parce que l'orge ça se défend, pas contre les amants, bien sûr, mais contre les rongeurs… ça fermente… un gaz mortel, c'est ça le *vent de l'orge*, comment filmer ce qui n'est même pas un vent, comment filmer une métaphore? la mort qui entre à chaque halètement du plaisir, et les gestes qui deviennent désespérés… Et qu'est-ce qui fait le tragique?» Kathryn pensant : *il en a vraiment après les amants, toute cette hargne, ça produira peut-être un bon film, au fond il m'en veut de lui avoir pris Raouf, c'est pour ça qu'il me fait des scènes...* « La mort ne suffit pas, dit Neil, la mort c'est un fait divers, c'est tout ! Pour le tragique, les spectateurs devront se dire que ces deux-là auraient pu échapper à la mort, mais qu'ils ont péché, par démesure, ils s'aimaient trop, c'est ça qui ne pardonne pas, mais ça ne suffit toujours pas à faire du tragique, sauf pour les journaux, ne prenez pas ça pour vous Gabrielle », Neil souriait à Gabrielle, *je me demande quel rôle tu as bien pu jouer entre ma femme et mon cher Raouf, je suis sûr que l'initiative est venue de Kathryn, et que tu l'as aidée, ça n'est pas venu de Raouf, à son âge on ne trahit pas un ami comme ça.*

Neil disant, après un silence, que pour une tragédie, il fallait une petite faute supplémentaire, une souris ! une souris morte, dans le premier silo, ils ont vu une souris, « ou un mulot », dit Raouf, « monsieur est spécialiste des silos ou de la faune ? » demanda Ganthier. Neil reprenant son fil : « Les amants n'ont pas voulu comprendre, ils se sont contentés d'aller plus loin, dans le deuxième silo, l'orge se défend contre les rongeurs, et ce sont les amants qui pâtissent... c'est important, la souris, c'est l'erreur tragique, si je mets seulement une mort d'amants c'est du feuilleton, avec la souris ou le mulot c'est du tragique, parce qu'ils ont fait une erreur qu'ils auraient pu ne pas faire ! Mais ça ne suffit toujours pas, j'ai l'anecdote, j'ai l'erreur, j'ai la mort, Wayne, qu'est-ce qui me manque ? — Un peu d'étoffe ? — Exactement, une vraie histoire c'est de l'étoffe ! » Neil gardant pour lui une pensée : *je n'ai pas d'imagination, je ne sais pas inventer, il faut que je trouve quelque chose à reprendre, à réécrire, comme Shakespeare faisait avec Plutarque.*

À nouveau la voix de Neil, pleine d'assurance : l'étoffe ? on va comme d'habitude aller la chercher chez le grand William,

donc croiser le vent de l'orge avec une mort d'amants shakespeariens, Roméo et Juliette, évidemment, des familles qui ne
veulent pas de cet amour, des familles concurrentes, et j'ai déjà
une belle séquence, un combat de chameaux, chaque famille a
son champion, personne n'a encore mis ça dans un film, donc
de l'affrontement entre familles, mais pas de suicide, faire le
contraire de Shakespeare, les familles se réconcilient bien plus
tôt que chez Shakespeare, accord sur un mariage, c'est ça, on
aurait l'air d'aller vers du *happy end*, j'entends déjà les collègues dire que Daintree s'empare de Shakespeare pour en faire
une histoire hollywoodienne, *happy end*, il a cédé à Lakorsky,
la grande gueule est un larbin comme les autres, bienvenue à
bord ! Moi je reprends *Roméo et Juliette*, poursuivait Neil, mais
avec les familles qui tombent d'accord pour un mariage, les deux
pères négocient, on commence à préparer la fête, on cherche
les amants, et on les trouve dans le silo… qui *on* ? peut-être un
autre couple d'amants en visite au silo, pour les mêmes raisons,
mais alors il ne faudrait pas avoir montré l'agonie des premiers,
seulement leur sommeil, leur sourire, on les quitterait juste après
le plaisir, ils sont nus, l'orge les recouvre presque entièrement,
le garçon est sur le dos, la fille contre lui, on doit comprendre
où est sa main, non, esquisser seulement, et si le spectateur veut
imaginer ce que fait la main, libre à lui, on les quitte sur cette
image, et plus tard l'autre couple entre dans le premier silo, à
nouveau du désir dans l'air, ils passent eux aussi devant la souris,
ils vont jusqu'au deuxième silo… Cri ! Ils découvrent Roméo et
Juliette, deux cadavres aux yeux exorbités, arqués, deux bouches
désespérément ouvertes par l'asphyxie, un plan pas trop long, ne
pas faire les scènes à faire.

Cavarro interrompant : « Si tu ne fais pas les scènes à faire,
tu n'auras pas le public. » Et Samuel : « Et alors ? Il aura fait
une œuvre ! — J'aurai fait un film allemand dont personne ne

voudra parce que je ne suis pas allemand ! » dit Neil, regard vers Kathryn. Samuel reprenant : « Équilibre ! coupe certaines choses, laisses-en d'autres… » Un silence de Neil, puis : « J'ai envie de finir sur le malheur. — Pour un roman vous pourriez, dit Gabrielle, mais pas au spectacle ; même chez Shakespeare, à la fin on ne laisse pas les plaies à vif, on suture, la vie reprend… — Je vais me servir de l'autre couple, dit Neil, la fille repart chez elle en courant, c'est le garçon qui va donner l'alerte, et je finis sur le thème *la vie reprend*, avec une vraie question sentimentale pour grand public : comment avoir encore envie de baiser quand on a vu deux cadavres d'amants sur un tas de céréales ? »

Autour du bar on s'échauffait, tout le monde avait son idée de scénario pour ce que Neil appelait une œuvre d'art grand public, Cavarro défendant le grand public, rappelant la querelle qu'on fait au cinéma, à tous les spectacles, à tout ce qui rassemble les gens à l'extérieur de chez eux, tout ce qui en fait un public, les facilités pour le public, on croit que le public c'est malsain, que seul l'individu a de la valeur, dans son fauteuil, dans son salon, devant la cheminée, un livre en main, avec du temps, le problème c'est qu'on oublie que beaucoup de gens n'ont pas de salon à cheminée, et pas trop de temps ! Et quand Gabrielle l'a interrompu pour demander qui était ce *on* qui oubliait les gens sans cheminée, Cavarro a répondu : « Les gens chics, ceux qui ont beaucoup d'argent et se retrouvent dans des clubs où ils interdisent aux autres d'entrer, ils proclament que le cinéma est un divertissement d'esclaves ! »

Raouf écoutait, pensant à la Rolls de Cavarro… mais se souvenant d'une réflexion de Kathryn : « Francis vient d'un endroit où, quand on avait cinq ans et sa première casquette, il fallait la défendre avec les poings. » Samuel prit la suite de Francis : « Ils fabriquent les esclaves et ils critiquent ceux qui les divertissent. — C'est de l'ingratitude, dit Neil, parce que le cinéma empêche les esclaves de leur sauter à la gorge. — Comment? demanda Raouf. — On montre aux gens que la misère vient des fautes morales d'un méchant qui sera puni, dit Samuel, ils n'ont qu'à prendre patience, et dénoncer les fautes!» Son visage s'était durci, il regarda Francis : «Moi, je rêve d'un cinéma qui formerait des individus, au lieu de rassembler le troupeau! — Fais-le, ce cinéma», s'écria Francis. Samuel sauta de son tabouret et disparut. «Tu es rude, dit Kathryn à Francis. — Le *troupeau*, répondit Francis, c'est une attaque contre mon public et la façon dont je joue.»

Ganthier était resté silencieux, on l'entendit dire à voix basse : «Vous n'y pouvez rien, le cinéma c'est la salle, et c'est dans la salle qu'on devient troupeau, qu'on devient bétail, et que la bêtise devient contagion...» Il alluma une cigarette, puis : «C'est là que règne le *voisin*, c'est là qu'on *devient* voisin...» Il se tut, c'était bien du Ganthier, provocateur, crépusculaire, sentencieux... Cavarro le lui dit, joyeusement, avec une bourrade, et avant que Ganthier n'ajoute quoi que ce soit Gabrielle s'était mise à rire : «*C'est là qu'on devient voisin*... il vous a eus, ça n'est pas du Ganthier, *da wird man Nachbar*... c'est du Nietzsche!» Ganthier se mit à rire, Gabrielle reprit : «C'est dans *Le Gai Savoir*, et en plus notre réactionnaire est un peu lâche, il a oublié un morceau de la citation, allez-y, dites-leur tout, assumez!» Ganthier restait silencieux, Gabrielle reprit : «Il a oublié de dire ce que Nietzsche a intercalé entre *devient troupeau* et *devient bétail*, il a écrit qu'au spectacle le public *devient femme*... — Merci pour le mélange, dit Kathryn. — Je l'avais caviardé exprès, dit Ganthier, parce que ça n'est pas ma pensée. — Ça s'entendait quand même, dit Gabrielle. — J'aime Nietzsche, dit Neil, il oblige à penser contre lui. — Les Allemands font ça mieux que nous», dit Kathryn. Neil se tut.

47

À TRAVAIL ÉGAL, SALAIRE ÉGAL

Et une semaine après il y eut ce cortège. Il n'aurait pas dû y en avoir. Tout venait de ces perturbateurs auxquels les autorités de Nahbès laissaient trop de champ libre, disaient les uns, ou plutôt, disaient quelques autres, de cette façon qu'on avait de payer le moins possible les gens auxquels on faisait extraire et transporter le phosphate, et de payer encore moins ceux d'entre eux qui n'étaient que des indigènes. Longtemps ça avait pourtant marché, les ouvriers français comparant leur sort à celui des indigènes et même à celui des Italiens, et se tenant tranquilles, un salaire pour les Français, un autre pour les Italiens et assimilables (les Espagnols étant peu satisfaits d'être assimilés à des Italiens), et le reste pour les indigènes, et voilà que les indigènes relevaient la tête. Ça aurait encore pu en rester là, tant que les Français s'estimaient heureux de leur situation, au-dessus du panier, mais avec la crise ils commençaient à perdre de l'argent, et ils avaient l'impression de se rapprocher dangereusement de ceux que le sort, l'histoire, Dieu ou la loi de la jungle avaient placés au-dessous d'eux. Et même ça, ça n'aurait pas suffi à les faire bouger, mais ils avaient commencé à se dire que les patrons profitaient des salaires plus bas qu'ils payaient aux indigènes pour bloquer ceux des Français, « si tu n'es pas content on va demander à un Mohammed de prendre ta place », et il avait aussi fallu que les autres s'en mêlent, tous ces types qui pensaient à Paris comme on pense à Moscou et qui voulaient faire penser comme ça à Nahbès, et ce nouveau slogan, «à travail égal, salaire égal», vous vous rendez compte? alors que les Arabes ont quand même moins de besoins! et les Italiens et les Espagnols qui s'embarquent là-dedans! En fait, tout ça vient des bolchevistes, disait Pagnon, et de leur syndicat! et de ce Cartel des gauches qui veut qu'on applique ici les mêmes lois qu'à Paris, renchérissait Doly, comme si la leçon d'il y a deux ans n'avait pas suffi, et maintenant qu'Herriot et son Cartel des gauches ont soulevé le couvercle, les bolchevistes en profitent!

Ça aurait encore pu en rester là si les indigènes n'étaient pas sortis de leur *inch Allah* et de leur *mektoub*, bon, avec la crise ils n'arrivaient plus à manger, disaient-ils, mais il y avait déjà eu des crises, et tant qu'ils avaient leur thé à la menthe le soir, avec un morceau de sucre à casser dans la théière, et un peu de pain, devant un beau coucher de soleil, ils n'avaient pas trop à se plaindre, même si le prix du sucre montait un peu, et celui de la farine, c'était conjoncturel, et nécessaire, il fallait être patient, un coup de torchon et ça allait repartir, c'était un cycle, la loi du marché, vous en connaissez une autre? d'ailleurs avant c'était bien pire… Mais il y avait aussi les casquettes… on aurait dû se méfier quand les ouvriers arabes se sont mis à porter des casquettes comme les Français et les Italiens, ça avait commencé chez les dockers, une casquette, les idées qui vont avec, si on peut appeler ça des idées, disait Pagnon, et le syndicat des dockers justement s'agitait parce que le nouveau directeur adjoint ne voulait plus entendre parler de syndicat. Il a raison, disait Laganier, pas de syndicat dans l'empire, avec les indigènes ce sera toujours la guerre, ici c'est Verdun tous les matins!

Et à l'intérieur du pays, à cent cinquante kilomètres de Nahbès, les phosphates étaient aussi en grève depuis une semaine, et les cheminots transportant les phosphates jusqu'au port ; première fois que ça arrivait dans la région, c'était ça, la modernité ! Les Prépondérants assiégeaient Marfaing, pas de subversion, pas plus qu'en France, encore moins ! Les syndicats avaient décidé une manifestation à Nahbès, les Prépondérants étaient pour une riposte immédiate, à coups de crosse, pour commencer. Mais Marfaing savait que le vent tournait à Paris, il avait voulu calmer le jeu, ça n'est pas mauvais en soi une manifestation, avait-il dit, ils vont crier, scander et chanter tout l'après-midi, ils se diront qu'ils ont montré leur force, ils auront vu qu'ils n'en ont pas beaucoup, et les chefs pourront dire que l'action va se poursuivre sous d'autres formes que la grève… une manifestation, quand ça met fin à une grève, ça n'est pas si mauvais, je ne la ferai pas interdire, il ne faut jamais mettre son adversaire dos à la rivière, disait Marfaing, va pour une manifestation, un cortège discipliné, mais à une condition, rien au centre-ville, ni en ville européenne, ni en ville arabe !

La discussion officieuse avec le syndicat avait été dure, on parlait de militants envoyés de Paris, David Chemla, un garçon d'ici, vous vous rendez compte, disait maître Doly, ceux-là, oui, vous savez de qui je parle, on a tout fait pour eux, on les a accueillis, éduqués, on leur a donné la nationalité française et voilà comment ça nous remercie ? en voulant tout casser ?

Et on disait aussi que ce Chemla était accompagné d'un autre indigène moscoutaire qui restait caché, un certain Mokhtar. Rien en ville, répétait Marfaing, sinon je ne réponds de rien, vous pouvez marcher à l'extérieur de la ville, tous les cortèges que vous voudrez, mais rien à l'intérieur. Au fur et à mesure de la discussion le centre-ville était devenu toute la ville, interdiction de tout cortège en ville, finalement les syndicalistes avaient accepté : c'est la première fois que les autorités autorisent une manifestation, avaient-ils dit (pas *autorisent*, mais *tolèrent*, avait précisé Marfaing), c'est déjà une victoire, nous ne sommes pas les plus forts, montrons déjà la force qu'on nous laisse montrer, de toute façon ça s'appellera «manifestation à Nahbès», même *L'Humanité* en parlera, et nous aurons prouvé que nous sommes les seuls vrais défenseurs des travailleurs de ce pays, au contraire des socialistes, ces valets de la bourgeoisie coloniale!

Un cortège donc, à la périphérie de la ville, casquettes, foulards rouges, banderoles, la CGT, poings levés, fanfare en tête, tambours et trompettes, quelques centaines d'hommes, beaucoup de bicyclettes tenues à la main, et derrière il y avait aussi des fifres, des darbourqas, des tambourins, et des enfants, cortège et discipline dans la campagne, certains s'étonnaient du grand nombre de sauterelles qu'on écrasait en marchant puis on cessait d'y faire attention. Il n'y aurait pas de heurts, une délégation devait même être reçue plus tard par le secrétaire général du contrôle civil, ça c'était le sadisme de Marfaing, obliger Laganier, la réaction incarnée, à recevoir les rouges, et peut-être même à faire une photo. Chemla appelait ça une démonstration de la classe ouvrière. On passait à travers champs en évitant les cultures, on chantait «Debout les damnés de la terre!» au milieu des chardons bleus et des orties, *hubbû dhahâya-l-idhtihâd!* Raouf et Gabrielle s'étaient glissés dans les rangs, c'est idéal pour mon reportage, avait dit Gabrielle, elle était en pantalon et chemise kaki, et avait jeté un œil amusé sur le costume gris foncé de Raouf, lui disant qu'il allait prendre la poussière, Raouf regardait autour de lui, ces gens se portent les uns les autres, je suis au milieu d'eux mais je ne me sens pas porté, parce que bientôt je serai de nouveau à Paris? quand il va apprendre que j'étais dans ce cortège mon père va me faire une scène, non, il ne fera rien, j'escorte une journaliste française, la manifestation est autorisée, à peu près... *L'Internationale*, est-ce que j'y crois? est-ce que je n'arrive pas à y croire à cause de mon *appartenance de classe*, comme me le dit David? il y a deux ans, sous le balcon du Souverain, c'était plus simple, on croyait que l'histoire était en train de se faire, ici ça ressemble plutôt à Mayenburg, un baroud d'honneur...

Il y avait quelque chose de fluet dans cette *Internationale* à fifres et tambourins, une allure de noce champêtre, des gens disparates, des pondérés, des amuseurs, des fous, il y aura même des contremaîtres, lui avait dit Chemla, quand les petits chefs se sentent mal, c'est que ça tangue pour les patrons. Raouf avait rapporté ces mots à Gabrielle, elle trouvait que Raouf manquait d'animation quand il parlait, il était très différent de ce qu'il avait été en Allemagne, moins ému. Regardez, dit Raouf en montrant du doigt, à l'écart du chemin, un homme qui actionnait un puits à balancier : il fait les mêmes gestes qu'il y a mille ans, avec le même outil, il tire l'eau avec des peaux de bouc, il nous regarde et rien ne le trouble... Gabrielle pensa que Raouf pourrait faire un bon journaliste, il aime les grands auteurs et les petits détails, je devrais lui en parler un de ces jours.

Il y avait aussi des paysans dans le cortège, des ouvriers agricoles, et même des *khammès*, avait dit Raouf à Gabrielle, expliquant que c'était la première fois qu'on voyait une chose pareille, des *khammès* relevant la tête, ils devaient vraiment être aux abois pour manifester comme ça, d'ordinaire c'étaient les gens à la fois les plus malheureux et les plus résignés, oui, des métayers au cinquième, c'est l'appellation à la française, ils travaillent la terre pour le cinquième seulement de ce qu'ils y produisent, tout en remboursant un usurier qu'ils ne pourront jamais rembourser, à la campagne ils sont la majorité, si les *khammès* calculaient vraiment ils ne laboureraient pas, et que vaut, demandait Raouf, l'homme qui les fait travailler comme ça? et celui qui leur prête à près de cent pour cent? et que vaut le troisième homme, celui qui répète au *khammès* chaque vendredi que c'est la volonté d'En Haut, et que tout irait encore mieux si les gens renonçaient à la corruption, celle de l'âme bien sûr? en quoi la vie du *khammès* serait-elle différente s'il n'y avait pas de corruption? et qu'en est-il d'une autre vie, celle du journalier, qui cueille des olives en se demandant si le lendemain il y aura encore de la cueillette à faire, ou des rigoles à curer? et tout ça pour un demi-pain et trois feuilles de menthe? table rase de tout? comme les bolcheviques? Raouf savait qu'au fond, pour Chemla, on ne pouvait *politiquement* rien tirer des paysans, seuls les ouvriers pouvaient faire l'histoire, derrière leur avant-garde de révolutionnaires professionnels, ça sonnait bien, et les prolétaires vainqueurs émanciperont ensuite le *khammès*, disait Chemla, ajoutant «après avoir envoyé les sociaux-traîtres à la poubelle de l'histoire!».

Raouf pensait que son ami y allait trop fort, il ne comprenait pas pourquoi, pour Chemla, les ennemis principaux étaient aujourd'hui les socialistes plus que les patrons; les socialistes ici, disait Chemla, c'est du socialisme de petits Blancs, au moment de sauter le pas ils reculent et s'alignent sur les colons, ils ne tendent pas le piège mais ils dirigent les gens droit dessus, et les abandonnent, ils ne reconnaîtront jamais les nationalités, seul Lénine a su…

Les amis de Raouf et David se moquaient de leurs discussions, vous êtes de plus en plus lourds avec vos phrases sur le prolétariat, presque aussi lourds que les dévots qui nous parlent de prières et de bonne intention, votre défaut c'est que vous ne savez pas boire, vous ne buvez pas assez, jamais jusqu'au moment de vérité!

Et Ganthier à Raouf, une autre fois: le paysan, le *khammès*, il ne raisonne pas comme vous, vous avancez sur la terre alors qu'il s'estime enraciné, une terre que ses ancêtres ont possédée, et s'il n'est plus propriétaire ça n'est pas parce que d'autres propriétaires l'ont ruiné, c'est parce que le mauvais sort l'a frappé, ça n'est pas pareil, il veut retrouver l'ordre ancien, ses racines, et si vous lui dites qu'il est victime de l'exploitation, qu'il faut préparer un avenir sans classes, la terre à ceux qui la travaillent, les lendemains qui chantent, le *khammès* va vous demander comment vous faites pour connaître les lendemains, et les propriétaires du coin vont vous traiter de devin et d'apostat, vous finirez lapidé par les types que vous voulez libérer, vous me permettez de préparer votre éloge funèbre? des choses que vous aimeriez voir mises en exergue? «il aimait Hallaj, La Rochefoucauld, Ibn Khaldûn, Apollinaire et Marx», vous aimez trop de choses, ça vous perdra, «il aimait le progrès et la morale, et pas trop la religion»… non, j'éviterai de dire ça, je ferai de vous un croyant sincère… pas besoin de semer la zizanie au bord des tombes.

Le cynisme, c'était le moyen pour Ganthier de passer ensuite un bras autour des épaules de Raouf, pour se faire pardonner. Il n'aurait jamais osé faire ce geste en signe de pure affection.

48

LA GRANDE MANŒUVRE

Casquettes, fanfare, slogans, et des rangs à peu près ordonnés, plusieurs centaines de personnes, deux banderoles, sur l'une « À travail égal, salaire égal ! » et sur l'autre « La semaine de quarante-cinq heures maintenant ! »

Une folie, avait dit Pagnon au Cercle des Prépondérants, la concurrence étrangère nous tuerait. Puis Pagnon s'était calmé, ce n'était qu'un cortège, ils allaient serpenter, deux, trois heures, ils aiment ça, serpenter, faire des arabesques dans la campagne, à la mode indigène, l'âme orientale aime l'arabesque. Et il n'y aurait pas de semaine de quarante-cinq heures.

Tout aurait pu rentrer dans l'ordre s'il n'y avait pas eu l'autre cortège, en fait pas un vrai cortège, plutôt une espèce de masse informe, on n'avait pas compris tout de suite ce que c'était, cette masse lourde et murmurante, et on n'avait même pas eu à l'écarter de la ville, c'était ce qui avait surpris. Quelques dizaines de types s'étaient mis à bouger en ville ancienne et, au lieu de se regrouper au centre, ils étaient allés dans la zone la plus misérable et la plus peuplée de la périphérie, là où les gens vivaient entre des planches, des bâches, des murs de terre et des plaques de tôle ondulée, un coin sans eau et sans nom, et, même si on avait écrit un nom sur un panneau, personne dans ce coin n'aurait su le lire. Et ces types de la ville ancienne avaient agglutiné sur leur passage vingt, trente fois plus de gens qu'ils n'étaient au départ, une masse de va-nu-pieds sortant de leurs taudis, se mettant à marcher là où l'herbe, les chardons, les orties et les cailloux ont encore le droit d'exister, et il y a même des fleurs jaunes, sur une terre que personne ne cultive parce qu'on sait que les maisons vont venir, la route aussi va venir, ou des rails, ou des ateliers, ou alors un quartier de villas pour riches, en attendant on appelle ça des terrains vagues, la masse informe se déplaçant sur ces terrains, et plus loin c'était la campagne, la vraie, avec ses oliviers ou ses champs de blé pauvre ou d'alfa, et plus loin encore c'étaient les dunes, pas le vrai désert, plutôt du sable venu de la mer, mais si on prenait soin de ne pas montrer la mer on pouvait donner l'impression qu'on était au désert, c'est ce que faisaient les Américains pour leur film, la masse avançant à travers les terrains vagues puis la campagne, et les officiers français donnaient vite l'ordre à des cavaliers de surveiller le mouvement, chevaux de spahis et de gendarmes galopant au milieu des coquelicots, il paraît que ça fait de bonnes récoltes, et il y avait beaucoup plus de sauterelles qu'à l'accoutumée, cela faisait près d'un quart de siècle qu'on n'avait pas vu autant de sauterelles, pas le temps d'y réfléchir, la masse en voyant les cavaliers avait accéléré le mouvement, des cris, des invocations à Dieu, faucilles parfois en main.

À un moment, ceux de la masse inorganisée ont aperçu au loin le cortège des grévistes, ils se sont mis à aller plus vite, on a compris qu'ils voulaient les rejoindre, en pleine campagne, et quelques mouchards sont enfin parvenus à donner une information, ces gens voulaient aller sur le tournage des Américains, dans les dunes, on ne savait pas pourquoi, mais ça inquiétait, c'était étonnant que Laganier et ses hommes n'aient rien su jusque-là, et voilà que maintenant cette masse se détournait et filait vers le cortège des travailleurs.

Et ça, pas question, venait de dire le colonel Audibert, un mélange pareil ce serait l'explosion, une autre information arrivant, tous ces va-nu-pieds voulaient aller récupérer les enfants, quels enfants ? ceux du tournage, les figurants que la star, Cavarro, en noble cheikh, devait sauver du méchant brigand coupeur de routes... une rumeur dans la matinée, on n'avait pas fait attention, mais maintenant ça prenait feu. Les gens disaient que les Américains allaient convertir les enfants, avec l'appui des Français, et ils les emmèneraient dans leur pays chrétien, des milliers de gens émus à la fureur, qui pouvaient enfin donner un droit à leur fureur, non pas furieux contre un salaire de misère, ils n'avaient pas de salaire, ni contre la misère, la plupart acceptant la misère et l'ordre du monde, mais contre des voleurs d'enfants, ça, c'était légitime, les chrétiens américains allaient convertir les petits cireurs et les petites bonnes louées par la production aux familles où elles travaillaient !

Les Américains avaient d'abord fait tourner des enfants de meilleure origine, mais ils se tenaient trop bien. Neil Daintree avait protesté, «ça doit être un groupe d'orphelins, pas des gosses à qui on a appris à se moucher». Il avait chargé Wayne de trouver, et Wayne avait trouvé, en passant un matin avenue Jules-Ferry au moment de la revue des petits cireurs, assis côte à côte sur un rebord du trottoir, leur boîte posée devant eux, essayant de regarder le capitaine de l'armée française qui leur faisait l'inspection comme l'auraient regardé de vrais soldats, ou ayant seulement l'air de faire ça, parce que certains d'entre eux devaient quand même se dire quelle espèce de con de sa mère avec sa badine comme la queue d'un chien qu'il se met sous le bras et pas dans les fesses, des gamins souriant avec ce que l'officier appelait «le dévouement atavique du jeune indigène». Wayne avait négocié avec le capitaine, et le capitaine avait mis une vingtaine de gamins à sa disposition en leur promettant, non, pas promis, je ne vais pas faire de promesse à ces merdeux, le capitaine leur avait dit qu'ils obéiraient sans discussion à Wayne et qu'ils pourraient quitter le tournage et retourner en ville tous les jours à partir de cinq heures du soir, au moment où les clients étaient les plus nombreux, et que personne ne les remplacerait entre-temps, et si l'un d'entre eux se permettait de déserter il se verrait immédiatement retirer sa boîte et sa plaque, oui, un capitaine de la première armée du monde était officiellement en charge des petits cireurs de la ville européenne, un célibataire. Quant aux petites bonnes, on n'avait eu que l'embarras du choix, et toutes de vraies comédiennes, il fallait seulement les empêcher de danser tout le temps devant les caméras.

La masse était presque au pas de course maintenant, de vrais croyants qui allaient libérer les enfants, des croyants soulevés par l'émotion, dans la matinée, Belkhodja et quelques autres avaient fait circuler une photo fournie par Laganier, des enfants souriants devant une maison, et les rares qui avaient vu la photo avaient raconté aux autres en jurant sur la tête de leurs propres enfants que c'était vrai, puisque la croix était sur la photo elle était vraie, et tout ce qu'on supportait devenait soudain insupportable, pas ça, pas les enfants, on supportait les coups, les terres confisquées, les terres interdites, les corvées obligatoires, les impôts, les taxes, et les travaux forcés quand on ne pouvait pas payer les impôts et les taxes, la traversée de la ville chaînes aux pieds, six mois à casser les cailloux avant de se retrouver sans terre, à fouiller dans les grands tas d'ordures à la périphérie de la ville, tout ça c'était *mektoub*, mais soudain il y avait quelque chose de plus fort, et qui ne pouvait pas être *mektoub*, et qui s'alourdissait de tout ce qu'on avait subi sans rien dire, et plus tard le rapport des officiers dira que les gens s'étaient transformés en furieux, on avait vu des mains enfoncer des cailloux dans le ventre ouvert d'un cadavre de soldat, des centaines et des centaines d'hommes courant en pleine campagne, ralentissant pour se regrouper, faire bloc, *allahu akbar*, repartant de plus belle pour aller arracher les enfants des mains des chrétiens, une ruée maintenant à travers champs, pas en serpentant sur un chemin comme les gens à casquette, mais une vraie vague, pas de chant mais une rumeur permanente, *allahu akbar*, l'officier qui chevauchait en tête des cavaliers avait déjà entendu ça, il y avait plus de dix ans, un sale moment.

Et dans le cortège des travailleurs on a vu les autres, il y a eu du flottement, ça n'était pas prévu, deux militants envoyés en éclaireurs ont dit que c'étaient surtout des gens des taudis, un autre militant a parlé de «*Lumpen*», personne ne comprenait, *Lumpenproletariat*, a dit Mokhtar, c'est le prolétariat en guenilles, donc pas le prolétariat, a dit une autre voix, on se méfiait, et les deux cortèges n'étaient pas loin l'un de l'autre.

Pas question de les laisser se rejoindre, avait dit le colonel Audibert, la voix émue, il allait pouvoir se livrer aux joies d'une manœuvre complexe, empêcher la jonction, ça resterait dans les annales de l'empire, on fait comme Napoléon, on enfonce un coin : la compagnie de Sénégalais, elle descend des camions et vous la glissez tout de suite entre les deux cortèges, et puis les gendarmes sur la CGT, en rideau, et les spahis sur la racaille, avec une section qui fait front, les autres qui enveloppent par les ailes, et la Légion en réserve, c'est la masse de manœuvre ! Voilà, Audibert n'avait pas fait la guerre en Europe, à cinquante-trois ans il n'était que colonel, mais il n'allait pas se laisser déborder par un mélange de fanatiques et de moscoutaires, enfoncement au centre, double enveloppement par les ailes, on en parlerait longtemps, jusqu'à Saint-Cyr ! Le colonel était descendu de voiture, les deux photographes aux armées étaient là, il ajustait son uniforme, il était heureux, il incarnait le concept pur d'uniforme sur la terre de Saint Louis. Un homme en grand uniforme, «en grand U» comme on dit, réalise l'idée de l'ordre, contre tout ce que la vie a de mou et d'anarchique ; et le corps humain, quand il est serré jusqu'au dernier centimètre de col par toutes ses agrafes, boutonnières et sangles, devient un impeccable fourreau, sans aucun pli qui n'ait été décidé, même le dos est net et sans grimace, on en oublie sa transpiration, ses odeurs, le corps devient l'instrument des valeurs, pas celui de leur perte. On va affronter l'ennemi au bruit de ses propres talons, et la mort glorieuse c'est la mort en grande tenue ! Le colonel n'allait pas mourir, mais il aurait la gloire.

Le reste ç'avait été le moment où plus rien n'empêche une crosse de trouver une vertèbre ou un foie, crosses s'abattant aussi sur une main protégeant une mâchoire, enfonçant la main dans la mâchoire, la violence de la crosse réduisant à rien la protection des phalanges, cassant les phalanges et faisant sauter les dents dans un afflux de sang, voilant la vue, et le corps à terre sous les coups de brodequins, les bras ramenés pour protéger la tête, ouvrant de larges espaces vers le ventre ou les flancs, et parfois un coup de talon sur une colonne vertébrale, celui-là ne lancerait plus de caillou, se disait le soldat qui avait besoin de trouver une cause à ce qu'il faisait, les autres se contentant de cogner à l'aveuglette, et à un moment deux spahis se retrouvent isolés, des coups de fourches, des baïonnettes qui parent et ripostent, s'enfoncent, une baïonnette coincée dans les os d'un furieux, pas moyen de la faire ressortir, si, une recette apprise là-bas, à la grande école de la mort, sur la Somme, ne pas ramener le fusil à soi, ça ne sert à rien, le corps viendrait avec, il suffit d'appuyer sur la détente, pan ! et tout se libère ! Un autre soldat s'est trop avancé, il se retrouve entouré de fuyards, de couteaux, et ne sent presque pas la légère brûlure à hauteur du cou, il y porte la main, pare trop tard le coup suivant et se repent de l'avoir reçu, dans le ventre ça ne pardonne pas, il vise, tire et voit un corps tomber, ne voit presque plus, reçoit un coup de serpe dans le flanc, la lame d'acier continue son mouvement en arc de cercle, découpe le rein, ressort, le soldat est tombé en hurlant sur le corps d'un manifestant dont la carotide laisse encore des flots gicler à la base du cou, un officier de spahis ordonne un feu de peloton, la foule recule, les forces de l'ordre ont rétabli l'ordre.

Il y avait une demi-douzaine de corps sur le terrain. Plus loin, un jeune homme en costume gris, couché sur le dos, ne respirait plus. Et une Française, agenouillée à côté de lui, criait comme une pleureuse.

Dans la soirée, des milices de petits colons avaient battu la campagne, et pour la première fois il y avait beaucoup d'Italiens et d'Espagnols dans les milices. Ils faisaient le coup de feu sur des silhouettes dans les champs et ils inspectaient même les grandes fermes. «Dehors!» leur avait hurlé Ganthier en larmes. Il venait d'apprendre la mort de Raouf, il était à cheval, debout sur les étriers, interdisant aux milices l'accès de sa terre et de celle de Rania. Il criait comme s'il cherchait dans les cris un moyen de rester en vie : «Ça veut jouer aux Français en tuant des Arabes, mais seule la France a le droit de tuer des Arabes! Vous entendez? Seule la France!»

49

LES BÊTES DE L'ENFER

Et le lendemain, on apprit que d'autres nuages arrivaient sur la ville et sa région. Ils venaient du sud, on savait qu'ils finiraient par arriver, plus d'un quart de siècle déjà qu'on ne les avait vus, et ces jours-ci on avait trop regardé ce qui se passait du côté des humains pour vraiment prêter attention à des sauterelles épuisées qui traînaient leur abdomen dans les rues de la ville… À la campagne aussi on les avait vues, mais on n'en avait pas vraiment parlé, comme si le silence pouvait empêcher la chose de se produire, on faisait confiance au temps, au destin, au Maître des deux mondes, ça ne pouvait pas être, donc ça ne serait pas. Puis il avait fallu se rendre à l'évidence, et tout s'était accéléré.

C'étaient les Français qui avaient fini par dire le mot : une invasion. Ils voyaient ça de leurs avions, des avions militaires qui rentraient après avoir volé très haut et les pilotes parlaient d'un seul et immense nuage sous leurs ailes, un tapis vert-de-gris, ça couvrait l'horizon, il avait passé le désert, il était au-dessus de la steppe, même les pilotes qui avaient fait la Grande Guerre en avaient la voix qui tremblait, elles seront là demain, ou après-demain. Ganthier, le visage cireux, avait rappelé l'Apocalypse de Jean, « de la fumée sortirent des sauterelles, et il leur fut donné un pouvoir comme le pouvoir

qu'ont les scorpions de la terre »... Il y avait de quoi détruire
tout ce qui ressemblait à une plante à cent kilomètres à la ronde,
et beaucoup de gens se sont calmés, ou plutôt la colère des
manifestations a été remplacée par la peur, avec la promesse
d'une catastrophe pour tous beaucoup plus lourde que les
malheurs de certains, une tonne de sauterelles peut manger en un
jour autant de nourriture que vingt mille personnes, et certains
se souvenaient d'anciennes famines, quand on avait la peau qui
faisait des plis sur les jambes comme la cire sur les chandelles.
En ville les bestioles étaient maintenant si nombreuses que ça
ne servait à rien de balayer, et ça n'était que l'avant-garde. On
attendait la réaction des autorités, elle ne venait pas, pas d'ordre
de mobilisation, ni de réquisition. Il fallait pourtant agir tout de
suite, mais c'était comme si on avait voulu laisser la panique
s'emparer des gens, leur faire éprouver, après qu'ils avaient
cherché à l'affronter, la nécessité d'un pouvoir fort, celui qui
coordonne, organise, décide, celui qui combat les fléaux. C'est
aussi à ça que ça sert, un État, avait dit Marfaing.

Gabrielle, brisée, essayait de continuer à faire son métier,
écrire une dépêche sur cette nouvelle catastrophe, elle cherchait
à obtenir des renseignements par Marfaing, Marfaing n'était plus
au contrôle civil, le bruit courait qu'il avait été rappelé dans
la capitale, il était peut-être même en partance pour la France,
limogé. Non, il était là, dans la campagne, déjà sur le terrain,
à faire des préparatifs, mais il laissait se tendre le ressort, il
attendait le moment favorable, disait-il. Et la chance ç'avait été
la fraîcheur précoce du début de soirée, elle avait engourdi les
insectes, le gros du nuage s'était posé après plus de douze heures
de vol, à la limite des cultures, les sauterelles à bout de forces,
elles n'avaient pas réussi à atteindre la vraie végétation, une
masse au sol, à perte de vue, sur des dizaines et des dizaines de
kilomètres carrés, bestioles désormais occupées à bouffer celles

d'entre elles que le voyage avait mises à mal. L'idée c'était de les empêcher de redécoller au matin vers les céréales, l'orge, le blé, et tout le reste, elles bouffent tout, même l'alfa, des millions et des millions de bestioles à la recherche de toutes les parties jeunes, tendres, vertes, de tous les végétaux. À cinq heures du soir, Marfaing avait lancé une préalerte et, une heure plus tard, l'ordre de mobilisation générale. Les gens étaient déjà prêts, pas besoin d'envoyer chercher, ni de rafler. C'est le moment où toute une population fusionne spontanément, écrivait Gabrielle en larmes, tout le monde voulait participer et être vu en train de participer.

Et à minuit il y avait des milliers d'hommes en pleine campagne, devant le tapis des herbivores dont le crissement affaibli vous hérissait quand même les poils sur l'avant-bras, les gens rangés par groupes, obéissants, efficaces, venus en camions militaires ou camions réquisitionnés. Certains portent des balais, ou des pelles, d'autres des plaques de métal où viennent parfois scintiller les étoiles. Tout le monde est tenu, dit la loi, de prêter son concours à la défense contre les sauterelles, et d'obtempérer aux réquisitions de personnel, de matériel, de produits et d'animaux nécessaires à la destruction des acridiens, oui, des réquisitions d'animaux, on en rirait presque, à cause du boucan que ça fait, les dindons et les poules quand ça bouffe les sauterelles. Et là-bas, sur le terrain, il ne fallait pas oublier les cochons, ceux des colons, l'enthousiasme d'une centaine de porcs lâchés sur un tapis de sauterelles, chaque porc capable d'en engloutir dix kilos d'affilée… Et il aime ça Marfaing, la lutte contre les acridiens : un fléau, une législation, des techniques, une lutte brève et intense, un photographe, et tout le monde uni contre les saletés de bestioles, le gros, le petit, l'ex-gréviste, le colon, l'indigène, le propriétaire, le *khammès*, le commerçant, le docker, le Maltais, jeunes et vieux, les Américains, tout le monde debout en pleine nuit, au coude à coude, sous l'autorité de l'État, de Marfaing et du caïd, un Si Ahmed somnambule, pour lequel Marfaing avait des attentions de nounou, le forçant à boire, le prenant discrètement par le bras quand il le sentait sur le point de vaciller, Si Ahmed les yeux rouges, refusant le moindre repos, disant : «Savez-vous ce que je vois quand je ne regarde pas ces bêtes de l'enfer? Je vois l'enfer lui-même! Depuis avant-hier je suis en enfer!»

Contre l'enfer, Marfaing se faisait généralissime du bon combat, et réglait, au cœur du combat, les divergences entre les tenants des méthodes traditionnelles (poules, dindons, porcs, coups de pelle, ramassage dans des sacs), et les modernistes, partisans du feu, feu de gazoline surtout, le plus spectaculaire, en faisant attention à ne pas abîmer la terre, donc d'abord pousser les sauterelles engourdies, à coups de râteaux et de balais, vers des barrages de toile ou de panneaux de zinc dont la seule ouverture se fait sur des fosses, les bestioles y tombent, on écrase, deux ou trois sauterelles s'envolent, parcourent deux, trois mètres à hauteur d'hommes, et on a la chair de poule parce qu'on se dit que d'autres pourraient en faire autant, et *d'autres* ça veut dire des millions, non, elles sont trop engourdies. Il y a des endroits où on les foule comme du raisin, en chantant, puis on asperge de gazoline, on brûle, grand spectacle, hautes flammes à l'assaut des étoiles, et le photographe profite de l'illumination pour prendre Marfaing en pantalon de cavalier, chemise et casque colonial, le doigt pointé vers les flammes. Et il y a encore plus moderne que le feu, une machine arrivée par train de la capitale, elle est faite d'une dizaine d'énormes rouleaux à vingt lames circulaires chacun et disposés en quinconce, le tout tiré par un tracteur, elle écrase et déchiquette les insectes, Marfaing tient à ce que tout le monde la voie, l'acier contre les sauterelles, un combat du vingtième siècle! Dans les endroits écartés il y a encore des indigènes qui ramassent les bestioles et les mettent en sac, et on leur fait des distributions de sel afin qu'ils puissent les manger. La sauterelle mange tout, mais tous peuvent la manger, dit-on, au moins les plus pauvres.

La veille, les obsèques de Raouf avaient eu lieu. Il y avait beaucoup de monde, dont Marfaing; il avait imposé la version officielle, une tragédie, une balle perdue en voulant protéger la journaliste française qu'il accompagnait. Laganier lui avait fait remarquer que c'était un peu contradictoire, la protection et la balle perdue, Marfaing lui avait dit de se taire. L'enterrement s'était passé assez vite, Raouf dans ses trois draps, la prière, les formules, *minhâ khalaqnâkum wa fihâ nu'îdukum...* c'est de la terre que Nous vous avons créés, Nous vous y retournons...

La petite bande de La Porte du Sud était là, emmenée par Karim; Aboulfaraj était là, les Américains aussi, tous, Kathryn entre Tess et Wayne qui la soutenaient, et Montaubain qui avait retrouvé Chemla, Chemla s'attendait à être arrêté, il était concentré sur sa douleur et Montaubain l'observait, Chemla avait comme lui sa main droite en poche, il était sans doute en train de faire la même chose, dans sa tête Montaubain chantait *L'Internationale*, poing serré, sans savoir si Raouf aurait voulu de ce chant. Taïeb était là, son père l'avait envoyé chercher Si Ahmed pour le ramener dans la capitale en ambulance, il avait décidé d'héberger le caïd chez lui. Taïeb se tenait auprès de Rania qui avait exigé d'être présente. À un moment il sentit qu'il avait mal, il se demanda pourquoi et se rendit compte que ça venait de la souffrance de sa sœur. Ça le surprit. Ils étaient à l'écart des gens et, comme Rania était avec son frère, Ganthier avait pu venir à côté d'eux.

Quelques jours après, les Américains et leur matériel embarquèrent sur un gros cargo affrété par la production dans le port de Nahbès. Avant de partir, ils organisèrent une veillée

en mémoire de Raouf au bar du Grand Hôtel. Gabrielle et
Montaubain eurent la force d'y aller. Pas Ganthier. Kathryn
et Tess étaient en noir. Neil raconta les leçons d'arabe que lui
donnait Raouf : «On riait beaucoup, il se servait d'exemples
tirés de la littérature érotique pour me faire retenir les règles de
grammaire… Mais il ne me passait aucune erreur.» On porta
des toasts, Neil conclut sur une formule que tout le monde
approuva : «C'était un garçon qui ne flattait personne.» Et
Kathryn sortit de son silence pour dire en souriant : «Même pas
moi.»

Gabrielle resta sur place, elle essayait de prendre soin de
Rania et de Ganthier, tous deux encore plus dévastés qu'elle.
Elle écrivait ses dépêches tout en faisant la navette entre les
deux fermes. Ganthier l'inquiétait, sombre et décidé, il tirait un
trait, j'ai l'habitude, disait-il, en fait non, je ne l'ai pas, la guerre
ça rend sensible. Il était là quand on avait installé Si Ahmed dans
l'ambulance, ne me souhaitez rien, avait dit Si Ahmed, *yuhatti-
munâ raybu ezzamâne ka'ananâ zujâj*. Ganthier s'était penché
pour lui donner une accolade. Il avait reconnu un vers que Raouf
citait quand il lui arrivait de désespérer du monde, «les vicissi-
tudes du temps nous fracassent comme du verre».

Le lendemain Ganthier dit à Gabrielle qu'il voulait tout
vendre, et se retirer dans les Ardennes, pour y finir sa vie,
ajoutant : «Le pire, dans une histoire pareille, c'est qu'on n'a
plus envie d'aimer personne !» Ganthier regardait Gabrielle,
mais celle-ci n'y voyait pas clair. D'ordinaire elle finissait
toujours par tout savoir, mais là elle ne comprenait pas. Ganthier
ne disait rien d'autre. Seule sa vieille servante savait qu'il ne
dormait pas. Gabrielle essayait de le ramener à elle. Je n'aime
plus rien, répétait-il, c'est cela l'enfer.

Il avait eu une longue conversation dans la capitale avec le
supérieur de l'ordre des Pères Blancs. Le supérieur lui avait dit :

«Dans la montagne nous avons un centre où nous rassemblons les traditions de ce pays, les contes, les poèmes, les chants, les proverbes, les mœurs... vous êtes un bon arabisant, c'est aussi notre spécialité, et vous parlez berbère, réfléchissez, vous avez été un vrai chrétien, nous vous ouvrons les bras, restez parmi nous, bibliothécaire, peut-être qu'un jour ce travail servira, à une autre génération, d'autres jeunes gens de ce pays, comme lui.»

Ganthier légua son domaine aux Pères Blancs. Il avait voulu en offrir une moitié à Rania qui avait refusé. Elle le reçut chez elle, répondant «ça m'est égal» à sa servante qui lui disait que recevoir un roumi... Elle avait le visage et les cheveux à découvert, ils parlèrent longuement de Raouf. Au moment du départ la servante était là, Rania n'osa rien faire de ce qu'elle aurait voulu. Ganthier demanda aux Pères Blancs qu'on crée des bourses d'études franco-arabes, et il eut une hésitation : «Je crois bien que je suis athée.» Le supérieur répondit : «Pour la bibliothèque, ça n'est pas un gros problème.»

Gabrielle décida finalement de rentrer à Paris. Elle alla faire une dernière visite à Rania. Il faisait nuit noire. Rania se contractait pour offrir moins de prise au malheur. Elle montra le ciel : «Ici on raconte que le jour et la nuit ne sont que les anneaux noirs et blancs d'un même serpent.» Elles étaient sur la véranda, essayant de ne pas pleurer. À un moment, Gabrielle dit : «Ganthier entre dans les ordres... C'est comme un suicide. — Je sais», dit Rania. Sa voix était presque agressive, et Gabrielle trouva l'audace de demander : «Lequel des deux... ?» Rania répondit : «Quelle importance maintenant?» Et un peu plus tard : «Ceux qui partent nous laissent la maladie de vivre...»

Si Ahmed ayant quitté Nahbès, Belkhodja n'a plus eu personne pour l'aider. Il avait faim. Et le poissonnier, en fermant sa devanture, lui faisait comprendre du regard qu'il n'avait pas à s'approcher de sa marchandise avant qu'il ne la jette.

De retour aux États-Unis, Neil a divorcé. Il a aussi rompu avec Lakorsky malgré le succès du *Guerrier des sables*, et il a monté un studio indépendant en compagnie de quelques amis dont Wayne, Samuel, et George Macphail. Six mois plus tard, Kathryn les a rejoints. Neil travaille sur *Eugénie Grandet*.

PREMIÈRE PARTIE : LE CHOC

Nahbès, Afrique du Nord,
début des années 1920

Ouvrage composé par Dominique Guillaumin.
Achevé d'imprimer
sur Roto-Page
par l'Imprimerie Floch
à Mayenne, en juin 2015.
Dépôt légal : juin 2015.
Numéro d'imprimeur : 88539.

ISBN 978-2-07-014991-9 / Imprimé en France.

288271